W9-BGH-684

LEOPOLD NOWAK   ÜBER ANTON BRUCKNER

LEOPOLD NOWAK

ÜBER ANTON BRUCKNER

Gesammelte Aufsätze
1936—1984

MUSIKWISSENSCHAFTLICHER VERLAG WIEN

Wirkl. Hofrat Univ.-Prof. Dr. Leopold Nowak
Direktor der Musiksammlung der Österreichischen Nationalbibliothek i.R.

Der 80. Geburtstag von Leopold Nowak am 17. August 1984 ist willkommener Anlaß für die Verwirklichung eines lange gehegten Planes: Mit der Ausgabe aller um
das Thema Anton Bruckner kreisenden Studien und Aufsätze, die Leopold Nowak
im Verlaufe eines halben Jahrhunderts für die verschiedensten Publikationen geschrieben hat, will der Musikwissenschaftliche Verlag einen Teil der Dankesschuld
gegenüber dem wissenschaftlichen Editionsleiter der Bruckner-Gesamtausgabe und
insgesamt gegenüber einem Musikgelehrten abstatten, dessen Lebenswerk vornehm-
lich dem Schaffen Anton Bruckners gewidmet war und ist.

Redaktion, Bibliographie, Register: Walburga Litschauer

Die vorliegende Ausgabe wurde ermöglicht durch das freundliche Entgegenkommen der Originalverlage, die jeweils am Ende jedes Aufsatzes genannt sind; für ihre Zustimmung zum Abdruck in diesem Sammelband sei ihnen an dieser Stelle aufrichtig gedankt.

Einbandgestaltung: Georg Schmid
Satz und Druck: Mayer & Comp., Druck- und Verlagsges.m.b.H., A-1210 Wien
ISBN 3-900 270 — 09-0
Bestellnummer B 103
© Copyright 1985 by Musikwissenschaftlicher Verlag Wien
Printed in Austria

INHALT

*) Originalbeitrag für dieses Buch

Die neue Gesamtausgabe der Werke Anton Bruckners

Die auf allen Gebieten geistigen Schaffens fortgesetzten Bemühungen, das Lebenswerk der großen Meister kennenzulernen, führten zu der Forderung des Sammelns, Sichtens und Bekanntmachens aller ihrer Werke in den Gesamtausgaben. So wie auf dem Gebiete der Literatur, entstanden auch auf dem der Musik seit der Mitte des vorigen Jahrhunderts kritisch redigierte Gesamtausgaben der großen Meister. Man ging dabei von dem richtigen Gedanken aus, daß nur die Gesamtheit der von einem Künstler geschaffenen Werke zusammen mit seiner Lebensgeschichte ein nach allen Seiten vollendetes Bild seiner Persönlichkeit bieten kann.

Seit geraumer Zeit wurde auch der Wunsch nach einer Gesamtausgabe der Werke Anton Bruckners laut, der schließlich von 1927 bzw. 1933 an in die Tat umgesetzt wurde. Da diese Ausgabe sowohl dem praktischen Musiker als auch dem wissenschaftlichen Forscher Überraschungen bescherte und noch bescheren wird, so sei es gestattet, einiges über ihr Wesen, ihre Art und die in ihr zutage tretende wissenschaftliche Editionsmethode mitzuteilen.

Die Grundlage für die Gesamtausgabe bilden die Originalhandschriften Bruckners, die zum größten Teil die Wiener Nationalbibliothek laut testamentarischer Verfügung des Meisters verwahrt. Einige andere befinden sich in oberösterreichischem und in Privatbesitz. Neben den Originalhandschriften stehen die bei verschiedenen Verlegern erschienenen Erstdrucke der Partituren, über deren meist wesentliche Verschiedenheiten gegenüber den Handschriften man erst durch die Gesamtausgabe in größerem Ausmaße aufmerksam wurde. Weitere außerordentlich wichtige Quellen, die besonders für die Entstehungsgeschichte der Werke größte Bedeutung haben, sind die Vorarbeiten und Skizzen. Aus ihnen läßt sich, soweit sie vorhanden sind, der Werdegang des betreffenden Werkes erkennen und darüber hinaus ein tiefer, aufschlußreicher Blick in die Schaffensart Bruckners tun.

Das Lebenswerk des großen oberösterreichischen Meisters wird in 22 Foliobänden vollendet vorliegen. 10 Bände werden die Symphonien enthalten, ein Band die frühen Orchesterwerke, das Streichquintett und Instrumentalstücke, 5 Bände die großen kirchlichen Werke und weitere 2 die kleineren kirchenmusikalischen Kompositionen. In je 2 Bänden werden sich dann noch die weltlichen Gesangswerke und die Lebensdokumente anschließen.

Die Ausgabe wird im Wiener „Musikwissenschaftlichen Verlag" im Auftrage der Generaldirektion der Nationalbibliothek und der Internationalen Bruckner-Gesellschaft von Univ.-Prof. Dr. Robert Haas herausgegeben, dem auch die Organisation der gesamten Arbeit zu danken ist. Die Sammlung der Quellen, der Partituren, Vorarbeiten und Skizzen, deren photographische Wiedergabe im Wiener Photogrammarchiv (Widmung Antony van Hobokens) — alle Werke Bruckners werden, wo dies möglich ist, von der Photographie des Originals weg gestochen —, ihre endgültige Ausarbeitung zum Druck und dessen Überwachung stellt eine Arbeitsleistung von ganz großen Ausmaßen dar. Bis jetzt sind 5 Bände erschienen. Sie enthalten die I., V., VI. und IX. Symphonie, das Requiem und die b-Moll-Messe. Ein sechster Band mit der IV. Symphonie wird in Kürze vorliegen. Die Ausgabe der IX. Symphonie wurde von Univ.-Prof. Dr. Alfred Orel besorgt, ebenso vier Orchesterstücke als Vorabdruck aus Band 11. Für aufführungspraktische Angelegenheiten steht Geheimrat Dr. Siegmund von Hausegger beratend zur Seite. Zu den großen Werken erscheinen außer den dazu notwendigen Stimmen Studienpartituren, zu den Chorwerken auch Klavierauszüge, damit die von der Wissenschaft erarbeiteten Ergebnisse dem praktischen Musikleben voll und ganz zur Verfügung stehen können.

Der vornehmste Zweck einer kritischen Gesamtausgabe besteht vor allem darin, durchaus originalgetreu den Text zu liefern, der aus den zu Lebzeiten des Schöpfers erschienenen Erst-

ausgaben und den Handschriften des betreffenden Meisters zu erkennen ist. Für die Gesamtausgabe können daher nur die Handschriften maßgebend sein. Dadurch, daß die Bruckner-
Gesamtausgabe den originalen handschriftlichen Text mit Berücksichtigung aller von Bruckner eigenhändig vorgenommenen Korrekturen bringt, bietet sich ein von allen Veränderungen
freies Bild der Brucknerschen Klangwelt. Für die Praxis hat dies die nicht hoch genug einzu-
schätzende Bedeutung, daß Bruckners Werke nunmehr so erklingen können, wie er es ursprünglich gewollt hat. Aus dem Text der neuen Ausgabe tritt seine immer schon als besonders anerkannte Eigenart klar und unverhüllt hervor. Das haben Aufführungen der in der Gesamtausgabe bereits erschienenen Werke mit nicht mißzuverstehender Deutlichkeit bewiesen.
Man kann geradezu sagen, daß sich ein neuer, vielfach unbekannter Bruckner offenbart. So
wird zum Beispiel der erste Band der in zwei Halbbände gefaßten IV. Symphonie, deren Partitur schon veröffentlicht ist und in Leipzig zur ersten Aufführung gelangte, ein dazugehöri-
ges früheres Finale, betitelt „Volksfest“, enthalten, dessen Handschrift bis heute nicht beachtet wurde. Durch die Gesamtausgabe wird solcherart unbekannte Musik des reifen Meisters
bekannt, aber auch der junge Bruckner wird in seinen Frühwerken der Kunstwelt nähergе-
bracht. Auch das Aufmachen der bisher vorhandenen Striche in einzelnen Werken stellt eine
wesentliche Bereicherung unseres Besitzes an Brucknerscher Musik dar. Allein im Finale der
V. Symphonie sind es beispielsweise 122 Takte.

Neben dieser ganz großen Bedeutung für die Praxis und damit für das Konzertleben überhaupt wirkt die Bruckner-Gesamtausgabe aber auch vorbildlich für die wissenschaftliche Editionstechnik. Hatten frühere Ausgaben mit der Drucklegung e i n e s Textes Genüge gefunden, ohne an ihm sichtbar zu machen, was Original und was Arbeit des Herausgebers ist, so
wird nun mit äußerster philologischer Genauigkeit der authentische Text geboten, in dem alle
Zutaten und Ergänzungen des Herausgebers durch Einklammern als solche gekennzeichnet
werden. Auf diese Weise bleibt auch in der Veröffentlichung der originale Text immer eindeutig sichtbar. Zu der ersten Forderung des philologisch genauen Textes tritt als zweite die nach
einem ebenso einwandfreien und umfassenden Vorlagenbericht. Es wird ohne weiteres ein-
leuchten, daß es nicht dasselbe ist, ob die zu veröffentlichende Vorlage eine Reinschrift ohne
Korrekturen oder eine erste Niederschrift ist, die durch nachträgliche, eigenhändige Änderungen des Meisters den endgültigen Text überliefert.

Der Vorlagenbericht der Bruckner-Gesamtausgabe beschreibt zuerst genau die Vorlagen,
aus denen der Abdruck erfolgt. Das bezieht sich bei Handschriften nicht nur auf den rein
äußerlichen Zustand, wie Einband, Titel, Erhaltung, Besitzer usw., sondern auch auf verschiedene innere Tatsachen, so zum Beispiel auf Randbemerkungen, die bei Bruckner oft
sehr aufschlußreich sein können, auf Radierungen, Arbeitsspuren, Eigentümlichkeiten der
Niederschrift, Zusätze von eigener und von fremder Hand, Datierungen und auf die sogenannten Kustoden, das sind Stimmführungsvermerke, die Bruckner oft am Rand niederschreibt. Auch die Taktzahlen, die metrischen Ziffern, mit denen Bruckner die einzelnen Perioden versah, sind zu beachten. Aus der genauen Beobachtung ihrer Gleichheit oder Verschiedenheit, manchmal in ein und derselben Handschrift, lassen sich aufschlußreiche Erkenntnisse für die Entstehungsgeschichte des betreffenden Werkes gewinnen. Bruckner war es
weiters gewohnt, eine anfängliche Bleistiftniederschrift der Partitur mit Tinte zu überschrei-
ben. Diese Tintenschrift kann von der Bleistiftniederschrift verschieden sein und so hat der
Vorlagenbericht auch diese Verschiedenheiten mitzuteilen, wie er auch ausgewechselte Bogen
von Partiturniederschriften und bei Radierungen unter Umständen noch die ursprüngliche
Fassung festzustellen hat. Alle diese Bemerkungen betreffen einerseits den Zustand der Vorlagen, gewähren aber andererseits durch das Mitteilen der einzelnen Veränderungen einen tiefen
Einblick in die Entstehungsgeschichte des Werkes. Der Vorlagenbericht stellt sich weiters die

10

Aufgabe, Verschiedenheiten, die zwischen den einzelnen Quellen zutage treten, mitzuteilen und fallweise davon eine systematische Zusammenfassung zu geben. Das ist bei Bruckner besonders wichtig, weil nicht nur zwischen den handschriftlichen Originalen und den Erstdrucken Unterschiede oft sehr wesentlicher Natur zu beobachten sind, sondern auch von Bruckner selbst verschiedene Fassungen des gleichen Werkes vorhanden sind, die bisher entweder gar nicht, oder nur andeutungsweise bekannt waren. Auf gleiche Weise werden auch die einzelnen Veränderungen innerhalb einer Vorlage behandelt. Wenn nötig, werden verschiedene Fassungen des gleichen Werkes vollständig mitgeteilt. So war es erforderlich, beide Fassungen der ersten Symphonie, Linz 1865 und Wien 1890/1891, zu drucken, von denen die Linzer Fassung bis zu ihrem Erscheinen in der Gesamtausgabe, 1935, völlig unbekannt war.

Die genannten Tatsachen sind wesentliche Bestandteile des Vorlagenberichtes, der damit eine Zusammenfassung aller wissenswerten Einzelheiten eines Werkes darstellt, wie eine solche bisher noch nicht versucht wurde. Der etwa vorhandenen Meinung, daß dies übertriebene Gewissenhaftigkeit sei, muß entgegengehalten werden, daß eine kritische Gesamtausgabe nach den wissenschaftlichen Forderungen eben bis ins einzelne genau sein muß und daß die Einzelheiten für alle, die davon unterrichtet sein wollen, in der Ausgabe niedergelegt werden müssen. Dabei möge man sich immer vor Augen halten, daß es sich bei der Bruckner-Gesamtausgabe nicht um das Lebenswerk eines Meisters zweiten oder dritten Ranges, sondern um das eines der bedeutendsten Symphoniker überhaupt handelt — eine Tatsache, die nicht weiter bewiesen werden muß — und daß die bisher bekannt gewordenen Ergebnisse für unser Wissen um Bruckner von außerordentlicher Bedeutung sind.

Vorgebildet wurde diese Praxis wissenschaftlicher Ausgaben durch einzelne Revisionsberichte der österreichischen, deutschen und bayrischen Denkmäler der Tonkunst, sowie verschiedener anderer Ausgabenreihen kleinerer Meister. In der von der Bruckner-Gesamtausgabe angewendeten folgerichtigen Strenge ist sie aber bisher, einige wenige Ausnahmen abgerechnet, noch nirgends angewendet worden. Die früheren Gesamtausgaben der großen Meister begnügen sich fast durchgehends mit allgemein zusammenfassenden und völlig unzulänglichen Bemerkungen, aus denen man sowohl für die Quellenbeschreibung, als auch für die Textlegung nur ein ganz mattes, oft aber falsches Bild der in Frage kommenden Tatsachen gewinnen kann. Das soll keine Herabsetzung der unzweifelhaften Verdienste der früheren Ausgaben sein, sondern nur verdeutlichen, daß die Ansprüche, die in unserer Zeit an eine kritische Ausgabe gestellt werden, wesentlich gestiegen sind.

Vollständig neu in der Herausgabe von Gesamtausgaben ist aber die Einbeziehung der Vorarbeiten und Skizzen, soweit sie zu den einzelnen Werken noch vorhanden sind. Damit unterscheidet sich die neue Bruckner-Gesamtausgabe grundlegend von allen ihren Vorgängern, in denen das bisher nicht üblich gewesen ist. Der Entschluß, dies bei Bruckner durchzuführen, bedeutet in der Methode der kritischen Gesamtausgaben einen wesentlichen Schritt nach vorwärts und die musikwissenschaftliche Forschung darf auf diese von Wien aus erfolgte Großtat mit Recht stolz sein. Der Text der Skizzen, der manchmal im Original auf einem Blatt zwei oder drei verschiedene Fassungen ineinander zeigt, wie es eben die Arbeit Bruckners mit sich brachte, muß in mühereicher und geistvoller Arbeit auseinandergelegt werden. Seine Veröffentlichung erfolgt mit der gleichen philologischen Treue, die auch dem Partiturtext zuteil wird. Je mehr Skizzen vorhanden sind, um so besser und aufschlußreicher kann die Entstehungsgeschichte eines Werkes dargestellt werden. Auf diese Weise konnte beispielsweise an allen Sätzen der IX. Symphonie der Arbeitsvorgang aufgezeigt werden, so konnten auch verschiedene bedeutsame Einzelheiten aus dem Werden der anderen bereits veröffentlichten Werke die Erkenntnis vertiefen.

11

Vorlagenbericht und Skizzendarstellung ergeben zusammen mit der Partitur ein Ganzes, das nicht nur einen trockenen philologischen Tatbestand darstellt, sondern von diesem Tatbestand weg in die Bezirke des lebendigen Schaffensvorganges führt. Aus den durch die Arbeitsweise der Wissenschaft gewonnenen kleinen und kleinsten Einzelheiten erwächst in Verbindung mit dem Wissen um die großen künstlerischen Linien eine Darstellung des Werdens der Kunstwerke Anton Bruckners. Damit wird aber ein entscheidender Beitrag zur Kenntnis der Persönlichkeit des großen österreichischen Meisters geliefert, der neben der endgültigen und schon lange geforderten Herstellung der originalen Fassungen der einzelnen Werke, wohl das wertvollste Ergebnis der neuen Gesamtausgabe der Werke Anton Bruckners darstellt.

Erschienen in: *Bruckner-Blätter* der Internationalen Bruckner-Gesellschaft, Heft 3, Wien 1936, S. 2—6 und in dem Programmbuch des VI. *Internationalen Brucknerfestes Zürich*, Zürich 1936, S. 13—16.

Die Gedächtnisausstellung für Anton Bruckner

Es war ein selbstverständliches Gebot der Dankbarkeit und Verehrung, das die Österreichische Nationalbibliothek veranlaßte, zum 11. Oktober 1946 eine Gedächtnisausstellung für Anton Bruckner zu veranstalten. 50 Jahre sind es her, daß der große österreichische Tondichter seine Einkehr in das ewige Leben feiern konnte, und 50 Jahre sind es dabei auch, daß die Musiksammlung der Nationalbibliothek eines der kostbarsten Legate erhielt: die Partituren der Werke Anton Bruckners. Manches wertvolle Stück ist seither durch Schenkung oder Kauf dazugekommen und so besitzt Wien in seiner Nationalbibliothek heute beinahe das ganze Lebenswerk Bruckners in eigenhändigen Niederschriften.

Besitz verpflichtet, und so war es Aufgabe der Musiksammlung, dieses Gedächtnis zu begehen. Dazu konnten auch andere Sammlungen der Nationalbibliothek wertvolle Stücke beisteuern: die Autographensammlung Briefe und Visitenkarten des Meisters, die Porträtsammlung Bilder Bruckners und seiner Zeitgenossen und die Kartensammlung Ansichten von Orten, an denen sich das Leben Bruckners abgespielt hat. Daß der Umfang des Auszustellenden sich nur auf den Besitz der Österreichischen Nationalbibliothek beschränkte, hatte seine guten Gründe.

Aus zeitbedingten Umständen war von vornherein nicht daran zu denken, eine große, das gesamte Leben und Schaffen umfassende Schaustellung zu bieten. Abgesehen davon, daß die dazu notwendigen Stücke aus ihren verschiedenen Aufbewahrungsorten kaum zusammengebracht worden wären, hätte es auch an Raum und Vitrinen gemangelt, sie dem Ansehen Bruckners entsprechend würdig aufzustellen. Eines muß man bei dem Meister der Symphonie immer in Betracht ziehen: die Darstellung seines Werkes darf nur in würdiger Umgebung vor sich gehen. Bruckner braucht Pracht und Prunk, braucht Gold und Farbe. Da ist mit einfachen Ausstellungsräumen und nüchternen Vitrinen nichts anzufangen. So war die Möglichkeit, die Gedächtnisausstellung in den vier prunkvollsten Räumen der graphischen Sammlung Albertina abhalten zu können höchst willkommen. Der Raum allein zwang so schon zur Beschränkung; über diesen rein äußerlichen Umstand hinaus war auch der innere Grund der dankbaren Verpflichtung für die Nationalbibliothek als alleinige Ausstellerin gegeben. Daß damit keine Zurücksetzung des an anderen Orten befindlichen Brucknerbesitzes beabsichtigt sein konnte, braucht wohl nicht eigens betont zu werden. Eine ganz große Schwierigkeit für Ausstellungen, die das Leben großer Musiker beinhalten, liegt darin, daß das musikalische Kunstwerk nicht schaubar dargestellt werden kann. Während eine Statue oder ein Gemälde sichtbar vor dem Betrachtenden steht und dieser so unmittelbar mit der Schöpfung des Künstlers in Berührung kommt, ist das bei Musik nicht möglich. Der flüchtige Ton, aus dem das Werk im Ablauf der Zeit gestaltet wird, läßt sich nicht festhalten, läßt sich auch nicht auf einen Augenblick zum Stehen bringen. So kann der Musiker nur die Niederschrift seines Werkes zeigen und da auch nur, weil es nicht auf fortlaufender Rolle geschrieben ist, eine, höchstens zwei Seiten. Solches als Kunstwerk zu erfassen ist aber nur jenen gegeben, die musikbegabt, diese stummen Zeichen zu lesen verstehen und sie innerlich klingen hören.

Man kann sich nun damit helfen, daß man das Leben des Komponisten zeigt; ihn selbst in mannigfachen Bildern, seine Zeitgenossen und Vorfahren, die Orte seiner Wirksamkeit, Gegenstände, die an ihn erinnern, seine Musikinstrumente und sonstigen Dinge, die aus seinem Leben auf uns gekommen sind. Da läge dann sein Schaffen, die eigentliche Äußerung seines Wesens, eingebettet in einer Fülle anderer Tatsachen, die dann vielleicht sogar ablenken würden.

Die Gedächtnisausstellung für Anton Bruckner ging aus diesem und dem oben angeführten Grund ihre eigenen Wege. Sie wollte mit den Partituren seiner Werke das Wesen Bruckners, seine Musik, zeigen, und auf die Lebensumstände nur durch einige wenige Stücke hinweisen. Aber selbst diese Gegenstände standen in innigem Zusammenhang mit dem Musikalischen, so daß, wie mehrfach bestätigt wurde, sich eine Einheit kundtat, die von überzeugender Wirkung war.

Diese Beschränkung hatte Verinnerlichung zur Folge. Da die Gegenstände nicht, wie in anderen Ausstellungen, durch die Art ihres Aussehens, den Besucher an sich heranziehen, war zu ihrem Beschau Konzentration auf das Wesentliche vonnöten. Das mag nicht jedermanns Sache sein, aber die Musik, vor allem die Musik Bruckners, erwartet sich dieses, ganz besonders dann, wenn sie nicht hörbar, wie im Konzert, sondern nur schaubar im stummen Bild der Handschrift vorliegt. Der Einwand, daß bei solchen Ausstellungen also nur der Sachverständige, der Musiker, einen Gewinn hätte, stimmt nicht ganz. Der wahrhaft Gebildete wird schon aus der Handschrift allein zu lesen verstehen und gerade bei Bruckner mit Interesse verfolgen, wie sich die Schriftzüge im Laufe der Jahre ändern. Von der fast derb anmutenden bäuerlich einfachen Schrift, die mit schön geführtem Schullehrer-Duktus abwechselt, gelangt sie gegen das Lebensende zu Federzügen, die in ihrer Feinheit hohe künstlerische Geistigkeit verraten. Zusammen mit sonstigen Vermerken, an denen viele Partiturseiten reich sind, bilden sie eine Fundgrube für graphologische Forschungen, die bei Bruckner erst anzustellen sind. Da Bruckner nicht nur ein großer Tondichter war, sondern, wie sich immer mehr und mehr abzeichnet, auch ein innerlich großer Mensch, so sind die rein schriftmäßigen Dinge bei ihm ebenfalls von Bedeutung.

Aus dieser Abstimmung auf das innere Wesen Bruckners ergab sich auch der Plan der Aufstellung: keine Überladung mit Stücken, die sich gegenseitig nur beeinträchtigt hätten, sondern ein derart günstiges Verteilen, daß den gewichtigen unter ihnen der ihrer inneren Größe entsprechende Raum zur Verfügung stand. Über jeder Vitrine hatten Bilder, Porträts oder Landschaften Platz gefunden, die mit ihrem Inhalt in Beziehung standen.

Den Anfang bildete die Chorkomposition: die „Helgoland"-Partitur mit einer dazu gehörigen Skizze, Skizzen zum Chor „Um Mitternacht" (1886) und das aus Linz (1862) stammende Vokalquartett „Du bist wie eine Blume". Das Porträt Rudolf Weinwurms, des Freundes Bruckners und Chormeisters des Wiener Männergesangvereines, bot sinnvolle Ergänzung.

Der folgende große Raum war dem frühen Schaffen Bruckners, seiner Lehrzeit bei Simon Sechter und seiner Vollendung in der Kirchenmusik gewidmet. Das Lehrbuch Sechters „Die Grundsätze der musikalischen Komposition" (Leipzig 1853/54) mit zahlreichen Eintragungen Bruckners, ein Blatt seiner Harmonielehreaufgaben samt dem Geschenk Sechters an ihn, der Fuge „An Gottes Segen ist alles gelegen", die er seinem fleißigen Schüler am Ende der Studienzeit widmete, erinnerten an den lernenden Bruckner, der in Linz bei Otto Kitzler seinen Wissensdurst mit Instrumentationsübungen, ausgelegt ein Marsch in Es-Dur für Militärmusik, weiter befriedigte. Dabei hatte er aber schon 1849 mit dem aus St. Florian stammenden Requiem gezeigt, daß er auch größere Formen zu erfüllen imstande war. In der Kirchenmusik offenbarte sich zuerst Bruckners Größe.

VIII. Symphonie, Skizze zum Schluß des Finales, 1. und 2. Seite

Diese stellte eine Vitrine vor Augen mit den Autographen der d-Moll und f-Moll-Messe und einer mit eigenhändigen Eintragungen versehenen Abschrift der e-Moll-Messe. Das Porträt Bischof Franz Josef Rudigiers von Dauthage aus dem Jahre 1855 sollte an die innigen geistigen Beziehungen erinnern, die zwischen dem großen Bischof und seinem genialen Domorganisten herrschten. Der Organist Bruckner war in diesem Raume mit der Orgelfuge d-Moll (Linz 1861) und der Improvisationsskizze für die Hochzeit der Erzherzogin Valerie in Ischl (1890) vertreten.

Den Messen gegenüber befand sich das Te Deum und der 150. Psalm, jene Werke, mit denen Bruckner von der Kirchen- beziehungsweise geistlichen Musik Abschied nahm. Dem Porträt Rudigiers entsprach hier ein Bild Bruckners, um den Bogen geistiger Einheit zwischen beiden sinnfällig zum Ausdruck zu bringen.

War so das Wesentliche über Bruckner, den Chor- und Kirchenkomponisten, gezeigt, so mußte den folgenden beiden Räumen das symphonische Werk vorbehalten bleiben. I. bis VI. Symphonie und Streichquintett in dem einen, VII. bis IX. im anderen Raum und am Ende der Zimmerflucht in einer Vitrine ganz allein die Partitur der IX. Sie, die des Lebens Krönung und Höhepunkt bedeutet, sie stand über der mit höchster Kunstfertigkeit gestalteten Rosette des kostbaren kleinen goldenen Kabinetts. Damit sollte auch äußerlich die Ausnahmestellung dieses Werkes, seinem inneren Wert entsprechend, mit Würde dargestellt werden.

Zu den Partituren der Symphonie konnten mannigfache Lebensdokumente hinzugefügt werden. Zur I. das Programm des aus Anlaß von Bruckners Promotion zum Ehrendoktor der Philosophie stattgefundenen Kommers vom 11. Dezember 1891, das aus dem Besitz des Meisters stammt, und sein Vormerkkalender mit Eintragungen über diese ihn so erfreuende Auszeichnung. Bei der III. war die Widmung an Richard Wagner zu sehen und bei der IV. eine von Bruckner selbst notierte Untersuchung ihrer Architektonik. Zum Finale der V. hatte die Widmungspartitur für Unterrichtsminister Carl von Stremayr Platz gefunden. Das von dem Linzer Graphiker J. M. Kaiser 1878 schön geschriebene Widmungsblatt darf als sprechender Zeuge dafür gelten, wie Bruckner solche Geschenkpartituren ausstatten ließ.

Die Porträts dieses Raumes: Rudolf Herbeck, Richard Wagner und Minister von Stremayr stellten drei der bedeutendsten Persönlichkeiten aus diesem Lebensabschnitt Bruckners dar.

Mit dem nächsten Raum trat man in die Größe Bruckners und ihre endgültige Vereinigung mit dem Ewigen ein. Erster und zweiter Satz der VII., dieser an der Stelle des Adagio-Höhepunktes aufgeschlagen mit dem eingeklebten Zettel, auf dem Pauke, Becken und Triangel unter Hinzufügung von sechs wieder durchgestrichenen Fragezeichen notiert sind, zeigten die charakteristischen Schriftzüge der späteren Zeit. Der Entwurf des Dankschreibens für die Annahme der Widmung an König Ludwig II. von Bayern in einem rotseidenen Notizbüchlein, der Reisepaß des Meisters und zwei Visitenkarten mit einem Zettel, auf dem Bruckner für ihre Bestellung den Wortlaut vermerkte, bildeten eine Ergänzung nach der Seite des Menschlichen hin. Daran erinnerte auch das darüber angebrachte Aquarell von Josef von Alt: Klosterneuburg (1847), in dem der alternde Meister manche freundliche Stunde verbrachte.

Doch unaufhaltsam geht der Schritt dem Lebensende zu. Das letzte vollendete Werk, die VIII. Symphonie, wurde in einer Skizze zum Adagio und der fertigen Partitur zum Finale gezeigt. Der aufgeschlagene Schluß mit der Vereinigung der Hauptthemen aller vier Sätze fand eine glückliche Ergänzung in dem beigelegten Skizzenblatt vom 16. August 1886, auf dem Bruckner im Stadtpfarrhof zu Steyr diesen genialen kontrapunktischen Einfall zuerst notierte. Seine eigene Freude über das gelungene Kunststück kennzeichnet ein Wort: „Halleluja!“. Die Annahme der Widmung durch Kaiser Franz Josef, dessen Porträt sich über dem Schaukasten befand, sowie ein in seinem Inhalt erschütternder Brief an den Vize-Hofkapellmeister

Pius Richter zeigten die Pole von Freude und Schmerz auf, unter denen dieses Leben in der letzten Symphonie nun seiner Vollendung entgegenging.

Von der IX. wurde außer der schon genannten Partitur nur eine mit Bleistift geschriebene Skizze ausgelegt, begleitet von dem vermutlich letzten Vormerkkalender von 1895 mit Eintragungen Bruckners über sein tägliches Gebet. Bei ihm war Beten und Arbeiten so zur Einheit verschmolzen, daß er sein letztes Werk, seine IX., mit all ihrer Kraft und Zartheit dem „lieben Gott" widmete. Sind auch ihre irdischen Schriftzüge schon ganz fein und zittrig geworden, ihr inneres Leben war unberührt von menschlicher Schwäche und reif in die Ewigkeit einzugehen.

Erschienen in: *Phaidros* 1, 1. Folge, Wien 1947, S. 39—44.

Das Autograph von Anton Bruckners III. Symphonie

Bekanntlich hat Anton Bruckner in seinem Testament neben anderen Partituren auch seine neun Symphonien der damaligen k. k. Hofbibliothek vermacht. Bei der Übergabe an die Bibliothek war von den vier Sätzen der 3. Symphonie nur das Finale vorhanden; den Verbleib der übrigen drei Sätze konnte man damals anscheinend nicht ausfindig machen. So blieb das Autograph dieser Symphonie ein Torso und erst nach 1936 wurde bekannt, daß die fehlenden Sätze sich bei Frau Alma Maria Werfel-Mahler befänden. Ein 1938 gemachter Versuch, sie zu erwerben, scheiterte an den Zeitumständen, und erst jetzt gelang es, das Manuskript bei einer in Zürich am 17. November 1948 stattgefundenen Auktion für die Österreichische Nationalbibliothek um 32.000 sFr. zu ersteigern. Die kostbare Handschrift besteht aus drei Teilen mit zusammen 98 Blättern querformatigem Notenpapier. Sie wird in einer roten Leinenkassette aufbewahrt und zeigt sich dem Beschauer in ihrem ursprünglichen Zustand; lediglich die Heftung der Blätter fehlt, sie liegen lose in drei aus je einem Doppelbogen Notenpapier gebildeten Umschlägen. Die Niederschrift der Symphonie nimmt im 1. Satz 44, im 2. 24 und im 3. 22 Blätter in Anspruch. Ohne den für die Gesamtausgabe der Werke Anton Bruckners bestimmten Ausführungen vorgreifen zu wollen, kann über die Handschrift vorläufig folgendes mitgeteilt werden.

Das Vorhandensein von verschiedenem Notenpapier würde allein schon für einzelne Bogen getrennte Entstehungszeiten nahelegen, wenn nicht die wenigen Daten, die von 1873 bis 1878 reichen, den Beweis erbrächten, daß man es tatsächlich mit einer Arbeitspartitur Bruckners zu tun hat, die er zur Umgestaltung der Symphonie benützte. Soviel kann jetzt bei nur flüchtiger Durchsicht schon gesagt werden, daß sich dieses Autograph in außerordentlich glücklicher Weise mit anderen in der Musiksammlung der Österreichischen Nationalbibliothek bereits vorhandenen Teilen zu einer Einheit ergänzt. Es wird sich dadurch aller Wahrscheinlichkeit nach eine fast lückenlose Darstellung des Werdens der 3. Symphonie Bruckners vor ihrer ersten Drucklegung geben lassen. Sowohl der Papier- als auch der Schriftbefund sprechen dafür.

Die Seiten zeigen bis auf verschwindend wenige Stellen, an denen Spuren einer fremden Hand sichtbar werden, Bruckners eigene Schrift in mindestens doppelter Ausprägung. Die eine Form wird durch jene aus dem Anfang der siebziger Jahre bekannten klobigen, fast derb zu nennenden Schriftzüge dargestellt, die andere offenbart sich in den feinzügigen, spitzen Formen, zu denen sich des Meisters Schrift gegen 1880 entwickelt. Durchstreichungen verschiedenster Art, Rasuren, die in Löchern ausarten, Überschreibungen sind stellenweise sehr

zahlreich anzutreffen. Auch Kürzungen werden angegeben; in ihnen spiegelt sich ein Teil jenes Leidensweges, den Bruckner gerade mit diesem Werk zurücklegen mußte. Die metrischen Ziffern fehlen ebensowenig wie die für Bruckner charakteristische Numerierung der Bogen.

Trotzdem in Sachen Bruckners immer noch Überraschungen möglich sind, weil da und dort sicher noch Teile seiner Handschrift verborgen liegen, kann mit aller wissenschaftlichen Vorsicht geschlossen werden, daß die drei erworbenen Sätze zu dem Finale gehören, das seit des Meisters Tod in der Österreichischen Nationalbibliothek verwahrt wird. So liegt nun in Wien, der künstlerischen Heimat Bruckners, 52 Jahre nach seinem Tode, auch die 3. Symphonie vollständig vor. Auf dieser Tatsache beruht vor allem die Bedeutung des seit Kriegsende wertvollsten Ankaufes, der über die Grenzen der Bibliothek hinaus für die Musik ganz Österreichs von wesentlicher Wichtigkeit ist.

Daß dieses unter den heutigen Verhältnissen nicht ganz leichte Unternehmen gelang, dankt die Österreichische Nationalbibliothek einem durch Vermittlung des Bundesministeriums für Unterricht gegebenen Darlehen des Finanzministeriums, dessen Betrag durch Verkauf von Dubletten abgedeckt wird, nicht minder aber auch jenen Sammlern, die bei der Auktion in hochherziger Weise auf den Erwerb zugunsten Österreichs verzichtet haben. Das mutige Eintreten Österreichs für eine seiner größten künstlerischen Persönlichkeiten wurde auf der Auktion mit aufrichtiger Bewunderung und Sympathie bemerkt. Der Aufbauwille unseres kleinen Landes auch auf geistigem Gebiet fand dadurch starkes Echo.

Die Österreichische Nationalbibliothek hat mit dieser Erwerbung, die vor allem der von ihr herausgegebenen Gesamtausgabe der Werke Anton Bruckners zugute kommt, nicht nur ein neues, überaus wertvolles Autograph ihrer Musiksammlung eingegliedert, sie hat damit auch erwirkt, daß Getrenntes wieder vereinigt, ein Werk eines wahrhaft großen Meisters der Tonkunst wieder vollständig wurde. Könnte das unserer von Zerrissenheit durchfurchten Zeit nicht zu erhebendem Bewußtsein gereichen?

Erschienen in: *Phaidros* 2, 2. Folge, Wien 1948, S. 126—127.

17

Bruckners Werk in dieser Zeit

Von Zeit zu Zeit scheint es geboten, das Lebenswerk großer Komponisten einer zusammenfassenden kritischen Betrachtung zu unterziehen. Dabei wird nicht nur das Werk selbst neuerlich untersucht, sondern auch die bisherigen Ergebnisse, Überlieferungen und Ausgaben. Das bezieht sich unter Umständen nicht nur auf den Teil der praktischen Ausübung, die Aufführungspraxis, sondern auch auf wissenschaftliche Belange, wie Quellenkenntnis, Editionspraxis und alle damit zusammenhängenden Fragen.

Es ist Erfahrungstatsache, daß nach bestimmten Zeiträumen die Anschauungen wechseln. Schon die nachfolgende Generation kann sich zur Musik eines Meisters ganz anders einstellen, als die zeitgenössische und Zeiten wie die unsrigen, die durch die furchtbaren Schrecken zweier Weltkriege hindurchgegangen sind, haben allen Grund, sich ein neues Charakterbild von den Großen der Musik zu formen. Das geschieht ohne Gefahr für das Genie, denn es selbst bleibt, weil über der Zeit stehend, unverändert. So ist die Gestalt Mozarts immer noch die eines überragenden Genies, trotzdem sich seit Köchel und Jahn die Anschauungen über seine Kunst, seine Epoche und alle damit verbundenen Auswirkungen in manchem sehr stark geändert haben. Man braucht weiters nur an Bach zu erinnern, an Beethoven, die kraft ihrer Allgemeingültigkeit jede Generation zwingen, zu ihnen Stellung zu nehmen.

Bei Anton Bruckner trifft das alles in verstärktem Maß zu, weil uns seine Kunst noch nähersteht, über sie selbst sogar noch schwebende Fragen zu lösen sind.

Sein Lebenswerk umfaßt drei verschiedene Kreise: den des Komponisten, des Organisten und des Theorielehrers. Der Organist mit seinen von den Zeitgenossen so hochgerühmten Improvisationen ist für uns nicht mehr. Schallplatte und Magnetophon waren zu Bruckners Zeiten noch nicht in Gebrauch, und so konnten von seinem Spiel keine Aufnahmen angefertigt werden. Die Berichte und die ganz wenigen schriftlichen Zeugnisse, die teilweise nur Skizzen sind, geben kaum ein ausreichendes Bild von dieser Tätigkeit des Meisters.

Mit der Kenntnis über den Theorielehrer Bruckner ist es dank einiger unmittelbarer Quellen besser bestellt. Da muß vor allem sein Handexemplar von Sechters Lehrbuch „Die Grundsätze der musikalischen Komposition", Leipzig 1855, genannt werden, in dem viele Eintragungen von gründlichem Studium zeugen. Die Reste jener einst außerordentlich zahlreich vorhanden gewesenen Studienhefte verschaffen weiteren Einblick und lassen den Wunsch laut werden, die fehlenden Hefte mögen doch noch eines Tages irgendwo auftauchen. Weiters gewinnen wir durch die Veröffentlichungen von Eckstein, Klose, des Speiserschen Studienheftes und anderen auch Einblick in Bruckners eigene Lehrmethode.

So bleiben als hauptsächlichster Teil seines Lebenswerkes, wie es auch nicht anders sein kann, die Kompositionen. Zahl und Art dürfen hier wohl als bekannt vorausgesetzt werden. Der Musik Bruckners war, wie man weiß, ein eigenartiges Schicksal beschieden: die Erstdrucke stimmen mit den Autographen in verschiedenen Dingen, manchmal mehr, manchmal weniger, nicht überein. Schon seit 1919 (Georg Göhler: Wichtige Aufgaben der Musikwissenschaft gegenüber Anton Bruckner in der Zeitschrift für Musikwissenschaft, 1. Jg. 1918/19, S. 293 ff.) erhob sich immer wieder die Forderung nach Klarstellung dieses Zustandes, bzw. nach Herausgabe der vorhandenen autographen Partituren. Nun halte man sich dazu vor Augen: bei keinem der großen Meister, von denen bisher Gesamtausgaben erschienen, Mozart, Beethoven, Schubert, Schumann, Brahms usw., dachte man daran, daß ihre Werke anders gedruckt sein könnten, als ihre Schöpfer sie niederschrieben. Daher kam man auch gar nicht auf den Gedanken, gegen das Erscheinen eines Bandes dieser Ausgaben Stellung zu nehmen und damit zu sagen, man könne die in dieser Ausgabe enthaltene „Fassung" nicht anerkennen. Es gab über bestimmte Werke oder einzelne Stellen selbstverständlich künstlerische, beziehungsweise wissenschaftliche Diskussionen, aber nie direkte Ablehnung.

Anders bei Bruckner. Hier entbrannte ein Kampf, der, leider, manchmal weder in sehr würdiger, noch sachlicher Form geführt wurde. Es schwirrte dabei nur so von „Urfassungen", „Erstfassungen", Originalfassungen", „Fassungen letzter Hand" und solchen „letzten Willens" neben den „Erstdruckfassungen", daß einem vor solcher Bezeichnungsvielfalt angst und bang werden konnte. Dazu nahm weiters die öffentliche Meinung anläßlich der Uraufführungen Stellung, die, selbstverständlich erwünscht und für das große Publikum notwendig, dennoch gelegentlich auch nicht in Ruhe und Sachlichkeit das Richtige traf. Wo immer man komplizieren will, dort kann man dies leicht tun, wenn aber, wie bei Bruckner, die Dinge ohnehin von vornherein nicht ganz einfach gelagert sind, da ist doppelte Vorsicht und gründlichste Sachkenntnis notwendig, damit man einfach bleibt. Denn trotz all dieser gelegentlich schon äußerst großen Schwierigkeiten um Bruckners Werk (sie sind verschiedenster Natur und sie hier aufzählen, hieße den Rahmen sprengen) ist die Forderung selbst die denkbar einfachste: Vorlage jener Partituren, die von der eigenen Hand Bruckners geschrieben, unzweifelhaft bezeugen, so wollte der Meister die Klangwerdung seiner Ideen, so hat er das Werk geformt.

Dazu kommt ein anderes, das in Bruckners Arbeitsweise und der daraus folgenden Editionstechnik der Bruckner-Gesamtausgabe liegt. Bruckner hatte, um hundertmal Bekanntes hier kurz zu wiederholen, die Gewohnheit, an seinen fertigen Werken, vor allem bis zur Fünften Symphonie, weiter zu arbeiten, zu ändern. Von der Fünften an ist er seiner Sache vollkommen sicher und nimmt nur mehr an der Achten Umarbeitungen vor. Diese Änderungen, die sich bis zu vollständiger Neufassung einer Symphonie steigern können (z. B. bei der Ersten), macht Bruckner entweder aus eigenem Willen oder über Anraten seiner Freunde. Und hier liegt jener Stein des Anstoßes, der eine Lawine von Schriften und Schriftchen zur Folge hatte. Sie wurde durch manche in den Prospekten, Ankündigungen und Aufsätzen gebrauchten, nicht sehr glücklich gewählten Ausdrücke ausgelöst, die man als für das Andenken an diese Schüler und Freunde, wie Josef und Franz Schalk, Ferdinand Löwe und andere, abträglich bezeichnete. Nun ist nichts widersinniger, als zu behaupten, diese hätten das Werk Anton Bruckners, indem sie es für ihre Zeit „hörgerecht" machten, „verfälscht". Es bedarf wohl keines Beweises, daß solches diesen Männern trotz ihrer damaligen Jugend und gerade wegen ihrer glühenden Begeisterung für Bruckner vollständig fern lag. Was sie anstrebten, war, ihrem Abgott Bruckner den Weg in die damalige Öffentlichkeit zu bahnen. Das haben sie auch erreicht und haben es jahrzehntelang weiter verfochten und sind damit jene „Bruckner-Apostel" geworden, als die viele von uns sie ja noch persönlich gekannt haben und ihnen dafür Dank schulden.

Nun haben sich aber die Zeiten und auch die Menschen gewandelt. Wir sind heute imstande, Bruckner so zu hören, wie er sich selbst geschrieben, komponiert hat, und so ist das Begehren nach einer Ausgabe seiner Symphonien, die nicht mehr „hörgerecht" bearbeitet sind, nur allzu begreiflich. Das entspricht auch einem Zug unserer Zeit überhaupt: wir wollen die Originale, wir restaurieren alte Bauwerke in ihren ursprünglichen Zustand, alte Gemälde auf ihr früheres Aussehen. Der Schalldeckel der Kanzel von St. Stephan kam nicht mehr an seinen früheren Standplatz zurück, sondern dorthin, wohin er von Anfang an bestimmt war, zum Taufstein. Und so ließen sich noch viele Beispiele anführen, die beweisen, daß es unserer Zeit darum zu tun ist, jedes Kunstwerk von eventuellen Zutaten zu befreien. Dabei kommt es niemandem in den Sinn, zu fragen, ob diese Zutaten aus schlechtem oder gutem Willen stammen. Sie müssen weg, weil sie nicht dazugehören, und so ist es vollkommen gerechtfertigt, daß solches auch bei den Werken Anton Bruckners in die Wege geleitet wurde.

Man braucht nur an den gregorianischen Choral und seine Wiederherstellung durch die Benediktiner von Solesmes zu erinnern, um ein grandioses Beispiel solcher Restaurierung im musikalischen Bereich vor Augen zu haben. Auch dieses Werk ging nicht unangefochten seinen Weg, aber es wurde vollendet, und heute gehört die „Editio Vaticana" zu den kostbarsten Besitztümern kirchenmusikalischer Praxis. Von Meistern des 19. Jahrhunderts sind z. B. Peter Cornelius und Hugo Wolf zu nennen, in deren Lebenswerk auch fremde Zutaten festgestellt wurden.

So ist also von der Wissenschaft her die Bruckner-Gesamtausgabe eine Selbstverständlichkeit, über die es keinerlei Diskussion geben kann. Das wird auch anerkannt. Anders sieht es auf der praktischen Seite aus. Hier wird gelegentlich noch der Versuch gemacht, die Erstdrucke als authentische Vorlagen zu erklären. Es ist nun selbstverständlich, daß man sich für die eine oder andere Gestalt einer Symphonie entscheiden kann, und eigentlich muß es jedermann unbenommen bleiben, in welcher „Fassung" er seinen Bruckner hören oder aufführen will. Die Zeit wird kommen, wo man ganz genau erkennen wird, daß nur die eigene Handschrift Bruckners das Werk richtig wiedergibt, und daß daher nur sie, sie ganz allein, für Aufführungen in Frage kommen kann. Aber wir haben so viele Jahre Zwang mitgemacht und spüren noch sehr deutlich seine Nachwirkungen, daß es gerade in Sachen der Kunst keinen Zwang geben darf. Man prüfe, wähle und erkenne! Da Bruckner ein ungeheures Genie ist, so kann er warten — nur wir können nicht warten, sondern haben die Pflicht, der Wahrheit zu dienen, und da ist es eben einmal so, daß wir für fast alle Änderungen an Bruckners Werk keine eigentliche Beglaubigung vom Meister selbst haben, aus der wir eindeutig erkennen könnten, daß er damit für immer einverstanden war.

Die von der Österreichischen Nationalbibliothek im Verein mit der Internationalen Bruckner-Gesellschaft veranstaltete Gesamtausgabe hat bisher unter der Leitung von Robert Haas die wissenschaftlichen Methoden ausgearbeitet, die diesem großen Unternehmen angemessen sind. Zum erstenmal beschränkte sich eine Ausgabe nicht nur auf die fertige Partitur, sondern bezog auch alle zu einem Werk erreichbaren früheren Fassungen und Skizzen ein. Das entsprang nicht einer Willkür, sondern war gerade bei Bruckner eine Notwendigkeit, weil sein Schaffensprozeß und die uns dadurch erhalten gebliebenen Handschriften solches nicht nur erlauben, sondern gebieterisch erfordern; auch Bruckners Schreibgewohnheiten verlangten eine eigene Methode kritischer Berichte, die in vorbildlicher Weise in die Tat umgesetzt wurde. Daß auch dabei das „errare humanum" sein Spiel treibt, weiß niemand besser, als der, der selbst schon einmal so vielverästelte Angelegenheiten darzustellen hatte. Ist doch dabei ein kompliziertes Mit- und Nacheinander in richtige Reihung zu bringen, wobei es oft ein Ineinander zu entwirren gilt, wenn sich auf Skizzenblättern gleich zwei oder drei Arbeitsstufen feststellen lassen. Die Ausgabe muß ihren vornehmsten Zweck darin sehen, die Handschriften Bruckners genau nach den Vorlagen wiederzugeben. Sie muß weiter trachten, jene Gestalt des Notentextes vorzulegen, die als die vermutlich letzte anzusehen ist, von der man daher sagen kann, daß sie von Bruckner nicht mehr verändert wurde. Solches zu entscheiden, ist nicht immer leicht und wird durch die vorerwähnten Änderungen von anderen Händen noch schwieriger gemacht. Daß die Revisionsberichte bisher ungewohnte Ausmaße annahmen, das liegt im Schaffensprozeß Bruckners mit seinen vielen Skizzen, Streichungen usw. begründet, der eben nur eine bis ins einzelne gehende Beschreibung Rechnung tragen kann.

So hat das Werk Anton Bruckners nicht nur die Praxis, sondern auch die Musikwissenschaft in neue Wege gezwungen, die nach Überwindung derzeit bestehender Hindernisse weiter mit Erfolg beschritten werden sollen, da die bisherige Editionstechnik als die bestmögliche Lösung überhaupt bezeichnet werden muß.

Die Frage, ob Original oder Erstdruck, ist von vornherein für das Original entschieden, es wird aber natürlich nachgeprüft werden müssen, auf welche Weise diese Erstdruck-Änderungen erfolgten, eine Arbeit, die in den bereits vorliegenden Revisionsberichten der Ersten bis Sechsten Symphonie von Robert Haas für jedes einzelne Werk gesondert geleistet wurde, die aber, wenn wenigstens einmal alle Symphonien erschienen sein werden, unbedingt eine zusammenfassende Darstellung erheischen. Dann wird sich wahrscheinlich ergeben, daß die klanglichen Umänderungen (die formalen scheiden hier ganz aus, sie können vom Meister überhaupt nicht so gewollt gewesen sein), so sehr dem Brucknerschen Orchester entgegen sind, daß er, der Schöpfer, sein eigenes Werk aus eigenem bestimmt nicht in solcher Weise umgestaltet hätte. Dieses Vorhaben aber braucht Geduld, es kann nur am gesamten Werk erörtert werden, vor allem sollte man nicht vorzeitig aus einzelnen Beobachtungen weittragende Urteile ableiten, deren Verknüpfung die Gefahr von Fehlschlüssen in sich birgt.

Wenigstens andeutungsweise muß auch noch auf die geistige Kraft hingewiesen werden, die der Welt aus Bruckners Werk entgegenströmt. Sein klares festes Wesen, die Wahrhaftigkeit seiner Gefühle und Reinheit der Gesinnung, die immer wieder auf das Übernatürliche hinweisen, das alles, samt seinem geraden, aufrichtigen Charakter und seiner wahrhaft weltweiten inneren Spannung lassen ihn nicht als einen vergangenen, sondern als einen kommenden Meister der Tonkunst erkennen. Darum ist es unbedingt notwendig, alles Problematische an seinem Werk wohl mit Begeisterung, aber ebensosehr mit ruhiger Objektivität zu prüfen, dann wird das eintreten, was man im Schrifttum über die Gesamtausgabe mehrfach lesen kann: daß am Ende nur er und sein Werk stehen wird. Das ist aber schließlich das Ziel nicht nur der Gesamtausgabe, sondern aller Menschen, denen Bruckner etwas bedeutet.

Erschienen in: *Österreichische Musikzeitschrift* 4, Wien 1949, S. 250—259.

Anton Bruckner — Künstler zwischen Welt und Gott

Sendung des Genius: Rufer zu sein in Zukünftiges, Verkünder des Kommenden, Opfer zu sein für die eigene Zeit.

Diese Aufgaben umschließen Leid und Freud. Mehr Leid, weil sie das Leben erschweren bis ins Unerträgliche, unendlich viel mehr Freude, weil sie Gewißheit schenken, dem Ewigen zugeordnet zu sein. Das ist Künstlerlos, Schicksal des Genius, auch Schicksal Anton Bruckners.

Aus der Vielfalt weltlichen Getriebes lösen sich Gegensätze los. Der Geist der Unruhe will Part und Widerpart, ihn freut es, wenn Menschen, wenn Meinungen aufeinanderprallen, denn dann schießt sein Same in die Höhe: die Zwietracht. Dann fällt das Schwache ins Unrecht, ins Verderben, dann aber erhebt sich auch geistige Kraft zu fast unermeßlicher Höhe. Darin bewährt sich der starke Charakter, daß er mitten zwischen den Gegensätzen steht und doch dem Guten zugehört, allem Widersinnigen standhält.

Fast bei keinem Tondichter des 19. Jahrhunderts werden diese Wahrheiten so stark offenbar wie bei Anton Bruckner. Sie gehören zu seinem Leben wie zu seiner Persönlichkeit; unzertrennlich, wesenhaft, fast wie ein Teil dieses Mannes selbst.

Es ist dem Künstler, soferne er „metaphysische" Gewissenhaftigkeit besitzt, eigen, gegen sich und sein Werk streng zu sein. Daher die vielen Zweifel, das Ringen um richtiges Gestalten, um letzte, gültige Formulierungen. Bei Bruckner steigert sich dies zu quälenden Fragestellungen: „Soll ich die Harfe nehmen — oder nicht?", „ist der Beckenschlag recht, soll er wegbleiben?" Wieviel innere Kämpfe verraten Bruckners Skizzen, selbst noch seine fertigen Partituren!

Aber nicht nur diese, allen schöpferischen Gestalten eigentümlichen Schaffensvorgänge sollen hier gemeint sein, sondern Gegensätze, die sozusagen geistige Welten bedeuten, die in des Meisters Leben und Werk tiefe Spuren hinterließen.

Anton Bruckner ist Schullehrer und Genie zugleich. Dem Lebensgang nach gelangt er aus dem einen ins andere. Die Linzer Domorgel bewirkt die Wendung. Der Volksschullehrer Bruckner wird schon von der Chrismannin in Stift St. Florian begleitet, hier liegen bereits zwei Welten nebeneinander: Abc und Einmaleins, die Fugen Johann Sebastian Bachs und die eigene Improvisationsgabe.

Dieser Schullehrer komponiert auch; brave, harmonisch gekonnte Stücklein. Bis dann die b-Moll-Messe wie ein erstes Leuchten den Weg vom Schullehrer zum Komponisten weist.

Linz stellt Bruckner neuerdings zwischen zwei Welten: die Klassiker und Richard Wagner. Beethovensche Sonaten und Venusberg-Bacchanal, Haydns Messen und die Schlußszene aus den „Meistersingern" kennzeichnen in etwa die Grenzen dieser Gegensätze. Eine „Begabung" wäre vielleicht untergegangen in Epigonentum, — Bruckner dagegen schafft seine drei großen Messen und die erste, eigentlich seine dritte Symphonie. Klassik und Romantik stehen im Begriff, in Bruckner ein neues Drittes hervorzubringen.

Dieses Neue erlebt Bruckner in Wien, dem Ort seiner Leiden, aber auch freudig bewußten inneren Größe. Er kommt den Geistern der Zwietracht gerade recht: „Hie Hanslick — hie Wagner!" Bald heißt es, auf Wien allein bezogen: „Hie Bruckner — hie Brahms!" Nicht als ob Bruckner selbst ausdrücklich der Gegner gewesen wäre, nein, aber er stand im Kampf, rührend in seiner Unbeholfenheit, die glaubte, daß sein Kaiser mit einem Machtwort dem ein Ende bereiten könnte.

Wußte er vielleicht nicht, daß er selbst, sein eigenes Werk, diesen Gegensatz einmal in Nichts auflösen würde? Sicher, er wußte es, sonst hätte er nicht in Hinblick auf die von ihm verlangten Änderungen, vor allem die Kürzungen, verfügt, das sei nur für jetzt, die unberührte Gestalt seiner Werke gelte für später.

Er stand zwischen geistigen Welten nicht nur mit seiner Musik, sondern auch mit der darin sich äußernden Gedankenkraft seiner gewaltigen Persönlichkeit. Darum begriff seine Zeit ihn nicht, oder wollte ihn nicht verstehen, deswegen blieb er ihr fern.

1854 war das Dogma von der Unbefleckten Empfängnis verkündet worden, 1870 folgte im Vaticanum das der Unfehlbarkeit des Papstes; das alles mitten im tobenden Kulturkampf. Liberalismus und Katholizismus standen in schärfstem Gegensatz. In Linz begann man den neuen Dom zu bauen, mußte man die Verhaftung Bischof Rudigiers erleben, an anderen Orten Europas wurden gleichfalls Gewaltakte gegen die katholische Kirche verübt. Außerdem lehnte der wissenschaftliche, aufgeklärte Geist dieser Jahrzehnte alles Religiöse als „Verdummung" ab. Manchestertum und soziale Frage bildeten ebenfalls Gegensätze, deren Auswirkungen wir ja heute noch spüren.

In dieser Welt von Glaubensverhöhnung und Verneinung des Ewigen, von religionslosem Intellektualismus und immer mächtiger werdenden Zeitungslügen verrichtete Anton Bruckner sein tägliches Gebet, schuf er seine Symphonien, sein Te Deum und widmete das letzte seiner großen Werke dem „lieben Gott". Er war „ungebildet", man konnte mit ihm kein „gescheites" Gespräch führen über die neuesten Parlamentsreden oder über den „Fortschritt"; er war auch nicht gesellschaftlich „geschliffen" — aber er betete ohne Rücksicht auf anwesende Schüler seinen „Angelus"!

22

Das ist der wesentlichste Gegensatz, den Bruckner in seinem Leben ertrug. Er wurde noch verschärft durch seine vormärzliche, untertänige Erziehung, die der gewandten Selbstgefälligkeit des „fin de siècle" überhaupt unverständlich war. Noch manche Einzelzüge wären hier nachzuweisen, alle aber würden nur das eingangs Gesagte bestätigen, denn Sendung und Genius bleibt immer: Rufer zu sein in Zukünftiges, Verkünder des Kommenden und Opfer zu sein für die eigene Zeit.

Erschienen in: *J. B. Hilber. Festgabe zu seinem 60. Geburtstag,* Luzern 1951, S. 67—69.

25 Jahre Internationale Bruckner-Gesellschaft

Ein Vierteljahrhundert bedeutet gerade in den unruhigen Zeiten seit dem ersten Weltkrieg eine Fülle von Erprobungen, Schwierigkeiten und Gefahren, es ist aber auch ein gültiges Zeugnis für innere Kraft und sachliche Notwendigkeit, wenn eine Vereinigung auf eine solche Spanne von Jahren zurückblicken kann. Das gilt auch von der Internationalen Bruckner-Gesellschaft, die am 9. Oktober 1927 im Leipziger Buchgewerbehaus gegründet wurde. Als Dachgesellschaft umfaßte sie alle damals bestehenden Brucknerverbände und setzte ihre Ziele so fest: „Ohne Rücksicht auf sprachliche und politische Grenzen will sie in der ganzen Welt der Propagierung Brucknerschen Wesens dienen", und weiter: „Als wichtigste Aufgabe hat sie sich die Herausgabe des Gesamtwerkes von Bruckner gestellt; eine peinlich genaue, traditionsgeleitete Textkritik wird das Werk Bruckners von allen fehlerhaften Überbleibseln reinigen und den Urtext liefern, der als Grundlage für künftige praktische Ausgaben zu dienen hat". Unter den Gründern, die diese Richtlinien beschlossen, befanden sich Franz Moißl, Franz Gräflinger, Karl Grunsky, Fritz Grüninger, Walter Braunfels, Max Auer, Felix Gatz, Helmut von Hase, Propst Hartl von St. Florian u. a. Trotz aller Widerwärtigkeiten sind diese Absichten in die Tat umgesetzt worden und erleben heute erneuten Aufschwung.

Die Gesellschaft wurde schon im ersten Jahre ihres Bestehens von Leipzig nach Wien verlegt; das hing mit der Gesamtausgabe zusammen, deren Herausgabe schon damals von der Österreichischen Nationalbibliothek übernommen wurde. 1929 begannen die „Bruckner-Blätter" zu erscheinen und ein Jahr darauf fand das 1. Internationale Bruckner-Fest in München statt. Es eröffnete jene stattliche Reihe repräsentativer Veranstaltungen, die Werk und Gesinnung des Meisters in alle Welt getragen haben. Fanfaren gleich tönen sie in das Musikleben dieser 25 Jahre: München, Mannheim, Aachen, Freiburg i. Br., Zürich, Wien, Regensburg, Hamburg, Linz und, als letztes Glied dieser Kette, Basel im Dezember 1952.

Gleichzeitig gedieh seit 1930 die Gesamtausgabe, von Robert Haas und Alfred Orel begonnen. Ihre wissenschaftlichen Ergebnisse wurden durch Aufführungen bestätigt, von denen einige zu den besonderen Ereignissen im Leben der IBG zählen, vor allem der 2. April 1932: an diesem Tage führte Sigmund von Hausegger mit den Münchner Philharmonikern die Neunte Symphonie nach dem der Gesamtausgabe zugrundeliegenden Original auf. Von da ab traten trotz manchen Gegenmeinungen die originalen Partituren an Stelle der bisher gespielten Erstdrucke.

Nach dem Zusammenbruch des Verlages Filser in Augsburg, 1932, gründete die IBG ein eigenes Unternehmen: den Musikwissenschaftlichen Verlag Wien. Ihm obliegt die Herausgabe der Gesamtausgabe der Werke Anton Bruckners in Zusammenarbeit mit der Österreichischen

Nationalbibliothek, die dafür ihre gesamten Bruckner-Handschriften zur Verfügung stellt und gleichzeitig mit Erfolg bestrebt ist, auch die übrigen privaten wie öffentlichen Besitzer von Manuskripten zur Mitwirkung an diesem großen Werk zu veranlassen. Der Musikwissenschaftliche Verlag, 1938 aufgelöst, besteht seit 1945 aber wieder in seiner alten Form und hat die Fortführung der Gesamtausgabe mit den revidierten zweiten Auflagen der Studienpartituren zur Fünften, Sechsten und Neunten Symphonie erfolgreich in Angriff genommen.

Die Internationalen Bruckner-Gesellschaft hat solcherart die bei der Gründung ausgesprochene doppelte Art ihrer Bestrebungen durch alle Jahre wahr gemacht. Neben den lokalen Bruckner-Festen einzelner Orte hat sie immer wieder zu den großen geistigen Sammelpunkten der Internationalen Bruckner-Feste aufgerufen und dabei bereitwilligst wesentliche Unterstützung gefunden durch namhafte Dirigenten wie Franz Schalk, ihrem ersten Ehrenpräsidenten, Hausegger, Furtwängler, Kabasta, Dr. Andreae, sowie Solisten, Orchester- und Chorvereinigungen von Rang. Ausübende Künstler, Männer der Wissenschaft und der Feder haben sich erfolgreich für sie eingesetzt und damit Bruckner und seinem Werk gedient, das jetzt im Begriffe steht, über die bisherigen Grenzen seines Ruhms in die weite Welt auszustrahlen. Des Meisters Worte zu den „späteren Zeiten", für die er seine Werke komponiert habe, scheint sich zu erfüllen. Umso berechtigter ist es, die von der Internationalen Bruckner-Gesellschaft bisher geleistete Arbeit anzuerkennen, hat sie doch ihrerseits zu dieser „Erfüllung in späteren Zeiten" wesentlich beigetragen; sie wird das auch weiterhin so halten, günstige Verhältnisse vorausgesetzt. Aufgaben für und um Anton Bruckner, deren gibt es noch genug; sie anzupacken und zu lösen, ist ein Verdienst, das nicht nur für die Kunst des Meisters von St. Florian, sondern auch für die gesamte österreichische Kultur von größter Bedeutung ist. Daran wird auch die Internationalen Bruckner-Gesellschaft stets ihren Anteil haben.

Erschienen in: *Österreichische Musikzeitschrift* 8, Wien 1953, S. 29—30.

Neues zu Anton Bruckners „Romantischer"

Aus der Lebensgeschichte Anton Bruckners ist bekannt, daß in den Jahren 1885 und 1886 Versuche unternommen wurden, die IV. Symphonie im Druck zu veröffentlichen. Zuerst forderten Bote & Bock den Meister auf, die Partitur der „Romantischen" an sie abzusenden, wie Bruckner am 7. September an Hermann Levi berichtet[1]; ein halbes Jahr später aber muß er klagen: *„Bote & Bock ist zurückgetreten und habe wieder keinen Verleger[2]."* Im Sommer 1886 schickt er das Werk an Schott, aber ebenfalls ohne Erfolg. Wieder läßt er es seinen „künstlerischen Vater", Hermann Levi, wissen mit den Worten: *„Schon im August kam meine 4. Sinfonie in Es abgelehnt von Mainz retour. Herr Gutmann will selbe übernehmen, meint aber, ich solle mir vom Hofe 1000 fl. für ihn erbitten, welche er mir als Honorar anzubieten dächte. — Das kann ich nicht thun; und fühle mich dessen nicht fähig! Herr Gutmann soll diese romant. 4. Sinfonie nur so ohne Honorar hinnehmen[3]."* Darin spiegeln sich die außerordentlich mißlichen Verhältnisse, unter denen Bruckner bei der Drucklegung seiner Werke zu leiden hatte. In diesem Augenblick scheint Anton Seidl ihm Hoffnungen auf Amerika gemacht zu haben; ihnen verdanken wir eine bis jetzt unbekannt gebliebene Quelle zur IV. Symphonie, worüber im Zusammenhang mit der soeben erschienenen 2. Auflage dieses Werkes in der Gesamtausgabe hier berichtet werden soll.

24

Anton Seidl ist der von Richard Wagner schon 1875 an Angelo Neumann empfohlene Dirigent, der 1885 als Nachfolger L. Damroschs die Leitung des Deutschen Orchesters in New York übernahm und unter anderem 1886 Mitdirigent der Bayreuther Festspiele war; er hatte am 5. Dezember 1885 zum ersten Mal die III. Symphonie Bruckners in New York aufgeführt. Bruckner war 1886 ebenfalls bei den Festspielen in Bayreuth, es erscheint daher mehr als wahrscheinlich, daß er mit Seidl zusammentraf und ihm dann auch von Wien aus sein Mißgeschick mit der IV. wissen ließ. So machte sich nun Seidl erbötig, in Amerika einen Verleger für dieses Werk zu finden. Das gelang ihm zwar nicht, aber die Handschrift, die Bruckner ihm zu diesem Zweck schickte, ist in der Bibliothek der Columbia Universität in New York erhalten geblieben; sie kam 1905 mit dem Nachlaß Seidls dorthin[4].

Diese Handschrift ist kein Autograph, sondern nur eine Abschrift, zeigt aber verschiedene Eintragungen Bruckners, die beweisen, daß er in ihr gearbeitet hat. Dank dem freundlichen Entgegenkommen der Bibliothek der Columbia Universität und ihres Direktors, Carl M. White, konnten diese Änderungen in die 2. Auflage der Gesamtausgabe aufgenommen werden. Dadurch ist es möglich, in der neuen Ausgabe die endgültige, von Bruckner selbst „redigierte" Gestalt seiner „Romantischen" zu bieten.

Die Frage, wie es zu diesen Änderungen kam, ist aller Wahrscheinlichkeit nach so zu beantworten: Bruckner erfährt Seidls Absicht, damit scheint sein Wunsch, das Werk gedruckt zu sehen, in Erfüllung zu gehen. Er nimmt nun die in seinem Besitz befindliche Abschrift, in der er schon einmal, nach der Uraufführung von 1881, Änderungen angebracht hat und geht sie neuerdings durch. Den vorhandenen Zusätzen fügt er weitere hinzu und gibt dem Werk auf einem besonderen Blatt auch die eigenhändig abgefaßte Widmung an Constantin Fürst Hohenlohe mit. Dadurch bekommt diese Abschrift den Charakter einer Stichvorlage: so wollte Bruckner selbst die IV. Symphonie gedruckt wissen. Das geschah vermutlich im Spätherbst 1886 oder Anfang 1887 wie aus verschiedenen Einzelheiten hervorgeht[5]. Der Meister schickte die Vorlage weg und hat sich allem Anschein nach nie mehr wieder um sie bekümmert. Er hatte ja sein Autograph, das dann 1897 mit den übrigen Partituren als sein testamentarisches Vermächtnis in die k. k. Hofbibliothek kam. Einzig die Aufführung der IV. in New York, die Seidl am 4. April 1888 veranstaltete, mag ihn noch an das „amerikanische Abenteuer" seiner „Romantischen" erinnert haben[6]. Damals war er aber schon mit der Durchsicht der von Ferdinand Löwe vorbereiteten Stichvorlage fertig und kümmerte sich nicht um Vorangegangenes[7]. Er hat aber schon bei der Fertigstellung der Symphonie für Anton Seidl nicht mehr an Früheres gedacht, denn, während ein Teil der Zusätze von der gleichen Kopistenhand in das Autograph und die Stimmen rücküberträgen wurde, geschah das mit den späteren Ergänzungen nicht mehr; sie stehen nur in der New Yorker Handschrift. Diese ist somit deren einzige Quelle, durch sie werden auch die Eintragungen des Kopisten im Autograph, Cod. 19.476 in der Musiksammlung der Österreichischen Nationalbibliothek, als authentisch erwiesen. Damit werden aber auch alle Zweifel an ihnen ausgeschaltet, vor allem hinsichtlich der Kürzung im Andante zwischen Buchstabe L und M.

Die Unterschiedlichkeit der Eintragungen Bruckners legt nahe, daß sie zu verschiedenen Zeiten gemacht wurden. Die rücküberträgenen Änderungen und Zusätze gehören in das Jahr 1881 zwischen die Uraufführung (20. Februar) und die 2. Aufführung in Karlsruhe (10. Dezember), die nicht rücküberträgenen wurden im Herbst oder Winter 1886/87 eingeschrieben und sind, wie schon oben erwähnt, eine Folge von Seidls Anerbieten.

Sie betreffen vorwiegend instrumentationstechnische Retuschen, in der Mehrzahl Verstärkung einer melodieführenden Stimme durch ein zweites oder drittes Instrument, etwa eine Oboe oder die Verdopplung der Hörner. Die Verstärkung einer Bratschenstelle durch Fagotte und Klarinetten zeigt beispielsweise Takt 305 u. ff. im 1. Satz. Das Gegenteil, für gewöhnlich nur die Verringerung eines „a due", ist selten; auch die Vertauschung von Instrumenten kommt einmal vor.

Dynamische und agogische Zusätze oder Änderungen beschäftigen sich zumeist mit den durch die instrumentalen Retuschen geschaffenen neuen Verhältnissen oder verlangen auf das bestimmteste das „Hervortreten" einer Instrumentengruppe, etwa der Trompeten. Der Wechsel der Taktbezeichnung im Finale ist ebenfalls autograph; er entspricht sicher Dirigiergewohnheiten und zeigt, daß Bruckner hier vor allem praktischen Erfordernissen Rechnung trug. Auch die Wiederaufnahme des Hauptthemas aus dem 1. Satz am Ende des Finales ist neu, entspricht aber den Kompositionsgewohnheiten Bruckners in dieser Zeit.

Dagegen ist eines bezeichnend: an der Form, der Architektonik, ändert Bruckner nichts mehr. Mit Ausnahme der angeführten Kürzung im Andante und einer kleinen, an sich nicht gerade zum wesentlichen Bestand gehörenden Überleitungspartie im Finale (bei Buchstabe O), — beide Änderungen wurden schon 1881 vorgenommen —, bleibt die Symphonie unberührt. Es werden wohl Kürzungen vorgeschlagen, im Autograph auf dem Titelblatt des Finales aber ausdrücklich vermerkt: „*Bitte auch das Weggelassene in Druck und Clavierauszug zu nehmen. Die Kürzung ist mit vi = de zu bezeichnen. Bruckner.*" Für Bruckner war der Bau seiner „Romantischen" vollendet, er selbst hat ihn nicht mehr geändert. Das beweist, daß er, der sonst leicht Zweifelnde, immer wieder zu „Verbesserungen" Bereite, seiner Sache vollkommen sicher war. Die Änderungen im Erstdruck, vor allem an der Form, gehören einem anderen Stadium in der Geschichte dieser Symphonie an, worüber an gegebenem Ort noch zu berichten sein wird.

So hat ein glücklicher Zufall die Quellen zur IV. Symphonie Anton Bruckners um ein wichtiges Stück vermehrt. Es wäre zu hoffen und zu wünschen, daß im Interesse der Vollständigkeit, welche die kritische Gesamtausgabe der Werke Anton Bruckners anstrebt[8], noch einige solche Entdeckungen, vor allem aus Privatbesitz, folgen möchten, geht es doch um die Zuverlässigkeit einer Ausgabe, in der die Werke eines unserer größten Meister in vorbildlicher Textredaktion vereinigt sein sollen.

1 Gräflinger, Anton: Unbekannte Brucknerbriefe in: Gräflinger, A.: Anton Bruckner, Berlin 1927, S. 329.

2 ibid. S. 331.

3 ibid. S. 334. Vgl. dazu aber die etwas abweichende Form dieses Briefes sowohl bei Gräflinger, A.: Anton Bruckner, Gesammelte Briefe. Regensburg 1924 (Deutsche Musikbücherei, Bd. 49) S. 67, als auch in der von Max Auer besorgten Briefausgabe (Neue Folge, Regensburg 1924, Deutsche Musikbücherei Bd. 55) Nr. 205, S. 221 f. Sie enthalten den bemerkenswerten Satz: „Darauf verlangte Herr Seidl selbe Partitur und meinte, er würde drüben einen Verleger finden."

4 Frdl. Auskunft des Direktors der Musikabteilung, Thomas T. Watkins.

5 Der Revisionsbericht wird darüber sowie über die Zusammenhänge mit den anderen in Wien befindlichen Quellen, Autograph wie Abschriften und Stimmen, Auskunft geben.

6 Vgl. den Brief vom 24. April 1888 an Josef Gruber in St. Florian: „Herzlich freute mich der große Erfolg der 4. Symphonie in New York durch den berühmten Dirigenten neulich aufgeführt." Auer, M.: Anton Bruckner, Gesammelte Briefe, Neue Folge Nr. 204, S. 221.

7 Vgl. das Vorwort zur 2. Aufl. der Partitur. Auch darüber wird der Revisionsbericht weitere Aufschlüsse bringen. Über die Stichvorlage zum Erstdruck hat Alfred Orel 1940 in der „Pause", Jg. 5, Heft 1, einiges mitgeteilt.

8 Herausgegeben von der Österreichischen Nationalbibliothek und der Internationalen Bruckner-Gesellschaft unter Leitung von Leopold Nowak im Musikwissenschaftlichen Verlag, Wien.

Erschienen in: *Österreichische Musikzeitschrift* 8, Wien 1953, S. 161—164.

Anton Bruckners Achte Symphonie und ihre zweite Fassung

Die Weiterführung der Bruckner-Gesamtausgabe nach dem Kriege wurde vorerst mit dem Neudruck jener Werke begonnen, deren Partituren schon erschienen waren. Dabei war es selbstverständlich, daß die von Robert Haas vorgelegten Texte (die IX. hatte Alfred Orel besorgt), wie dies bei Neuauflagen üblich ist, nochmals an Hand der Autographen durchgesehen und einige Druckfehler, die bei einem so großen Unternehmen als unvermeidlich vorausgesetzt werden dürfen, berichtigt wurden. Die erste Phase der Bruckner-Gesamtausgabe, ihr Beginn und ihre Fortführung, bis der Krieg ein Ende setzte, bleibt eine Tat, der die gesamte Musikwissenschaft und die Bruckner-Forschung im besonderen, die Achtung nie versagen wird. Nur jemand, der an ähnlichen Aufgaben arbeitet, kann ermessen, welche Schwierigkeiten verschiedenster Natur es da zu überwinden galt. Die dabei geleistete wissenschaftliche Arbeit behält ihren Wert selbst dann, wenn die Neurevisionen da und dort zu anderen Ergebnissen gelangen; das liegt im Wesen eines solchen Unternehmens. Es geht ja nicht allein nur um Druckfehler, sondern auch um Einarbeitung von Quellen, die inzwischen neu gefunden wurden, aber auch um die Richtigstellung von Darlegungen, die, besseren Einsichten folgend, heute nicht mehr aufrecht erhalten werden können.

Das trifft im vollen Umfang für die Neuausgabe der 2. Fassung der VIII. Symphonie zu.

Es ist bekannt, daß Bruckner dieses Werk mit einer ans Übermenschliche grenzenden Freude und Begeisterung geschaffen hat. Die Symphonie ist das ragende Endglied jener großen dreiteiligen Kette, die von der Sechsten (1879—1881) in einem Zug über die Siebente (1881—1883) bis zu jenem „Halleluja" führt, mit dem Bruckner am 16. August 1885 in Steyr den Schluß des Finales der Achten in der Skizze besiegelte. Bruckners Hochgefühl sollte grausam enttäuscht werden. Hermann Levi, dem der Meister am 19. September 1887 die Partitur schickte, fand sich nicht zurecht und wandte sich an Josef Schalk um Rat[1]. Die zwischen den beiden Briefen Levis liegende Antwort Schalks ist verlorengegangen, bzw. bisher nicht wieder zum Vorschein gekommen. Dagegen hat sich die Antwort auf den zweiten Brief Levis erhalten. Schalk berichtet darin unterm 18. Oktober 1887 von Bruckners tiefster Niedergeschlagenheit[2]. So entschloß sich der Meister, die VIII. Symphonie umzuarbeiten und folgte dabei den Ratschlägen seiner Umgebung[3]. Auf die psychologischen Probleme, die hier Bruckners Charakter aufgibt, auf seine Nachgiebigkeit solchen „praktischen" Ratschlägen gegenüber kann hier nicht näher eingegangen werden[4].

Die Umgestaltung der VIII. Symphonie ist ab 4. März 1889 in einem geschlossenen Arbeitszug bis 10. März 1890 zu verfolgen. Am 14. März gibt es dann noch eine „letzte auswendige Wiederholung vom 1. Satze der 8. Symphonie"; so heißt es in einem der Vormerkkalender Bruckners. Damit war die zweite Fassung der VIII. Symphonie vollendet[5].

Sie wird nun im Rahmen der Gesamtausgabe in zweiter revidierter Ausgabe veröffentlicht und unterscheidet sich einigermaßen von der ersten, die Robert Haas 1939 besorgte. Das dort befindliche Vorwort gibt den Grund für diese Verschiedenheit an: „Meine Textlegung mußte diesem Sachverhalt[6] sinngemäß gerecht werden und das organisch Lebenswichtige wiederherstellen... Die Striche konnten wieder aufgemacht werden... an einzelnen Stellen endlich war ein Zurückgreifen auf die 1. Fassung geboten, um den echten Sinn und Klang wiederherzustellen."

Dieses Auswahlprinzip erwies sich, wie die Revision ergab, als unhaltbar. Nachdem zwei von Bruckner selbst geschriebene Fassungen vorhanden sind, darf man sie nach den Grundsätzen der Gesamtausgabe nicht vermischen, sondern muß entweder die eine oder die andere veröffentlichen, ohne Herübernahme aus der jeweils anderen Fassung. Solches Auswählen muß notwendigerweise der Folgerichtigkeit entbehren, wie beispielsweise schon die aufgemachten Striche im Finale erweisen. Bruckner hat darin insgesamt sieben Striche verfügt. Davon wurden von Haas fünf rückgängig gemacht, zwei aber nicht. Die fünf geöffneten betreffen die Takte zwischen O und P, die vier Takte zwischen Q und R, die Periode vor Oo und zehn Takte nach Oo und vier Takte zwischen Tt und Uu; es sind dies in der Partitur von 1939 die Takte 211—230, 253—256, 587—598, 609—616, 671—674. Die zwei nicht aufgenommenen Kürzungen befinden sich zwischen Takt 292 und 293, da hat Bruckner acht Takte gestrichen, sowie zwischen Takt 684 und 685; hier stehen zwei Takte mehr, die gleich den anderen acht auch aufgemacht gehörten, wenn die 1. Ausgabe folgerichtig gehandelt hätte; denn nichts spricht dafür, diese Takte nicht einzufügen, wenn man sich dazu entschlossen hat „aufzumachen". Die Kürzungen sind sämtliche vom Meister selbst angeordnet. Das beweist nicht nur die Art des Durchstreichens, sondern vor allem die Änderung der metrischen Ziffern, mit denen Bruckner den Aufbau der Form bis ins Einzelne überprüfte. Die Neurevision mußte aus den angeführten Gründen allen diesen Kürzungen folgen, der ungekürzte Text dieser Stellen gehört der 1. Fassung zu. Das gleiche betrifft auch die 10 Takte vor Q im Adagio, Takt 209—218 der Ausgabe von 1939[7]. An dieser Stelle wurde von Haas nicht nur die Kürzung Bruckners aufgemacht, sondern auch ohne ersichtlichen zwingenden Grund die Instrumentation der 1. Fassung eingefügt. Es ist wohl einleuchtend, daß diese zehn Takte, wenn sie, entgegen dem Willen Bruckners, in der Partitur erscheinen, die Instrumentation der dazugehörigen Fassung, nämlich der zweiten, aufzuweisen hätten. So aber, mit dem Klangbild der ersten Fassung von 1887, sind sie eine Art instrumentationstechnischer Anachronismus.

Das ist eine Folge des Zurückgreifens auf die 1. Fassung. Dieser Grundsatz hat sich für die VIII. Symphonie leider nicht vorteilhaft ausgewirkt. Die so entstandene Partitur ist eine Mischung von 1. und 2. Fassung nicht nur in formaler, sondern auch in klanglicher Hinsicht. Vor allem im Adagio zeigt eine ziemliche Anzahl von Stellen diesen Zwittercharakter. Dem, der sich mit dieser Sache nicht näher befaßt, wird es nicht weiter auffallen; eine revidierte Neuausgabe kann daran aber nicht vorbeigehen, und muß den richtigen Tatbestand herstellen. So zeigt Takt 24/25 des Adagios in der bisherigen Gesamtausgabenpartitur folgende Instrumentation: 2. Oboe, 2. Violine und Viola gehören der 2. Fassung an, ebenso die Fagotte, denen aber das von Bruckner vorgesetzte 2. Viertel ces fehlt. In der 1. Fassung pausieren sie in diesem Takt überhaupt. Dieses 2. Viertel fehlt auch im 1. und 2. Horn, in der 1. Trompete und in der Kontra-Baßtuba; die Posaunen pausieren ab dem 2. Viertel, ebenso hat die 2. Trompete Pausen. Andere Beispiele für das Zurückgreifen auf die 1. Fassung sind die fehlenden Klarinettensexten, Takt 169 u. ff. und das Sechzehntel f des 3. Horns in Takt 186, das in der 2. Fassung deutlich in fis geändert wurde. Ein Vergleich beider in der Gesamtausgabe erschienenen Partituren der zweiten Fassung läßt die Unterschiede, die sich aus der Neurevision ergaben, leicht erkennen. Es geht daraus hervor, daß die revidierte Ausgabe sich dem Erstdruck nähert, der allerdings, wie nicht anders zu erwarten, auch wieder mit Änderungen aufwartet, die nicht durch die Handschrift Bruckners in seinem Autograph beglaubigt sind.

Für einige dieser Änderungen kann Josef Schalk als Urheber nachgewiesen werden. Max v. Oberleithner erledigte den schriftlichen Verkehr mit dem Verleger Schlesinger in Berlin, während Josef Schalk die musikalische Einrichtung der Partitur besorgte. Er ließ sich dabei von seinem Bruder Franz, dem Lieblingsschüler Bruckners, beraten. Ein Brief von seiner Hand an Max v. Oberleithner, datiert 5. August 1891, gewährt einigen Einblick in seine Tätigkeit. Der Beginn sei hier erstmalig mitgeteilt, er bezieht sich auf die im Erstdruck fehlenden Takte 93—98 im Finale, deren Entfernung, wie man sieht, Josef Schalk veranlaßt hat. Schalk schreibt: „1. Die 6 Takte vor F *müssen auch im Stich* wegbleiben. Die so ganz unmotivierte Reminiszenz an die VII. hat mich hauptsächlich zu dem Entschluß gebracht, sie zu streichen."

Wien 5. Aug. 1891

Sehr geehrter Herr!
Ich eile unverzüglich zur Beantwortung
Ihrer Fragen:
1. Die 6 Takte vor F. müssen auch
in Stich wegbleiben. Die so ganz un-
motivirte Reminiscenz an die III. hat
mich nachträglich zu dem Entschlusse gebracht sie zu streichen.

Nachdem durch die von Bruckner selbst vorgenommene Kürzung vor Oo (Takt 587—599 der Ausgabe von 1939) das Zitat aus der VII. Symphonie in der Reprise wegfiel, empfand Josef Schalk anscheinend dessen Verbleiben in der Exposition als unbegründet. Die Gesamtausgabe konnte sich diesem Vorgehen allerdings nicht anschließen und hat die Takte selbstverständlich aufgenommen. Die übrigen Einzelheiten dieser Herausgebertätigkeit werden im Revisionsbericht Platz finden.

So durchläuft die Geschichte dieser Symphonie verschiedene Stufen: von der 1. Fassung (1887) zur 2. (1890), von dieser zum Erstdruck (1892), zur ersten Ausgabe in der Gesamtausgabe (1939), die in einigen Stellen auf die Fassung von 1887 zurückgreift, und nun zur zweiten, revidierten Ausgabe, in welcher zum erstenmal der Text der 2. Fassung getreu nach der Niederschrift Bruckners erscheint. Infolgedessen war auch die Aufführung der VIII. Symphonie beim XIII. Internationalen Bruckner-Fest in Bern, so überraschend es klingt, eine Uraufführung.

1 Vgl. Anton Bruckner, Gesammelte Briefe. Neue Folge, Herausgegeben von Max Auer, Regensburg 1924, S. 395 f. (Deutsche Musikbücherei Bd. 55.)
2 Erstmals von Robert Haas im Revisionsbericht zur IV. Symphonie, Leipzig 1936, S. 2, veröffentlicht.
3 Vgl. dazu den Anm. 2 angeführten Brief, sowie den vom 27. Februar 1888 an Levi, bei Franz Gräflinger, Anton Bruckner. Berlin 1927, S. 341. (Max Hesses Handbücher Bd. 84). Bruckner hat also, was vorläufig datenmäßig noch nicht zu belegen ist, wahrscheinlich Herbst 1887 — Winter 1888 schon an der Achten gearbeitet.
4 Näheres darüber siehe Ernst Kurth, Anton Bruckner. Berlin 1925, S. 158 f. und 163 f.
5 Auf die Unterschiede der beiden Fassungen hier einzugehen, würde zu weit führen. Das Wichtigste darüber findet sich bei August Göllerich— Max Auer, Anton Bruckner. Bd. 4, 2. Teil, Regensburg 1936, S. 534 ff. (Deutsche Musikbücherei Bd. 39/2), und Robert Haas, Anton Bruckner. Potsdam 1934, S. 145 ff. Die Partitur der 1. Fassung wird zur Gänze in der Gesamtausgabe erscheinen.
6 Die Umarbeitung mit ihren Eingriffen in das Gefüge. (Vorangehender Absatz.)
7 Vgl. dazu auch das Vorwort der zweiten, revidierten Ausgabe.

Erschienen in: *Österreichische Musikzeitschrift* 10, Wien 1955, S. 157—160.

Das Finale von Bruckners VII. Symphonie

Eine Formstudie

Es ist seit langem bekannt, daß den Finalesätzen in den Symphonien Anton Bruckners besondere Bedeutung zukommt. Es ist aber auch weiter nicht unbekannt, daß gerade das Finale der Siebenten Mißdeutungen ausgesetzt war und gleich bei seinem Bekanntwerden selbst den nächsten Freunden und Kennern Brucknerscher Musik auf den ersten Blick als unverständlich galt. So berichtet Friedrich Eckstein[1], daß Hugo Wolf anfänglich „insbesondere den letzten Satz der Siebenten Sinfonie verworren und unverständlich" fand und daß selbst für Hermann Levi „vieles, insbesondere im letzten Satz, nicht ganz verständlich" gewesen sei. Er „fand den letzten Satz verworren und dunkel; dieser müsse, um das Werk zu retten, stark gekürzt und auch sonst gänzlich umgearbeitet werden". Es gelang Bruckner, Levi zu überzeugen, sodaß dieser nach einigen Orchesterproben schließlich begeistert war und, wie Eckstein weiter berichtet, erklärte: „der letzte Satz der Sinfonie beginne jetzt erst sich ihm zu erschließen, er sei doch der schönste und es dürfe darin weder ein Takt gestrichen, noch irgendetwas abgeändert werden". Auch Hugo Wolf änderte nach einiger Zeit seine Meinung. Er kam zu Eckstein und überraschte ihn mit der Mitteilung: „gerade der letzte Satz erscheine ihm nun als der großartigste".

Daß es mit diesem Finale etwas besonderes an sich habe, beweist seine formtechnische Analyse. Es gilt dies nicht nur für die Zeitgenossen Bruckners, sondern auch für das Bruckner-Schrifttum der letzten Jahre: man hat die Form dieses Finales nicht richtig erkannt.

Der Grund dafür ist in wenigen Worten gesagt: Bruckner hat in der Reprise den Kanon der klassischen Form, die drei Bestandteile der Exposition in gleicher Reihenfolge zu bringen, umgekehrt. Statt A—B—C heißt es C—B—A, und das ist es, was beim ersten Betrachten dieses Satzes als völlig unverständlich erscheint und erscheinen muß, wenn man — wie die Zeit Bruckners — am klassischen Sonatenschema festhält.

Die Form sieht bei Bruckner folgendermaßen aus:

Exposition

1. Gruppe (Hauptthema)	A	1—34	.... 34 Takte
2. Gruppe (Gesangsthema)	B	35—92	.... 58 Takte
3. Gruppe (Schlußgruppe)	C	93—144	.... <u>52 Takte</u>
			144 Takte

Durchführung

Einleitung	145—162	.... 18 Takte
A in der Umkehrung	163—170	.... 8 Takte
B in der Umkehrung und Verkleinerung	171—174	.... 4 Takte
A in der Umkehrung, mit zwei Gegenstimmen	175—182	.... 8 Takte
A in der Originalgestalt, mit zwei Gegenstimmen	183—190	.... <u>8 Takte</u>
		46 Takte

Reprise

3. Gruppe	C	191—212	.... 22 Takte
2. Gruppe	B	213—236	.... 24 Takte
Einschub		237—274	.... 38 Takte
1. Gruppe	A	275—314	.... <u>40 Takte</u>
			124 Takte

Koda	315—339	.... 25 Takte

Diese Gliederung hat ein doppeltes „Gleichgewicht" in sich: ein metrisch-formales (mathematisches), das der Taktanzahl folgt, und ein dynamisch-bewegungsgegründetes, das sich aus der musikalischen Entwicklung herleitet. In diesem liegt auch die Begründung, warum Bruckner das Finale so und nicht anders gestaltete.

Aus der Taktanzahl ergeben sich folgende Übereinstimmungen: Exposition und Durchführung bilden die eine Hälfte, Reprise und Koda die andere. Ihre Taktzahlen: 144:46 und 124:25 stimmen fast genau überein, so zwar, daß die zweite Hälfte um genau 20 Takte in jedem ihrer beiden Teile weniger hat, als die erste. Die Verhältnisse bleiben also gewahrt. Sie werden nur der rechnerischen Überlegung sichtbar, nicht aber der musikalischen Empfindung, da jene von der Dynamik „überspielt" wird. Die thematische Entwicklung ist selbstverständlich die stärkere, weil ursprüngliche musikalische Komponente. Das schließt aber natürlich eine Betrachtung wie die soeben angestellte nicht aus, weil daraus Ebenmäßigkeiten sichtbar werden, die zum Wesen dieses Satzes, wie überhaupt zum architektonischen Element innerhalb der Musik gehören. In solchen Entsprechungen offenbart sich auch das „Maßhalten" des Genies, das vollkommen unbewußt geschehen kann, oder aber auch unter ständiger Überprüfung, wie dies Bruckners „metrische Ziffern" nahelegen. Ob er damit auch die Form im großen nachprüfen wollte, das entzieht sich der genauen Beweisführung. Es ist auch für die Tatsache an sich, als Endergebnis, belanglos.

Die mathematischen Entsprechungen spiegeln sich auch, in umgekehrten Verhältnissen, in den Ausdehnungen der drei Gruppen in Exposition und Reprise:

Exposition
A 34: 40 Takte Reprise
B 58: 24 Takte
C 52: 22 Takte

A wird als gegen Schluß stehend in der Reprise größer, auch dynamisch, wovon noch zu sprechen sein wird, B und C aber dagegen kleiner. Die annähernde Länge der Reprise zur Exposition wird durch die 38 eingeschobenen Takte hergestellt.

Die Durchführung zeigt ihrerseits ebenfalls „geordnete" Verhältnisse. Die ersten 18 Takte zerfallen in 2 + 16, so daß sich von der Thematik her gesehen die Verhältniszahlen 16:8:4:16 ergeben. Die ersten 16 Takte sind, was die Holzbläser betrifft, von „hergeleiteten" Motiven erfüllt (Takt 133 ff), denen das Blech alternierend gegenübersteht. Die folgenden Motive aber gehören A und B an. Und zwar so, daß zuerst das Spiegelbild von A erscheint, mit Pizzikato-Vierteln in den Bässen, dann B, ebenfalls umgekehrt und außerdem verkleinert, eingeführt wird. Darauf folgt neuerdings A, noch umgekehrt, aber mit einer Achtelbewegung und seiner eigenen, aber jetzt nicht mehr umgekehrten Gestalt als Kontrapunkt. Das löst die weitere Steigerung aus: A in der originalen Gestalt mit Kontrapunkten „aus sich selbst", Viertelschlägen und klanglichen Bereicherungen in den Hörnern und Tuben. Zur thematischen Arbeit, wie sie einer Durchführung entspricht, gesellt sich das Dynamische, die Steigerung durch Vermehrung der Bewegung, die mit ihren letzten Takten geradewegs in die Reprise von C 191 ff mündet.

Das führt auf die schon vorhin angedeutete zweite Betrachtungsebene, die dynamische. Sie erklärt restlos die Form dieses Satzes und legt die Gründe frei für sein „So-Sein"; sie bewirkt auch, daß man Bruckners Absichten vollkommen versteht.

Die Dynamik ist in ihren wesentlichen Zügen folgende:

Exposition
A p mit ff-Kadenz (17/18) und Abstieg aus einem ff (27) zum p des Seitensatzes. Rhythmisch scharf akzentuiert.

B durchwegs p und pp mit vorübergehendem f (55 f., 72). Als „Gesangsgruppe" melodisch bestimmt, stufenweise aufwärtsgehend.

C zuerst durchwegs ff (zweimal, 93 und 101), mit nachfolgendem fff (109 ff.), aber geteilt zwischen dem Blech und Streicher + Holz. Verarbeitungsmäßig daran erkennbar: zwei Unisono-Stellen mit nachfolgender Verdoppelung der Thematik (101—104). C ist die volle Entfaltung der in A enthaltenen Kraft, insofern gibt es in diesem Finale keine besondere Schlußgruppe. Die in A enthaltenen Kräfte überwiegen und drängen zur Entfaltung.

Durchführung

Sie wirkt zwischen den beiden C wie eine wiewohl wichtige Episode. Unterstützt wird dieser Eindruck noch durch die zum zweiten Thema hinführende Steigerung der letzten acht Takte (183—190).

Reprise

C zuerst wie in der Exposition (zwei Unisoni, 191 und 195, mit nachfolgender kontrapunktischer Verarbeitung, 199 ff, jetzt aber Hauptthema und Spiegelbild, wachsende Intensität), dann aber als eindrucksvollste innere Kraftentfaltung des ganzen Satzes ein fff-Unisono mit Motivverlängerung (höchster Ton ces in 211/212); Generalpause als Abbruch.

B gekürzt, durchwegs p, pp und ppp. Nach der einzigen ff-Kadenz der Streicher (228) die gleichfalls gekürzte Bläserpartie (229—236).

Der Einschub nimmt über die aus A stammende Dynamik (p, mf, ff) die Kraft von C wieder auf (257 ff) und steigert sie bis ins fff (271—274). Höchste äußere Intensität des Satzes, Danach plötzlicher Abbruch und

A aus anfänglichem p wie in der Exposition. Über eine ff-Kadenz (289/290) Steigerung in eine große, verbreiternde Kadenz (313/314) unmittelbar vor der Koda, die für Bruckner kennzeichnende Schlußsteigerung in die letzte Themen-Apotheose.

Diese aus Bewegung und thematischen Kräften gewonnene Architektonik ist die Ursache, daß Bruckners Formwille hier schwer verständlich wurde. Wer von der klassischen Sonatenform her an das Finale herangeht, dem wird die Reprise stets Ungelegenheiten bereiten, weil sie dem, wenn man so sagen will, „statischen" Bauplan der klassischen Zeit nicht entspricht. Es löst sich aber alles, wenn man so wie Bruckner den Impulsen der Themen folgt; dann erfaßt man den Verlauf und erkennt mit Staunen die Großartigkeit des Entwurfes, aber auch die zwingende Logik, die sich für Bruckner selbst schon darbot, als er dem inneren Leben seiner Themen folgte.

Die Stellung von 1. und 2. Gruppe bietet keinerlei Schwierigkeit. Schon das nachfolgende C (93) aber mußte bedenklich erscheinen. Nachdem es seine direkte Abstammung aus A nicht verleugnen kann, im weiteren Verlauf eine eigene Schlußgruppe nicht auftauchte und die Reprisenordnung verdreht war, konnte man zu dem Schluß kommen, daß hier schon die Durchführung beginne[2]. Wickenhauser[3], der die gleiche Meinung vertritt, teilt die Durchführung in drei Abschnitte: 93—144 (Eintritt der Durchführung, wie sie Bruckner bezeichnet hat), 145—190 (Eintritt der Reprise) und 191—274 (bis zur Wiederkehr des Hauptthemas). Für ihn wie für manche andere Ausleger muß B natürlich innerhalb der Durchführung stehen, sie vermissen es daher in der Reprise. Sie kennen aus diesem Grunde auch keine Schlußgruppe. Eine Ausnahme macht nur Auer[4], der von einem dritten „Unisono-Hauptgedanken" spricht, ihn aber nicht weiter berücksichtigt. Daß Bruckner selbst seiner Gewohnheit gemäß den Beginn der Durchführung mit einem Doppelstrich deutlich anzeigt, wurde vorerst nicht zur Kenntnis genommen. So stand man verwirrt vor einer Form, die man als vollkommen abwegig ansah, weil man nur „Form" suchte, nicht aber die Kräfte, die sie wirken. Bauer[5] urteilt besonders scharf: „Die formell schwächste Leistung stellt die klangschönste von allen, die VII. Sinfonie dar (mosaikartige Durchführung des ersten Satzes, Längen des Scherzos, planlose Anlage des Finales)."

Solche Fehlurteile erklären sich aus dem einseitigen Verharren im klassischen Formenbau, den ja auch „Bewegungskräfte" erfüllten, und zeigen den wesentlichen Unterschied, der in den Betrachtungsweisen liegt. Die für Bruckner richtige Einstellung geht auf August Halm[6] und den ihm folgenden Ernst Kurth[7] zurück. Bei Bruckner begreift man die „Form" erst dann vollständig, wenn man dem „Dynamischen", dem „Bewegenden" genügend Aufmerksamkeit schenkt[8]. Auch Auer[9] spricht von „dem zum Schluß drängenden Fluß" und deutet so die richtige Einstellung zum Finale der VII. Symphonie an. Die dritte Gruppe C kann nur aus diesen Gründen als selbständige Gruppe angesprochen werden, trotzdem man sie als eine Ausweitung von A begreifen muß. Die Dynamik von A wird sozusagen „frei gemacht" und wirkt. Sie ist aber so stark, daß sie sich nach der verhältnismäßig kurzen und übersichtlich gegliederten Durchführung, sofort wieder bemerkbar macht. Diese Kraft kann nicht aufhören, sie kann daher nicht, wie es reprisengerecht wäre, wieder mit A anfangen, sondern muß „austoben". So kommt es zum überraschenden Eintritt von C als erste Gruppe der Reprise und zu dem der Exposition entgegengesetzten Ablauf. Das erkennt Kurth, wenn er sagt, „daß das Gebilde C auch die stärkste Wucht trägt und gegen die Mitte auftürmt"[10]. Er befindet sich damit auf dem richtigen Wege und erkennt auch, daß Bruckner die Gruppen in der Reprise in „umgekehrter Ablauffolge" bringt, verstellt sich aber den Blick durch die Anmerkung: „Damit wäre auch die Repriseidee an sich ausgeschaltet; denn es wäre natürlich unmöglich, die Stelle bei P (191) als Repriseneinsatz anzunehmen". Gerade das ist es aber, was hier geschieht. Obwohl die Kraftentfaltung von C den Mittelbogen des Finales ausmacht, in dem, eingebettet, die kurze Durchführung liegt, muß man die Wiederkehr von C als Reprisenbeginn annehmen. Nur dann wird das Formenschema dieses Finales klar, und nur dann offenbart sich jene logische Ordnung, die Bruckner selbst, ganz abseits von den üblichen Gepflogenheiten, wollte[11].

Abweichend davon sieht Haas[12] den Beginn der Reprise bei der Wiederkehr von B, wobei dessen „Wiederholung und die 3. Hauptgruppe überschlagen werden". Diese Meinung übersieht die Stellung von C und macht daher ebenfalls nicht den letzten Schritt zur endgültigen Erkenntnis.

Aus A wird C, C beherrscht den Mittelteil, ist somit auch jene Partie, die die größte Aufmerksamkeit auf sich zieht, und wird von B umrahmt. Mit A beginnt und endet dieser Satz. So wölben sich drei große Bogen ineinander:

A B C Dfg. C B Einschub A Koda

Da C aus A entstanden ist, gäbe es auch die Möglichkeit, zumindest im weiteren Sinne von einer rondoartigen Form zu sprechen:

A — B — A (C) — (A — B — A) — A (C) — B — A

Allerdings hat auch schon Kurth[13] sie als die am fernsten liegende bezeichnet. Sie würde einerseits dem Drei-Gruppen-Prinzip Bruckners widersprechen und außerdem die Bedeutung von C herabmindern. Denn, wenn dessen Herkunft aus A auch wohl feststeht, so ertrotzt es sich mit seiner Gewalt doch eine selbständige Stellung, die als solche nicht übersehen werden darf. Daß es im Verlauf mit A gekoppelt wird, (199 ff) kann man ja nur als Bestätigung dieser Ansicht werten.

So liegt im Finale der Siebenten Symphonie Bruckners ein Gebilde vor, dessen einfach gestalteter Grundriß von den dynamischen Mächten der Themen fürs erste verdeckt wird. Man muß sich bei seiner Betrachtung frei machen von den überkommenen, gewohnten Formen der Klassik, die ihrer Herkunft zufolge im Statischen liegen. Sobald man seine Aufmerksamkeit dem „Bewegenden" zuwendet und diesem formbildende Kraft zubilligt, dann lösen sich alle „Ungereimtheiten" in Bruckners Form ganz von selbst. Des Meisters Absichten werden in ihrer überraschenden Logik klar sichtbar. Daß Bruckner mit den überkommenen Bauelementen, die er ungemein genau studiert hatte, sehr wohl umzugehen wußte, das hat er in allen seinen Kompositionen bewiesen. Daß er sie auch in vollkommener Freizügigkeit in neuartiger Weise zu verwenden wußte, beweist das Finale der Siebenten ähnlich dem des Quintetts. Daraus wird nur wiederum ersichtlich, daß der Meister um die eigenen künstlerischen und kompositorischen Freiheiten Bescheid wußte.

1 Eckstein, Friedrich: Die erste und letzte Begegnung zwischen Hugo Wolf und Anton Bruckner. In: In memoriam Anton Bruckner. Wien 1924, S. 49.
2 Niemann, Walter: Anton Bruckner. VII. Symphonie. Berlin, Schlesingersche Musikführer, Nr. 224, S. 22, mit der Folgerung, „welche in Rücksicht auf die auffallend knappe Fassung des Thementeiles den vierfachen Umfang desselben einnimmt". Begreiflich, daß für Niemann „die Länge der Durchführung in keinerlei Verhältnis zum übrigen Aufbau des Satzes steht".
3 Wickenhauser, Richard: Anton Bruckners Symphonien, ihr Wesen und Werden. Leipzig, Reclam 1926/27, Bd. 2, S. 141.
4 Auer, Max: Anton Bruckner, Wien 1947, S. 360.
5 Bauer, Moritz: Zur Form in den symphonischen Werken Anton Bruckners. Kretzschmar — F. S. 12—14. Leipzig 1918.
6 Halm, August: Die Symphonie Anton Bruckners. München 1923.
7 Kurth, Ernst: Anton Bruckner. Berlin 1925.
8 Kurth, Ernst: a. a. O., Bd. 1, S. 233 ff.
9 Auer, Max: Bruckner. Amalthea-Bücherei, Bd. 33/34, Wien 1923, S. 368.
10 Kurth, Ernst: a. a. O., Bd. 2, S. 1033.
11 Kurth, Ernst: a. a. O., S. 1034.
12 Haas, Robert: Anton Bruckner. Potsdam 1934, S. 144.
13 Kurth, Ernst: a. a. O., S. 1034/1035.

Erschienen in: *Festschrift Wilhelm Fischer* (Innsbrucker Beiträge zur Kulturwissenschaft, Sonderheft 3), Innsbruck 1956, S. 143—148.

„Urfassung" und „Endfassung" bei Anton Bruckner

Es ist eine bekannte Tatsache, daß Komponisten an ihren fertiggestellten Werken Änderungen vornehmen. Das kann den verschiedensten Gründen entspringen und kann auf verschiedenste Weise geschehen, auch kann dies von kleinen Abänderungen bis zu völligen Neuschöpfungen führen. Man braucht nur an Beethovens „Fidelio" erinnern, oder, um ein Werk aus neuester Zeit zu nennen, das „Marienleben" von Hindemith; der Beispiele dafür gäbe es eine ganze Menge.

Für die Werkgeschichte bedeutet dies, daß ein bereits als abgeschlossen betrachtetes Ganzes neuerdings in Arbeit genommen wird, daß also der Arbeitsprozeß sich fortsetzt und Nachträge kleineren oder größeren Ausmaßes entstehen, die das Werk verändern. Das ist aber nun nicht nur für die Geschichtsschreibung wichtig, sondern auch für die Praxis, für das Musikleben, denn man muß sich dann unter Umständen für eine der vorliegenden „Fassungen" entscheiden.

Damit ist schon jenes Wort gefallen, das im Titel steht: „Fassung". Man hört von „Endfassungen", von „Fassungen letzter Hand", von „Original- und Urfassungen" oder auch „Erstdruckfassungen". Eine Fülle von Bezeichnungen, die leicht verwirrt und manches verwickelter erscheinen läßt, als es in Wirklichkeit ist; gerade bei Bruckner hat sich dies gezeigt, und so mag es nicht ohne Nutzen sein, vorerst grundsätzliche Betrachtungen darüber anzustellen.

Zu diesem Zweck wollen wir von allgemeinen Erwägungen ausgehen: wie eine Komposition überhaupt entsteht. Da ist zuerst der E i n f a l l. Er muß noch nicht niedergeschrieben werden, kann von kleinerer oder größerer Ausdehnung sein, ja in einzelnen Fällen kann sogar die Fülle der Einfälle zum fertigen Werk im Kopfe verarbeitet werden, sodaß die Niederschrift, ohne alle Ausbesserungen, zur mechanischen Arbeit wird, wie etwa bei Mozart oder Reger. Der weitaus gewöhnlichere Weg ist der der S k i z z e. Aus e i n z e l n e n S k i z z e n, die verschiedenes Aussehen haben können, entsteht der E n t w u r f des gesamten Werkes. Dieser E n t w u r f wird ausgeführt und so entsteht die 1. N i e d e r s c h r i f t eines Werkes. Dieser Entwicklungsgang gilt für größere Werke (Symphonien, Chorwerke, Kammermusik usw.); aber auch für kleinere, das Lied ausgenommen, wird er grundsätzlich Geltung haben.

Diese 1. N i e d e r s c h r i f t, die beendet und gegebenenfalls mit Namenszug und Datum als „fertig" erklärt wird, ist die 1. F a s s u n g eines Werkes. Man könnte sie auch „Urfassung" nennen, ich persönlich bin aber der Meinung, daß die schlichte Bezeichnung „1. Fassung" oder „Fassung von..." (hier wird die Jahreszahl der Vollendung eingesetzt) die beste ist, weil sie keinerlei Irrtum aufkommen läßt. Ich würde in dem fertigen E n t w u r f die „Urfassung" sehen, wenn überhaupt ein mit „Ur-" zusammengesetztes Substantiv verwendet werden soll. Man würde damit auch sozusagen jenen Zustand andeuten, der v o r der 1. F a s s u n g liegt, genauso wie man die vor den geschichtlichen Epochen liegenden Zeiten als Urgeschichte bezeichnet.

An der fertigen Partitur können nun Änderungen vorgenommen werden. Sie sind von verschiedener Natur: Instrumentation, Form, Stimmführung usw. Solange sie nicht zur Fertigung einer neuen Partitur führen, wird lediglich der augenblickliche Zustand der 1. Fassung geändert. Es entsteht also ein 2. Z u s t a n d.

Erst wenn sich der Komponist zu großen, einschneidenden Änderungen entschließt, die eine zweite Niederschrift der Partitur im Gefolge haben, entsteht eine 2. F a s s u n g. Sie kann, wenn die Umstände danach sind, ebenfalls einen ersten oder zweiten, vielleicht auch einen dritten Zustand erkennen lassen. Diese „Zustände" entspringen vor allem dem „Verbessern" nach einer Aufführung. Das Werk, die Symphonie, ist an sich fertig, eine Hörprobe hat aber gezeigt, daß diese oder jene Einzelheit besser klingt, wenn geändert wird. Das betrifft noch nicht das gesamte Werk, ändert daher auch noch nicht die „Fassung". Diese Erwägungen entspringen vor allem der Beschäftigung mit der Arbeitsweise und den Werken Anton Bruckners. Wie weit sie für andere Meister auch Geltung haben, kann und soll hier nicht beurteilt werden.

So ergibt sich also: Skizze — Entwurf — 1. Niederschrift = 1. Fassung, erste endgültige Fertigstellung. Damit ist der Schaffensprozeß an einem Werk vollendet. Ihm können folgen: Änderungen, die von einem 1. zu einem 2. Zustand führen. Damit beginnt der Vorgang der

Umarbeitung, der, sobald eine neue Partitur angelegt wird, zur 2. F a s s u n g führt, die ihrerseits wiederum mehrere Zustände aufweisen kann.

Als eine weitere Stufe, die sowohl nach der 1. und 2. Fassung liegen kann, gibt es die Drucklegung, den E r s t d r u c k. Bei Bruckner muß man infolge der besonders gelagerten Verhältnisse von E r s t d r u c k f a s s u n g e n sprechen. Dieser Erstdruck kann, ähnlich einer 1. Fassung, Änderungen von seiten des Komponisten erfahren, die dann bei einem Neudruck berücksichtigt werden müssen. Beispiele dafür sind etwa das Streichquintett Bruckners oder die Gesamtausgabe der Werke von Brahms, der das vom Meister korrigierte „Handexemplar" zur Verfügung stand.

Bei Brahms liegen die Verhältnisse übrigens dadurch ganz klar. Der Komponist selbst hat die Änderungen gewünscht bzw. vorgenommen und so unterliegt ihre Authentizität keinem Zweifel[1]. Für Bruckner bestehen dagegen die bekannten Zweifel, da es sich bei den Erstdrucken in der überwiegenden Mehrzahl der Fälle nicht schriftlich beweisen läßt, wer die Änderungen vornahm und ob Bruckner sie auch genehmigt hat. Hier spielt auch jene merkwürdige Nachgiebigkeit Bruckners mit, der das betreffende Werk „ganz nach Belieben des Herrn k. k. Hofkapellmeisters" aufführen ließ, weil sein Original ja für „spätere Zeiten" bestimmt war[2].

Mit dem E r s t d r u c k sind wir mitten in die Probleme um Bruckner gekommen. Aus seinem Schaffensprozeß wurden die grundsätzlichen Gedanken über die Werkgeschichte abgeleitet. Eine Besonderheit ist dazu noch zu erwähnen: das Auswechseln von Partiturbogen. Bruckner schreibt Bogen nach Bogen, je zwei Blatt also nicht ineinandergelegt zu Lagen und wenn er auf einem Bogen zuviel geändert hat, dann wechselt er ihn gegen einen neuen aus. Das geschieht sehr oft auch aus anderen nicht so ohne weiteres ersichtlichen Gründen, so daß sich zu verschiedenen Symphonien Einzelbogen erhalten haben, die Vorstufen zur endgültigen Fassung des betreffenden Bogens darstellen.

Bruckner hat bekanntlich sehr viel an seinen Werken gefeilt und „verbessert". Das tat er aus eigenem, öfter aber noch infolge von Anregungen aus seiner Umgebung. Von folgenden Werken liegen mehrere Fassungen vor:

I. (2), II. (3), III. (3 + 2 Druckfassungen), IV. (2), VIII. (2) und Nullte Symphonie (2), e-Moll-Messe (2) und Te Deum, dessen 1. Fassung allerdings nur in einer lediglich den Chorsatz enthaltenden Partitur vorhanden ist. Alle anderen Symphonien, V., VI., VII. und IX., die d-Moll- und f-Moll-Messe, auch das Streichquintett sind nur in einer Fassung vorhanden. Beim Streichquintett wurde, nachdem der Erstdruck erschienen war, lediglich der Finaleschluß geändert, die letzten 19 Takte.

Zeitlich geordnet ergibt sich folgendes Bild: nach der I. Symphonie (1865/1866), die inmitten der drei Messen entsteht (1864 d-Messe, 1866 e-Messe, 1867/1868 f-Messe), werden in einem Zug die II., III. und IV. Symphonie vollendet (1871—1874). Ihnen folgt 1875/1876 die V. Gleichzeitig aber beginnt eine Umarbeitungswelle: die II. (1875/1876), die III. (1876/1877), deren 2. Fassung die erste Druckausgabe von 1878 wird, 1877 nochmals eine Beschäftigung mit der II. und 1878 bis 1880 im Gefolge der III. die 2. Fassung der IV. mit dem neuen Scherzo und der mehrfachen Umarbeitung des Finales.

Danach folgt wieder eine Periode schöpferischer Tätigkeit: das Quintett (1879), die VI., VII. und VIII. Symphonie (1879—1887). Das Te Deum, 1881 in erster Partiturniederschrift (unvollendet) begonnen, wird 1884 in einem Zuge fertiggestellt.

Unmittelbar nach der VIII., 1887, beginnt Bruckner die IX., wird aber an ihrer Fortführung durch Levis Zurückweisung der VIII. gehemmt. Die schöpferische Tätigkeit wird unterbunden, eine zweite Umarbeitungsperiode nimmt ihren Anfang: im Mai 1887 hat Löwe schon mit Wissen Bruckners eine Neuinstrumentierung der IV. begonnen, deren Stichvorlage

Bruckner 1888 durchsieht. Im gleichen Jahr wird die III. neuerdings umgearbeitet, danach 1889/1890 die VIII. und 1890/1891 die I. Symphonie. Erst von da an widmet sich Bruckner ganz seiner IX. Symphonie, die er nicht mehr vollenden sollte.

So wechseln fünf Perioden ab: 1871—1876 (II.—V. Symphonie), 1875—1880 (1. Umarbeitungsperiode), 1879—1887 (VI.—VIII. Symphonie, Quintett, Te Deum) und 1887—1891 (2. Umarbeitungsperiode), von 1891 die IX. Symphonie, 150. Psalm, Helgoland. Daraus ersieht man, daß bei Bruckner dem Problem der verschiedenen Fassungen und Gestalten große Bedeutung zukommt. Es dürfte dies bei keinem anderen großen Meister des 19. Jahrhunderts so stark ausgeprägt sein wie bei ihm, Beethoven etwa ausgenommen, dessen Skizzen gleichfalls ein eigenes Betätigungsfeld wissenschaftlicher Forschung darstellen. Diese Skizzen spielen allerdings nicht die gleiche Rolle wie die Bearbeitungen fertiger Werke, sie sind Vorstufen, Entwicklungen zu ihnen, bei Bruckner hingegen wird am vollendeten Werk gefeilt und „verbessert". Bald sind es formale Einzelheiten, Kürzungen oder Einschübe, bald sind es instrumentale Belange, auch das Dynamische kann Änderungen erfahren, vor allem in den an- oder auslaufenden Wellen, den Steigerungen. Das hat für die wissenschaftliche Forschung seine unbedingte Klarheit, wenn es durch Bruckners Handschrift selbst bezeugt ist.

Anders steht es um die Unterschiede zwischen den Erstdrucken der Partituren und den letzten von Bruckner geschriebenen Fassungen. Diese Änderungen sind nur in den seltensten Fällen authentisch beglaubigt — eine Ausnahme davon macht die IV., deren Stichvorlage Bruckner durchgesehen und an verschiedenen Stellen korrigiert hat, aber sonst sind fast nirgends Belege zu finden. Selbst Korrekturbogen zur V. und VI. Symphonie, in deren Besitz die Österreichische Nationalbibliothek durch Zufall kam, zeigen keine Spuren von Bruckners Hand, dagegen zahlreiche Eintragungen anderer Hände, worüber noch zu gegebener Zeit berichtet werden soll.

So muß bei Bruckner als Endfassung immer die von ihm selbst geschriebene Partitur mit dem spätesten Datum angesehen werden oder eine von ihm durchgesehene Abschrift, die schriftliche Eintragungen von seiner Hand aufweist, wenn feststeht, daß diese Änderungen noch späteren Datums sind. Die Partituren und Partiturteile mit früherem Datum müssen als vorhergehende Zustände bzw. Fassungen gewertet werden. Als Urfassung würde ich, wie schon eingangs erwähnt, die vollständigen Entwürfe ansehen, den Begriff selbst also bei den ersten fertigen Partiturniederschriften überhaupt nicht anwenden. So kann man, scheint es mir, in die nicht immer gleich einleuchtende Reihung der einzelnen unterschiedlichen Handschriften eine entwicklungsgeschichtliche Ordnung bringen, ohne der Sache Gewalt antun zu müssen. Man folgt dabei vielmehr dem natürlichen Entstehungsvorgang und das ist ja Sinn und Zweck jeder derartigen Forschung, jeder kritischen Ausgabe, bei Bruckner sowohl wie bei anderen Meistern der Tonkunst.

1 Vgl. dazu Wilh. Altmann, Ist die Originalhandschrift oder der Erstdruck maßgebend? Einleitung zum Katalog „Musica practica (vocaliter et instrumentaliter) in Original — und Erstausgaben…" Bayreuther Musikantiquariat (1955).
2 Z. B.: Brief Bruckners an Felix Weingartner, Wien, 27. Jänner 1891. Anton Bruckner. Gesammelte Briefe, Neue Folge. Gesammelt und hrsg. von Max Auer (Regensburg 1924, S. 237 f.) (Deutsche Musikbücherei Bd. 55.)

Erschienen in: *Bericht über den Internationalen musikwissenschaftlichen Kongreß Wien, Mozartjahr 1956,* hrsg. von Erich Schenk, Graz 1958, S. 448—451.

Der Dirigent und Anton Bruckner

„Ganz nach dem Belieben des Herrn Hofkapellmeisters!" — diese unterwürfige, ganz und gar nicht in die intellektualistische Haltung der achtziger Jahre des vorigen Jahrhunderts passende Äußerung Anton Bruckners ist uns nicht nur mündlich, sondern auch schriftlich überliefert.

Was steckt dahinter? — Servilität, Untertänigkeit, Unsicherheit, Demut?

Ausspruch wie Frage rühren an grundlegende Eigentümlichkeiten eines Dirigentencharakters nicht nur Bruckner gegenüber. Alle Musik muß stumm bleiben, wenn sich nicht jemand findet, der sie aufführt. Für Kammermusik genügen wenige Menschen, für große Orchesterwerke bedarf es des Dirigenten. Er wird also zum Mittler, er ist berufen, den Geist zu erfühlen, der in einer Komposition beschlossen liegt. Er muß ihn lebendig werden lassen, auf daß aus der Wiedergabe der Komponist, der Schöpfer, zu uns spricht. In gewisser Hinsicht ist auch der Dirigent schöpferisch tätig, aber — „ganz nach dem Belieben des Herrn Anton Bruckner". Hier dreht sich das Wort um, soll nicht die Dirigententätigkeit in eine Tyrannis ausarten und der Spruch „Beethoven, wie ich ihn spiele" seine leider nur allzuoft erwiesene Unwahrheit kundtun.

„Ganz nach dem Belieben", ja doch wohl nur des *Komponisten,* nur *Bruckners!*

Zur Zeit, da der Meister noch lebte, meinte man, man müsse das orchestrale Gewand seiner Symphonien für die Aufführung erst einrichten; manchmal bezog man solche Gedankengänge auch auf seine Form. Das war eine Zeiterscheinung, die man nicht nur Bruckner gegenüber beobachten kann. Es war Kapellmeisterarbeit vor dem Dirigieren: das Werk aufführungsreif machen. Der Gedanke hat etwas Richtiges an sich, und die Anwendung von instrumentalen „Retuschen" mag schon als erlaubt, vielleicht auch als geboten erscheinen, aber niemand wird heute zustimmen, daß dies bis zur Umfärbung des originalen Klanges führen dürfe. Man ging bei Bruckner so weit, „ganz nach Belieben", aber da nun nicht mehr im Willen des Komponisten, sondern des Kapellmeisters.

Seit dem Erscheinen der Bruckner-Gesamtausgabe, auch schon einige Zeit vorher, ist dieser Umstand bekannt. Man wäre ungerecht, wollte man den Dirigenten von damals, Schalk, Löwe, Levi, Mottl, Nikisch, einen Vorwurf daraus machen. Sie taten es in vollster ehrlicher Überzeugung, und Bruckner war auch in manchen Fällen einverstanden, vor allem, wenn sie von seinem von ihm so sehr geliebten „Francisce", Franz Schalk, stammten. Aber doch nur für *seine* Zeit, damit die Symphonien sich durchsetzen konnten, das Original, das galt nach des Meisters eigenen Worten für „später".

Also rechnete Bruckner damit, daß seine Werke einmal nicht „nach dem Belieben des Herrn Hofkapellmeisters" aufgeführt werden würden? Nicht mehr nach dem Willen eines anderen, sondern nach seinem eigenen? Wir können diese Frage wohl mit Sicherheit bejahen.

Denn daß dieser Wille des Meisters ein ganz eigener war, das ist allen Musikverständigen bekannt. Er war so sehr „eigen" und für Bruckner charakteristisch, daß ihn die Zeit vor 1900 fast nicht verstehen *konnte.* Das ist im Laufe der Musikgeschichte auch an so manchem anderen Komponisten zu beobachten. Dazu muß festgehalten werden, daß seine Schüler wußten, daß er ein Großer, ein ganz Einziger war, und deshalb sprachen und schrieben sie auch von ihm nur mit Worten höchster Begeisterung. Aber dennoch, ihn selbst aufzuführen, ohne jedes Zugeständnis an die Zeit, dazu konnten sie sich nicht entschließen. Es war nicht ihr Fehler, es lag eben so in der Zeit und deren Gewohnheiten.

Bruckners Melodik, sein Rhythmus, seine weitausgedehnten Formen, die man kaum richtig „aushören" konnte (im geistig-räumlichen Sinn) und vollends seine Instrumentation im Bunde mit seiner Dynamik, die vermochte man sich nicht bis in ihre letzten Folgerungen vorzustellen. Die Musik der Jahrhundertwende liebte das Verbindliche und damit auch „Verbundene", erfreute sich am Reiz der Übergänge, des schwellenden Auf und Ab und wollte kein eckiges Nebeneinander von Piano und Forte, schon gar nicht in so ungestümen Unisonogängen.

Es lag aber auch nicht im Belieben Bruckners, so zu komponieren. Bei ihm war es wie bei jedem Großen im Reiche der Kunst: er *mußte*. So brach es aus ihm heraus, und so muß es auch aus seinen Interpreten „herausbrechen", hervorstürmen. Bruckner mußte in Bewegung, aber dennoch in voller psychischer Ruhe seine Kraft verströmen lassen.

Überhaupt: Bruckners Ruhe! Aus einem Flimmern von Zittern und Erregung steigt sie empor und verlangt aufreibende Tätigkeit und seliges Verharren zugleich.

Solche Gegensätze liegen aber nicht immer im „Belieben des Herrn Hofkapellmeisters". Seine Geschäfte machen ihn fahrig, halten ihm stets einen „überzeichneten" Terminkalender vor Augen und verursachen zu schnelle oder überhetzte Tempi gerade dort, wo dies nicht sein soll, nicht nur bei Bruckner. So entstehen Aufführungen voll innerer Gegensätze, die nur beweisen, daß man nicht imstande ist, sie auszugleichen oder, wie es sein soll, sie in rechtem Maß nebeneinander zu setzen.

Bei Bruckner muß man dies aber können. Es steht eben doch nicht „im Belieben des Herrn Hofkapellmeisters", mit den Gedanken Bruckners zu schalten und zu walten, „wie es beliebt", sondern nur in der Weise, wie sie der Meister selbst niedergeschrieben hat.

So muß also eigentlich jeder gerecht denkende Musiker einsehen, daß zwischen einem Dirigenten und Anton Bruckner nur dann das rechte Maß hergestellt ist, wenn der Dirigent nach dem „Belieben" Bruckners dirigiert. Dieser Wille ist aber einzig und allein aus den Handschriften Bruckners zu ersehen, bzw. aus ihrer Veröffentlichung in der von der Österreichischen Nationalbibliothek und der Internationalen Bruckner-Gesellschaft herausgegebenen Gesamtausgabe. Diese Worte wollen nachdrücklichst auf sie hinweisen, denn zwischen ihr und dem Jubilar Dr. Volkmar Andreae bestehen seit dem Erscheinen des ersten Bandes innige Zusammenhänge.

Jetzt könnte man den Titel dieser Ausführungen ändern und schreiben: *Volkmar Andreae und Anton Bruckner*. Was sich daraus ergibt, ist ein Ehrenzeichen für den Dirigenten Andreae. Seit die Ergebnisse der Bruckner-Gesamtausgabe vorliegen, hat er immer wieder nach dem Willen des Komponisten dirigiert und so manche von Bruckners Symphonien an verschiedenen Orten zum ersten Male aufgeführt. Andreaes Ehrfurcht vor dem Werk Bruckners, vor seiner Empfindungswelt und seiner Gläubigkeit ist gerade in Oberösterreich, dem Heimatland des Meisters, immer dankbar und mit ehrlicher Begeisterung anerkannt worden. Man spürte bei jeder Aufführung, hier wird nicht „ganz nach dem Belieben des Herrn Hofkapellmeisters" musiziert, sondern wie es Bruckner beliebt. In einer Welt, die so vielfach auf Verfälschung und Umkehr ideeller Werte ausgeht, kann es nicht hoch genug anerkannt werden, wenn jemand wie Dr. Volkmar Andreae mit deutlich spürbarer Hingabe sich dem Willen des Komponisten beugt und ihn zu dem seinen macht. Solches Aufgehen im Geiste des Anderen, des Grossen, weil schöpferisch Begnadeten, setzt aber innere Demut voraus und ständiges Bereitsein, auf eigenes „Besserwissen" zu verzichten. Das verlangt Bruckner genau so wie Mozart und alle anderen Großen im Reiche der Tonkunst.

Hatte also Bruckner nicht recht, sich dem „Belieben des Herrn Hofkapellmeisters" auszuliefern? Man wird einwenden, es wäre ihm nichts anderes übriggeblieben, er hätte keine andere Möglichkeit gehabt, seine Symphonien aufgeführt zu sehen, als dieses Sich-Fügen. Darin liegt ein Gran Wahrheit. Aber, angesichts der unermeßlichen metaphysischen und künstlerischen Werte in Bruckners Lebenswerk muß man für heutige Zeiten sagen, nein, es wäre nicht recht. Nein, Bruckner würde jetzt nicht recht tun und so auch jeder Dirigent. Alle müssen sich dem Willen Bruckners verschreiben und nach *seinem* „Belieben" die Werke aufführen.

Wenn die musikliebenden Freunde Dr. Andreaes in der Schweiz, in Österreich, ihm zu seinem Ehrentag gratulieren, dann können sie in ihre Glückwünsche auch den aufrichtigen Dank einschließen, daß er Bruckners Wille stets achtet. Darin kann der Jubilar aber selbst den schönsten Lohn für seine Tätigkeit im Dienste des Meisters von St. Florian erblicken: *der Dirigent und Anton Bruckner bilden bei ihm immer eine geistige Einheit.*

Erschienen in: Franz Giegling, *Volkmar Anreae* (143. Neujahrsblatt der allgemeinen Musikgesellschaft Zürich auf das Jahr 1960), Zürich 1959, S. 37—40.

Die Messe in f-Moll von Anton Bruckner

An der Lebens- und Schaffensgeschichte Anton Bruckners ist zu wiederholten Malen die bemerkenswerte Feststellung gemacht worden, daß mit dem Jahre 1868 ein neuer Abschnitt beginnt. Das betrifft sowohl des Meisters irdisches Dasein als auch seine innere Entwicklung als Komponist. Er verläßt Linz, die Domorgel, den kleinen Lebensraum in der Provinzstadt und kommt nach Wien als Professor für Harmonielehre, Kontrapunkt und Orgelspiel am Konservatorium der Gesellschaft der Musikfreunde. Gleichzeitig verläßt er aber auch jenes Kompositionsgebiet, auf dem er zuerst der Welt Vollendetes zu hören gab: die Kirchenmusik. Die drei großen Messen in d-, e- und f-Moll sind ja die ersten vollgültigen Zeugnisse von Bruckners Größe. Nach ihnen entstand lange kein großes kirchenmusikalisches Werk, erst 1881 bzw. 1884 das Tedeum, daneben nur kleinere Kompositionen.

Die f-Moll-Messe gleicht somit einem „Grenzstein"; über ihn hinweg geht es in das Reich der Symphonie, deren erster Zeuge bereits 1865/66 zwischen den Messen entstand.

Da die f-Moll-Messe nunmehr in der Bruckner-Gesamtausgabe in 2., revidierter Ausgabe erscheint, mag es angezeigt sein, einiges zu ihrer „Vorstellung" mitzuteilen. Den gesamten Fragenkomplex wird der Revisionsbericht enthalten, aber verschiedene, bezeichnende Einzelheiten werden zum Verständnis der gesamten Lage beitragen.

Die erste Ausgabe hat 1944 Robert Haas nach dem in der Musiksammlung der Österreichischen Nationalbibliothek befindlichen Autograph, S. m. 2106, besorgt; damit wurde zum erstenmal die originale Fassung der Messe bekannt, und man sah, daß der Erstdruck von Bruckners Autograph erheblich abweicht.

Die jetzt der Öffentlichkeit übergebene 2. Ausgabe hatte eine zweite, von Haas nicht benutzte Quelle von Kopistenhand zu berücksichtigen: S. m. 6015. Wie es seine Art war, hat Bruckner in diese Abschrift der f-Moll-Messe Änderungen eingetragen: bei der Holzbläserbegleitung und den Solostreichern im „Et incarnatus" und einen kurzen Hörnerzusatz in der Gloria-Fuge (Takt 292-300). Aus dem Schriftcharakter ist zu schließen, daß diese Änderungen zwischen 1890 und 1893, also vor der Drucklegung von 1894 stattfanden. Sie stehen nicht in den Stimmen der Hofkapelle, aus denen die Messe mit Bruckner als Dirigenten zwischen 1873 und 1885 aufgeführt wurde. Das ist ein weiterer Beweis für die angeführte Datierung.

Die geänderten Holzbläser des „Et incarnatus" stehen aber genau so im Erstdruck, der sich hier bis auf eine kleine Stelle, von der noch die Rede sein wird, eng an Bruckners Original anschließt, wenngleich er sonst sehr verschieden ist. So sehr verschieden vor allem in der Verwendung der Holzbläser und auch des Blechs, daß man annehmen konnte, Bruckner habe die Messe vor der Drucklegung umgearbeitet, es gäbe somit eine 2. Fassung.

Dem ist aber nicht so. Eine dritte Quelle, die Abschrift S. m. 29.302 in der Musiksammlung der Österr. Nationalbibliothek, zeigt deutlich, daß in diese vom Kopisten Johann Noll 1883 geschriebene Partitur eine andere Hand mit feinen Bleistiftzügen Instrumentationszusätze und Änderungen eingefügt hat: es ist die Schrift von Josef Schalk. Auf der erstmalig veröffentlichten Abbildung sieht man deutlich auch das von ihm hinzugefügte zweite Hörnerpaar in B tief. Die Änderungen sind sehr zahlreich, sodaß die Messe dadurch ein ganz anderes klangliches Aussehen bekam. Ein Vergleich zwischen Erstdruck und Gesamtausgabe macht dies sofort deutlich.

Josef Schalk hat mit den Holzbläsern „aufgefüllt", um nicht zu sagen verdickt, hat im Blech auch rhythmische Veränderungen vorgenommen und den Gesamthabitus „verallgemeinert", während an Bruckners Original, wie bei ihm gewohnt, die dynamischen und agogischen Gegensätze auffallen.

Der Anlaß zu dieser Umarbeitung ist bekannt: Josef Schalk wollte die Messe mit dem Wiener Akademischen Wagnerverein aufführen. Er begann sie also zu bearbeiten, das war ein durchaus zeitbedingtes Unterfangen. Abgesehen davon, daß man damals dem Original im allgemeinen keine solche Aufmerksamkeit schenkte wie heute, war es eben Sitte, daß ein Kapellmeister sich ein Werk für die Aufführung „einrichtete". Nur ging diese Einrichtung im Falle der f-moll-Messe etwas weit und was das Schlimmste war, die Messe wurde auch danach gedruckt. Josef Schalk hat sie selbst in dieser seiner Instrumentation in Wien am 23. März 1893 als eine außerordentliche Veranstaltung des Wiener Akademischen Wagnervereins dirigiert. Bruckner war anwesend, schwieg sich aber über Schalks Instrumentation aus. Das berichtet Josef an seinen Bruder Franz unterm 15. April dieses Jahres. Bruckner argwohnte daraufhin, daß beim Druck in der Partitur ohne sein Wissen etwas geändert worden sei. Dies geht aus einem Brief Josefs an Franz Schalk vom 24. Mai 1894 hervor. Wie sehr Bruckners Sorge gerechtfertigt war, zeigen die oben angedeuteten Unterschiede. Sie waren leider geeignet, Bruckners Kompositionsweise in einem schiefen Licht erscheinen zu lassen. So schreibt beispielsweise Siegfried Ochs am 7. Mai 1914 an Emil Nikolaus von Reznicek unter anderem über die f-Moll-Messe folgendermaßen: „Natürlich ist es (sc. das Werk) grandios in den Gedanken, ja geradezu überwältigend in den Höhepunkten. Aber die Technik ist eine derart jammervolle, daß man eigentlich das ganze Orchester neu bearbeiten müßte. Dieses hülflose Herumwirtschaften mit den Holzbläsern ist wirklich traurig..."

Bruckner hat an der f-Moll-Messe zu verschiedenen Zeiten gearbeitet. Er begann die Komposition nach einer überstandenen schweren Nervenkrankheit am 14. September 1867 und vollendete sie am 9. September 1868. Danach hat er sie im Sommer 1876 zusammen mit den anderen Messen „rhythmisch geordnet": es wurde der Periodenbau untersucht. Für das Jahr 1877 lassen sich kleine Verbesserungen im Credo in den Streichern nachweisen und 1881 mehrere Änderungen im gleichen Satz. Sie sind an der schwarzen Tinte, oft mit Beisatz der Jahreszahl kenntlich. Innerhalb dieses Zeitraumes wurde auch die Kürzung im Gloria (Takt 169—177, Ende des „Qui tollis") vorgenommen. Diese Takte sind in den Stimmen der Hofburgkapelle stark durchgestrichen und fehlen sowohl in S. m. 29.302 als auch in S. m. 6015, jener Partitur, die Bruckner für den Druck vorgesehen hatte. Robert Haas nahm dagegen diese Takte in die Gesamtausgabe wieder auf. Aus technischen Gründen mußten sie in der 2. Ausgabe stehenbleiben. Ein Zuviel an Brucknerscher Musik wird man wohl nie bedauern, zumal diese Takte mit dem schon im Autograph vorhandenen „vide" gekennzeichnet sind.

Bruckner beschäftigte sich mit der f-Moll-Messe erst wieder zwischen 1890 und 1893, in der gleichen Zeit also, in der Josef Schalk uminstrumentierte. Vielleicht auch deshalb, weil Schalk mit Bruckner über die Messe gesprochen hat. Bei Takt 138 im „Et incarnatus" steht in S. m. 6015 zweimal von Bruckners Hand der Name Schalk und die Notiz, die 2. Klarinette möge

Beginn des Kyrie der f-Moll-Messe von Anton Bruckner mit den Einzeichnungen von Josef Schalk. — Handschrift S. m. 29.302 der Österr. Nationalbibliothek.

nicht den chromatischen Durchgang, sondern nur einfach a blasen. Dies darf man als eines der ganz seltenen schriftlichen Zeugnisse werten, die uns von Gesprächen zwischen Bruckner und seinen „Aposteln", in dem Falle Josef Schalk, berichten. Der Meister hat den chromatischen Gang nicht ausradiert, daher steht er so auch in der Gesamtausgabe.

Man hat diesen Einfluß der Schüler auf Bruckner gelegentlich verdammen zu müssen geglaubt, hat sie der Fälschung geziehen, und auch wohl von Zwang gesprochen, den sie auf Bruckner ausgeübt hätten. Wenn man die Worte voll glühender, begeisterungsvollster Hingabe an Bruckner liest, die sich beispielsweise im Briefwechsel der Brüder Schalk finden, dann muß man um einiges milder urteilen. Es mag schon so gewesen sein, daß die hochmusikalischen und außerordentlich begabten jungen Dirigenten und Musiker, vor allem Franz Schalk, Löwe und Nikisch, manchmal glaubten, die wirkungsvollere Instrumentation zu wissen, auch daß sie mit dieser ihrer ehrlichen Dirigenten-Überzeugung zu weit vorstießen, im Grunde aber hatten sie ja nur die Absicht, den Werken ihres von ihnen so sehr geliebten Meisters Gehör zu verschaffen. Man darf nicht vergessen, daß dies damals, zur Zeit Hanslicks, ein Wagnis war, mit dem man sich mancherorts sehr rasch unbeliebt machen konnte. So muß man sich bemühen, diesen Umständen Gerechtigkeit widerfahren zu lassen, und aus dieser Absicht heraus aber auch feststellen, daß es heute selbstverständliche Pflicht einer Gesamtausgabe ist, den Notentext so zu bringen, wie er von Bruckner gemeint war. Das ist eigentlich eine Binsenwahrheit, die f-Moll-Messe ist nur Anlaß, sie erneut auszusprechen.

Es stimmt sicher, daß Bruckners Partiturbild manchmal Rätsel aufgibt, wie es in die Klangwirklichkeit umzusetzen sei, das gibt es aber auch bei anderen Komponisten. Eine dieser Stellen in der f-Moll-Messe sei hier herausgegriffen: die drei Viertelnoten Sopran-Solo im Kyrie, Takt 63. Der Erstdruck läßt das Solo des Fortissimo wegen hier überhaupt weg und teilt die melodische Linie dem Chor zu, während alle Handschriften das Solo aufweisen. Wenn man nun aber bedenkt, daß in der Wiener Hofburgkapelle 1868 nur 10 Knaben, 4 Tenöre und 4 Bässe den Chor bildeten, dann wird man die Stelle, so wie sie Bruckner schreibt, begreifen, denn auch das Orchester war entsprechend kleiner und damit auch das Fortissimo. Da die Messe vom k. u. k. Obersthofmeisteramt für die Burgkapelle bestellt wurde, hat Bruckner mit diesen kleinen Verhältnissen gerechnet, wenngleich die innere Größe seiner Gedanken diesen Rahmen selbstverständlich sprengt.

Die Mitwirkung der Orgel wird von Bruckner in der f-Moll-Messe nur einmal ausdrücklich vorgeschrieben: in den ersten Takten der Gloria-Fuge, wo sie den Themenkontrapunkt mitspielen und herausheben soll. Es kann aber wohl als selbstverständlich gelten, daß sie an verschiedenen Stellen als klangerhöhender Hintergrund vorhanden sein muß. Das ist eine allgemein geübte kirchenmusikalische Praxis, die auch Bruckner nicht fremd war und gerade bei ihm als dem Meister der Orgel Anwendung finden soll, auch wenn die Messe in ihrer großen instrumentalen Konzeption dieser Mitwirkung entraten zu können scheint. Als kirchliches Werk ist sie dem „kirchlichen Klang" verhaftet, und dazu gehört vor allem die Orgel.

Erschienen in: *Österreichische Musikzeitschrift* 15, Wien 1960, S. 429—431 und in: *Das Josefstädter Heimatmuseum,* Heft 19, Wien 1961, S. 10—12.

Anton Bruckners Formwille, dargestellt am Finale seiner V. Symphonie

Je mehr man sich in die Symphonien Anton Bruckners versenkt, umso deutlicher wird, daß der ihm gemachte Vorwurf der „Formlosigkeit" nicht zutrifft. Im Gegenteil, man sieht, daß jeder einzelne Satz einen ganz bestimmten „Grundriß" erkennen läßt, daß darüber hinaus auch aber die einzelnen Teile und Abschnitte bewußt geformt sind.

Nun läßt sich bei Bruckner aber nicht nur diese „Ordnung" nachweisen, sondern auch noch ein wohlabgewogenes Gleichgewicht der großen wie kleinen Teile zueinander. Es gibt Entsprechungen, die mathematisch faßbar sind und beweisen, daß Bruckners „Wille zur Form" ein durchaus logischer war.

Die Analyse des Finales der V. Symphonie wird dies im einzelnen bestätigen. Wenn man es gemäß seinen Motiven zergliedert, ergibt sich folgende Übersicht:

	Takt	Takte
Exposition	1 – 210	180
Einleitung	1 – 30 (Anfang-A)	30
I. Gruppe	31 – 66 (A—B)	36
II. Gruppe	67 – 136 (B—F)	70
III. Gruppe	137 – 166 (F —)	30
Überleitung	167 – 210 (— I)	44

Bruckners Periodenzählung, seine metrischen Ziffern, am unteren Rand des Autographs, stimmt mit den angegebenen Abschnitten überein. Im einzelnen böte sie sehr aufschlußreiche Einblicke in des Meisters „Bau-Sinn", dies braucht aber für die Zwecke dieser Studie nicht erörtert zu werden.

Es liegt eine Sonatenform von großer Ausdehnung vor, die aber nichtsdestoweniger deutlich gegliedert ist und vollkommen den Regeln entspricht. Daß sie aber auch ebenmäßig gebaut ist und dadurch einer merkwurdigen inneren Logik entspricht, wird durch nähere Betrachtung der Verhältnisse offenbar.

Die Taktzahlen gehorchen nämlich einer allen Abschnitten gemeinsamen Grundzahl, nämlich 30, bzw. einem Vielfachen oder Teilen dieser Zahl.

So aufgefaßt, kann man an den einzelnen Teilen der Exposition folgende Verhältnisse beobachten:

Einleitung . . . . $30 = 1 \times 30$
I . . . . $36 = 1 \times 30 + 1/5$ von 30
II . . . . $70 = 2 \times 30 + 1/3$ von 30
III . . . . $30 = 1 \times 30$
Überleitung . . . . $44 = 1 \times 30 + 14$ Takte ($=$ fast ½ von 30)

Daraus wird ersichtlich: das Gesangsthema (II. Gruppe) ist doppelt so groß als das Hauptthema (I. Gruppe) und beide werden eingerahmt von je 30 Takten. Die Überleitung würde fast einem 30 + ½ entsprechen und bildet den Abschluß.

Die musikalische Gliederung heißt selbstverständlich: Einleitung (30), die drei Gruppen (36 + 70 + 30) und die Überleitungsgruppe. Nun geht neben der musikalisch-motivischen Komponente bei Bruckner aber auch eine „Ausgewogenheit" der Form mit, die nun, wie es scheint, ihre eigene Gesetzmäßigkeit hat. Das dürfte in dieser Studie vielleicht zum ersten Mal ausgeführt werden und bedarf, das sei gerne zugegeben, noch der Bestätigung durch weitere Untersuchungen.

Ähnlich steht es mit der *Durchführung*. Ihre fünf Gruppen zeigen deutlich eine Gleichgewichtsgliederung von Abschnitt 1 zu 5 als den beiden Enden, die Abschnitt 2, 4 und die Mitte 3 einrahmen. Das entspricht dem Prinzip der doppelten Bogenform, wie sie im großen für das Finale der VII. Symphonie nachgewiesen werden konnte[1]. Die Zahlen zeigen für die

Reprise und Koda müssen gemeinsam betrachtet werden. Es ergibt sich nämlich dann überraschenderweise folgende Übereinstimmung:

		Takte		Takte
Reprise	I	24 = 4/5	Koda 1	36 = 1 × 30 + 1/5
	II	62 = 2 × 30 + 2 Takte	2	32 = 1 × 30 + 2 Takte
	III	36 = 1 × 30 + 1/5	3	72 = 2 × 30 + 2/5

Man sieht deutlich, daß die zweiten Gruppen sich in der Verkleinerung und die dritten Gruppen in der Vergrößerung aufeinander beziehen, das entspricht auch dem musikalischen Gewicht des Seitensatzes in der Reprise und dem Ende der Koda mit dem Choraltriumph. Die Untersuchung kann aber dadurch feststellen, daß Bruckner durch den Ausbau der Koda für alles nach der Durchführung Folgende eine eigene „Gewichtszone" geschaffen hat, die, auch wenn ihre erste Hälfte musikalisch mit der Exposition korrespondiert, gewichtsmäßig zu einem eigenen großen Teil dieses Finalsatzes gestempelt wird.

So läßt sich also zwanglos der ganze Satz auf die Verhältniszahl 30 beziehen. Bruckner folgt damit intuitiv den Baugrundsätzen der gotischen Dombaumeister, die ihren Kathedralen ebenfalls eine Zahl zugrunde legten. Alles an diesem Bauwerk war dann ein Vielfaches oder ein Teil dieser Zahl. Daraus entstanden aber „harmonische" Verhältnisse und diese „Verhältnisse" sind Ausdruck eines geistigen „ordo", der seine letzten Beziehungen schließlich in einer Harmonie der Welt, in einer Lehre von der Harmonik finden muß[2].

Man darf als sicher annehmen, daß der zweiten Hälfte des 19. Jahrhunderts solche Gedankengänge in der Musik fremd waren. Das beweisen auch die im Erstdruck dieser Symphonie vorgenommenen Kürzungen. Abgesehen von je einer kleinen Entfernung von zwei, bzw. fünf Takten am Anfang und am Ende (Takt 13/14, bzw. 622—625 und 635), wurden in der 4. Gruppe der Durchführung 31 Takte herausgeschnitten und in der Reprise die Gruppen I und II mit zusammen 86 Takten.

Ein Blick auf die oben gegebenen Zahlen zeigt, daß dadurch das Gewicht der Form mitsamt seinen Entsprechungen empfindlich gestört wurde. Musikalisch, von der Sonatenform her gesehen, fehlte der Reprise die Wiederkehr des Haupt- und des Seitenthemas, wodurch bei dem Anton Bruckner gegenüber widerwilligen Teil des Publikums und vor allem bei den Fachgelehrten der Eindruck verstärkt wurde, er beherrsche die Form nicht[3].

Demgegenüber ist es nun sehr aufschlußreich, die von Bruckner selbst angegebene Kürzung zu untersuchen. Er setzt sein „vi-de" von Takt 270—373. Das beinhaltet die 3.—5. Gruppe der Durchführung mit insgesamt 104 Takten. Übrig bleiben demnach 59 Takte, die also nur um einen Takt weniger sind als 2 × 30. In dem verbleibenden Rest taucht wieder die Grundzahl 30 auf. Bruckner nimmt also genau soviel heraus, daß die auf die Zahl 30 gegründeten Verhältnisse erhalten bleiben und somit das Gleichgewicht der Form nicht gestört wird.

Diese hier erstmals mitgeteilten Tatsachen, vorweggenommene Ergebnisse aus einem größeren Werk über Anton Bruckners Form, dürften wohl Beweis genug dafür sein, daß

Bruckner seine Symphonien mit großer Überlegung und restloser Beherrschung der Form geschaffen hat. Gleichzeitig darf man daraus auch schließen, daß in ihm ein Unbewußtes gewirkt hat, ein intuitiver Sinn für Maß und Ordnung, der ihn und sein Werk aus allen übrigen Künstlerpersönlichkeiten seiner Zeit heraushebt.

Für Bruckner war dieser Sinn, man kann ihn einen „logischen Gleichgewichtssinn" nennen, umso wichtiger, als seine Musik im besonderen dem dynamischen Prinzip gehorcht, den Wellenbewegungen, wie Kurth[4] sie nennt. Diese „Bewegte" mußte umso mehr einer Ordnung unterworfen sein, es hätte sonst wahrscheinlich alle „Formgrenzen" überschwemmt. Die Macht der „Verhältniszahl", ihr geheimnisvolles Wirken in alle Teile hinein, verhindert es; nicht nur dies, sie schafft auch jene ebenmäßigen Entsprechungen, innerhalb derer sich das Auf und Ab der Dynamik gefahrlos entfalten kann.

Bruckner war ein „einsam Großer", unverstanden von so manchen seiner Zeitgenossen. Eine Antwort auf die Frage „Warum?" geben solche Formuntersuchungen. Seine Art von Grundrißlegung war ungewöhnlich, nicht zeitgemäß, so daß die Symphonien deshalb, aber auch ihrer übrigen musikalischen Qualitäten wegen, nur schwer geneigte Hörer finden konnten.

Heute, wo wir wieder gelernt haben, den Blick auf das Ganze zu richten und alle Einzelheiten nicht getrennt, sondern im Zusammenhang mit diesem Ganzen zu sehen, sind unsere Sinne für solche Verhältnisse geschärft worden. So offenbaren sie sich auch in den Symphonien Bruckners, des Mystikers, des Beters, und dürfen wohl als Beweis gewertet werden, wie sehr seine Intuition und sein Schaffen, Gedanke und Ausarbeitung, eins waren im Gleichklang von Bewegung und Ruhe, von Form und Maß.

1 Leopold Nowak, *Das Finale von Bruckners VII. Symphonie,* in: Innsbrucker Beiträge zur Kulturwissenschaft, Sonderheft 3, „Festschrift für Wilhelm Fischer" (Innsbruck 1956), S. 143—148.

2 Vgl. dazu die Schriften von Hans Kayser, vor allem seine *Akroasis* (Basel 1946), und das *Lehrbuch der Harmonik* (Zürich 1950), in letzterem werden in § 29 die „Harmonikalen Proportionen in der Baukunst" erörtert und S. 114/115 Untersuchungen am Dom zu Köln (S. Boisserée) und St. Stephan in Wien (E. Castle) herangezogen, in denen von solchen Grundzahlen berichtet wird. Daß manchmal die Maße nicht ganz erreicht oder ein wenig überschritten werden, würde genau mit gleichen Verhältnissen bei Bruckner zutreffen, so z. B. daß bei seiner Kürzung in der Durchführung nicht genau 60 sondern nur 59 Takte übrigbleiben. Sulpiz Boisserée, *Geschichte und Beschreibung des Doms von Köln.* Zweite umgearbeitete Ausgabe (München 1842); Eduard Castle, *Geheimnisvoller Stephansdom,* „Neues Wiener Tagblatt" (15. November 1940).

3 Noch Rudolf Louis nimmt in seinem Buch *Anton Bruckner* 2. Aufl. (München 1918), S. 250 ff. darauf Bezug, wenngleich er gerade das Finale der V. Symphonie lobend erwähnt.

4 Ernst Kurth, *Bruckner* (Berlin 1925), 2 Bde.

Erschienen in: *Miscellánea en homenaje a Mons. Higinio Anglés ,* Band 2, Barcelona 1961, S. 609—611.

Symphonischer und kirchlicher Stil bei Anton Bruckner

In der Musik gibt es verschiedenartige Gegensätze: geistlich — weltlich, vokal — instrumental, Persönlichkeitsstil — Zeitstil, statisch — dynamisch; ihre Aufzählung könnte man noch um einige vermehren. Sie sind nicht nur möglich im Gattungsbereich, sondern auch im Stilistischen innerhalb einer einzigen Künstlerpersönlichkeit. Für unseren besonderen Anlaß heißt diese Persönlichkeit Anton Bruckner und der Gegensatz *„symphonisch und kirchlich"*. Man beachte dabei, daß es nicht heißt *„ weltlich und geistlich"*, oder *„symphonisch und geistlich"*, das zweite Wort heißt *„kirchlich"*.

Denn es besteht ein wesentlicher Unterschied zwischen *„geistlich"* und *„kirchlich"*, zumal von der Seite der Kirche her gesehen.

Man muß daran erinnern: die Kirche verlangt für jene Musik, die zu ihren Gottesdiensten erklingt, ganz bestimmte Eigenschaften. Der klassischen Formulierung durch den hl. Papst Pius X. in seinem *Motu proprio* von 1903 folgend soll diese Musik heilig, wahr und allgemein sein. Sie ist ja wesentlicher Bestandteil der heiligen Handlung. Das bedeutet zwar nicht Unterbindung oder gar Ausschaltung des Persönlichen, des Subjektiven also, sondern Einordnung dieses Subjektiven in das Objektive des Gottesdienstes und fordert somit eine gewisse Rücksichtnahme des Komponisten auf den kirchlichen Raum.

Das entspricht auch dem Verhalten vor Gott, als dem höchsten Wesen: man kann sich nicht so *„gehen"* lassen bei der Zwiesprache mit IHM, bei Anbetung und Verehrung, auch dann nicht, wenn das leidgeprüfte Menschenherz mit aller Kraft um Hilfe bittet, oder aus höchster Freude lobsingt.

Dem Subjektiven sind also im kirchlichen Raum Grenzen gesetzt: nicht so sehr hinsichtlich der Intensität an sich, als vielmehr für die Art und Weise, in der sich diese Intensität ausspricht.

Eine Persönlichkeit von wahrer, echter Größe wird sowohl im weltlichen wie im geistlichen, daher auch im kirchlichen Bereich intensitätsgeladen sein. Dies bedeutet aber, daß die gleiche künstlerische *„Sprache"* für den einen wie den anderen Bereich gelten muß, den vorangesetzten kirchlichen Wünschen zufolge aber dennoch verschieden sein soll.

Das führt uns mitten in die Persönlichkeit und die Musik Anton Bruckners. Man sagt von seinem Lebenswerk, daß die Symphonien *„Messen für den Konzertsaal"* und seine Messen *„Symphonien für die Kirche"* seien. Das trifft etwas Wahres und geht doch eigentlich an der Wahrheit vorbei.

Eines ist sicher: Bruckner besaß eine so starke, immerwährend vorhandene Frömmigkeit, als Teil seines gläubigen Charakters überhaupt, daß er nicht anders als *„gottzugewandt"* komponierte. Von daher stammen die Choräle in seinen Symphonien, die weihevollen Harmoniefolgen, die innigen Melodien. Er kann sich nicht verstellen, er kann nur immer *„er"* sein in gottgewollter und dadurch zwingender Einseitigkeit, will sagen Einheitlichkeit seiner künstlerischen Aussage, auch in seinen weltlichen Zügen.

So gesehen, wäre der oben angeführte Vergleich richtig.

Er stimmt aber doch nicht, und das beweist die stilistische Untersuchung der in Betracht kommenden Kompositionen Bruckners.

Zuvor muß noch eines wesentlichen Unterschiedes zwischen Messe und Symphonie gedacht werden: diese ist reine Instrumentalmusik, jene aber wortgezeugt. In der Symphonie sprechen die Instrumente allein, können sich nach eigenem Gutdünken (des Komponisten) äußern, in der Messe aber wie in allen kirchlichen Werken ist der vorgegebene Text die Hauptsache. Mit welchen Melodien der Tondichter die Worte musikalisch *„umkleidet"*, das ist seine Sache, aber er kann nie und nimmer das „*Requiem aeternam*" wie ein „*Gloria in excelsis*" komponieren.

Wir kennen zwar seit Beethovens *Neunter* Symphonien mit Chören und auch Solostimmen, aber zum Wesen der Symphonie als rein instrumentale Gattung gehört das gesungene Wort nicht. In der kirchlichen Sphäre dagegen ist das Wort die Hauptsache, rein instrumentale (orchestrale) Kompositionen haben keinen Platz.

Denkt man diese Überlegungen zu Ende, dann wird man zugeben müssen, daß die zitierte Gegenüberstellung nicht zutrifft.

Dazu sprechen die Kompositionen Bruckners selbst das entscheidende Wort. Bei ihrer Untersuchung kann das Schaffen bis 1863 vernachlässigt werden, da es sich in den herkömmlichen Bahnen der Kirchenmusik des 19. Jahrhunderts bewegt. Es ist wohl genugsam bekannt, daß erst der 40jährige Bruckner zum Bewußtsein seines künstlerischen Ichs kommt. Die d-Moll-Messe des Jahres 1864 ist das erste Werk, aus dem das Genie des Meisters unverkennbar zu Tage tritt. Bruckner selbst hat den ein Jahr vorher komponierten „*Germanenzug*" als seine erste wirkliche Komposition angesehen.

Die großen Kirchenkompositionen Bruckners gruppieren sich zusammen mit den in ihrer Nähe entstandenen Symphonien wie folgt:

1864	Messe d-Moll	29. Sept. fertig
1864	Nullte Symphonie	
1865—1866	I. Symphonie	14. April 1866
1866	Messe e-Moll	25. November 1866
1867—1868	Messe f-Moll	14. IX. 1867—9. IX. 1868
1872	II. Symphonie	11. X.1871—10. VIII. 1872
1879—1881	VI. Symphonie	24. IX. 1879—3. IX.1881
1881	Te Deum [1. Fassung]	3.—17. V. 1881
1881—1883	VII. Symphonie	23. IX.1881—5.IX.1883
1883—1884	Te Deum [2. Fassung]	28. IX.1883—7. III. 1884
1884—1886	VIII. Symphonie [1. Fassung]	4. IX. 1884—9. VIII. 1887
1891 ff.	IX. Symphonie	
(1892	150. Psalm)	Juni/Juli 1892

Die kleineren Kirchenmusikwerke Bruckners aus diesen Jahren dürfen für die Zwecke dieser Untersuchung ebenfalls unberücksichtigt bleiben. Sie sind zum größten Teil a cappella und die wenigen, in denen Instrumente mitwirken, besitzen kein so ausschlaggebendes Gewicht, daß sie irgendwie die zu ziehenden Folgerungen beeinflussen würden.

Aus der zeitlichen Übersicht geht hervor, daß in die Gruppe der drei großen Messen zwei Symphonien eingebettet sind. Ebenso liegt das Te Deum mitten in der Entstehung der VI. Symphonie, seine 2. Fassung folgt unmittelbar auf die VII. Symphonie. Es hat den Anschein, als ob die Arbeit an diesen beiden großen Symphonien das Te Deum unterdrückt hätte und erst als die VII. Symphonie beendet war, fand der Meister Zeit, sich ganz seiner letzten Komposition für die Kirche zu widmen.

Die Verflechtung von kirchlicher und symphonischer Musik bei Anton Bruckner ist also augenfällig, und es wäre einer weniger starken künstlerischen Persönlichkeit nicht zu verdenken, wenn sie nach beiden Richtungen hin die gleichen Züge aufwiese. Bruckner unterscheidet aber sehr klar zwischen Kirche und Welt, oder, wenn man so sagen darf, zwischen seinen „*Gesprächen mit Gott*" und seinen eigenen „*Mitteilungen an die Welt*". Er verhält sich da grundverschieden, trotz gleichbleibender Elemente.

Eine bestimmte Richtung im Bruckner-Schrifttum kehrt manchmal zu sehr das Mystisch-Religiöse seines Wesens heraus. Diese große, ans Wunderbare grenzende „innere Schau" ist bei Bruckner unzweifelhaft vorhanden und sie erstreckt sich natürlich über sein ganzes Wesen, daher auch über alle seine Musik, kirchliche und weltliche. Das darf aber nicht hindern, einmal seine Musik nur von den künstlerisch-musikalischen Bestandteilen aus zu untersuchen und auch sein weltliches nicht-mystisches Teil zu sehen, denn auch dieses gibt es bei Bruckner, oft in sehr ausgeprägtem Maß, z. B. in den Scherzo-Sätzen. Man muß sich dabei nur hüten, nicht ins Menschlich-Allzumenschliche abzugleiten und ihm damit bitter unrecht zu tun.

Diese Bemerkungen stehen nicht von ungefähr hier, denn einerseits geht es im kirchlich-künstlerischen Bereich sowohl um höchste Forderungen wie auch um ausschließlich geistige Größen, die noch dazu nicht im Rationalen, sondern im Glauben liegen; andererseits aber besteht diese Kunst auch wie jede andere Gattung aus handwerksmäßig geformten Elementen, die unter den Händen des begnadeten Künstlers zu Einheiten höherer Ordnungen zusammenwachsen.

Eine solche Einheit höherer Ordnung stellt auch eine Symphonie vor. Ihr Inhalt aber wird vom Komponisten selbst bestimmt, denn die instrumentale Sprache ist seine eigene, ihre Gedanken sind seine eigenen, ganz im Gegensatz zur Kirchenmusik, die einzig und allein vom Text her veranlaßt wird. Der kirchliche Text ist der Anreger für alle musikalischen Melodie- und Linienführungen. In der Kirchenmusik wird der Komponist zum Exegeten, in der symphonischen Musik zum Schilderer des eigenen Lebens und damit, weil er Genie ist, zum Verkünder allgemein gültiger seelischer Werte.

Diese wesentliche Verschiedenheit offenbart schon die Kompositionsweise Bruckners, in die uns seine Skizzen und teilweise auch die Partituren Einblick gewähren.

Bei den kirchlichen Kompositionen legt Bruckner zuerst den Chorsatz samt dem Instrumentalbaß fest. Vom Chor kann es wiederum der Sopran sein, der als erster niedergeschrieben wird. Das instrumentale Element („Beiwerk") wird nur dort angedeutet, wo Pausen im Chorsatz die Angabe der musikalischen Weiterführung nahelegen, oft fehlt es aber auch da. Die Niederschrift der ersten, unvollendeten Fassung des Te Deum zeigt deutlich diesen Vorgang. Der Chorsatz wurde zur Gänze festgehalten, die Baßlinie teilweise, die Führung der 1. Geige nur ganz sporadisch. Solcherart ist die 1. Fassung wohl in ihrer Ausdehnung (Architektonik) vollständig vorhanden, aber nicht vollendet, die Instrumentation fehlt.

Das ist der schriftliche Beweis, daß die Kirchenmusik Anton Bruckners vom Chorsatz ausgeht. Er gleicht darin Mozart, in dessen Requiem-Fragment man genau die gleiche Arbeitsweise erkennen kann: der Fluß des musikalischen Geschehens wird im vierstimmigen Chor und im Generalbaß festgehalten, die Instrumente nur dort angedeutet (meist nur die Streicher), wo sie einleitend oder verbindend allein zu spielen haben.

Aus diesem Verfahren spricht die klassische Schule der Kirchenkomposition: die Menschenstimmen haben den Vorrang, das Orchester ist bei all seiner ausmalenden und klangerschöpfenden Aufgabe ein notwendiges, aber letzten Endes „hinzutretendes" Element, die selbständigen Vor- und Zwischenspiele ausgenommen.

Das ist bei den Symphonien ganz anders. In ihnen ist das Orchester das herrschende Element, nichts steht neben ihm, es ist alleiniger Träger aller wortlos geäußerten Gedanken. Hier lassen die Skizzen auch eine ganz andere Arbeitsweise erkennen. Die Motive stellen sich ein, werden „zurechtgeschmiedet", entwickeln sich und treten mit neuen zusammen. In den Symphonien ist es nicht so, daß zuerst ein in sich abgeschlossenes Ganzes entsteht — entsprechend dem Chorsatz in den Kirchenwerken — und dann von den Instrumenten „umgeben" wird, sondern hier wachsen die Gedanken einer aus dem anderen, rufen ihre Gegensätze hervor und verursachen so, von den dynamischen Kräften getrieben, den Ablauf des Satzes.

Diese symphonischen Gedanken brauchen nun keine Rücksicht auf vorgegebene Inhalte zu nehmen, sie selbst sind der Inhalt. Man vergleiche den Anfang der d-Moll-Messe mit jenem der I. Symphonie. In der Messe das wortgezeugte Kyriemotiv, klagend - ruhig, in der Symphonie die scharfrhythmisierte, überaus prägnante Melodie des 1. Themas, die noch dazu von pochenden Vierteln unterlagert, sich das 1. Horn als *„Mitwirkenden"* heranzieht. Daß vom 10. Takt an schon eine kleine, aber für Bruckner typische Steigerung beginnt, zeigt weiters, wie verschieden der Meister sich auf beiden Gebieten seines Schaffens verhält.

Dieser erste Hinweis führt schon mitten in die Unterschiede von Bruckners symphonischem und kirchlichem Stil. In der Symphonie können die Empfindungen auf rein subjektive Art ausgesprochen werden, in der Kirchenmusik erklingen sie verhalten. *„Vor Gott stehen"* heißt Sprache und Bewegung in geziemender, ehrfürchtiger Zurückhaltung gebrauchen; Bruckner hat dies allzeit getan.

Beispiele dafür sind die Kyrie-Sätze der d- und f-Moll-Messe. Dabei darf man ihre Steigerungen getrost dazu rechnen, gerade in ihnen zeigt sich jene ehrfurchtsvolle Rücksichtnahme, die wohl einen Höhepunkt erreicht, ihn aber keinesfalls melodisch oder dynamisch an die äußersten Grenzen treibt. Als eine ins Melodische gesteigerte Weiterentwicklung dieser Haltung sind die Benedictus-Sätze dieser beiden Messen anzusprechen. Ähnlich Haydn und Mozart hat auch Bruckner für die Begrüßung der hl. Eucharistie innige Melodien bereit. Hier singt er, läßt seinen Gefühlen freien Lauf, bleibt aber in den Grenzen der *„Gehaltenheit"*.

Man braucht dazu nur wieder das melodische Element in der I. Symphonie zu vergleichen: die Entwicklung des von vornherein schon zweistimmig konzipierten Seitenthemas im 1. Satz mit der anschließenden Steigerung, das zweite Motiv im Adagio (ab Buchstaben A) und die ihm folgenden Gesangsgruppen (ab B) lassen einen Blick in die leidenschaftliche, bewegte Seele des 40jährigen Bruckner tun. Beim Seitenthema genügt ihm eine melodische Linie nicht, er muß deren zwei haben, so sehr bewegen ihn seine Gedanken. Solche Doppel-, ja Drei-Linigkeit kommt in seinen Symphonien öfter vor, z. B. im Seitenthema des Finales der VI. Symphonie. Erstaunt wird man erkennen, welch ein Vulkan von Leidenschaften sich hier auftut. Im gleichen Augenblick aber wird man auch gewahr, wie dieser selbe Bruckner in der Kirchenmusik sich vollkommen in der Gewalt hat.

Sicher, er kennt auch hier Steigerungen von gewaltigsten Ausmaßen. So die Überschichtungen des *„miserere nobis"* im Agnus der e-Moll-Messe, die *„judicare"*-Stellen in der d- und f-Moll-Messe und die Fortissimo-Partien im Te Deum, vor allem jenes *„in aeternum"* unmittelbar vor dem zur Schluß-Stretta führenden Chor-Unisono (Takt 486—491). Zu diesen mit Kraft erfüllten Gefühlsausbrüchen gehören auch die Partien des *„Et iterum venturus est"* und die Anfänge der Credo-Sätze. Derjenige der f-Moll-Messe überragt an Wucht alle seine Vorgänger, sowohl durch die unzerstörbare Einhelligkeit ausdrückenden Chorsatz wie auch durch die elementar einfache, ostinat durchgehaltene Führung der Streicher: gehende Viertel, in 1., 2. Vl. und Va, in Achtel zerlegt. Diese Instrumentenführung entstammt einer alten, oft angewendeten kirchenmusikalischen Praxis, aber zu welcher Höhe erhebt sie sich hier!

Den gleichen Instrumentationseffekt, in Achtel zerlegte Viertel, bzw. den nächst kleineren rhythmischen Wert, Achtel zu Sechzehntel, wendet Bruckner auch in seinen Symphonien an. Der Unterschied ist aber leicht zu erkennen: in den Kirchenwerken ist es ein prachtliebendes Umrauschen festgefügter Chorblöcke, die mit unaufhaltsamen Schritten einhergehen und die dogmatischen Wahrheiten von Gloria und Credo verkünden. Innerhalb der Symphonien hat diese Streicherverwendung gleichfalls die Begleitung zu Themen-Höhepunkten zu besorgen, wirkt aber da wie das Losbrechen angestauter Riesenkräfte, die sich nunmehr durch nichts bändigen lassen. Daß diese Streicherfigurationen auch zum An- und Abschwellen solcher Höhepunkte verwendet werden, liegt in der Natur dieser Kompositionstechnik. In den kirchlichen Werken kommt dies besonders der Schilderung der Auferstehung (bei „*Et resurrexit*") zu gute. Eindrucksvoll geschieht das in der f-Moll-Messe, die ihr Streichermotiv aus dem Anfang der *Nullten* bezieht, jenem Klingen von Quart und Quint im Oktavraum, das für Bruckners gesamtes motivisches Denken bis an sein Schaffensende charakteristisch ist. Im Te Deum gewinnt diese Figur beherrschenden Einfluß und wird zum Sinnbild der in sich selbst ruhenden Gottesherrlichkeit.

Die Führung und Verwendung der Streicher in den kirchlichen Werken Bruckners läßt seinen Zusammenhang mit der Tradition erkennen. Von einfach klopfenden Vierteln oder Achteln über deren Auflösung in gehende oder akkordzerlegende Passagen, die entweder harmoniefüllende oder umspielende Funktion haben, reift ihre Verwertung bis zu den verhältnismäßig selten auftretenden Vor- und Zwischenspielen, die melodischen bzw. motivischen Charakter haben, wie etwa die Kyrie-Anfänge und die Benedictus-Sätze. Eine besondere Rolle in motivischer Hinsicht spielen die aus der klassischen Kompositionspraxis stammenden, auf längere Strecken hindurch beibehaltenen Begleitfiguren. Beste Beispiele dafür bieten die Gloria-Fugen der d-Moll- und f-Moll-Messe, aber auch einzelne, bezeichnende Partien innerhalb dieser Messen: in der d-Moll-Messe am Credo-Beginn und bei „*Et unam sanctam*", in der f-Moll-Messe die gebundenen Achtelpaare im Gloria. Dazu ließen sich noch einzelne kleinere Strecken anführen.

Bruckners Schreibweise zeigt hierin deutlich, daß sie vom Wiener klassischen Stil herkommt, daß sie die Romantik Schuberts in sich aufgenommen hat und dann allerdings Schritte in Neuland unternahm. Die Kirchenmusik Bruckners setzt in den Messen und dem Te Deum einen vorläufig nicht zu überbietenden Höhepunkt in der instrumentalen Kirchenmusik am Ende des 19. Jahrhunderts.

Den prägt sehr stark die e-Moll-Messe aus. Sie ragt in einsame, ungewohnte Höhen selbst im Schaffen Bruckners. Und das nicht nur wegen ihrer durch den Anlaß bedingten Klanggestalt, achtstimmiger Chor und Bläser, sondern vor allem wegen ihrer „*Haltung*". Eine so ruhige, weihevolle Musik ist, orchestral umgedacht, in keiner der Symphonien zu finden. Von dieser inneren Ruhe wird aber auch die instrumentale Bewegtheit der Bläser beeinflußt. Ob es nun die gehenden Viertel im Gloria sind, oder die Synkopenumspielung im „*Crucifixus*", oder der kräftige Hintergrund bei „*et iterum venturus est*" und „*et unam sanctam*", auch die Akkordumspielungen im Benedictus gehören dazu, immer wird man spüren, daß diese Bewegung nicht Selbstzweck ist, sondern Begleitung. Sie ist da, aber nicht um ihrer selbst willen, sondern nur im Zusammenhang mit dem Chorsatz, bei aller Wahrung der ihr innewohnenden Ausdruckskraft.

Das distanziert diese Musik von den Symphonien. Schon die I. Symphonie führt eine andere Sprache und die Entwicklung Bruckners von der II. ab zeigt deutlich, daß der Symphoniker willens war, sein eigenes Idiom zu sprechen, sich nicht mehr dem Wort unterwerfen wollte und in subjektiver Freiheit seinen Weg nahm. Man braucht dazu nur die Ecksätze der III. und IV. Symphonie heranzuziehen und über den grandiosen Finalsatz der V. mit Fuge und Choral zum rhythmischen Wesen der VI. gelangen. Da begegnet man einer Ausdrucksweise, die für Kirchenmusik vollkommen ungewohnt wäre.

Jeder, der halbwegs Bruckners Entwicklung kennt, weiß, daß dieser Weg unaufhaltsam in die Richtung höchster subjektiver Ausdruckskraft weiterführt. Es sei hier nur an die Ecksätze der VII. und VIII. mit ihren rhythmischen Besonderheiten, an die weitausgreifenden, in innerste Tiefen vordringenden Adagiosätze erinnert. Ihnen zum Gegensatz hat der Meister seine Scherzi geschaffen, aus einem Geist, der hier, naturgegeben, nicht aus der kirchlichen Sphäre stammt und natürlich auch nicht für sie bestimmt ist.

Wie sich Bruckner in dieser zweiten Hälfte seines symphonischen Schaffens zur Kirchenmusik verhielt, zeigt das Te Deum, und als außerkirchliches Beispiel der 150. Psalm. An der Instrumentation des Te Deum merkt man deutlich das Wachstum seit 1868; der nunmehr auf der Höhe seiner Meisterschaft stehende Symphoniker weiß mit den Klangmöglichkeiten souverän umzugehen. Und doch ist das Te Deum wieder kirchliche Musik: die Chöre sind die Hauptsache, wie schon eingangs bei der Darstellung der Skizzierung ausgeführt wurde, das Orchester begleitet. Trotzdem es sich in der Hauptsache auch nur um ostinate Achtelbewegung handelt, ist sie hier mit solch elementarer Intensität erfüllt, daß sie damit zu einem eigenen, wesentlichen Bestandteil wird. In den beiden Solosätzen *„Te ergo"* und *„Salvum fac"* schildert die Zartheit von Soloquartett und Solovioline den geistigen Inhalt, für den auch bei den Worten: *„mortis aculeo"* ausdrucksstarke Chromatik zur Verfügung steht.

Durch diese Freiheit in der Verwendung der klanglichen Mittel hebt sich das Te Deum als Spätwerk von den früheren kirchlichen Werken Bruckners deutlich ab; diese meisterliche Freiheit gewahrt man auch in der Fuge. Mit ihrem großen auf- und absteigenden Bogen entfernt sie sich weit von jeder Schablone.

Das Te Deum gehört in die Zeit der VI. und VII. Symphonie. Vor allem die VII. hat mit diesem Kirchenwerk manches gemeinsam. So etwa den an einen Psalmton anklingenden Nachsatz des Adagio-Hauptgedankens, dann einige Takte später (bis Buchstabe B) jenes Motiv, das auch im Schlußteil des Te Deum bei *„non confundar in aeternum"* (Takt 389 ff.) aufklingt. Wie man weiß, hat Bruckner im Adagio der VII. seiner Trauer um Richard Wagner Ausdruck verliehen. Sein gläubiges Gemüt fand die richtigen, überzeugenden Töne dafür, und es war daher nur zu begreiflich, daß diese Musik (in einer Bearbeitung für Blechbläser von Ferdinand Löwe) bei seiner eigenen Leichenfeier in der Wiener Karlskirche am 14. Oktober 1896 ertönte.

Trotzdem wird es aber kaum jemandem einfallen, dieses Adagio als sakrale Musik zu bezeichnen, denn als Teil einer viersätzigen Symphonie gehört es zu diesem Ganzen, und da widerspräche schon das nachfolgende Scherzo sowie das Finale dem sakralen Charakter.

Eine Analyse der kompositionstechnischen Einzelheiten der Symphonien würde ergeben, daß sowohl die Führung der Streicher wie auch die Verwendung der Bläser weit über den Rahmen der *„Gehaltenheit"* im Kirchlichen hinausgeht. Das erweisen die rhythmische und melodische Komponente ebenso wie agogische Steigerungen. So werden z. B. im 1. Satz der VII. (Takt 105—122), zum Einsatz der 3. Gruppe hin oder im *„breit und wuchtig"* einherschreitenden Durchführungsmittelteil des Finales (Takt 199—212) alle für den kirchlichen Raum gebotenen Rücksichten vergessen. Ähnliche Stellen finden sich in der V., z. B.: 1. Satz, Takt 347—362, oder im Finale, Takt 354—396. Trotz des Chorals wird man bei der V. ebenfalls nicht an Aufführungen im kirchlichen Raum denken dürfen, so glaubensstark sie sich auch erweist.

Im übrigen wird es von der Einstellung des Hörers abhängen, ob er diese Kraft als eine vom Glauben stammende bezeichnet oder als eine von anderen Regionen geistiger Kräfte herkommende. Bruckners eigene Welt ist die des Glaubens, daran kann keine noch so philologisch wie philosophisch fundierte Untersuchung etwas ändern. Und von ihr aus müssen auch die Symphonien empfangen werden.

Dann wären die Symphonien also doch „*Kirchenmusik für den Konzertsaal*", sakrale Musik, dann dürfte man sie doch, wenn auch ausnahmsweise, in der Kirche aufführen? Diese Frage wird gelegentlich vor allem auf die IX. Symphonie bezogen, weil Bruckner sie dem „*lieben Gott*" gewidmet hat und weil er zur Zeit ihrer Entstehung dem Stephansdom in Wien besondere Aufmerksamkeit schenkte. Mit der Widmung „*an den lieben Gott*" hat es seine Richtigkeit, sie ist als mündlicher Ausspruch Prälat Dr. Josef Kluger gegenüber bezeugt. Daß Bruckner als tief empfindender, religiös veranlagter Mensch zum Dom von St. Stephan Beziehung fand, ist ebenfalls verständlich. Im Grunde seines Denkens und Planens ist er ein „*gotisch*" handelnder Charakter, das ersieht man beispielsweise aus dem Finale der V. Symphonie, wie meine Studie in der Festschrift für Higinio Anglès nachzuweisen versucht; solches lag in seinem Charakter, ihm selbst nicht bewußt. Die metrischen Ziffern in seinen Partituren haben formal-architektonische Bedeutung und hängen mit diesen anderen, nicht sichtbar gemachten Verhältnissen nur teilweise zusammen.

Bruckner, der gotische Mensch, bezog alles auf Gott. Damit wollte er aber sicher nicht, daß nun auch alle seine Werke in den Gott gewidmeten Räumen aufgeführt werden. Es ist uns keine Äußerung von ihm überliefert, aus der wir auch nur andeutungsweise entnehmen dürfen, daß er seinen Symphonien, vor allem der Neunten, sakralen Charakter zugebilligt wissen wollte.

Freilich, die Innigkeit des Seitenthemas im 1. Satz, das ist wieder der ganz ins Ewige aufblickende Bruckner. Daneben aber steht die titanische Kraft des Hauptthemas mit seiner spannungsgeladenen Einleitung, steht die 3. Gruppe in dem für Bruckner so kennzeichnenden „*gehenden*" Rhythmus. Die Charakterisierung könnte noch ins Einzelne fortgesetzt werden, sie ergäbe als endliche Erkenntnis nur das Bewußtsein, daß diese Sprache, so wuchtig, ernst und voll der majestätischen Kraft, nicht für die Nähe des Altares bestimmt ist. Das Scherzo bestärkt diese Meinung, und auch das Adagio ist mehr ein Dokument „*menschlicher Größe*", als ein Stück sakraler Musik. Daß gegen Ende das „*miserere*" aus dem Gloria der d-Moll-Messe auftaucht, ist einerseits eine Erinnerung des alternden Meisters an seine erste große Messe, und andererseits die Umkehrung des Kopfes vom Gesangsthema des Adagios. Erfindung und Lebenserinnerung, Künstlerisches und Menschliches fließen hier zusammen zu letzter, von innen her getragener Geistigkeit. Die große Erhabenheit der teils feierlichen, teils inbrünstig-melodischen Teile darf nicht in Abrede gestellt, sie muß eher noch betont werden, denn diese gehören als notwendiger Gegensatz zu den Ausbrüchen höchster Dynamik, wie sie die mit schneidenden Dissonanzen erfüllten Höhepunkte bringen. „*Hier bin ich Mensch, hier darf ich's sein*" könnte Bruckner von dieser Musik sagen. Sein Menschentum steht auf so großer einsamer Höhe, daß die Werke dieser Sphäre sich ohne weiteres neben die kirchlichen Kompositionen stellen dürfen. Man kann keines von ihnen den anderen gegenüber höher oder tiefer werten, man braucht für keines von ihnen einen anderen Aufführungsplatz suchen, als den, wofür es der Meister selbst bestimmt hat.

Daß die großen Messen — sie vor allem — auch konzertant aufgeführt werden, hat nebst manch anderem einen sehr realen Grund: die geringe finanzielle und oft auch künstlerische Leistungsfähigkeit vieler Kirchenchöre. Aber das sind Gründe, die nicht in der Persönlichkeit Bruckners liegen, in diesen Belangen bestimmt die „*rauhe Wirklichkeit*".

Die für die Unterscheidung von symphonischen und kirchlichen Elementen bei Bruckner notwendigen und auch möglichen Einzeluntersuchungen würden den für diese Zeilen gesteckten Rahmen überschreiten. Vielleicht aber ist es gelungen, mit den wenigen angeführten Stellen klarzulegen, was gemeint ist. Diese Meinung gipfelt in der Feststellung, daß der Symphoniker Bruckner als Kirchenmusiker genau wußte, auf welche Weise er seine symphonischen

Mittel in Messe und Te Deum einsetzen konnte, wie weit er in Ausdruck, Dynamik und Agogik gehen durfte, und welcher Art Melodie und Rhythmus sein mußten, um den kirchlichen Raum zu erfüllen.

Für seine „*Gespräche mit Gott*" schuf Bruckner seine Kirchenmusik — für seine „*Gespräche mit den Menschen*" die Symphonien. Zwei verschiedene Welten, geeint in der starken Persönlichkeit Anton Bruckners, berichten von tiefer, Gott zugewandter Gläubigkeit, aber auch von weltoffener Gesinnung. Beide reden zu uns mit starker Sprache, beide sollten von uns so aufgenommen werden, wie der Meister es dachte: das Gottgegebene im kirchlichen, das dem Menschen Geschenkte im weltlichen Raum.

Erschienen in: *Gustav Fellerer. Festschrift zum 60. Geburtstag,* Regensburg 1962, S. 391—401.

Probleme bei der Veröffentlichung von Skizzen

Dargestellt an einem Beispiel aus Anton Bruckners Te Deum

Die Wichtigkeit von Skizzen für die Erkenntnis musikalischer Meisterwerke ist schon seit langem erkannt. Gustav Nottebohms Studien über die Skizzenbücher Beethovens sind, trotz ihres manchmal unleugbaren „Auswahlcharakters", die ersten Meilensteine auf dem Wege dieses Zweiges musikwissenschaftlicher Forschung[1]. In steigender Vertiefung von Editionsprinzipien und stets größer werdender Forderung an die Genauigkeit der Wiedergabe haben auch die großen kritischen Gesamtausgaben von einer nur wahlweisen Heranziehung von Skizzen, etwa in der Schubert-Gesamtausgabe[2], zur systematischen, bzw. zu der von vornherein in den Plan eingebauten Skizzenveröffentlichungen der Bruckner-Gesamtausgabe geführt. Bei ihr geschah es seit 1930 wohl zum erstenmal, daß Skizzen bewußt der Partiturveröffentlichung zur Seite gestellt wurden, und zwar vor allem in der Absicht, die Entstehungsgeschichte des betreffenden Werkes darzulegen, soweit überhaupt Skizzen und Vorarbeiten dazu vorhanden sind[3].

Die Idee, so naheliegend sie ist, war nicht neu, denn schon Heinrich Schenker zieht in seinen eingehenden und umfassenden Erläuterungen der letzten Klaviersonaten Beethovens Skizzen heran[4]. Dies nicht nur, um die Entstehung einzelner Stellen zu erläutern, sondern um überhaupt in den Sinn solcher Takte einzudringen. Meistens ist es so, daß frühere Notierungen, weil sie den Werdegang widerspiegeln, zu besserer Einsicht verhelfen, warum eine Phrase, eine Motivfolge so und nicht anders gebaut ist.

Die Bedeutung der Skizzen für die Erkenntnis von Werk und Persönlichkeit eines Komponisten ist also einleuchtend. Aus dieser Erkenntnis heraus hat das Beethoven-Haus in Bonn eine Gesamtausgabe der Skizzen Beethovens begonnen[5]. Die bei den bereits erschienenen Bänden angewendete Methode muß als durchaus zutreffend bezeichnet werden. Sie wurde aus genauer Kenntnis der Beethovenschen Notierungsweise gewonnen und gibt daher seine Niederschriften, indem sie diesen Eigenheiten folgt, genau wieder. So ist diese Methode für Beethoven, dem sie ja dienen soll, die beste. Kommentare dazu erläutern alle irgendwie problematischen oder sonst bemerkenswerten Eintragungen; sie sind zum Verständnis notwendige Ergänzungen.

Nun ist aber jeder große Meister eine ausgeprägte Persönlichkeit mit verschiedenen, nur ihm eigenen Gewohnheiten, so daß durchaus nicht für alle die gleiche Methode der Skizzenforschung und vor allem der Skizzenveröffentlichung passen muß. Dies liegt, wie ja nicht weiter ausgeführt zu werden braucht, im Charakter jedes einzelnen Meisters und vor allem in den daraus entspringenden Schreibgewohnheiten. Wenn auch gewisse Elemente der Notenschrift natürlich immer wiederkehren, auch deren Zusammenstellung und Gruppierung fast immer die gleiche ist, so schreibt doch jeder Meister Schlüssel, Noten, Versetzungszeichen usw. anders, ebenso hat jeder von ihnen nur für ihn charakteristische Gewohnheiten in der Schrift wie in der Gesamtanlage einer Seite. Auch im Skizzieren sind sie daher verschieden. Um dieses deutlich zu bemerken, braucht man nur Haydn mit Beethoven zu vergleichen. So muß man bei jedem Meister Eigenheiten erkennen und beobachten, die dann, richtig verstanden, wesentlich zum Entziffern einer Skizze beitragen, ja sie oft überhaupt erst ermöglichen.

Es ist daher verständlich, daß man auch bei Anton Bruckner bestimmte Schreib- und Arbeitsgewohnheiten beobachtet, die nur er allein zeigt und die daher für ihn charakteristisch sind. Andauernde Beschäftigung mit ihnen erfordert und erarbeitet gleichzeitig eine Systematik aller dabei vorkommenden Einzelheiten. Da sie sowohl für die Erforschung wie auch für die Veröffentlichung wichtig ist, sei sie vorerst kurz dargelegt, im allgemeinen sowohl wie mit besonderer Rücksichtnahme auf Bruckners Eigenheiten.

Fragen wir zuerst, wie Skizzen entstehen können.

Sie sind entweder Kinder eines Augenblicks, rasch hingeworfen, oft kaum leserlich und nur ihrem Urheber verständlich, oder sie zeugen von intensiver Arbeit, dann sind sie oft gleichfalls schwer zu entziffern, ob der in ihnen zusammenfließenden Schriftzeichen verschiedener Arbeitsvorgänge. Schließlich können sie im vorgeschrittenen Arbeitsstadium die Anfänge der Parititur sein mit Verteilung der Stimmen, Angabe der Instrumentation usw.: dann liegt ein sogenanntes Particell vor; zwischen diesen nur roh angedeuteten Stadien gibt es eine Menge Zwischenstufen.

Die einfachste Art begegnet uns da, wo der Komponist, jeweils eine oder zwei Linien benützend, die Einfälle notiert. Die Skizzenbücher Beethovens bieten dafür beste Beispiele. Anders wird das Bild schon, wenn bei gleicher Notierungsweise die Einfälle durcheinander an verschiedenen Stellen der Seite stehen, man also kein ausgesprochenes Nacheinander vorfindet. Hier gilt es, die Aufeinanderfolge der Gedanken herauszufinden. Dies ist aber nur möglich, wenn man die Endgestalt des betreffenden Werkes kennt und mit der Skizze vergleichen kann. Dazu ist aber wieder notwendig, daß die Skizzen schon einigermaßen der Endgestalt nahekommen oder wenigstens die Hauptmotive an ihrer charakteristischen Gestalt erkannt werden können. Ist dies aber nicht der Fall, dann wird die Arbeit des Zusammensuchens sehr erschwert, wenn nicht überhaupt unmöglich.

Die Notierung kann durch weitere Eintragungen verändert werden: Durchstreichungen, Beisetzen von Notenköpfen, Überschreibungen, weiters auch Rasuren und Überklebungen. Alle diese „Zutaten" können das Schriftbild oft bis zur Unleserlichkeit verwirren. Aus ihnen ersieht man, daß der Komponist seine ursprüngliche Absicht, manchmal öfter als einmal, geändert hat. Diese Art von Skizzen führt von der noch verhältnismäßig einfachen „Notierung" zur „Arbeitsskizze". Der Ausdruck „Arbeitsskizze" will aber nun nicht die Folgerung nach sich ziehen, daß in einer „Notierung" keine geistige Arbeit enthalten sei. Er bezieht seine Daseinsberechtigung lediglich aus dem Aussehen einer Seite, er will eher unterscheiden zwischen Arbeits-, das ist Schreibgewohnheiten. Die „Notierung" ist die für den Leser einfachere Niederschrift, bei einer „Arbeitsskizze" muß man schon „auseinanderlegen". Demgegenüber kennt die „Notierung", wenn aus ihr fortschreitendes Arbeiten sichtbar wird, ein „Zusammensuchen"; die einzelnen Aufschreibungen müssen in die gehörige Reihe gebracht werden.

An der „Arbeitsskizze" erkennt man einen Arbeitsvorgang und dementsprechend zwei für die betreffende Seite geltende Grenzen: erste und letzte Stufe. Dazwischen können je nach Charakter und Arbeitsweise des Komponisten mehrere Durchgangsstadien liegen. Auf einer solchen Seite stehen daher mindestens zwei voneinander mehr oder weniger verschiedene Niederschriften.

Diese Arbeitsvorgänge können gleich den einfachen Notierungen verschieden über die Seite verteilt sein: nebeneinander, über- oder untereinander. Bei ihnen handelt es sich nur darum, wieder mit Hilfe des fertigen Werkes, das richtige Nacheinander der einzelnen Eintragungen herauszufinden. Klare Schrift erleichtert dieses Beginnen, undeutliche Schrift, Durchstreichungen und Rasuren erschweren auch hier dem Forscher die Arbeit.

Schwierigkeiten besonderen Grades bescheren aber jene Arbeitsskizzen, bei denen die einzelnen Stadien, meistens zwei, es können aber auch drei sein, ineinandergeschrieben wurden. Diese Art kommt bei Bruckner vor. Sie zeigt in oft sehr eindrucksvoller Weise, wie Bruckner seine Ideen überdachte und änderte, bevor er sich entschloß, die ganze Stelle auf einem neuen Blatt noch einmal zu beginnen. Bei solchen Seiten geht es dem musikwissenschaftlichen Forscher wie dem Geologen oder Archäologen, er muß behutsam eine Schicht von der anderen trennen und festzustellen versuchen, wie sie etwa aufeinanderfolgen könnten. Dazu gehört vor allem die Kenntnis der Endfassung, um durch Vergleich mit ihr die betreffende Stelle in den Skizzen finden zu können; weiter ist dazu aber auch eine genaue Kenntnis der Schreibgewohnheiten notwendig. In der Regel haben zwei zeitlich auseinanderliegende Eintragungen fast nie den gleichen Duktus und die gleiche Schreib-„Farbe", auch wenn es beidemal nur Tinte oder nur Bleistift ist. Daß in diesen Fällen Unterscheidungen nicht sehr leicht sind und in den meisten Fällen problematisch bleiben, wird den Kenner der Materie nicht wundern und sei gerne zugegeben.

In Anton Bruckners Te Deum lauten die Takte 36—43 in der ersten, kürzeren Fassung so:

Der Satz schließt auf C, denn auch die folgenden Sanctus-Akkorde beginnen anders als in der späteren Fassung. Bruckner hat in der unvollendeten Partitur nun an dieser Stelle gearbeitet. Über den mit Tinte geschriebenen drei Solostimmen stehen Bleistiftskizzen, auch innerhalb der Stimmen bemerkt man einige Bleistiftzusätze und -änderungen. Die Handschrift bietet bei diesen Takten folgendes Bild (siehe Abbildung I auf S. 58).

Wollte man dieses Ineinander von Schriftzügen nach Art der Gesamtausgabe der Beethoven-Skizzen wiedergeben, so würde man kaum ein lesbares und vor allem das Verständnis förderndes Resultat erzielen. Zudem hat die Bruckner-Gesamtausgabe es sich zum Ziele gesetzt, die Skizzen nicht einfach nur zu veröffentlichen, sondern mit ihrer Hilfe die Genesis des betreffenden Werkes darzustellen.

56

Das kann sie deshalb, weil bei Bruckner fast alle Skizzen einem bestimmten Werk zugeordnet werden können; vielfach sind es ja Umarbeitungen zu einer anderen Fassung. Die Komposition ist also bekannt. Bei Beethoven und manchen anderen Meistern gibt es aber auch Aufzeichnungen, die nicht weiterverwendet wurden. Sie gehören zu keinem der vollendeten Werke und sind so unschätzbare Zeugen eines Gedankengutes, dem das Ausreifen versagt geblieben ist. An ihnen wird man schwer einen „Werdegang" feststellen, da man ja nicht wissen kann, was daraus hätte „werden" sollen. So muß man sie nur einfach mitteilen.

Zurückkehrend zu Bruckner und zu der mitgeteilten Stelle aus dem Te Deum ist daran weiter zu beobachten, daß die Veränderungen in der Partitur der ersten Fassung vorgenommen werden. Die Vermutung ist nicht von der Hand zu weisen, daß es noch andere Skizzenblätter zur zweiten Fassung des Te Deum gegeben haben muß, sie sind aber nicht erhalten geblieben.

An den mitgeteilten Takten ist nun aus der Kenntnis der Brucknerschen Arbeitsweise folgendes zu beobachten:

Die feinen Bleistifteintragungen in den Singstimmen sind Spuren von Änderungen, die Bruckner noch an der 1. Fassung vorgenommen hat.

Die groben Bleistiftzüge gehören jedoch der Umarbeitung zur 2. Fassung an. Sie stehen in den zwei Zeilen über den Solostimmen, aber auch in den ersten zwei Takten des Tenors (metrische Ziffern 3 und 4).

In den Zeilen über dem Sopran verbergen sich im 1. bis 3. Takt dieser Seite (metrische Ziffern 4 bis 6) jedoch zwei Fassungen. Aus der ursprünglichen Änderungsabsicht

(Nur die Sopranlinie; die Noten werden gleich mit den notwendigen Ergänzungen mitgeteilt)

wird unter dem Einfluß des Textes:

Che - ru-bim et   Se - ra-phim in-ces - sa - bi-li   vo -ce pro-cla - - mant:

Die letzten Viertelnoten muß man sich in zwei Achtel geteilt denken, zu den beiden ganzen Noten gehören Hälse; sie sind als Halbe zu lesen, denn die spätere Dehnung auf zwei Takte ist hier noch nicht anzunehmen. Die Verdopplung des betreffenden Taktes deuten die vier schiefen Striche an. Damit ist allerdings schon die melodische Linie der Endfassung, aber noch nicht ihre Textunterlage erreicht; sie macht bis dorthin noch eine Wandlung durch.

So wie in der oberen, stehen auch in der unteren Zeile dieser Bleistiftskizzen zwei Versionen, auf die Bruckner deutlich zweimal mit „2" aufmerksam macht. Die erste Gestalt:

(Der Hals der letzten Halben ist ganz schwach, aber deutlich zu erkennen)

wird verändert zu:

Alle diese Änderungen sind noch für den Phrasenschluß auf C berechnet. Die Endfassung schließt aber auf F. Darauf deuten die dem Tenor über- und untergesetzten Tonbuchstaben.

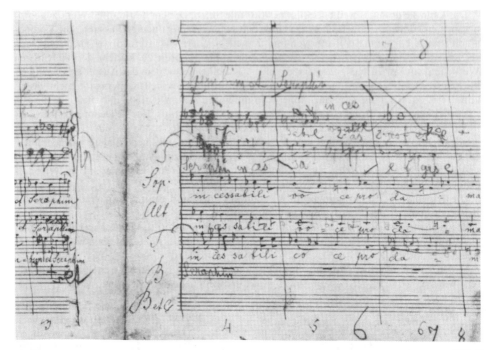

Abb. I

Abb. II

Die obere Reihe heißt: „2. as I 2. ges f es e I", die untere (nur im letzten Takt): „e f ges e I".
Zur Einführung des e auf dem ersten Viertel steht unter dem vorangehenden as eine Viertelnote f. Aus diesen Versuchen erkennt man, daß Bruckner vorhatte, die Harmonien zu ändern.

Diese Absicht beweisen auch Bleistifteintragungen, die sich einige Zeilen oberhalb der in Abb. I gezeigten Skizze befinden. Sie beschäftigen sich mit den Vierteln im Tenor und dem dazugehörigen des im Sopran. Das Bild zeigt deutlich die nunmehr festgelegte Hinwendung nach F, aber auch gleichzeitig, daß in den Skizzen wohl eine Annäherung des Tenors an die Endfassung erreicht wird, diese selbst aber noch nicht aufscheint (siehe Abbildung II auf S. 58).

Die metrischen Ziffern bei 5 und 6 in Abb. I beweisen weiter deutlich, daß Bruckner eine Dehnung dieser zwei Takte auf vier beabsichtigte; er hat sie auch durchgeführt. Es sind die Takte 39—42 der Endfassung.

An diesem einen Beispiel dürfte wohl zu ersehen sein, welche Probleme die Beschäftigung mit den Skizzen Anton Bruckners aufwirft. Danach muß sich auch ihre Veröffentlichung richten. Und da mag es wohl klar sein, daß es in Fällen wie den eben geschilderten nicht genügen würde, sie diplomatisch getreu wiederzugeben: sie müssen „auseinandergelegt" und die einzelnen Arbeitsstadien in die chronologisch richtige Reihenfolge gebracht werden. Die Reihenfolge wird manchmal sehr klar zutage liegen, manchmal problematisch sein. Ihre Herstellung muß, wo immer möglich, versucht werden. Denn nur sie eröffnet den Einblick in das Lebendige des Kunstwerks: sein Wachsen, Werden und Reifen. Dazu sind Skizzen wichtig, sehr oft die einzigen Belege.

1 Vgl. dazu: *Zwei Skizzenbücher von Beethoven aus den Jahren 1801 bis 1803, beschrieben und in Auszügen dargestellt von Gustav Nottebohm. Neue Ausgabe von Paul Mies.* Leipzig 1924 und die darin angegebene Literatur.

2 „Unsere Ausgabe hält sich an Vorlage 1 (sc. das Autograph). Mit dieser verglichen, enthalten die autographen Skizzen so viel des Interessanten und für Schuberts Kompositionsweise bezeichnenden, daß das Wesentlichste daraus im folgenden mitgeteilt werden soll."
   Franz Schubert, Gesamtausgabe, Revisionsbericht Serie X, Sonaten für Pianoforte, S. 9. Zu den Sonaten Nr. 13 bis 15.

3 „Alles bisher Ungedruckte, insbesondere die bei Bruckner hochwichtigen verschiedenen Fassungen der Werke, erscheinen jetzt im Druck, so daß unbekannte neue Musik des Meisters einschließlich aller greifbaren Vorarbeiten, Entwürfe und Skizzen nach eigener wissenschaftlicher Methode erschlossen wird. Damit erscheint die bisher bekannte Technik von Gesamtausgaben der großen Meister der Tonkunst in planmäßigem Ausbau vollendet, der Allgemeinheit aber die für die Erkenntnis des Lebenswerkes Bruckners bisher fehlende breite Grundlage gegeben" *(Prospekttext).* Dieser Grundsatz wurde in umfassender Weise zuerst bei der IX. Symphonie verwirklicht in den von Alfred Orel herausgegebenen Skizzen und Entwürfen zu dieser Symphonie. Siehe: *Anton Bruckner, Sämtliche Werke,* Bd. IX, Wien 1934. Auch in den weiteren von Robert Haas besorgten Bänden finden sich zahlreiche Skizzenveröffentlichungen.

4 H. Schenker, Erläuterungs-Ausgabe der letzten fünf Sonaten von Beethoven. Wien 1915.

5 *Veröffentlichungen des Beethovenhauses in Bonn...* hrsg. von Joseph Schmidt-Görg. *Beethoven, Skizzen und Entwürfe. Erste kritische Gesamtausgabe. Drei Skizzenbücher zur Missa solemnis. Ein Skizzenbuch aus den Jahren 1819/20...* hrsg. von J. Schmidt-Görg. Bonn 1952 und *Ein Skizzenbuch zur Chorfantasie op. 80 und zu anderen Werken...* hrsg. von Dagmar Weise. Bonn 1957. Weiter zu vergleichen sind dazu aus den sonstigen Veröffentlichungen Beethovenscher Skizzen vor allem Bd. 3 und 5 der *Veröffentlichungen des Beethovenhauses* mit Skizzenveröffentlichungen von A. Schmitz und J. Schmidt sowie das von K. L. Mikulicz herausgegebene Notierungsbuch F 91, Leipzig 1927.

Erschienen in: *Antony van Hoboken. Festschrift zum 75. Geburtstag,* hrsg. von Joseph Schmidt-Görg, Mainz 1962, S. 115—121.

Form und Rhythmus im ersten Satz des Streichquintetts von Anton Bruckner

Von den Vorwürfen, die gegen Anton Bruckner und seine Werke laut geworden sind, ist der der „Formlosigkeit" einer der gewichtigsten. Die an die Gesetzmäßigkeiten des Wiener klassischen Stils und der Romantik gewohnten Zeitgenossen hatten Mühe, dem Gestaltungswillen Bruckners zu folgen, soweit sie überhaupt dazu geneigt waren. Es ist ja sattsam bekannt, daß so manche gegnerische Stimme die Musik des Meisters von vornherein in Bausch und Bogen ablehnte.

Nun hat es ja Bruckner den Hörern bestimmt nicht leicht gemacht, seine Musik aufzunehmen. Die Ausdehnung der Themen zu ganzen Gedankengruppen bereitete schon Schwierigkeiten, ebenso ihre Verarbeitung und die daraus erfließenden, oft weitgestreckten Dimensionen einzelner Teile wie ganzer Werke. Dazu kommt noch Bruckners geniale Durchführungstechnik: eine schier unerschöpfliche Erfindungsgabe stellt den Hörer vor kaum erwartete Veränderungen und Verbindungen. Aber nicht nur das motivische und thematische Leben ist so reich, auch des Meisters Formgebung überrascht.

Bruckner hatte die Gesetze seiner Kunst außerordentlich gründlich studiert, er beherrschte sie in allen ihren Belangen, also auch hinsichtlich der Form. Sein auf dem Gebiete der Musik ungemein scharfes und logisches Denken befähigte ihn, die kühnsten Gebilde zu formen und dennoch dabei „im Maß" zu bleiben. Freilich, es ist „sein" Maß, nicht irgendeines, ein theoretisch erstelltes Maß; wer es kennen will, muß den Brucknerschen Gesetzen nachgehen.

Als erschwerender Umstand zur Erforschung dieser Gesetze kam vor dem Erscheinen der Bruckner-Gesamtausgabe hinzu, daß so manche der Symphonien im Erstdruck nicht nur instrumental, sondern auch formal verändert wurden. Das gereichte ihnen nicht zum Vorteil, weil man damit die von Bruckner vollkommen logisch gebaute Form durch Kürzungen und Auslassungen zerstörte. Die bekanntesten Beispiele dafür sind die vierte und fünfte Symphonie.

Das alles, Bruckners eigener, nicht leicht verständlicher Formwille und die Veränderungen in den Erstdrucken, war die Ursache, daß man Bruckner als „formlos" bezeichnen zu müssen glaubte. Selbst ein so begeisterter Verehrer des Florianer Meisters wie Rudolf Louis kann nicht umhin, diesem Vorwurf zuzustimmen; allerdings weiß er sich gleich selbst zu berichtigen, wenn er schreibt: *„Spricht man von Bruckners Formlosigkeit, so hat man immer nur seine ersten Sätze und vor allem die Finali im Auge. Und hier ist sie in der Tat bisweilen vorhanden. Nicht als ob der Meister jemals völlig planlos und unlogisch in der Aneinanderreihung seiner Gedanken vorgegangen wäre. Es läßt sich vielmehr immer und überall ein vernünftiger und zwar rein musikalischer Sinn und Zusammenhang in seinen Sätzen nachweisen. Nur liegt bei Bruckner die Idee, die das scheinbar Auseinanderfallende einheitlich zusammenhält, nicht immer so ganz offen zutage, sie muß auch gesucht werden."[1]*

Wie sehr Louis mit den letzten Sätzen seines Zitates recht hat, das möge die vorliegende Studie über den ersten Satz des Streichquintetts erweisen. Soweit dem Verfasser bekannt, hat man bisher die Form dieses Satzes nicht ganz richtig dargestellt[2].

Das mag erstens davon kommen, daß Bruckner hier in ganz ungewohnter Weise eine Exposition mit vier Gruppen entwickelt, und daß zweitens deren Teilgrenzen vom rhythmischen Element vollkommen „überspielt" werden. Dennoch aber gelingt es Bruckner, das Widerspiel von formalen und rhythmischen Kräften zu meistern.

I

Der Grundriß des Satzes sieht so aus:

Exposition
Takt	1— 28	1. Gruppe (Hauptsatz)
Takt	29— 56	2. Gruppe (Seitensatz)
Takt	57— 72	3. Gruppe
Takt	73— 98	4. Gruppe (Schlußgruppe)

Durchführung
Takt	99—126	1. Abschnitt
Takt	127—138	2. Abschnitt
Takt	139—150	3. Abschnitt
Takt	151—170	4. Abschnitt

Reprise
Takt	171—200	1. Gruppe (Hauptsatz)
Takt	201—216	2. Gruppe (Seitensatz)
Takt	217—228	3. Gruppe
Takt	229—273	4. Gruppe (Schlußgruppe mit Erweiterung)

Es wird daraus deutlich sichtbar, daß Bruckner die Sonatenform eingehalten, sie aber durch eine 4. Gruppe (in der Reihenfolge die 3.) erweitert hat. Die 1. Gruppe enthält das Hauptthema, die 2. bringt den Seitensatz, die 3. kommt als Kulmination des bis dahin herrschenden Rhythmus zustande und die 4. ist die eigentliche Schlußgruppe.

Zum Unterschied von allen bisherigen Darstellungen wird in dieser Studie, wahrscheinlich zum ersten Mal, das Vorhandensein eines Seitensatzes nachgewiesen und auch die mehrmals mit „Gesangsthema" bezeichnete 4. Gruppe richtiger „Schlußgruppe" benannt. Als einziger hat sie so bisher nur Haas gesehen, wenn er diese Gruppe als „Epilog" bezeichnet[3].

Der dem klassischen Sonatenschema folgende Grundriß sei zunächst formal begründet. Es wird sich dabei als sehr zweckdienlich erweisen, die jeweiligen Abschnitte der Exposition mit den entsprechenden in der Reprise zu vergleichen. Der eigentliche Grund, warum die Sonatenform in diesem Satz ein solches Aussehen angenommen hat, liegt im Rhythmus.

Die 1. G r u p p e bringt das Hauptthema: Takt 1—10; charakteristisch für diesen Einfall ist die Mischung von Vierteln und Triole mit nachfolgender gleichmäßiger Achtelbewegung. Takt 11—16 tritt in der ersten Geige eine Melodie auf, die niemals wiederkehrt, nicht in der Reprise und nicht in der Durchführung. Unter ihr aber befindet sich der Achtelrhythmus. Man muß dazu nicht unbedingt annehmen, daß er aus Takt 3 und 4 des Hauptthemas stammt[4]. Denn dort tritt er legato auf, mit melodischem Charakter, hier aber steigt er pizzicato, in Akkordbrechungen empor und übt damit eine „bewegende" Funktion aus. Dieses „bewegende Moment" ist bestimmend für den Fortgang des Satzes und gelangt von Takt 11 an nicht mehr zur Ruhe; davon wird später noch mehr zu sagen sein. Den Abschluß der 1. Gruppe (T. 17—20) bilden absteigende, in den beiden Geigen mit Trillern versehene Sextakkorde (Takt 21—28) und eine achttaktige Periode, sie enthält die Überleitung zur 2. Gruppe, zum Seitenthema. In ihr gesellt sich zum Achtelrhythmus jenes ungemein ausdrucksstarke punktierte Motiv, das dazu bestimmt war, so bedeutsam in die Entwicklung des Satzes einzugreifen.

Die Reprise enthält in abgewandelter Art den Hauptgedanken, die ersten acht Takte genau (Takt 171—178), daran anschließend aber n i c h t die Melodie der Takte 11—16, sondern eine weitere Ausspinnung des Hauptgedankens, Takt 179—192. Hier treten dann, aber erst in den vier letzten Takten, 189—192, auch die Achtel wieder auf; genau wie in der Exposition im Violoncello, aber nicht in Akkordzerlegung, sondern nur als Trommelbaß. Dann folgen, gemäß der Exposition, vier Takte Sextakkorde (193—196) und danach vier Takte Überleitung (197—200) zum Seitenthema, aber nicht wie in der Exposition mit „geschobenen" Achteln, sondern in der vom Seitenthema verwendeten skalenmäßigen Melodik. Darüber ist wieder der kleingliedrige, scharf punktierte Rhythmus zur Stelle.

In Gegenüberstellung sieht der Verlauf der 1. Gruppe so aus:

E x p o s i t i o n		R e p r i s e	
Takt 1—10	Hauptgedanke	Takt 171—180	
Takt 11—16	Geigenmelodie und Achtel im Violoncello	Takt 181—192	Verarbeitung des Hauptgedankens und Achtel im Vc., aber nur Takt 189—192
Takt 17—20	absteigende Sextakkorde	Takt 193—196	
Takt 21—28	Überleitung zum Seitenthema	Takt 197—200	

Der „Idee" nach ist der Ablauf des Geschehens in der Exposition wie in der Reprise derselbe; es wird sich zeigen, daß dies auch für die übrigen Abschnitte zutrifft.

Die 2. G r u p p e enthält das Seitenthema. So und nicht anders muß man wohl die auf- und absteigende Skalenlinie der zweiten Geige bezeichnen. Sie ist in dieser Eigenschaft bisher noch nicht erkannt worden; das liegt an dem sie umgebenden punktierten Rhythmus, unter dem sie eigentlich fast verschwindet. Der zweite Teil dieser Studie wird davon eingehender zu berichten haben. Daß diese ruhige Linie in der zweiten Geige als Seitensatzgedanke aufzufassen ist, geht aus ihrer Wiederkehr in der Reprise hervor. Vollkommen der Sonatenform entsprechend steht sie in der Exposition in der Dominanttonart C-Dur, in der Reprise daher in F-Dur.

Eine andere Beobachtung stützt ebenfalls diese Feststellung. Die beiden melodischen Gedanken, 1. Gruppe (Takt 10—16) und Durchführung (Takt 131—138), kommen im ganzen Satz nie wieder vor, wohl aber diese „unscheinbare" Skalenmelodie, das Seitenthema, noch dazu vollkommen formgerecht in melodischer wie harmonischer Hinsicht. Die Zitierung in der Durchführung unterstreicht diese seine Bedeutung noch, und so ist wohl kaum daran zu zweifeln, daß Bruckner mit diesem Thema den Charakter des Seitengedankens verbunden wissen wollte.

Daß der Meister in der 2. Gruppe nicht eines seiner „Gesangsthemen" bringt, wie man sie aus den Symphonien gewohnt ist, das liegt an dem ganz eigenen Stil, den das Streichquintett aufweist. Bruckner hat darin neue Wege beschritten, er behandelt vor allem die Form mit größter Freiheit. Aber diese Freiheit wird geübt auf Grund einer unbedingt und konsequent festgehaltenen Gesetzmäßigkeit.

Zur Formanalyse zurückkehrend können wir feststellen, daß der Seitensatz vom Violoncello (Takt 37 ff.) wiederholt wird, dabei aber einen anderen Verlauf nimmt und in seinen 2. Teil (Takt 45—56) mündet. Dieser zerfällt in drei viertaktige Perioden: 45—48, 49—52 und 53—56.

Wieder beweist eine Gegenüberstellung von Exposition und Reprise die bei aller Veränderung gleichbleibende Abfolge der Gedanken:

Exposition		Reprise
Takt 29—44	Seitenthema	Takt 201—208
Takt 45—48	Verbindung zum 2. Teil	
Takt 49—52	2. Teil	Takt 209—214
Takt 53—56	Steigerung, Absinken zur 3. Gruppe	Takt 215, 216

Der 2. Teil der 2. Gruppe enthält jene Partie, die ursprünglich von Bruckner als Seitenthema gedacht war (Takt 49ff.). Er hat sie von dieser Stelle aber entfernt und durch die gehenden Achtel ersetzt. Das geschah vermutlich deshalb, weil der andauernde punktierte Rhythmus und die stark harmonische Einstellung dieser Takte dem für ein Seitenthema zu fordernden Prinzip des Melodischen nicht ganz gerecht zu sein schienen.

Die anschließende 3. G r u p p e verteilt sich in Exposition und Reprise wie folgt:

Exposition		Reprise
Takt 57—62	Unisono mit anschließendem Nachsatz	Takt 217—220
Takt 63—68	Steigerung	Takt 221—227
Takt 69—72	Abfall	Takt 228
Takt 73	Einsatz der 4. Gruppe	Takt 229

Auch hier kann man die Genialität bewundern, mit der trotz verschiedener Länge der einzelnen Teile und geänderter Melodik der Eindruck gleichmäßigen Entsprechens erreicht wird.

Von der nun folgenden 4. Gruppe wird angenommen, sie sei die „Gesangspartie"[5]. In diese Annahme mischt sich gleichzeitig ein wenig Verwunderung, daß Bruckner mit der Sonatenform so frei umgeht. Das tat er aber, wie man sieht, nicht, er leistete sich nur die Freiheit, zwischen die 2. und 3. Gruppe der Sonatenform das Unisono mit der Steigerung einzuschieben. (Über die Veranlassung dazu siehe weiter unten.)

Für die 4. G r u p p e bieten Exposition und Reprise folgende Gegenüberstellung:

Exposition				Reprise
Takt 73	Der liegende Ton			Takt 229
Takt 74—80 Fis	Einleitung		H	Takt 230—236
Takt 81—88 C	Hauptteil		F	Takt 237—240
	Erweiterung	modulierend		Takt 241—256
	Hauptteil-Fortsetzung		F	Takt 257—264
Takt 89—98 C	Ausklingen		F	Takt 265—273

Die vier „sehr zart" zu spielenden Takte am Anfang dieser Gruppe haben zur Bezeichnung „Gesangsthema" verleitet. Dies geschah begreiflicherweise im Hinblick auf die vorangegangene gewaltige Entfaltung des punktierten Rhythmus. Allerdings übersah man dabei, daß diese „zarte" Stimmung sehr bald verfliegt und dem energischen Ausdruck eines „Epilogs"[6] Platz macht.

Aus all dem wird zur Genüge ersichtlich, daß Bruckner im Quintett trotz größter Freiheiten die Sonatenform in voller Strenge vom Anfang bis zum Ende durchhält. Diesen seinen „Bauwillen" bekundet er auch in der D u r c h f ü h r u n g : sie weist vier Abschnitte auf.

Der 1. A b s c h n i t t beginnt mit dem Hauptthema. Zuerst rhapsodisch frei, in einzelnen Instrumenten (Takt 99—110), dann in kontrapunktischer Verarbeitung (Takt 111—122). Aber genau wie beim Hauptthema setzt der Achtelrhythmus ein (Takt 119) und zieht die absteigenden Sextakkorde nach sich (Takt 123—126).

Der 2. A b s c h n i t t verknüpft mit der nur hier im Baß erklingenden absteigenden Linie der Sextakkorde den punktierten Rhythmus aus dem Seitenthema (Takt 127—130). Dazu gesellt sich (Takt 131—138) eine neue Melodie in der ersten Geige; mit dem Pizzicato-Untergrund im Cello klingt sie wie eine zarte Ländlerweise.

Dieser motivischen Verdichtung tritt im 3. A b s c h n i t t wieder eine Vereinfachung als Gegensatz gegenüber: zuerst das Hauptthema mit dem Seitenthema als Kontrapunkt (Takt 139—142), dann das melodisch veränderte Hauptthema mit Akkordzerlegungen in Achteln, ähnlich dem rhythmischen Geschehen in den Takten 11—16.

Der 4. A b s c h n i t t bewirkt aus einer nochmaligen kontrapunktischen Verarbeitung des Hauptthemas mit sequenzierend absteigenden Achteln die Hinwendung zur Reprise.

Wie man sieht, bleibt auch in der Durchführung nichts dem Zufall überlassen, jeder Gedanke wird an seinen ihm zukommenden Platz gestellt und erhält dabei das für diesen Augenblick notwendige Aussehen. Darin offenbart sich ein „Wille zur Form", der im Grunde genommen dem „statischen" Wesen entspricht — Gedanke steht neben Gedanken, mit oder ohne Überleitung, wie es sich aus dem Fluß der Ideen ergibt.

II

Neben dieser „statischen" lebte in Bruckner aber noch, wie man weiß, eine sehr starke „dynamische" Kraft. Das Zusammenwirken beider zeitigte in den Werken Bruckners mannigfachste Ergebnisse, nicht nur an einzelnen Stellen, sondern auch bei der Gestaltung und Entwicklung ganzer Sätze. Ein überzeugendes Beispiel dafür ist der erste Satz des Streichquintetts. In ihm sind Rhythmus und Dynamik so stark, daß sie über den vorhin dargelegten Grundriß glatt hinweghören lassen; sie leiten vollkommen „eigenmächtig" Entwicklungen ein, führen sie durch und lassen so beim unbefangenen Hörer die Form als etwas ganz anderes erscheinen, als sie in Wirklichkeit ist.

Diese rhythmischen Kräfte beginnen schon in der Gruppe des Hauptthemas ihr Spiel. Der „gemäßigten" Bewegung folgt bereits ab Takt 11 im Cello eine stark ausgeprägte Achtelbewegung: aufsteigend, als Akkordzerlegung vom Pizzicato noch besonders herausgehoben. Die zweite Bratsche spielt ihre Achtel als rhythmische Verstärkung dazu.

Nun hat es schon im Takt 3 und 4 Achtel gegeben, die hatten aber anderen, nämlich melodischen Charakter. In Takt 11 haben die Achtel „bewegende" Kraft, sie treiben das musikalische Geschehen an. Über ihnen singt die erste Geige eine neue Melodie, ganz anders als die des Hauptthemas. Sie wird dabei von der zweiten Geige und der ersten Bratsche unterstützt, deren Bewegungsrichtung aber hingegen die Akkordzerlegungen des Cellos verstärkt. So sind die Mittelstimmen nach beiden Seiten gebunden und machen die logische Durchformung des Satzganzen offenbar.

Die Melodie der ersten Geige kommt, wie schon erwähnt (vgl. S. 61), nur hier vor, die Achtelbewegung hingegen bleibt. Sie ergreift in Takt 17 alle Instrumente. Abwärtssteigende Sextakkordfolgen bilden den Abschluß des Hauptthemas, von dessen eigentlichem Rhythmus jedoch nichts mehr zu spüren ist.

Im Gegenteil, die Achtel wirken weiter und in ihre Bewegung hinein ertönt ein neues Motiv in Cello und erster Bratsche, dem ein ungemein packender Rhythmus zu eigen ist: punktierte Achtel mit zwei Zweiunddreißigsteln, in der Mitte ein Sechzehntelauftakt. Dieses Motiv belebt die von den beiden Geigen und der zweiten Bratsche gebotene „Achtelebene" und erweist sich von so starker dynamischer Kraft, daß es erst nach einem starken Unisono und einer darauffolgenden mächtigen Steigerung durch „breit gestrichene" Achtel (absteigende G-Dur-Dreiklänge) zum Schweigen gebracht werden kann (Takt 68).

Bruckner läßt die in diesem kurzen Motiv schlummernden Kräfte sich entfalten und auswirken. In einem einzigen Zug von Takt 21—68 baut dieser kleine Rhythmus eine grandiose Steigerung auf, und nichts ist begreiflicher, als daß man meinen konnte, nach der Gruppe des Hauptthemas begänne hier eine 2. Gruppe, die einzig und allein nur von diesem kleinen Motiv gestaltet wird. Denkt man so, dann ist das ab Takt 73 folgende Teilstück die 3. Gruppe und noch dazu, weil sie so melodisch „sehr zart" beginnt, die „Gesangspartie", die Bruckner dieses rhythmisch-dynamischen Geschehens wegen „verhältnismäßig sehr weit in den Satz hineingerückt" hat[7].

Das stimmt nun nicht, denn in Takt 29 erwächst aus den bisher geschobenen Achteln in der zweiten Geige eine melodische Linie. Sie ist sehr schlicht, einfache Skalengängen sind es, aber wie schon im Teil I dieser Studie gezeigt werden konnte, besitzt sie alle Qualitäten eines Seitenthemas, wenn auch unter etwas eigenartigen Umständen. Man wird vielleicht nicht gleich geneigt sein, diesem an sich unscheinbaren Gebilde die Rolle eines Seitenthemas zuzubilligen. Darunter versteht Bruckner bekanntlich ja immer ein „Gesangsthema", also einen ausgesprochen melodischen Gedanken. Im Quintett denkt er anders und verbirgt obendrein noch dieses einfache Gebilde unter dem etwas „vordringlich" auftretenden punktierten Rhythmus des bewußten kleinen Motivs. Daher erkennt man diese Gebilde ab Takt 29 in der zweiten Geige nicht sofort als Seitenthema. Daran ist das kleine Motiv schuld, vielleicht auch Bruckner selbst, der zu diesem punktierten Rhythmus in der ersten Bratsche schreibt: „Immer hervortretend." In der Reprise heißt es an der gleichen Stelle (Takt 201): „doch hervortretend." Das gibt einen Fingerzeig zum Verständnis des Seitenthemas. Alle drei Instrumente spielen pp, wenn also eines von ihnen „doch hervortreten" soll, dann will Bruckner damit wohl sagen, daß es gegenüber einer anderen Stimme, die da „hörbar" sein soll, nicht zurücktreten möge. Er weiß um die konstruktive Wichtigkeit dieses Motivs Bescheid, weiß aber auch, daß das andere Gebilde, die Achtelmelodie, da ist. Daß Bruckner dieser Linie keinerlei Vortragsbezeichnung mitgegeben hat, die sie herausheben würde, ist verständlich: er läßt die rhythmischen Kräfte wirken. Unbekümmert um ihr Treiben baut er aber trotzdem eine vollkommen regelrechte Sonatenform. Vielleicht steckt ein listig-verschmitztes Lächeln des Meisters dahinter: ob man es wohl merken wird?

So „überspielt" das kleine Motiv das Seitenthema, aber mehr noch: es bestimmt darüber hinaus auch den weiteren Verlauf des musikalischen Geschehens, und überspielt damit nicht nur das Seitenthema allein, sondern die Form schlechthin.

Im 2. Teil der Seitensatzgruppe (Takt 45—52) schwingt es sich zum Alleinherrscher auf. Von Takt 45—48 duldet es noch die Achtel im Cello als harmonische Grundlage, die vier anschließenden Takte gehören aber ganz ihm. Über den ruhenden Celloquinten bekommt sein sonst so fortreißendes dynamisches Wesen fast melodischen Charakter, der aufhorchen läßt.

Tatsächlich hat es auch mit diesen vier Takten eine eigene Bewandtnis. Sie stellen in der Exposition den letzten Rest des ursprünglich geplanten Seitensatzes dar. Wie die Abbildung bei Haas[8] zeigt, war dieser Gedanke größer geplant, wurde aber durchgestrichen. Dieser Strich hat nun zu der Annahme verleitet, daß das Gesangsthema entfernt worden sei und daß durch das „mechanische Herausreißen dieses wichtigen Abschnittes... die Aufstellung aus dem ursprünglichen Gleichgewicht geraten" sei[9]. Dem ist aber, wie man sieht, nicht so: die stark harmonisch unterbaute Partie mit dem punktierten Rhythmus wurde wohl entfernt, dafür aber das jetzt erklingende Seitenthema an seine Stelle gesetzt. Das geschah ohne Zweifel durch Bruckner selbst, der dann auch seine ursprüngliche Idee nicht ganz fallen ließ und sie für den 2. Teil des neuen Seitensatzes heranzog[10].

Die Richtigkeit dieser Beobachtung erhärten die Takte 209—214 der Reprise. In ihnen ist die ursprüngliche Gestalt des Seitenthemas, wenn auch auf die Hälfte verkürzt, in der für sie außerordentlich charakteristischen Terzenrückung noch gut zu erkennen. Der Rückung Ges (= Fis) zu A in der Reprise entsprach die jetzt nicht mehr vorhandene Mediantenwirkung C—As der Exposition[11]. Bezeichnend für Bruckners Gestaltungswillen ist auch die harmonische Richtungsänderung: in der Exposition abwärts, in der Reprise aufwärts.

Über alle diese formalen Angelegenheiten spielt jedoch der punktierte Rhythmus hinweg: er ist das treibende Element und gibt keine Ruhe, bis er nicht in den Takten 57—68 zu seiner größten Entfaltung gelangt. Zuerst vereinigen sich alle Instrumente in einem gewaltigen Unisono mit dem Motiv in der Umkehrung, danach aber peitscht der punktierte Rhythmus sie in eine breit dahinströmende Steigerung, die nach jähem Abbruch im Fis des Cellos (Takt 73) erstarrt.

Dieser Verlauf wird nur aus der dynamischen Kraft des kleinen punktierten Motivs geboren: er gehört daher zur Gänze dem „dynamischen" Prinzip zu. „Bewegende" Kräfte sind es, die hier Bruckner die Feder führen. Der Meister gehorcht ihnen, läßt sie gewähren und wirken.

Allerdings: Bruckner wahrt dabei s e i n e n Willen, wie schon an dem oben gegebenen Vergleich zwischen Exposition und Reprise dieser Gruppe dargetan wurde. Nicht nur, daß das Unisono der Reprise gegenüber der Exposition auf die Hälfte der Takte zusammengerafft erscheint, Bruckner hat auch die melodische Linie umgekehrt, so daß das kleine Motiv in der Reprise wieder in der Originalgestalt erscheint. Auch das Ende dieser Taktgruppe ist verschieden. In der Exposition stellt der Achtelrhythmus den Schluß her (abfallende G-Dur-Akkorde Takt 69—72), in der Reprise verzichtet Bruckner darauf. Auf dem Gipfel des Höhepunktes reißt das Geschehen einfach ab, nur im Cello kann der punktierte Rhythmus noch dreimal im ppp nachzittern, dann ist es mit seiner „Herrschaft" zu Ende. Sein gelegentliches Ertönen in der 4. Gruppe der Reprise (in der Exposition kommt er überhaupt nicht) hat nur mehr Erinnerungswert (Takt 249, 250) und akkordlich ausfüllende Funktion (Takt 241 ff., 265 ff.).

Die Gegenüberstellung beider Bereiche, Form und Rhythmus (statisches und dynamisches Prinzip) ergibt das nebenstehende Bild:

An der graphischen Darstellung werden die Überschneidungen der Form- und Rhythmusgrenzen sichtbar. Man kann an ihr aber auch die zwei Möglichkeiten ablesen, nach denen die Gliederung von Exposition und Reprise möglich ist.

Der Form nach ergeben sich die vier Gruppen I—IV, dem Rhythmus nach sind es nur drei Abschnitte X, Y und Z. Aus den voranstehenden Ausführungen ist klar, daß die vier Gruppen der Form maßgebend sind für den architektonischen Grundriß, es leuchtet aber ebenso ein, daß das dynamische Moment sich sehr stark in den Vordergrund spielt. Aus dieser Wechselwirkung sind auch die bisherigen Darstellungen dieses Satzes zu erklären, die nun an dieser Stelle zusammengefaßt besprochen werden sollen.

Am weitesten entfernen sich jene, die nur in ganz unbestimmter Weise von Themengruppen sprechen.

Mersmann geht von dem Gedanken aus, daß „*Bruckner mit Themenkomplexen statt mit einzelnen fest umrissenen Gedanken arbeitet*" und erklärt demnach IV zum „*Gegenthema*" von I. Alles Dazwischenliegende (II, III = Y) ist ihm eine Befreiung „*rhythmischer Energien*". Ihre Wirkungsweise wird beschrieben mit den Worten: „*Sie treten zuerst unter gleichmäßiger Bewegung in Einzelstimmen auf, verdichten sich aber dann immer mehr, bis die rhythmische Spannung wie ein Strom gleichmäßig durch alle Stimmen zuckt*". Obwohl Mersmann von einer „*Gebundenheit*" des Brucknerschen „*Formwillens*" spricht, läßt diese Darstellung die Erkenntnis der eigentlichen Form vermissen.

Ganz ähnlich klingt Schumanns Darstellung. Auch er spricht von Bruckners Denken in „*zusammenhängenden Gruppen*", kennt aber ebenfalls nur „*drei Hauptgebilde*", die „*außer*

ANTON·BRUCKNER, STREICHQUINTETT, 1.SATZ · Gegenüberstellung von Form und Rhythmus

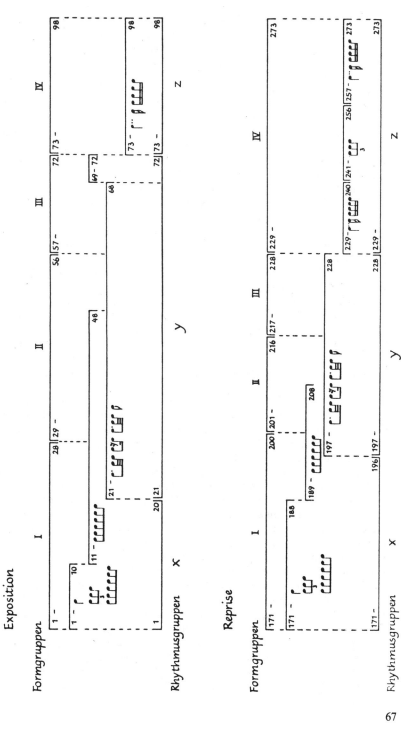

dem (von Bearbeitern gestrichenen) Gesangsthema . . . für die Gestaltung des Satzes bedeutsam werden" (nämlich — Hauptthema, rhythmisches Motiv und IV. Gruppe). Die Streichung des Gesangsthemas überzeugt, denn er folgert daraus: „Offenbar hielt man die übriggebliebenen Themengruppen immer noch für gedanklich ausreichend, den Satz zu tragen."

Von „Themengruppen" spricht auch Zentner. Er kennt für den Verlauf des ersten Satzes ebenfalls nur drei: das „zur Themengruppe sich erweiternde Hauptthema", danach eine „erste machtvolle Steigerung", nach der sich das „zarte Gesangsthema hervorwagt".

Diese Aufzählung führt zu jener Gruppe der Quintetterläuterungen, die von dem an ungewohnter Stelle stehenden „Gesangsthema" sprechen. Da ist ein Unterschied aufzuzeigen: Mersmann und Schumann zählen einfach drei Gruppen und tragen damit dem tatsächlichen rhythmischen Verlauf Rechnung. Die Ansicht des spät eintretenden Gesangsthemas ist in zweierlei Hinsicht irrig: erstens ist dieses Thema kein „Gesangsthema" (wenn es auch in den ersten vier Takten so klingt), und zweitens muß man, wenn schon der Ausdruck „Gesangsthema" eingeführt wird, ihn für das richtige Thema verwenden.

Auer 1923 und 1947 gliedert die Exposition in das Hauptthema, „eine lang ausgesponnene Überleitung" und das „Gesangsthema" (Takt 74 ff.) in Fis-Dur.

Kurth kommt zu dem gleichen Ergebnis, nur betont er: „Das Gesangsthema setzt bei E ein, verhältnismäßig sehr weit in den Satz hineingerückt." Daß er von der Richtigkeit dieser Annahme überzeugt ist, beweist die kurz darauf folgende Bemerkung: „Ohne ein Schlußthema leitet der Satz zur Durchführung."

Wenngleich Auer und Kurth mit dieser Annahme irren, so gelangen sie mit jenen Feststellungen, die sich auf die Gruppe II beziehen, dennoch näher an die Wahrheit heran.

Auer 1936 nennt das kleine rhythmische Motiv den „2. Hauptgedanken" (Takt 21), meint allerdings, daß er ein ausgesprochenes Überleitungsmotiv darstellt[12] und beobachtet richtig: „Allmählich erfaßt es alle Stimmen und treibt zu einer Steigerung, an deren Höhepunkt es als echt Brucknersches Unisonothema (im Charakter eines Themas der Schlußgruppe[13]) erscheint."

Kurth spricht ebenfalls von einem „regelrechten Überleitungsthema", das „gleich . . . ganz in der klassischen Art eintritt (bei A)", und beschreibt dann weitläufig die „Steigerungsentwicklung" bis zum Unisono in Takt 57. Auers treffenden Hinweis auf den Charakter einer dritten Themengruppe für dieses Unisono greift er jedoch nicht auf, wohl aber findet sich bei ihm ein Hinweis, daß er das wirkliche Seitenthema (II) wenigstens bemerkt, wenn auch nicht als ein solches erkannt hat. Auf der Suche nach motivischen Verbindungen zwischen I, II und III entdeckt er bei Takt 29 „die Achtellinie, die sich von da an wieder einflicht", sie greift jene Achtelbewegung „wieder auf, die mit dem Abklingen des 1. Themas (vier Takte vor A) eingeflossen war". Damit meint er die absteigenden Sextakkorde und übersieht anscheinend dabei, daß diese Achtelbewegung schon seit Takt 11 am Werk ist. Es ist schade, daß Kurth dieser Beobachtung nicht nachgegangen ist, seine offensichtliche Bevorzugung des dynamischen Elementes nahm ihm hier den Blick für die Form.

Haas würde die zutreffende Gliederung gefunden haben, wenn er sich nicht durch den Zustand des Autographs hätte täuschen lassen. Die Bezeichnung der Gruppe IV als „Epilog" ist richtig, seine Bemerkungen über das Entfernen des Gesangsthemas (vgl. oben S. 65) führen aber ebenfalls an den tatsächlichen Formverhältnissen vorbei. Er bekräftigt diese seine Auffassung am Beginn seiner Besprechung mit den Worten: „Bruckners einziges Kammermusikwerk steht streng auf dem Boden der Gattung, mit dem symphonischen Schaffen nur lose durch die Formenwelt verbunden, die aber nach der geänderten Grundlage von einer freieren Auffassung durchdrungen wird. Daraus ergibt sich eine starke, ja völlige Abkehr von der in der Symphonie festgelegten Sonatenform . . . " So wird auch für ihn der Abschnitt Y bedeutsam durch seine Länge, da der *„stockende punktierte Rhythmus bis in das Gesangsthema wei-terreichte und darüber hinaus bis in die 3. Gruppe (bei D) erhalten blieb"*[14]. Mit der für das bei Takt 57 einsetzende Unisono verwendeten Bezeichnung „3. Gruppe" kommt aber Haas auch noch von einer zweiten Seite in die Nähe des wirklichen Tatbestandes. Für alle anderen Darstellungen ist III die Krönung des ganzen Abschnittes Y, nur noch Auer erkennt an ihm den *„Charakter einer dritten Themengruppe der Symphonien"*. Für Haas heißt die Reihenfolge der Teile also I + Y (mit III) + Epilog. III ist für ihn der 3. Hauptgedanke, gewonnen aus der Umkehrung des 2., nämlich Y. In dieser Auffassung vermengen sich statische und dynamische Betrachtungsweise. Sie ist in ihrer Mischung aber auch ein Beweis für Bruckners Vorgehen bei der Komposition dieses Satzes: *„Das Widerspiel von formalen und rhythmischen Kräften zu meistern."* (Vgl. S. 61).

Abschließend sei betont, daß es nicht darauf ankommen konnte, die verschiedenen Meinungen als mehr oder weniger zutreffend nachzuweisen. Es dürfte wohl vielmehr daraus hervorgehen, daß jede von ihnen irgendwie ein Teil Wahrheit in sich enthält und daß diese Verschiedenheiten schließlich doch nur wieder auf Bruckner selbst zurückzuführen sind, der mit diesem Satz und seiner Doppelebene aus Form und Rhythmus ein so eigenartiges Rätsel zu lösen aufgab.

Bruckners Genialität in der Behandlung von Grundriß und Inhalt hat im ersten Satz seines Streichquintetts ein Werk von einzigartiger Bedeutung geschaffen: der Meister legte dem Ganzen einen regelrecht geformten Plan zugrunde, ließ aber trotzdem den musikalischen Kräften ihren Spielraum. Bruckner besaß die Fähigkeit, beiden Bereichen gerecht zu werden, einen in den anderen zu stellen und dennoch daran nicht zu zerbrechen, weil er die Kraft hatte, *„das scheinbar Auseinanderfallende einheitlich zusammenzuhalten"* und eine „Idee" durchzuführen, *„die nicht immer ganz offen zutage liegt"*[15]. So gesehen und gehört ist dieser erste Satz unter allen seinesgleichen im Lebenswerk Bruckners eine Ausnahme und bestätigt damit nur die Feststellung, daß dem Quintett in dem gesamten Schaffen Anton Bruckners ein besonderer Platz einzuräumen ist.

1 *Anton Bruckner,* 2. Aufl. (hrsg. von P. Ehlers) München 1918, S. 252.
2 Herangezogene Literatur:
Max Auer, *Bruckner,* Wien 1923, S. 183—191.
Ernst Kurth, *Bruckner,* 2 Bde., Berlin 1925, Bd. II, S. 1156—1180.
Hans Mersmann, *Die Kammermusik* (= H. Kretzschmar, *Führer durch den Konzertsaal,* III. Abteilung) IV Bde., Leipzig 1930—1933, Bd. III, S. 122—125.
Robert Haas, *Anton Bruckner,* Potsdam 1934, S. 134—137.
August Göllerich und Max Auer, *Anton Bruckner. Ein Lebens- und Schaffensbild,* 4 Bde., Regensburg 1922—1937, Bd. 4, 1. Teil, S. 535—561.
Armand Machabey, *La vie et l'œuvre d'Anton Bruckner,* Paris 1945, S. 178—181.
Max Auer, *Anton Bruckner, Sein Leben und Werk,* Wien 1947, S. 310—314.
Werner Wolff, *Anton Bruckner, Genie und Einfalt, Zürich 1948, S. 257—258.*
Otto Schumann, Schumanns Kammermusikbuch, Wilhelmshaven 1951, S. 291—293.
Wilhelm Zentner in: Hans Renner, *Reclams Kammermusikführer,* Leipzig 1955, S. 441—443.
Hans Ferdinand Redlich, *Bruckner and Brahms Quintets in F,* in: Music & Letters, Bd. 36, London 1955, S. 253—258.
Die Werke über Bruckner von Alfred Orel (1925), Dika Newlin (1947, bzw. 1954), Hans Ferdinand Redlich (1955), Max Dehnert (1958) und Erwin Doernberg (1960, bzw. 1963) kamen für diese Studie nicht in Betracht, weil sie das Streichquintett entweder gar nicht oder nur kursorisch behandeln.
3 Über die Haassche Auffassung des ganzen Satzes vgl. weiter unten S. 68 f.
4 Auer, a. a. O., Wien 1947, S. 543

5 Auer, Wien 1923 und das. 1947, danach Machabey, weiters Kurth, Redlich und Zentner.

6 Haas, a. a. O., S. 135.

7 Kurth, a. a. O., S. 1162.

8 Haas, a. a. O., S. 134, Abb. 51.

9 Haas, a. a. O., S. 135.

10 Über die Verhältnisse im Autograph wird der zu diesem Band der Bruckner-Gesamtausgabe, 13/2, erscheinende Revisionsbericht Aufschluß geben.

11 Vgl. die Abb. 51 bei Haas.

12 Auer, a. a. O., Wien 1923 und das. 1947: „eine lang ausgesponnene Überleitung".

13 Auer, a. a. O., Wien 1923 und das. 1947 heißt es: „Charakter der dritten Themengruppe".

14 Die Länge von Y betont auch Wolff: „Das rhythmische Motiv gelangt zu ungewöhnlich ausgedehnter Entwicklung."

15 Vgl. das Zitat aus Louis, S. 60.

Erschienen in: *Festschrift für Hans Engel zum siebzigsten Geburtstag,* hrsg. von Horst Heussner, Kassel 1964, S. 260—273 und in: Gerhard Schumacher, *Zur musikalischen Analyse,* Darmstadt 1974, S. 185—203.

Anton Bruckners künstlerische Entfaltung in Linz

Als am 20. November 1864 die Glocken des Domes in Linz zum Hochamt riefen, konnte keiner der im Kirchenschiff anwesenden Gläubigen ahnen, welchem künstlerischen Ereignis er bei dieser heiligen Handlung beiwohnen wird. Man wußte nur, daß der Domorganist, Herr Anton Bruckner, eine große Messe komponiert habe, die er nun zum ersten Mal aufführen und selbst dirigieren werde.

Die musica sacra feierte bei dieser Uraufführung die Geburtsstunde eines neuen Genies. Anders ausgedrückt: in diesem Werk stellte sich Bruckner zum ersten Male als ein Meister von Gottes Gnaden vor, als ein Komponist, dem es gegeben ward, mit unwiderstehlicher Macht, überzeugend und erhebend zugleich, seine Töne zu setzen. Und dies geschah plötzlich, ohne erkennbare „Entwicklung"; das ist neben manchen anderen Umständen wohl das Merkwürdigste an diesem Ereignis.

Das Leben des nun Vierzigjährigen hatte sich bisher in denkbar einfachsten Verhältnissen bewegt: als Schulgehilfe in Windhaag, Kronstorf und St. Florian. Er hatte das geradezu von Armut umgebene Dasein eines vormärzlichen Schullehrers geführt. Daß er nicht daran zugrundeging, das verdankte er seiner kräftigen Natur, vor allem aber seinem musikalischen Talent, das sich in diesen Jahren, 1841—1855, immer deutlicher bemerkbar machte. In St. Florian rief es den inzwischen Lehrer gewordenen jungen Mann zur Orgel: Bruckner wurde Musiker. Aber mehr noch: er begann, selbst Musik zu schreiben, kleine Chöre, Kantaten, auch Kompositionen für die Kirche. Sie gipfelten in einem Requiem (1849) und einer Missa solemnis (1854, für die Inthronisation von Probst Mayr). Damit war der Beweis erbracht, daß Bruckner imstande war, zu komponieren, und zwar gut zu komponieren, denn diese Werke zeichnet die vollkommene Beherrschung von Stimmführung, Form und Instrumentation aus. Auch die Einfälle zeugen von gesunder Phantasie und der Fähigkeit, den Texten das entsprechende musikalische Gewand zu verleihen. Bruckner kannte die Wiener Klassiker und war fähig, sich in ihrem Stil auszudrücken. Das veranlaßte auch Simon Sechter, den der junge Komponist 1855 erstmals besuchte, ihn zum Schüler anzunehmen, vor allem die großartig durchgeführten Fugen erregten seine Teilnahme.

Doch, Bruckner war in diesen Jahren noch nicht so sehr Komponist als vielmehr Meister der Orgel. Durch sie vermochte er in freien Improvisationen seine musikalischen Gedanken am besten auszudrücken. Schon damals erkannte man, daß Bruckner, der Organist, Macht hatte über die Seelen seiner Zuhörer. Mit dieser unbestritten alles und alle überragenden Fähigkeit kam Bruckner Ende 1855 nach Linz. Aus dem Lehrer und Stiftsorganisten war ein Domorganist in der ersten Stadt des Landes geworden.

Die musikalische Tätigkeit in Linz bestand für Bruckner zunächst in seinem Organistendienst am Dom und an der Stadtpfarrkirche. Daneben gab er „Lektionen" in Klavier, auch in Musiktheorie und studierte selbst weiter bei Sechter. Dieser hatte seinem begabtesten Schüler nahegelegt, während der Studien nicht zu komponieren, er solle zuerst die Gesetze des musikalischen Satzes kennenlernen. Bruckner hielt sich an diese Weisung, daher sind aus den sechs Jahren, die er bei Sechter studierte, keine Kompositionen besonderer Prägung auf uns gekommen, denn auch das größte Werk dieser Zeit, der 146. Psalm (um 1860), bewegt sich in altgewohnten Bahnen.

Bruckner war inzwischen Mitglied der Liedertafel „Frohsinn" geworden und benützte die Proben, um dem Chorklang nachzuhorchen; wie jedes Genie, so konnte auch er aus allem und jedem lernen. Der erste Strahl kommender Größe blitzt aus dem 1861 entstandenen siebenstimmigen Ave Maria. Es ist Bruckners erstes Meisterwerk. Man braucht nur die aus dem gleichen Jahr stammende Orgelfuge in d-Moll daneben halten, um zu sehen, wie „gewöhnlich" Bruckner um diese Zeit noch komponierte.

Vielleicht lag es an der außergewöhnlichen Strenge des Studiums bei Sechter, daß die persönliche Ausdrucksweise Bruckners noch zurückgehalten wurde, vielleicht auch an Bruckners Charakter, der aus lauter Respekt vor dem Herrn Professor nicht wagte, freier zu komponieren. Man braucht deswegen der Sechterschen Ausbildung nicht gram zu sein. Bruckner besaß die Kraft, die bis in jede Einzelheit vordringenden Unterweisungen in Sechters „Grundsätzen der musikalischen Komposition" nicht nur sich anzueignen, sondern auch kritisch durchzudenken. Das zeigen die vielen Anmerkungen in Bruckners eigenem Exemplar dieses Werkes, das beweisen weiters die zahlreichen Übungshefte. Den daraus erkennbaren Fleiß bedachte Sechter mit Worten höchster Anerkennung und dem wohlmeinenden Ratschlag, Bruckner möge auf seine Gesundheit bedacht sein. Wie sehr der Lehrer diesem einzigartigen Schüler gegenüber damit Recht hatte, das läßt Bruckners Nervenerkrankung von 1867 erkennen.

Aus Theoriestudium, Chorklang und Orgel zog Bruckner in den ersten Linzer Jahren die für ihn bestimmenden Eindrücke. An der Orgel war er nicht nur technisch Meister, er gab mehr, wenn er sie spielte: an ihr „wurde seine Improvisation zur Meditation" (Dehnert), zum Gebet. Sein frommes, gläubiges Wesen wußte Motive, Harmonien und Stimmen so zu verweben, daß sein Spiel emporhob über alle menschlichen Fährlichkeiten. Es ist bekannt, daß Bischof Rudigier, wenn Sorgen ihn bedrückten, Bruckner in den Dom bat, um sich aus seinem Spiel seelische Stärkung zu holen.

Diese über das rein Musikalische hinausreichenden Kräfte in Bruckner kamen wohl in seinem Orgelspiel, noch nicht aber in seinen Kompositionen zum Ausdruck, mit Ausnahme des siebenstimmigen Ave Maria. Der im „strengen" Satz erzogene Domorganist mußte zum Komponisten erst „frei" werden.

Das geschah in Linz, durch einen Theaterkapellmeister und eine Oper. Der Kapellmeister hieß Otto Kitzler und die Oper war der „Tannhäuser" von Richard Wagner.

Nachdem Bruckner seine Studien 1861 bei Sechter beendet hatte, suchte sein Drang nach Wissen neue Belehrung. Die bot ihm Otto Kitzler, der vom Theater kam, Wagners Musik kannte und daher eine vollkommen andere Einstellung zur Musik hatte als Sechter. Bruckner lernte bei ihm Formenlehre und Instrumentation. Neue Welten taten sich ihm auf. Kitzler, sowie ein anderer von Bruckners Freunden, Ignaz Dorn, zeigten ihm Beethoven, Schubert, Mendelssohn, vor allem aber Wagner, Berlioz und Liszt. Kitzler verbot das Komponieren nicht, sondern verlangte es, und so entstanden, systematisch aufeinanderfolgend, vom Kleinen ins Große gehend, während der Jahre 1862 und 1863 ein Streichquartett, ein Marsch und drei Orchestersätze, eine Ouvertüre in g-Moll und eine Symphonie in f-Moll als Übungen. Eine Komposition für Chor und Orchester, der 112. Psalm, schloß den Unterricht bei Kitzler ab.

Unmittelbar darauf schrieb Bruckner für das 1. österreichische Sängerfest in Krems, es fand erst 1865 statt, den „Germanenzug", einen Männerchor mit Blasorchester. Dieses Werk sah Bruckner als seine erste wirkliche Komposition an. Man darf annehmen, daß er sich von da an als Komponist fühlte, denn ein Jahr darauf, 1864, entstand seine zweite Symphonie. Er hat sie aber später als ungültig erklärt, man nennt sie jetzt: die „Nullte". In ihr zeigen sich schon Merkmale eines persönlichen Stiles, Brucknersche Ausdruckswendungen, die auch in späteren Werken zu finden sind.

Inzwischen hatte Bruckner 1863 den „Tannhäuser" gehört und mit Kitzler studiert. Die Stärke dieses Erlebnisses können wir heute kaum mehr richtig erfassen, wohl aber ist es verstandesmäßig möglich, sich vorzustellen, daß die betörenden Klänge der Venusbergszene, wie die hinreißende Melodik im Sängerkrieg, Bruckner aufs tiefste beeindruckt haben müssen. Er war von diesem Zeitpunkt an ein begeisterter Verehrer des Bayreuther Meisters und hat deswegen in Wien dafür viel Leid erfahren müssen.

Bruckner lernte an Wagner wie auch an Berlioz die neue Behandlung des Orchesters. Daß er deswegen nun den Wagnerschen Orchesterklang in seine Werke genommen hätte, ist teilweise, vor allem für die Linzer Zeit, ein Irrtum. Das entsprach nicht seiner Musik, die vielmehr an Beethovens und Schuberts Instrumentation anknüpfte und sicher auch einiges von der Registrierungstechnik der Orgel übernahm.

An diesen Erlebnissen gewann Bruckners Genius seine Freiheit. Er stand mit einem Male, allen deutlich spürbar, da: in der d-Moll-Messe. Es ist wie ein Hervortreten aus nicht schaubaren Gründen. In der Art Beethovens sprach nun Bruckner mit eigenen Motiven, die er auf ganz persönliche Art entwickelte, zu seiner darob erstaunten Umwelt. Das ist das Einzigartige an diesem Werk sowohl wie im Leben des damals vierzigjährigen Meisters.

Die folgenden Kompositionen erweisen, daß dies kein Augenblickserfolg war, sondern tatsächlich der Anfang von Anton Bruckners Meisterschaft. 1866 entstand die e-Moll-Messe und 1867/68 die f-Moll-Messe. Dazwischen liegen die I. Symphonie (1865/66) und eine Reihe kleinerer Werke, darunter Kompositionen für Männerchor, zu denen Bruckner die Anregung vom „Frohsinn" bekam. Er lebte innerhalb der Linzer Gesellschaft und zollte ihr mit Grab- und Hochzeitsgesängen, mit kleinen Gelegenheitskompositionen, der Teilnahme an Kostümbällen und Sängerfahrten seinen Tribut. Als Dirigent führte er den ihm zeitweilig anvertrauten „Frohsinn" zu umjubelten Erfolgen, so 1861 in Krems und Nürnberg, vor allem aber durch die Uraufführung des „Meistersinger"-Schlusses an jenem denkwürdigen 4. April 1868 in den Linzer Redoutensälen.

Es ist notwendig, sich Bruckners Tätigkeit in Linz vor Augen zu führen, denn zuzeiten war er darüber, wie über die Bewohner dieser Stadt, nichts weniger als erbaut. Das mag aber auch an seinen eigenen weltschmerzlichen Gefühlen gelegen haben, die leicht erklärt sind aus dem Reifungsprozeß, den Bruckner in den Linzer Jahren durchzumachen hatte. Solches blieb beispielsweise auch seinem besten Freund Rudolf Weinwurm nicht erspart, wie aus dem Briefwechsel mit Bruckner hervorgeht, und so mögen jene unzufrieden klingenden Worte in den Briefen Bruckners sicher nur als „Wachstumsschmerzen" zu werten sein. Ein Körnchen Wahrheit steckt ja auch in ihnen, denn wer konnte schon von der Linzer Umwelt Bruckners verlangen, daß sie seine sich nun entfaltende Größe erfaßt hätte. Das ahnte vielleicht Bischof Rudigier, oder Moritz von Mayfeld und noch einige andere wenige. Daß sich bei Bruckner dann nach der Komposition der e-Moll-Messe, 1866, der Nervenzusammenbruch einstellte, ist aus all diesen Umständen, vor allem aus Bruckners angestrengter schöpferischen Tätigkeit mehr als begreiflich.

Über diesem irdischen Geschehen aber steht Bruckners Musik. In der d-Moll und f-Moll-Messe im Glanz des zu höchstem Ausdruck gesteigerten Orchesters der Wiener Klassiker, in der e-Moll-Messe aber in einer bis dahin nie gehörten Eigenart: als achtstimmiger A-cappella-Satz mit Bläserbegleitung. In dieser Messe hatte Bruckner das Ideal katholischer Kirchenmusik geschaffen, bevor man noch überhaupt daran denken konnte, es zu erleben. Die unmöglich scheinende Verbindung von Palestrina-Stil und Orchesterklang, hier wurde sie Wirklichkeit und beispielgebend bis heute.

Ganz ähnlich spricht die Stärke von Bruckners Schöpferkraft auch aus der I. Symphonie. Man muß sie nur mit den damals aufgeführten gleichartigen Werken von Schumann, Mendelssohn oder Spohr vergleichen, um zu erkennen, wie außergewöhnlich und höchst persönlich Bruckners Musik klingt, selbst Beethoven und Schubert gegenüber. Allein schon das Adagio verrät eine Tiefe der Empfindung, die sowohl in ihrem Rhythmus wie in ihrer Melodik von ungewohnter Eindringlichkeit ist. Dem stehen die übrigen Sätze nicht nach, und so ist dieses unmittelbar nach der d-Moll-Messe entstandene Werk der zweite Zeuge für Bruckners Genialität. Damals war Bruckner noch Kirchenmusiker und Symphoniker. Der Ruf nach Wien ließ ihn sich ganz der Symphonie zuwenden: er hatte in ihr die seiner Persönlichkeit entsprechende Ausdrucksform gefunden.

Diese Wandlung hat sich in Linz abgespielt, und so bedeuten diese Jahre von 1855 bis 1868 einen sehr wichtigen Abschnitt in Bruckners Leben. Dem Meister der Orgel, als der Bruckner in Linz begann, wurde die Gewißheit, daß er zum Komponisten bestimmt sei. Als Komponist aber gehörte er von der d-Moll-Messe an sofort in den höchsten Rang schöpferischer Charaktere: in den des Genies. So schied er 1868 von Linz und ging nach Wien, sein Lebenswerk zu vollenden und in seinen Symphonien zu beglückender Höhe aufzusteigen.

Erschienen in: *Anton Bruckner und Linz* (Ausstellung im Steinernen Saal zu Linz 20. Juni bis 11. Oktober 1964), hrsg. vom Brucknerbund für Oberösterreich, Wien 1964, S. 41—47.

Anton Bruckner und Linz

Die große Jubiläumsausstellung im Steinernen Saal des Landhauses

Im Leben Anton Bruckners stehen die dreizehn Jahre, die er in Linz verbrachte, ungefähr in der Mitte seines dreiundsiebzigjährigen Erdendaseins. Sie sind aber nicht nur als „mittlere Periode" bedeutsam, sondern vielmehr durch die Entwicklung, die Bruckners Schaffen während dieser Zeit genommen hat; von daher gesehen sind sie nicht nur Mitte, sondern geradezu Wendepunkt.

Das Ereignis, an dem dies offenbar wurde, ist bekannt: die Komposition der d-Moll-Messe und ihre Uraufführung im alten Dom zu Linz am 20. November 1864.

Drei Monate vorher, am 4. September, hatte Bruckner seinen 40. Geburtstag gefeiert.

Wenn man bedenkt, daß Mozart oder Schubert dieses Alter überhaupt nicht erreicht haben, dann ermißt man vielleicht die ganz merkwürdige Eigenständigkeit Bruckners, der sozusagen als „Spätberufener" in die Reihe der österreichischen Tonheroen eintrat.

So sind der 100. Geburtstag der d-Moll-Messe und der 140. Geburtstag ihres Schöpfers der Anlaß, zu den vom Bruckner-Bund für Oberösterreich veranstalteten Aufführungen auch eine Ausstellung zu gesellen; dem hörbaren Ton sollen schaubare Objekte zur Seite treten.

Die Ausstellung „Anton Bruckner und Linz" hat es sich zum Ziel gesetzt, die Tätigkeit Bruckners in Linz, seine Beziehungen zu seiner Umwelt, aber auch diese selbst mit ausgewählten Beispielen dem Beschauer in Erinnerung zu rufen. Das Linz der Jahrhundertmitte, 1840—1870, stellt sich in zwei Vitrinen mit Gegenständen des Kunstgewerbes wie des täglichen Lebens vor. Gläser, Kleidungsstücke, dazu verschiedene Bilder, Menschen, Gebäude, Straßenzüge werden dem Beschauer das Linz dieser Epoche lebendig werden lassen. Bei bedeutenden, schöpferisch tätigen Persönlichkeiten wie Bruckner ist das Bleibende, über die Zeiten hinaus Wirkende, das Werk, die Kompositionen. Davon vollkommen verschieden, stellt sich uns das tägliche Leben dar, in dessen Ablauf die Schöpfungen Bruckners entstanden sind. Er war von ganz anderen Gewohnheiten umgeben wie wir heute. Wenn nun diese wenigstens durch einige Dinge dargestellt werden, dann wird man des Unterschiedes gewahr, der zwischen dem äußeren Leben von damals und den Kompositionen Bruckners waltet, seinem Genie, das kein Altern kennt, sondern immer jung und neu bleibt.

Damit ist eine der Absichten ausgesprochen, die diese Ausstellung hat. Sie will nicht einfach „Gedächtnis" sein, sondern anregen zu weiterer Vertiefung in Bruckners Werk und seinen Lebensweg in Linz.

Dem dienen die folgenden Vitrinen: „Bruckner in der Präparandie" (1840/1841), „Der Domorganist" (1855 bis 1868), seine „Studien bei Sechter und Kitzler" (1855—1863), und seine „Ersten Kompositionen". Gleichsam als Vorwort stehen sein Taufschein, sein Firmzettel von 1833 und sein Heimatschein am Anfang dieser Reihe. Zeugnisse aus Bruckners Präparandenzeit, Dokumente zur Domorganistenstelle und Seiten mit Harmonielehre- und Kontrapunktaufgaben zeigen uns Bruckner, den „Lernenden", dessen ungewöhnlich starken Fleiß ein Brief seines Lehrers Simon Sechter bestätigt. Wie kritisch Bruckner seine Studien betrieb ersieht man aus den Anmerkungen, mit denen er sein Exemplar von Sechters „Grundsätzen der musikalischen Komposition" versah. Es muß nicht leicht gewesen sein, einen Anton Bruckner zum Schüler zu haben.

Bruckners eigenes Schaffen wird durch Autographe aus dieser frühen Zeit dargestellt: dem 146. Psalm, den als Übungen geschriebenen Orchestersätzen, sowie der Ouvertüre in g-Moll und der f-Moll-Symphonie. Bedeutsam ragt aus diesen Jahren das siebenstimmige Ave Maria als erstes Meisterwerk heraus, denn erst nach dem Unterricht bei Otto Kitzler, 1862 und 1863, vollzog sich die überraschende Wandlung. Das „Linzer Theaterleben um 1860", dem eine Vitrine gewidmet ist, bereitete mit der „Tannhäuser"-Aufführung vom 13. Februar 1863 dieses Ereignis vor. Kitzler sowohl wie Ignaz Dorn, die beide am Landständischen Theater tätig waren, führten Bruckner in das Schaffen von Wagner, Berlioz und Liszt ein. Dadurch öffnete sich für Bruckner eine neue Klangwelt, und er zögerte nicht, sich in sie hineinzubegeben. „Germanenzug" und „Nullte Symphonie" sind die unmittelbar vor der d-Moll-Messe liegenden Stationen, ihnen folgt die ein Jahr später begonnene I. Symphonie nach. Anton Bruckner erwies sich seiner staunenden Umwelt nicht nur als Komponist, sondern als Genie.

Aus seinen Kompositionen hatte man das vor 1864 noch nicht so verspüren können, wohl aber aus seinem Orgelspiel. Bruckner kam nach Linz als Domorganist, als meisterlicher Beherrscher der Königin der Instrumente. Das verspürte seine Umwelt, davon kann man auch einiges in den Zeitungen um 1860 lesen. Das erkannte im besonderen auch Bischof Rudigier. Es ist bezeugt, daß er Bruckner so manchesmal in den Dom bat, damit er für ihn allein die Orgel spiele. Der Bischof brauchte in sorgenerfüllten Stunden, an denen gerade für ihn diese Jahre nicht arm waren, geistigen Zuspruch. Den bot ihm Bruckner in seinen Orgelimprovisationen.

An dieses innige, in geistigen Bereichen liegende Verhältnis zwischen Bischof und Organist erinnert die Vitrine mit Gegenständen aus dem Nachlaß Bischof Rudigiers: Kelch und Pastorale, sein „Leuchtapparat", Rosenkranz und Petschaft. Von Rudigier ging der Bau des Neuen Domes aus, für dieses Bauwerk hat Bruckner die Dom-Fest-Kantate und einige andere, kleinere Kompositionen, vor allem aber die e-Moll-Messe zur Einweihung der Votivkapelle geschrieben. Alle diese Autographen vereinigt eine Vitrine zu einer eindrucksvollen Gruppe, bei deren Besichtigung man bedenken muß: hier spricht nicht mehr der Organist Bruckner zu uns, sondern der Komponist.

Das Werk, das diesen Wendepunkt bezeichnet, das Autograph der d-Moll-Messe, liegt in einer eigenen Vitrine, herausgehoben aus der Fülle der übrigen Ausstellungsstücke.

Aber nicht nur Kirchenmusik beschäftigte Bruckner. Als Mitglied und zeitweiliger Chormeister der Linzer Liedertafel „Frohsinn" begab er sich auch auf weltliches Gebiet und schuf eine Anzahl von Männerchören. Der Dirigent Bruckner feierte auf den Sängerfesten in Krems und Nürnberg, 1861, vor allem aber mit der Uraufführung der Schlußszene aus den „Meistersingern" von Richard Wagner wahre Triumphe. Die Partitur, aus der Bruckner diese Wagnersche Musik dirigierte, ist eines der kostbarsten Erinnerungsstücke aus der Linzer Zeit des Meisters.

Vitrinen, die der „Linzer Gesellschaft um 1860" und dem „Linzer Notendruck" und den „Musikinstrumenten" gewidmet sind, zeigen einen Teil von Bruckners Umgebung. Als menschliches Dokument, aus dem Bruckners Redlichkeit und sittlicher Ernst hervorgehen, muß sein Werbebrief an Josefine Lang gelten. Ein Trauerchor für Josefine Hafferl und ein Trauungsgesang für Maria Schimatschek machen auf Bruckners gesellschaftliche Bindungen aufmerksam, an die auch Handschriften von Rudolf Weinwurm, einem der besten Freunde des Meisters, und von Mayfeld erinnern. Er und seine Frau Betty, eine ausgezeichnete Pianistin, erkannten sehr früh Bruckners außerordentliche Begabung. Von den musikalischen Einflüssen, die auf Bruckner einwirkten, darf auch die oberösterreichische Volksmusik nicht vergessen werden: Sammlungen von Ländlern zeigen die Vorbilder, denen Bruckners Scherzosätze verpflichtet sind.

Um das Bild der Kultur zu vervollständigen, ist eine Vitrine dem „geistigen Leben in Linz um 1860" gewidmet. Adalbert Stifter, Franz Stelzhamer, Anton Gartner, Hermann von Gilm, Anton von Spaun stehen für so manche andere Persönlichkeit, die das geistige Antlitz der Landeshauptstadt in diesen Jahrzehnten geprägt haben. Josef Maria Kaiser, der vorzügliche Kalligraph und Zeichner, ist mit dem schönen Widmungsblatt für Bruckners V. Symphonie vertreten.

Den Abschluß bilden Bruckners „letzte Kompositionen in Linz". Ein Brief des Meisters aus Bad Kreuzen an Rudolf Weinwurm erzählt mit erschütternden Worten von seiner Nervenerkrankung. Aber daneben liegt das Autograph der f-Moll-Messe: der Dank des Geheilten an Gott. Gelegenheitskompositionen geistlicher und weltlicher Prägung sind die letzten Zeugen von Bruckners schöpferischem Wirken in Linz. Hofkapellmeister Johann Herbeck, Bruckners Förderer, stellt sich in einem Porträt vor, ihm hatte Bruckner seine Berufung nach Wien und die Empfehlung an die Hofkapelle zu verdanken. Mit dem Brief Bruckners an die Gesellschaft der Musikfreunde in Wien vom 23. Juli 1868, in dem er sich bereit erklärt, die Stelle in Wien anzunehmen, und dem Telegrammkonzept Herbecks, daß der Kaiser Bruckners Exspectanz als Hoforganist genehmigt habe, sind die Linzer Tage Bruckners gezählt. Er geht seinem letzten Lebensabschnitt entgegen, seiner Vollendung.

Linz bleibt hinter ihm: jenes Linz der Jahrhundertmitte, das die Ausstellung dem Besucher durch eine Auswahl von zeitgenössischen Bildern vor Augen führt. Darunter fehlt Bischof Rudigier nicht und nicht Bruckner selbst in dem ausdrucksvollen Gemälde von Ferry Beraton aus dem Jahre 1888. Der Marmorkopf Bruckners von Franz Forster steht in der Nähe einer Landkarte, auf der die Bruckner-Orte Oberösterreichs hervorgehoben sind. Ihr Gegenstück bildet ein Stadtplan von Linz mit den bisher festgestellten Bruckner-Gedenkstätten. Zwei dieser Stätten sind im Modell sichtbar: das Haus Pfarrgasse 11, Bruckners Wohnung 1840/41, und das Mesnerstöckl, das Bruckner von 1855 bis 1868 als Domorganist bewohnte.

Für diese abwechslungsreiche Vielfalt von Handschriften, Dokumenten, Bildern, Gegenständen, Paramenten und Musikinstrumenten bildet die strenge, reine Architektur des Steinernen Saales im Landhaus den ruhigen, ausgeglichenen Rahmen. Mit der Hoheit seiner Raumverhältnisse wirkt er geradezu als Symbol für die erhabene Größe Bruckners. Ihre ersten Zeugnisse, die drei Messen und die I. Symphonie, haben in ihm Platz gefunden. Und gerade so soll ja Bruckner, der menschlich bescheidene, einfache Domorganist von Linz aufgefaßt werden.

Erschienen in: *Linz Aktiv,* Heft 11, Linz 1964, S. 42—45.

Der Name „Jesus Christus" in den Kompositionen von Anton Bruckner

In Anton Bruckners siebenstimmigem Ave Maria erklingt der Name „Jesus" dreimal in steigender Dynamik. Vom Pianissimo bis zum Fortissimo wird er wiederholt, aus der Tiefe des vierstimmigen Männerchores über die Mitte von Tenören und Alten bis in den mächtig wirkenden siebenstimmigen Akkord des gesamten Chores: immer A-Dur, ein Akkord, ausgekostet in drei verschiedenen Lagen, zu einer Eindringlichkeit gesteigert, die Veranlassung zu näherer Begründung bietet (vgl. Notenbeispiel 1).

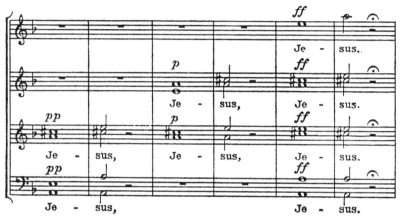

Kompositionstechnisch handelt es sich dabei nur um Akkordwiederholung und Steigerung durch Veränderung der Lage, ein allmähliches Stärkerwerden. Dies wäre an sich nichts Besonderes, wenn nicht diese Stelle im Rahmen der gesamten Komposition auffiele. In der kontrapunktischen wie akkordlichen Bewegtheit, sowohl vorher als nachher, erzielt Bruckner mit diesem „rufenden" A-Dur-Dreiklang eine besondere Wirkung. Sie ist bewußt gesetzt, beabsichtigt, und leitet sich im Grunde ihres Wesens von Bruckners Charakter her, seiner Frömmigkeit und einer, wie man wohl mit Recht mutmaßen darf, ausgeprägten Ehrfurcht vor dem Namen „Jesus". Das zeigt sich nicht nur in diesem siebenstimmigen Ave Maria, sondern läßt sich aus der Gesamtheit seiner Kirchenwerke ableiten[1].

Untersucht man nämlich die Kompositionen Bruckners, in denen der Name „Jesus Christus", oder nur „Jesus" vorkommt, dann bemerkt man, daß der Meister an dieser Stelle seit 1861, eben dem Entstehungsjahr des obenerwähnten Ave Maria, einen Ausdruck bereit hat, der die Worte aus ihrer Umgebung deutlich heraushebt. Zur Untersuchung dieser Feststellung kommen folgende Kompositionen Bruckners in Betracht:

Messe C-Dur	1842
Messe für den Gründonnerstag mit dem Graduale „Christus factus est" I	1844
Requiem	1849
Messe b-Moll	1854
Ave Maria, F-Dur I	1856

Ave Maria, 7st., F-Dur II	1861
Messe d-Moll	1864
Messe e-Moll	1866
Messe f-Moll	1868
Tota pulchra es	1878
Christus factus est, d-Moll II	1879 (?)
Ave Maria, F-Dur III	1882
Christus factus est, d-Moll III	1884

Die Beantwortung der Frage muß ausgehen vom Brief des Apostels Paulus an die Philipper, 2, 9—11: „Propter quod et Deus exaltavit illum, et donavit illi nomen, quod est super omne nomen: ut in nomine Jesu omne genu flectatur caelestium, terrestrium, et infernorum, et omnis lingua confiteatur, quia Dominus Jesus Christus in gloria est Dei Patris." Diese Stelle hat Verwendung gefunden im Introitus des Namen-Jesu-Festes. Sie drückt mit wenigen Worten die übergroße Macht aus, die im Namen „Jesus" beschlossen ist, und für einen gläubigen Christen wie Bruckner liegt in der Anrufung dieses heiligsten Namens das Unterpfand einer Kraft, die alles vermag, der nichts widerstehen kann. Wenn man dazu noch Johannes 14, 13. 14 heranzieht: „Et quodcumque petieritis Patrem in nomine meo, hoc faciam: ut glorificetur Pater in Filio. Si quid petieritis me in nomine meo, hoc faciam" und die Parellelstelle Johannes 16, 23, so umschreibt man damit den geistigen Grund, auf dem die Ehrfurcht vor dem Namen „Jesus" ruht.

Anton Bruckner war sein ganzes Leben hindurch ein eifriger, inständiger Beter. Seine Frömmigkeit kommt nicht nur rein zahlenmäßig in den durch Jahrzehnte hindurch gepflogenen schriftlichen Aufzeichnungen seines täglichen Gebetes zum Ausdruck, sondern auch in seiner Musik (vgl. die Abbildung der Gebetsaufzeichnungen Anton Bruckners Anfang 1889 aus seinem Notizkalender, siehe S. 79). Daß dies nicht auf seine Kirchenmusik beschränkt blieb, ist bekannt. An zahlreichen Stellen seiner Symphonien offenbart sich ein so feierliches, andachtserfülltes Wesen, daß dessen Herkunft aus dem religiösen Bereich eindeutig feststeht und nicht geleugnet werden kann.

Die vorliegende Studie hat es sich zum Ziele gesetzt, Anton Bruckners Verhalten gegenüber dem Namen „Jesus" aufzuzeigen, so wie es in seiner Musik zutage tritt. An einer Einzelheit in seinem Schaffen gewinnt man Einblick in seinen Charakter, vor allem in seine Religiosität.

Man kann z. B. feststellen, daß Bruckner in jedem der drei Ave Maria das Wort „Jesus" dreimal bringt, ebenso werden im „Tota pulchra es" die Worte „ad Dominum Jesum Christum" aus dem die Fürbitte Mariens erflehenden Schlußsatz mehrfach wiederholt.

Man kann weiters feststellen, daß in den drei großen Messen die Worte „Jesu Christe" in besonderer, geradezu auffallender Weise aus ihrer Umgebung herausgehoben werden[2].

Man beobachtet ferner, daß Bruckners Darstellungskraft dieses „Namens-Geheimnisses" mit seiner allgemeinen musikalischen Entwicklung wächst. Es ist bekannt, daß er erst mit vierzig Jahren zum Bewußtsein seines eigenen Genius kommt: 1864, mit der 1. Symphonie und der d-Moll-Messe.

Diese Jahresmarke trifft für unsere Untersuchung aber nicht zu. Sie liegt bei dem Ave Maria 1856.

Deutlich hebt sich die fünftaktige Periode von ihrer Umgebung ab. An Stelle der sonst in dieser Komposition vorherrschenden rhythmischen Kleingliedrigkeit von Achtel und Sechzehntel beherrschen bei dem Wort „Jesus" doppelte und vierfache Werte, Viertel- und halbe Noten, die Melodik[3].

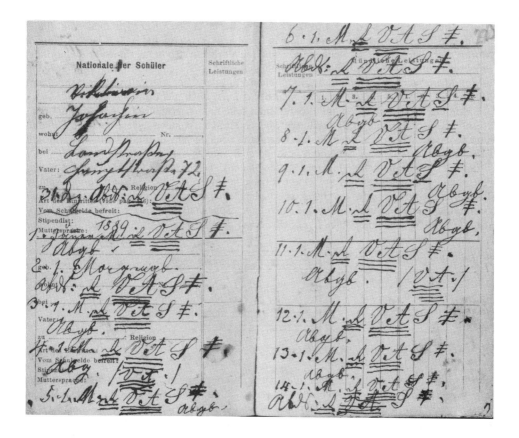

Man beachte den Gang des Soprans: zweimaliges, demütiges Verbeugen in Ganz- und Halbton, Überhöhung und „Kniefall" in die Oktave und ein daraus erfließendes Aufrichten über die verminderte Quinte „des" in die Terz des As-Dur-Akkordes. Auch harmonisch wird die dreifache Anrufung herausgehoben: sie steigt um je eine Stufe von F über G nach As. Was damit ausgedrückt sein soll, ist klar: Verehrung, gesteigertes Bitten, mit der Zuversicht bestimmter Erhörung, steht diese Bitte doch in einem Gebet, das sich an die Mutter „Jesu" richtet.

Das sind, wie jeder gläubige Katholik weiß, nicht philosophische Erwägungen oder logische Schlüsse, sondern Gedankengänge eines kindlich-frommen Glaubens. Menschen solcher Gesinnung verlacht man oft in der Welt, man hat ja auch Buckner verlacht, aber die ewige Wahrheit kümmert sich nicht um solche Verkennung, sie schenkt dem von ihr Auserwählten die Gnade, solches zu sagen.

Das Ave Maria von 1856 bietet die ersten vielleicht noch als bescheiden zu nennenden Anzeichen solcher Anton Bruckner verliehener Gnade. Diese Feststellung zwingt dazu, die Kompositionen der Zeit vorher zu untersuchen. Denn wenn auch die Eingebung von oben stammt, muß doch der Mensch sein eigenes, erlerntes Können dazutun, um die einströmenden Gedanken entsprechend darstellen zu können.

Bruckner bewegt sich vor 1861 in den herkömmlichen Bahnen jener Kirchenmusik, die er auf dem Stiftschor von St. Florian und in Linz kennengelernt hatte. Die beiden Haydn, Mozart, Schubert und deren Zeitgenossen sind die Vorbilder. So besteht noch keine besondere Veranlassung, sich in die Mystik des Namens „Jesus" zu versenken. Im Requiem wie in der b-Moll-Messe steht der Name im musikalischen Fluß des Chorsatzes[4]. Es bleibt daher keine Möglichkeit, ihn herauszuheben, Bruckner denkt auch noch nicht daran.

Einzig die Stelle im „Quoniam" könnte man mit ihrem viermaligen „Jesu Christe" bzw. „Jesu" als Vorläufer der in den späteren Messen zutage tretenden auszeichnenden Behandlung auffassen. Doch sind Melodie wie Harmonie noch zu sehr dem „Zeitstil" verhaftet, als daß man von persönlicher Note oder besonderer Betonung sprechen dürfte.

Das Gleiche gilt in noch geringerem Maße von der C-Dur- und der Gründonnerstag-Messe. Allerdings, dem die gesamte Entwicklung überschauenden Blick offenbart sich vielleicht in Takt 30 des „Christus factus est" bei „omne" eine kleine, bescheidene Vorahnung kommender Größe. Die über eine Quint ausholende Melodik im Sopran und ihr Gegengewicht im Baß lassen erkennen (vgl. Notenbeispiel 2), daß Bruckner dem in dem Wörtchen „omne" liegenden

Inhalt — der Name „Jesus" ist über alle Namen hinausgehoben, erhaben — auch musikalische Weite geben wollte. Zugegeben, es handelt sich dabei um eine „gängige" musikalische Floskel, nicht nur in der Sopran-Führung allein, sondern im gesamten musikalischen Satz, in Harmonik wie Stimmführung, aber, daß Bruckner sie zu diesem Wort verwendet, das ist das Bezeichnende. Es ist sehr aufschlußreich und für Bruckners Heranwachsen kennzeichnend, wie er dieselben Textworte 40 Jahre später komponiert. Dem gläubigen „Denker" in Anton Bruckner ist der Zusammenhang zwischen „Jesus" und dem Gedanken, daß dieser Name „super omne nomen" steht, selbstverständlich bewußt, und so nimmt der Komponist die Gelegenheit wahr, die Allmacht dieses Namens musikalisch entsprechend zum Ausdruck zu bringen. Er weiß um die Zuversicht, die wir dem Erlöser der Welt entgegenbringen dürfen, daher strahlt sie uns aus seiner Musik entgegen.

Untersucht man Bruckners Kompositionen für die Kirche in ihrer zeitlichen Aufeinanderfolge, dann entdeckt man eine Entwicklung in der musikalischen Darstellung. Vor 1856 ist, wie bereits ausgeführt, kaum eine besondere Hervorhebung des Namens „Jesus" zu bemerken. Zwischen dem Ave Maria von 1856 und dem von 1861 aber besteht ein merklicher Unterschied. Er läßt den Schluß zu, daß Bruckner in diesen fünf Jahren um ein wesentliches Stück in seinem Denken wie in der Handhabung der Ausdrucksmöglichkeiten gewachsen ist. Der Bruckner von 1861 schreibt mit dem 7-stimmigen Ave Maria ein reifes, meisterliches Kunstwerk, das alle Anzeichen genialer Eingebung an sich trägt. Diese Komposition muß man als einen echten Bruckner bezeichnen[5].

Der Unterschied im musikalischen Satz ist klar erkennbar und einfach zu beschreiben: 1856 fällt die dreimalige Wiederholung auf, die vier Stimmen werden in bewegter Weise zu einem vierstimmigen Satz zusammengeschlossen, die Harmonie bringt ihrerseits eine aufwärtsweisende Steigerung. 1861 ist von alledem nichts zu bemerken: nur ein dynamisch und stimmenmäßig gesteigerter A-Dur-Akkord stellt das ganze musikalische Geschehen dar.

Der kompositionstechnische Unterschied kann mit schlichten Worten geschildert werden, weniger einfach jedoch ist der im geistigen Bereich liegende Abstand zu beschreiben. Dazu muß auf Bruckners Tätigkeit an der Orgel verwiesen werden.

Es ist bekannt, daß Bruckner eine selten starke Begabung zur Improvisation besaß. Nun liegt es in der Natur dieses Instrumentes und wohl auch in seiner Stellung im kirchlichen Raum, daß die auf ihm gespielte Musik ernsten Charakters ist und zur Meditation anregt; dies um so mehr, als gerade die Orgelimprovisation die strengste Kompositionsart, die kontrapunktische, nicht nur bevorzugt, sondern geradezu fordert. Die technische Seite dieser Art zu musizieren, am Instrument wie in der Theorie, hatte Bruckner, seit er 1850 provisorischer Stiftsorganist in St. Florian geworden war, bis in die letzten Feinheiten und Geheimnisse beherrschen gelernt. Die Vertiefung und Ausweitung dieser Fähigkeiten in seelische Bereiche brachte ihm sein Wirken als Organist am alten Linzer Dom seit 1856. An diesem Instrument wuchs er zu einem der größten Künstler aller Zeiten heran und vermochte es, durch sein Spiel nicht nur Freude an seinem Können und seiner Virtuosität zu erwecken, sondern darüber hinaus seelische Werte zu schenken: Erhebung, Trost, Kraft und Gottvertrauen[6]. Er versenkte sich bei seinem Spiel zusehends mehr und mehr in die Bereiche des Religiösen, des Metaphysischen. In Linz wandelte sich Bruckners Improvisation zur Meditation, der mystische Urgrund seines Denkens und Fühlens wurde offenbar[7].

Das verspürte auch Bischof Franz Josef Rudigier. So oft sein Amt ihm schwere Stunden bereitete, deren es damals im heftig entbrannten Kulturkampf zahlreiche gab, rief er seinen Organisten in den Dom, damit dessen Improvisation ihn stärke[8]. Bruckners Spiel muß also schon in diesen Jahren nicht nur technisch vollendet, sondern auch geistig so „durchlebt" gewesen sein, daß er mit den ihm zuströmenden Motiven und ihrer Verarbeitung imstande war, mehr als nur Musik zu machen.

Während es sich bei der Verarbeitung um eine musikalisch-technische Fähigkeit handelt, reicht der Einfall, und auch ein Teil von dessen Durchführung, in metaphysische Bereiche. Hier kommt etwas „Geschenktes", eine Gnade wird bereiten Herzens „genommen" und „dargeboten". So wächst das Spiel des Künstlers über die Ebene der Musik hinaus in außermusikalische Bereiche, die ihre Wirkungen aber, natürlich, durch die Musik als hörbares Medium vollziehen. Was dem „schauenden" Mystiker die Stille seiner Entzückung ist, das ist dem Musiker das „Ruhen" im Ton, im Akkord.

Und damit ist die Brücke zu den drei Akkorden im Ave Maria von 1861 geschlagen. Die Bewegungslosigkeit, ihr „Nur-Klingen", der völlige Verzicht auf Führung einzelner Stimmen in gewohnter kontrapunktischer Manier, das alles deutet darauf hin, daß diese Stelle nicht mehr als musikalischer Ausdruck allein gewertet werden darf, sondern als Bekundung metaphysischen Seins, das in und mit seiner Erdenferne völlig auf musikalische Ausschmückung verzichtet.

Bruckner, im Kern seines Wesens Mystiker[9], hat an dieser kleinen Stelle zum erstenmal sein Inneres schauen lassen. Seine Zeit, vor allem die Anhänger des Cäcilianismus, der allerdings erst 1868 mit der Gründung Witts, dem *Allgemeinen Deutschen Cäcilienverein*, begann, haben von „Klangpatzen" gesprochen. Damit meinten sie wahrscheinlich vor allem die dieser „Jesus-Verzückung" folgenden drängenden Akkorde, mit denen Bruckner die Inständigkeit des Bittens an Maria ausgedrückt hat. Aber trotz aller absprechenden Urteile, heute wissen wir, daß aus diesen Akkorden mystische Verzückung an unser Ohr dringt. Zu den Akkorden gehören als genauso wichtige Bestandteile die Pausen: klingendes und nicht klingendes Wesen sind in ihrem urtümlichen Zustand gleich im Beharren, in der Ruhe, in der Abneigung gegen

alles Bewegte. Auf solche Weise drückt Bruckner seine Ehrfurcht vor dem Namen „Jesus"
aus. Er wiederholt ihn wieder und wieder und steigert ihn dabei, als ob sein betrachtender
Geist nicht oft und nicht eindringlich genug sich in dieses Geheimnis versenken könnte.

So zeigt das siebenstimmige Ave Maria zum erstenmal Bruckners religiöses Wesen in seiner
ganzen Tiefe, und die Welt sollte diese Tiefe kurze Zeit danach in gesteigertem Ausmaß kennenlernen: in den 1864 bis 1868 entstandenen drei großen Messen in d-, e- und f-Moll.

In ihnen wird der 1861 erreichte metaphysische Höhenflug beibehalten. Dies muß so ausgedrückt werden, mit dem fast selbstverständlich anmutenden Zusatz, daß das Genie, da es keine Schablone und kein Schema duldet, bei den Worten „Jesu Christe" je nach den augenblick-
lichen musikalischen und kompositionstechnischen Bedingungen an den betreffenden Stellen
verfährt. Also kann es vorkommen, daß der Name nicht sonderlich herausgehoben wird, sondern im Chorganzen, im musikalischen Fluß des Satzes eingebettet ist. So z. B. in der d-Moll-
Messe, Credo, Takt 15/16, in dem choralartig-asketischen Unisono des Credos der e-Moll-
Messe, Takt 13/14, sowie im Credo der f-Moll-Messe, Takt 31—34, wo der Name unter das
Endmotiv des Gloria-Hauptthemas zu stehen kommt.

An allen anderen sechs Stellen aber hebt Bruckner das „Jesu Christe" wieder deutlich heraus.

Das geschieht mit zarten Tönen; so in der d-Moll-Messe, Gloria, Takt 56—59, und in der f-
Moll-Messe, ebenfalls im Gloria, Text 95—97. Die erstangeführte Stelle bringt die Anrufungen des Namens „Jesu" im Solo-Sopran über dem gehenden Baß von Viola und Cello, ins Pianissimo verklingend. Der Beter erschauert vor diesem Namen und wird immer stiller; als
klangliche Schönheit tritt bei der Wiederholung von „Jesu" (Takt 58) eine Flöten-Terz dazu,
so als ob ein alles verklärender Schein in diese Anrufung fiele. Es ist bezeichnend für Bruckner, daß damit ein Fis-Dur-Akkord entsteht, jener tonartliche Klang, den er noch öfter für
den Namen „Jesus Christus" bereit hat[10]. Stärker in der Wirkung infolge der ganz anders gearteten Umgebung ist das „Jesu Christe" im Gloria der f-Moll-Messe, Takt 95—97. Vorher
und nachher herrscht heftigste Bewegung im ganzen Orchester, der Chor singt als kompakte
Masse teilweise unisono den Text. Sobald aber nach „unigenite" der heiligste Name genannt
wird, tritt pianissimo ein. Vom Orchester bleiben nur die Geigen und Bratschen über (die
1. Geige behält die Achtelbewegung bei) und in plötzlichem Ges-Dur singt der Chor, ebenfalls
pianissimo, „Jesu Christe". Zwei Takte später ist mit kurzem Crescendo das Forte wieder erreicht, die Instrumente treten hinzu und der Satz geht über das Fortissimo des „Filius Patris"
seinem Ende zu.

Es ist wie bei einem ehrfürchtigen Menschen, er betet, setzt seine Worte bald lauter, bald
leiser, beim Namen „Jesu" aber erstirbt er vor Ehrfurcht, er wagt ihn nur leise auszusprechen,
so sehr ist er ergriffen.

Bruckner kennt auch das Gegenteil. Im Gloria der e-Moll-Messe, Takt 47—52, hebt er den
Namen im Fortissimo aus dem vorhergehenden Geschehen heraus und umgibt ihn mit dem
strahlenden Glanz von Hörnern, Trompeten und Posaunen. Mag man es als Ausdruck von
Zuversicht werten, mag man sagen, der melodische und harmonische Fluß des Satzes habe es
so gefügt, immer wird man das „Gewicht" dieser musikalischen Aussage als bedeutsam bezeichnen müssen.

Auch das Gloria der d-Moll-Messe bringt die Betonung im Fortissimo (Takt 145—151) bei
vollem Orchester und stürmischer Achtelbewegung in den Streichern. An dieser längsten aller
„Jesu-Christe"-Stellen wiederholt Bruckner das „Jesu Christe" viermal und weiß dabei die
Stärkegrade in außerordentlich eindrucksvoller Weise abzustufen. Er beginnt Takt 122 piano
mit „Tu solus Dominus", dem das „Jesu Christe" im vierstimmigen Chor in der gleichen
Lautstärke folgt. Der Solo-Alt wiederholt den heiligen Namen. Nun beginnt Bruckner noch-

mals mit „Tu solus Altissimus" und schließt mit überraschender Wendung nach B-Dur ein zweites Mal im Chor mit „Jesu Christe", diesmal im Pianissimo. Danach führt ein achttaktiges Crescendo in die oben angeführte Fortissimo-Stelle. Bruckner erweitert hier aus eigenem kompositorischen Ermessen den liturgischen Test zu vierfacher Anrufung: die erste in Fis-Dur, die zweite in B-Dur, die dritte in f-Moll beginnend und mit starken Vorhaltsbildungen des im Unisono geteilten Chores nach d-Moll führend.

Am stärksten wohl wirken aber die Pianissimo-Vorkommen in der e-Moll-Messe, Gloria, Takt 113—115, und in der f-Moll-Messe, Gloria, Takt 207—211. In der f-Moll-Messe tritt dieser B-Dur-Satz des vierstimmigen Chores als überraschender Trugschluß nach D-Dur ein. Die rauschende Achtelbewegung der Streicher erstirbt plötzlich, und mit betendem Ausdruck setzt nach kurzer Viertelpause der Chor ein. Man kann diese Takte nicht besser charakterisieren, als mit dem Wort „fromm", so verhalten und still klingen ihre Akkorde.

Ähnlich in der kompositionstechnischen Art, aber leichter und heller, infolge der Tonart, gibt sich das „Jesu Christe" im Gloria der e-Moll-Messe, Takt 113—115. Wieder wird die Bewegung, hier Viertel, eingestellt, wieder taucht überraschend eine neue Tonart auf, Fis-Dur, zwischen G-Dur und h-Moll stehend. Die drei Takte sind aber von so keuscher Einfachheit und klingen so überirdisch rein (vor allem die aufsteigenden Terzen im Sopran), daß man füglich diese Fis-Dur-Stelle nicht nur als eine der schönsten Eingebungen Bruckners, sondern in der gesamten Kirchenmusik überhaupt bezeichnen darf (vgl. Notenbeispiel 3).

Bruckner selbst liefert dazu noch einen schriftlichen Beweis seiner Denkungsart. Als er 1876 die e-Moll-Messe zusammen mit den beiden anderen „rhythmisch ordnete", d. h. ihre Periodenverhältnisse überprüfte und änderte, da versuchte er auch diese Stelle zu „verbessern". Die dem „Jesu Christe" vorangehenden sieben Takte bilden Bruckners Bezifferung zufolge eine Periode. Eine zweite Ziffernreihe zeigt, daß er versucht, diesen Siebentakter auf sechs oder acht Takte zu ändern, aber aus nicht mehr feststellbaren Gründen gelingt es nicht. So muß diese unregelmäßige Periode vor dem Fis-Dur „Jesu-Christe" stehen bleiben. Bruckner, der streng erzogene Lehrer, merkt wohlweislich dabei an: „unregelm[äßig]". Er läßt es aber bei dieser einfachen Feststellung nicht bewenden; ein „NB" gibt die Begründung: „Mysterium (unerwartet nach dem 7. Takt der Periode)". Das will besagen: Das Mysterium „Jesu Christe" tritt überraschend ein, es wartet nicht, bis acht Takte um sind, da geschehen eben Ausnahmen. Diese Bemerkung ist ein schlüssiger Beweis, daß Bruckner seine Kompositiontätigkeit sehr wohl nicht nur musikalisch prüfte, sondern auch überdachte. Daß er gerade bei dem Namen „Jesus Christus" auf das „Mysterium" kam, ist in mehr als einer Hinsicht aufschlußreich und läßt die entsprechenden Schlüsse nicht nur auf den komponierenden, sondern auch auf den betenden Bruckner zu.

Die geistige, auf theologisches, ja mystisches Gebiet weisende Kraft Bruckners bleibt den weiteren Kompositionen erhalten. Das „Tota pulchra es" von 1878 steigert in seinem zweiten Teil die Schlußworte „Intercede pro nobis ad Dominum Jesum Christum" über eine Sekundsequenz in den ätherisch verhauchenden Schluß. Der abwärtsführende Halbtonschritt des letzten „ad Dominum" (im Baß) kommt einem Versenken in Glaubenstiefen gleich, unendlich scheinende Räume tun sich auf, durch sie hindurch geht die meditierende Seele ihrem Ziel entgegen: „ad Dominum Jesum Christum".

In seinem letzten Ave Maria, komponiert 1882 für Alt und Orgel, wendet Bruckner die gleichen musikalischen Mittel zur auszeichnenden Hervorhebung des Namens „Jesus" an wie bisher. Der Rhythmus verbreitet sich an dieser Stelle auf ganze Noten, der Name kommt, wie schon oben erwähnt, dreimal, und auch harmonisch zeigt Bruckner an, daß er hier Besonderes will: Die Kadenz auf „tui", die F-Dur erwarten läßt, wird nach einem kurzen Atem-Absatz (Korone) von der Ober-Mediante As-Dur abgelöst. Diese Trugschlußwirkung führt stufenweise über Es — Ces — Ges und die weiteren, dem großen Melodiebogen der dritten „Jesus"-Anrufung unterlegten Akkorde zur Dominante B-Dur und schließlich zur Grundtonart, F-Dur, zurück. Der zweite Teil des Gebetes „Sancta Maria" beginnt mit dem Anfangsmotiv, auf diese Weise musikalisch-motivisch die zweiteilige Form festlegend. Die Anrufungen steigern sich vom Piano über Mezzo-Forte zu Forte, dieselbe Methode also wie im siebenstimmigen Ave Maria von 1861, hier nur harmonisch bereichert: die Eindringlichkeit des Betenden wird hier wie dort offenbar.

Am reifsten und eindringlichsten hat Bruckner seinen Glauben an die Macht des Namens „Jesu" in seinem „Christus factus est" von 1884 für vierstimmigen gemischten Chor a cappella ausgedrückt. Im Text kommt das Wort „Jesus" nicht vor, aber der Schlußsatz „quod est super omne nomen" spricht unmißverständlich von der alles überragenden Größe dieses Namens. Bruckner versenkt sich tief in die geheimnisvolle, geistige Macht, von der der Satz kündet, und widmet seiner musikalischen Ausdeutung mehr als die Hälfte der gesamten Komposition. Er kann nicht eindringlich genug versichern, daß dieser Name wirklich hoch über allen anderen steht. Mit steigendem Ausdruck wiederholt er sechsmal diesen Satz. Vom dreifachen Forte bis zum dreifachen Piano werden alle Stärkegrade durchmessen. Aufsteigende, vorhaltsbetonte Skalen wechseln mit Melismen, in deren Chromatik und Beugungen man wohl Gedanken an Christi Leiden erkennen kann, der Text gehört ja der Gründonnerstag-Messe an. In der Erinnerung daran, an die Einsetzung des Eucharistischen Opfers, an die nachfolgende Todesangst auf Gethsemane und die Auslieferung an den Verräter, schreit Bruckner dieses „omne nomen" einmal geradezu heraus (Takt 53—55). Aber nur , um nach einer Generalpause sich selbst tröstend und bekräftigend zugleich, in höchster Stärke auszurufen, daß der, der da gefangen genommen und den Schergen zum Tode ausgeliefert wurde, der einzig Mächtige ist, der über allem Lebendigen steht, weil er der Sohn Gottes ist. Nach diesem dramatischen Augenblick geht der Satz ruhig und ergeben zu Ende[11]. Im Tenor, Takt 75/76, meint man geradezu, die sich demütig verbeugende Gestalt des Betenden vor sich zu sehen, so rührend einfach und überaus „anschaulich" klingt hier der melodische Einfall. Sich-Fügen in den Willen Gottes ist es, ein stilles, aber keineswegs schwächliches Vertrauen auf die Macht „Jesu" spricht aus diesen ruhig erklingenden Tönen zu uns.

Daß dieses vom Glauben her stammende Denken musikalisch mit höchster Meisterschaft ausgedrückt wird, darüber braucht kein Wort gesagt werden. Der Bruckner des Jahres 1884 ist der Schöpfer seiner 7. und 8. Symphonie und des Streichquintetts, von Werken also, die nicht nur in seinem eigenen Lebenswerk, sondern in der gesamten Musik absolute Höhepunkte darstellen.

Als eine Vorstufe zu dieser bedeutsamen Motette kann das „Christus factus est" II angesehen werden. Nach Max Auer wäre es 1879 anzusetzen, die Entstehungszeit ist aber nicht genau bekannt. Auch da verwendet Bruckner die Hälfte der insgesamt 61 Takte zur Komposition des Schlußsatzes. Nachdem er zweimal die vorhergehenden Worte „et dedit illi nomen" gebracht hat, gleich der Vertonung von 1884, und dabei vom vierstimmigen zum siebenstimmigen Satz übergegangen ist, fährt er achtstimmig so fort:

Man sieht, in einem ungeheuren Anstieg ohnegleichen wird die Macht dieses Namens „Jesus" dargestellt. Dieses Anschwellen wiederholen die folgenden acht Takte, denen sich eine zweite achttaktige Periode, zu neuem Versenken auffordernd, anschließt. Mit Vorhaltsbildungen, deren Ursprung im Kyrie der e-Moll-Messe zu finden ist, schließt der Satz in verschwebender Ruhe, jetzt wieder vierstimmig geworden.

So erweist sich also eine Untersuchung über die Vertonung des Namens „Jesus" im Lebenswerk Anton Bruckners als durchaus ergiebig. Nicht nur, daß sie in jedem einzelnen Fall Einblick in den Menschen Bruckner gewährt, sie zeigt auch eine vertiefende Entwicklung auf sowohl nach der Seite des Musikalisch-Technischen wie der Ausprägung innerer Gehaltswerte.

In unserer das ganze Lebenswerk überschauenden Betrachtung gewinnt dann das auf einfacher Kadenz stehende „Jesu Christe" der Jugendmesse in C-Dur ein wenig an Bedeutung. Innerhalb der mit Viertel- und Achtelnoten etwas bewegt ausgestalteten Umgebung des „Quoniam" bzw. „Cum sancto spiritu" wirken die vier halben Noten des „Jesu Christe" rein rhythmisch als bedeutungsvoll empfunden. So kann man wohl mit Recht sagen, daß schon in diesem ersten und mit allen Mängeln eines durch kleine Verhältnisse bedingten Kompositionsversuches behafteten Werk dem Namen „Jesu" von Anton Bruckner Aufmerksamkeit erwiesen wurde.

Wie die mitgeteilten Beispiele bewiesen haben dürften, hat er dies sein ganzes Leben hindurch mit strenger Verinnerlichung getan. Man darf ihn also wirklich einen „Musikanten Gottes" nennen, denn die Beziehung Gott — Mensch war für ihn kein ästhetisch-religiöses Geplauder, sondern gelebte Wirklichkeit. In dieser und aus dieser Wirklichkeit lebte und schuf er.

1 Fritz Grüninger, Anton Bruckner. Der metaphysische Kern seiner Persönlichkeit und Werke. Bonn 1930, S. 135: „Stets rüstet sich der Meister ganz besonders, wenn es gilt, diesen Namen zu nennen; denn er war ihm der heiligste aller Namen, er bildete den Inbegriff seines ganzen Wesens. Jesus Christus war ihm Anfang und Ende alles Seins."

2 Winfried Kirsch, Studien zum Vokalstil der mittleren und späten Schaffensperiode Anton Bruckners. Frankfurt a. M. 1958, S. 156, in dem Kapitel über die Textauffassung Bruckners zum „Jesu Christe" im Gloria: „Obwohl inhaltlich dem vorangehenden Textabschnitt verpflichtet, sind die Worte bei Bruckner immer deutlich vom übrigen abgehoben. In der Art eines Chorals erklingen sie im Pianissimo. Eine unvermutete Modulation läßt die Gestalt des Erlösers in einem besonders geheimnisvollen Licht erscheinen."

3 August Göllerich und Max Auer, Anton Bruckner. Ein Lebens- und Schaffensbild. 3. Bd., 1. Teil, Regensburg 1932, S. 38: „Nun erst, in dem dreimaligen Anruf ‚Jesus', tritt uns Bruckner als Eigener entgegen. Während er aber in späteren Werken den Namen ‚Jesus' in weitentfernte Oberdominanten mit vielen Kreuzvorzeichen gleich einer Monstranz erhebt, erscheint er hier in mystischer Verhüllung in den drei aufeinanderfolgenden Unterdominantklängen der Haupttonart." Vgl. ibid. S. 381, zum zweiten ‚Jesu Christe' im Gloria der e-Moll-Messe: „Die ganze Steigerungsentwicklung erfährt nun bei dem Namen „Jesu Christe", der — wie eine erhobene und von überirdischem Glanz umstrahlte Monstranz — in Fis-Dur erklingt, eine Unterbrechung . . ."

4 Im Requiem: Sequenz, Takt 116—119, 250—253; Offertorium, Takt 1—8 bzw. Takt 18—21. In der b-Moll-Messe: Gloria, Takt 52—54; Quoniam, Takt 8—18, Credo, Takt 9—10.

5 Max Auer, Anton Bruckner als Kirchenmusiker. Regensburg 1927, S. 15: „Erst das 1861 entstandene Ave Maria. F-Dur . . ., können wir als vollwertige Gabe des Genius ansehen . . . Das war das erste Aufleuchten des Genius, den man aus seinen Orgelimprovisationen längst erkannt hatte."

6 Vgl. dazu: Max Auer, Anton Bruckner, der Meister der Orgel. 1924 in: Die Musik, Jg. 16, S. 869 ff.

7 Max Dehnert, Anton Bruckner, Versuch einer Deutung. Leipzig 1958, S. 62: „. . . und wohl oft mag sich die Improvisation zur Meditation gesteigert haben."

8 Vgl. Max Auer, Anton Bruckner, der Meister der Orgel. a. a. O., S. 874: „Eine besondere Anregung für die Pflege der freien Improvisation mag es ihm gewesen sein, daß sein Bischof, Franz Joseph Rudigier, mit besonderer Vorliebe im alten Dom zu Linz, ganz allein, bei verschlossenen Türen seinem Spiele lauschte . . . So erzählt das Wiener ‚Fremdenblatt' anläßlich des 70. Geburtstages des Meisters: ‚Gar oft mußte Bruckner plötzlich nach Linz fahren, weil der musikfreudige Kirchenfürst sich nach dieser klingenden Andachtsübung sehnte. Er ließ sich von Bruckner erheben und erschüttern, das war für ihn eine Herzenskur!'"

9 Vgl. dazu: Ernst Kurth, Bruckner. Berlin 1925, 1. Band, S. 3: „Bruckner als Mystiker" und Fritz Grüninger, a. a. O., S. 76 ff und 85 ff.: „Bruckners Künstlerseele eine Mystikerseele" bzw. „Vermählung der Romantik und Mystik in Bruckners Geist und Kunstwerk."

10 Andere Fis-Dur-Stellen: d-Moll-Messe: Kyrie, Takt 47, Gloria, Takt 127—132, und e-Moll-Messe: Gloria, Takt 113—115. Über diese letzte Stelle siehe weiter unten. Vgl. dazu Fußnote 3 mit den „vielen Kreuzvorzeichen", deren Tonart, eben Fis-Dur, hell ausstrahlt, gleich einer goldenen Monstranz; ein durchaus zutreffender Vergleich.

11 Wie Bruckner über die Bedeutung des Gründonnerstages dachte, davon berichtet Friedrich Eckstein in seinen Erinnerungen „Alte unnennbare Tage!" Wien 1936, S. 169 f., folgendes Erlebnis: „In demselben Jahre, um die Osterzeit, hatte ich einmal mit Bruckner ein Gespräch über Wagners ‚Parsifal', dessen erste Aufführung in Bayreuth wir im Sommer 1882 miteinander erlebt hatten. Als ich auf die berühmte Karfreitagsmusik zu sprechen kam, meinte Bruckner, das eigentliche Mysterium der Karfreitagsstimmung liege vielmehr in der Nacht des Gründonnerstages und dem ersten Anbrechen des Karfreitagmorgens, wo das geheimnisvolle Umschlagen aus hoffnungsvollem Frühlingssehnen in die düstere Leidenswelt der Kreuzigung uns erschauern läßt. Er liebe darum auch ganz besonders den wundervollen Chorsatz für die Nacht vom Gründonnerstag zum Karfreitag, den Jacobus Gallus über einen Vers aus dem Propheten Jesaias a cappella gesetzt hat: ‚Ecce, quomodo moritur justus et nemo percipit corde.' — ‚Siehe, wie der Gerechte dahinfährt, und niemand nimmt es sich zu Herzen.'"

Erschienen in: *Wissenschaft im Dienste des Glaubens. Festschrift für Abt Dr. Hermann Peichl,* Wien 1965, S. 199—209.

Das Bruckner-Erbe der Österreichischen Nationalbibliothek

Zu Anton Bruckners 70. Todestag (11. Oktober 1966)

In Abschnitt IV seines Testamentes vom 10. November 1893 verfügte Anton Bruckner folgendes:

„Ich vermache die Originalmanuscripte meiner nachbezeichneten Compositionen: der Symphonien, bisher acht an der Zahl, — die neunte wird, so Gott will, bald vollendet werden, — der 3 großen Messen, des Quintettes, des Te Deums, des 150. Psalms und des Chorwerkes Helgoland — der kais. und königl. Hofbibliothek in Wien, und ersuche die k. u. k. Direction der genannten Stelle, für die Aufbewahrung dieser Manuscripte gütigst Sorge tragen zu wollen."

Die hier aufgezählten Autographen bilden den kostbaren Grundstock des reichen Besitzes an Bruckner-Handschriften, den die Österreichische Nationalbibliothek heute ihr Eigen nennt.

Nach dem Tode des Meisters vollzog der Testamentsvollstrecker, Hof- und Gerichtsnotar Dr. Theodor Reisch, diesen Willen des Meisters, indem er am 19. Oktober 1896 die damalige k. u. k. Hofbibliothek vom Legat verständigte und am 27. Oktober die Übergabe der Handschriften vollzog. Leider waren nicht alle der genannten Autographe zur Stelle: es fehlten die e-moll- und f-moll-Messe und der 1., 2. und 3. Satz der III. Symphonie. Ein Bericht des Direktors Hofrat Dr. Heinrich von Zeißberg an das k. k. Obersthofmeisteramt, Wien, 30. November 1896, hält diesen Tatbestand fest und läßt weiters erkennen, daß Zeißberg an Dr. Reisch das Ersuchen richtete, dem Verbleib dieser Autographen nachzuforschen[1].

Leider blieb dieser verständlichen Bitte damals der Erfolg versagt, da man 1896 bedauerlicherweise nicht daran dachte, alle bei Bruckners Tode in seiner Wohnung vorhandenen Manuskripte zusammenzuhalten und an einen Ort geschlossen zu weiterer Aufbewahrung zu geben, wie dies heute nach Möglichkeit geschieht. Es trat das Gegenteil ein: Dr. Reisch überwies mit Bewilligung der Erben verschiedene Autographen an Vereine und Persönlichkeiten, die Bruckner nahegestanden waren, als Andenken, die Skizzen zur IX. Symphonie übernahmen Ferdinand Löwe sowie Joseph und nach ihm Franz Schalk, der Rest ging an die Erben des Meisters in Vöcklabruck, soweit er eben nicht überhaupt untertauchte und verlorenging[2].

Bei diesem Vermächtnis Bruckners blieb es aber nicht. Die Österreichische Nationalbibliothek unternahm es, dieses Bruckner-Erbe zu vergrößern. Viel Umsicht und Zähigkeit, aber auch sprichwörtliches Glück waren notwendig, um diese Absicht in die Tat umzusetzen. Seit Georg Göhler 1919 seinen Aufsatz über „Wichtige Aufgaben der Musikwissenschaft gegenüber Bruckner" geschrieben hatte[3], wurde die Aufmerksamkeit um Bruckners Werk immer reger, der Gedanke einer Gesamtausgabe legte nahe, das 1896 zerstreute Material zu sammeln, damit es für diesen Zweck zur Verfügung stehe.

Den ersten, wenn auch bescheidenen Zuwachs brachte das Jahr 1914: eine Skizze zum Scherzo der IX. Symphonie, die Requiem-Skizze von 1875, Kontrapunktstudien und die Harmonisierung der gregorianischen Melodie des Ave Regina coelorum. Außerdem konnten einige „Erinnerungsstücke" an Bruckner, durchaus schriftlichen Charakters, erworben werden. Darunter befinden sich Bruckners Taufschein, sein Firmzettel, Reisepaß, einige kleine Notizbüchlein und verschiedene Dokumente.

1921 tauchte eine der bei der Übergabe von Bruckners Legat nicht vorhanden gewesenen Partituren auf: die f-Moll-Messe. Sie wurde der Nationalbibliothek zur Beglaubigung ihrer Echtheit als Autograph Bruckners vorgelegt und von dieser als zum Testament gehörig angefordert[4]. Dem Verlangen wurde nach gerichtlicher Auseinandersetzung im Mai 1922 stattgegeben. Damit war eine Lücke des Testaments geschlossen, die nächste Ergänzung gelang erst 26 Jahre später mit der Ersteigerung der ersten drei Sätze zur III. Symphonie. Doch dazwischen liegen noch zahlreiche weitere Erwerbungen.

Die wichtigste bildete 1924 das Requiem von 1849. Bruckner hatte die Handschrift nach 1890 dem Chordirektor Franz Bayer in Steyr geschenkt, von dessen Familie sie nun in die Nationalbibliothek kam.

Robert Haas wandte seine Aufmerksamkeit auch den im Besitz der Erben, der Familie Hueber in Vöcklabruck, verbliebenen Handschriften zu. Ihr Erwerb gelang 1927 und stellt mit seinen 36 Einzelnummern den ersten großen Kauf dar, den die Nationalbibliothek für Bruckner tätigte. Er umfaßt neben Kompositionen Bruckners, Skizzen und Abschriften seiner Symphonien, vor allem „Lebensdokumente": seine Notizkalender und sein mit unzähligen kritischen Bemerkungen versehenes, leider nicht mehr vollständiges Exemplar von Sechters „Grundsätzen der musikalischen Komposition". Auch Simon Sechters Fuge „An Gottes Segen ist alles gelegen", Geschenk des Lehrers an seinen genialen Schüler zum Abschluß der Studien, Linz, 5. September 1861, befindet sich darunter.

Dieser zahlenmäßig bisher größte Zuwachs wurde von 1931 an durch die Geschenke von Professor Max Auer übertroffen; schon ein Jahr vorher hatte er wertvolle Skizzen zu Scherzo und Finale der IX. Symphonie gewidmet. Max Auer war seit seiner Jugend ein glühender Verehrer Bruckners gewesen. Er beschloß, eine Biographie zu schreiben, erfuhr aber bald, daß August Göllerich, Musikdirektor in Linz, vom Meister selbst zu seinem Biographen bestellt worden war. Auer stellte selbstlos seine eigenen Materialsammlungen Göllerich zur Verfügung und wartete, bis der 1. Band der groß gedachten Bruckner-Biographie von Göllerich 1922 bei Bosse, Regensburg, erschienen war. Ein Jahr später folgte im Amalthea-Verlag die Bruckner-Biographie Auers, die bis heute in mehreren Auflagen vorliegt. Göllerich hat aber leider nicht einmal das Erscheinen des 1. Bandes seiner Biographie erlebt, er starb am 16. März 1923 in Linz. Auer übernahm nun die Fortführung des Werkes, wozu er infolge seiner Kenntnisse und seiner Materialsammlungen als einziger in Betracht kam. Er hat das Werk auch 1937 in 9 Bänden glücklich zum Abschluß gebracht. Mit verschwindenden Ausnahmen hat er die von ihm gesammelten Autographen, Abschriften, Dokumente und Briefschaften

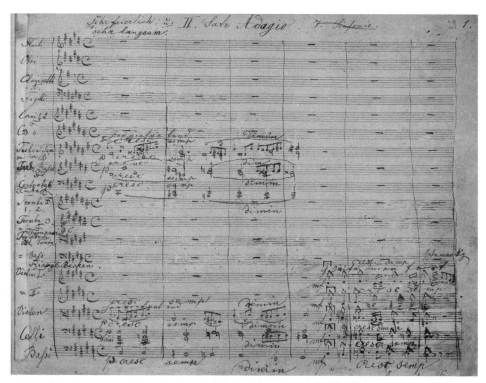

Anton Bruckner: VII. Symphonie, Beginn des Adagio. Das Autograph befindet sich im Besitz der Musiksammlung der Österreichischen Nationalbibliothek (Cod. *19.479).

der Österreichischen Nationalbibliothek für die Zwecke der Gesamtausgabe gewidmet. Als letzten, abschließenden Teil konnte im heurigen Sommer als Geschenk von Frau Professor Auer noch die im Nachlaß in Ischl verbliebene Korrespondenz samt Drucken und Materialien für die Musiksammlung übernommen werden. Da sich auch der Nachlaß des anderen Ischler Bruckner-Forschers, Professor Franz Gräflinger, in der Musiksammlung befindet, muß man die in der Österreichischen Nationalbibliothek vorhandenen Bruckner-Materialien als sehr umfangreich bezeichnen.

Die zu verschiedenen Zeiten der Musiksammlung übergebenen Legate Max Auers beinhalten zahlreiche einzelne Partiturbogen und Skizzenblätter zu den Symphonien. Unter ihnen befinden sich beispielsweise jene zwei Seiten, auf denen Bruckner am 16. August 1885 im Stadtpfarrhof zu Steyr den Finaleschluß der VIII. Symphonie mit dem Übereinandertürmen aller vier Themen aufzeichnete. Seine eigene Freude darüber verrät das nach der Unterschrift stehende „Hallelujah". Wie es eine Materialsammlung mit sich bringt, sind naturgemäß nicht nur die großen Werke vertreten, sondern auch kleine Kompositionen, wie etwa die 2 Asperges aus Kronstorf, 1843—1845. Diese von Bruckner selbst geschriebenen Stimmen gehören zu den frühesten Werken von ihm, die in seiner Handschrift erhalten sind.

Nicht minder wichtig als die Autographen sind auch Abschriften, so der II., III. und IV. Symphonie, mit eigenhändigen Eintragungen des Meisters. Sie sind für die Entstehungsgeschichte und Entwicklung der einzelnen Symphonien von größter Bedeutung[5].

Unter den von Max Auer der Musiksammlung übergebenen Handschriften befindet sich auch eine Abschrift der e-Moll-Messe, in der Bruckner Änderungen zu ihrer endgültigen Fassung angebracht hat. Da die erste Niederschrift 1896 von den Testamentsexekutoren dem Archiv des Neuen Domes zu Linz übergeben wurde, muß diese Handschrift die zweite Lücke ausfüllen, die damals bei der Ausfolgung der Autographen an die Hofbibliothek festgestellt wurde.

Die Auerschen Legate brachten der Österreichischen Nationalbibliothek aber nicht nur Kompositionen, sondern auch Dokumente: Notizbücher, Aufzeichnungen von Fugenthemen, Abschriften aus Werken anderer Meister und jenes Aufgabenheft „Schriftliche Aufsätze für Anton Bruckner", dessen in Briefform gehaltene Übungen gelegentlich irrig als Briefe des Knaben Bruckner in der Literatur auftauchen.

Durch diese Widmungen hat sich Max Auer die größten Verdienste um die Wiedervereinigung des 1896 so zerstreuten Nachlasses Bruckners erworben. Das muß gerade in diesem Gedenkjahr mit uneingeschränkter Anerkennung und besonderem Dank betont werden.

Wie weit verstreut Autographe Bruckners liegen, beweisen Skizzenblätter und Studien, die zwischen 1937 und 1941 bei verschiedenen Antiquaren, selbst aus London, erworben werden konnten.

Das überraschendste und auch aufsehenerregende Ereignis in der Bruckner-Sammeltätigkeit der Österreichischen Nationalbibliothek trat 1948 ein: die Erwerbung der seit 1896 fehlenden ersten drei Sätze zur III. Symphonie. Sie kamen am 17. November in Zürich aus dem Besitz von Alma Maria Werfel-Mahler zur Versteigerung[6]. Den Bemühungen des damaligen Generaldirektors der Österreichischen Nationalbibliothek, Hofrat Dr. Josef Bick, ist es zu verdanken, daß die Mittel zum Ankauf aufgebracht wurden. Nicht minder dankbar muß die Musiksammlung aber auch den Umstand vermerken, daß man, als bei der Auktion die Absicht der Österreichischen Nationalbibliothek und die ihr zugrunde liegenden Erwägungen laut wurden, auf jedes weitere Bieten verzichtete und das Autograph der Österreichischen Nationalbibliothek zum Schätzwert von 32.000 frs. zufiel. Frau Werfel hatte sich telegraphisch bereit erklärt, das Stück zugunsten der Österreichischen Nationalbibliothek aus der Versteigerung zurückzuziehen. Da die dazu notwendige eigenhändige Unterschrift aber nicht mehr rechtzeitig aus Amerika eintreffen konnte, mußten die drei Sätze der Gefahr einer Versteigerung ausgesetzt werden. Sie wurde abgewendet und damit die letzte Lücke des Testaments geschlossen. Die Österreichische Nationalbibliothek besitzt dadurch alle neun Symphonien von Anton Bruckner im Autograph. Es wird nicht oft vorkommen, daß das Lebenswerk eines Komponisten, noch dazu in seinen wichtigsten Werken, wie es bei Bruckner die Symphonie darstellt, in einer Bibliothek vereinigt ist. Das gleiche wäre beinahe für Franz Schuberts Symphonien in der Gesellschaft der Musikfreunde der Fall, wenn sich nicht das Autograph der Fünften in Berlin befände.

Dieser seit 1914 nun schon sehr beachtlich vergrößerte Bestand erhielt 1954 durch ein Legat von Frau Generalmusikdirektor Lili Schalk weiteren bedeutenden Zuwachs. Es gelangten die 3. Fassung der III. Symphonie, die 1. Fassung der VIII. (nur 1. und 2. Satz), Skizzen zum Finale der IX. und das Intermezzo in die Musiksammlung; außer der IV. sind es durchwegs Autographen, die wichtige Aufschlüsse geben. Das ist gerade bei der Arbeitsweise Bruckners von größter Bedeutung, zumal ja, wie bekannt, die Erstdrucke nicht immer den Eigenschriften des Meisters entsprechen.

Obwohl die Erwerbung von Bruckner-Handschriften bei dem ständigen Aufwärtsklettern der Preise für Autographen immer schwieriger wird, hat auch das vergangene Jahrzehnt manches bedeutende Stück gebracht. So etwa eines der Studienbücher (Kontrapunkt), deren Verschwinden schon Max Auer beklagt[7]), und die Widmungspartitur der f-Moll-Messe, von

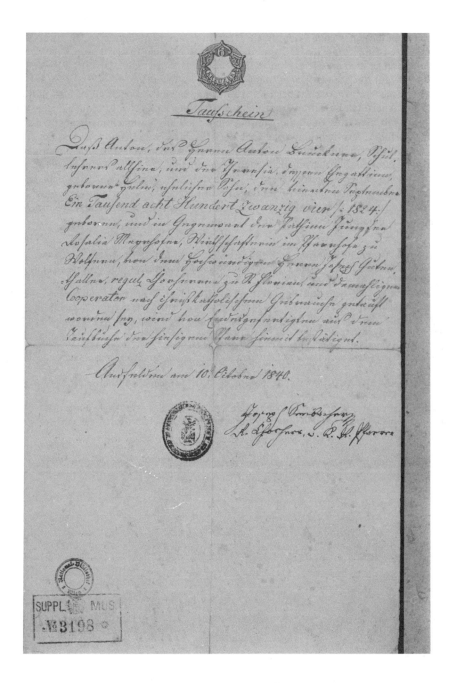

Der Taufschein Anton Bruckners. Musiksammlung der Österreichischen Nationalbibliothek (S. m. 3198).

deren Vorhandensein weder Auer noch Haas etwas wissen konnten. Mit zwei Blättern Partiturskizzen zum Finale der IX. sind dies die gewichtigsten Erwerbungen. Als kleine, bescheidene Stücke reihen sich zwei Klavierkompositionen aus der St. Florianer Zeit (1845—1851) an: der „Steiermärker" und die „Lancier-Quadrille".

Die hier gegebene Übersicht über die Erwerbungen der Österreichischen Nationalbibliothek an Bruckner-Handschriften kann nicht die Absicht haben, vollständig zu sein. Sie will nur zeigen, daß die Österreichische Nationalbibliothek das Vermächtnis Bruckners stets als eine ihr sehr hohe Verpflichtung ansah. Sie hat sich mit Erfolg bemüht, diesen Besitz durch die von ihr in Verbindung mit der Internationalen Bruckner-Gesellschaft herausgegebene Bruckner-Gesamtausgabe der musikalischen Welt mitzuteilen — eine Aufgabe, deren Vollendung mit allen Kräften angestrebt wird —, sie hat daher aber auch mit Rücksicht auf diese Aufgabe sich verpflichtet gefühlt, Handschriften Bruckners zu erwerben, wo immer sich die Gelegenheit dazu bot. Sie sammelt, was zerstreut wurde, das ist aber eine der vornehmsten Aufgaben, die eine Bibliothek überhaupt erfüllen kann.

1 Robert Haas, Die Originalpartitur von Bruckners Messe in f-Moll. Der Auftakt, Jg. 4 (1924), S. 106.
2 Siehe die Schilderung dieser Vorgänge in: August Göllerich-Max Auer, Anton Bruckner etc. Bd. 4, Teil 3, S. 607 ff. (Regensburg 1936).
3 Zeitschrift für Musikwissenschaft, Jg. 1 (1919), Heft 5, S. 293 ff. Weitere Anregungen gingen von dem 1922 erschienenen 1. Band der Bruckner-Biographie von August Göllerich und der 1923 vorgelegten Biographie von Max Auer aus. Darin liegen erste Anstöße, denn eben 1921/22 begann die von Robert Haas planmäßig eingeleitete Sammlung von Bruckner-Handschriften.
4 Vgl. den in Anmerkung 1 genannten Artikel von Robert Haas.
5 Vgl. dazu die Revisonsberichte von Robert Haas in den von ihm herausgegebenen Bänden der Gesamtausgabe.
6 Leopold Nowak, Das Autograph von Anton Bruckners III. Symphonie. Phaidros, Jg. 2 (1948), 2. Folge, S. 126—127.
7 August Göllerich-Max Auer, Anton Bruckner etc. Bd. 4, Teil 3, S. 610 (Regensburg 1936): „Ebenso waren die sechs Bände der Sechter-Studien, von denen Franz Schalk berichtet, daß er sie oft gesehen, nicht aufzufinden."

Erschienen in: *Österreichische Musikzeitschrift* 21, Wien 1966, S. 526—531.

Anton Bruckners Symphonien und ihre „Fassungen"

Der Kompositionsvorgang an einer Symphonie stellt sich dem forschenden Betrachter folgendermaßen dar: dem ersten Einfall, der in flüchtiger, später auch ausgeführter Skizze festgehalten wird, folgt das Particell, die auf mehreren Systemen gearbeitete Niederschrift, in der auch bereits die Instrumentation angedeutet wird. Als letztes Stadium des Werdeganges folgt die bis in alle Einzelheiten ausgearbeitete Partitur, die „erste Niederschrift", die Komposition ist fertig.

Nun kann es geschehen, daß der Komponist daran weitere Änderungen vornimmt: aus eigenem Antrieb, nach einer Aufführung oder später, etwa auf Meinung anderer Musiker. Sind das Änderungen, die Kleinigkeiten an Form oder Instrumentation betreffen, dann wird keine neue Partitur entstehen. Werden die Änderungen aber so stark, daß der Komponist das Werk noch einmal niederschreibt, dann entsteht eine „2. Fassung" zum Unterschied von der ersten Niederschrift, die man nun als „1. Fassung" bezeichnen muß. Dieser Vorgang kann sich wiederholen, dann entsteht eine „3. Fassung", wie dies bei Bruckners III. Symphonie der Fall ist. Die Bezeichnungen „Originalfassung", „Urfassung" oder „Fassung letzter Hand" sollte man besser vermeiden. Die erste Bezeichnung geht noch an, doch sind ja alle Fassungen eines Werkes, wenn sie vom Komponisten stammen, Originalfassungen. Die Vorsilbe „Ur-" meint das „Ursprüngliche", das „Zuerst-Vorhandene", darunter könnte man aber auch vollständige Niederschriften (Skizzen) vor der ersten Niederschrift verstehen. Die Bezeichnung „Fassung letzter Hand" ist eine Übertragung aus der Literatur: „Ausgabe letzter Hand". Klar und deutlich werden und bleiben die Verhältnisse bei „Fassungen" durch die Beisetzung von Ordnungszahlen oder durch die Jahreszahl der jeweiligen Vollendung. Daran will sich auch die vorliegende Darstellung halten.

Zu den handschriftlichen Fassungen, Autographen oder Abschriften mit Eintragungen Bruckners, gibt es noch die Erstdrucke. Sie weisen gegenüber den Autographen Unterschiede auf: in der Instrumentation, in der Form. Diese Unterschiede sind bei einigen Symphonien sehr beträchtlich, vor allem in der IV., V. und VI. Symphonie, so daß man diese gedruckten Partituren als „Erstdruck-Fassungen" bezeichnen muß. Ihre Existenz hat Auseinandersetzungen künstlerischer und wissenschaftlicher Natur hervorgerufen, zumal mit Ausnahme der IV. und einigen Einzelheiten in der V. und VII. Symphonie für diese Änderungen keinerlei Bestätigung durch Bruckner gegeben erscheint. Wir müssen in ihnen die Tätigkeit der für den Meister begeisterten Schüler, vor allem Franz und Josef Schalks sowie Ferdinand Löwes, erblicken, denen es als Dirigenten daran gelegen war, Bruckner aufzuführen. Sie wollten die eigenwillige Musik Bruckners dem Publikum der „Wagner"-Zeit am Ende des 19. Jahrhunderts annehmbar machen. Dieses Motiv allein, ihr Eintreten für Bruckner, war die Triebfeder für diese Umgestaltungen. Wenn wir die Symphonien Bruckners jetzt in der Gesamtausgabe so veröffentlichen, wie er sie geschrieben hat, und sie heute auch so erklingen, dann ist es dennoch selbstverständliche Pflicht, diesen „Bruckner-Aposteln" Dank zu zollen, sie haben mit ihren Partituren dem symphonischen Schaffen Bruckners zum Durchbruch verholfen. Durch die Veröffentlichung der „originalen" Fassungen sind die „Erstdruck"-Fassungen jedoch zu geschichtlichen Dokumenten geworden.

Es ist bekannt, daß die Meister verschiedentlich fertige Werke umgearbeitet haben. Man braucht nur an Beethovens „Fidelio" zu denken oder an das „Marienleben" von Hindemith. Solche Änderungen können inneren, künstlerischen Gründen entspringen, sie können aber auch von außen gefordert werden wie etwa Wagners Bearbeitung des „Tannhäuser" für die Pariser Oper. Die Veranlassungen dazu können so mannigfaltig sein wie das Leben selbst.

Von Anton Bruckner weiß man, daß er sehr viel geändert hat. Die wißbegierige Frage nach dem „Warum" hat gerade bei ihm zu entgegengesetzten Beantwortungen geführt. Einmal heißt es, Bruckner sei so gewissenhaft gewesen, daß er dies tat, um seinen Symphonien die letzte Vollendung zu geben. Welcher wahre Künstler strebt das aber nicht an? Das anderemal glaubt man bei Bruckner, gerade bei ihm, Unsicherheit feststellen zu müssen, er hätte nicht genau gewußt, was er wolle, auch sei er ein zaghafter Charakter gewesen, der sich sofort habe umstimmen lassen. Es handelt sich dabei, wohlgemerkt, um Arbeitsvorgänge, die an einem bereits vollendeten, fertigen Werk vorgenommen werden.

Diese verschiedenen Meinungen werden durch Bruckner selbst hervorgerufen. Man kann in seinem Charakter zwei gegensätzliche Eigenschaften feststellen: seinen schöpferischen Genius, der genau wußte, was er wollte, dies auch aussprach und sich sehr schwer etwas abhandeln ließ, und seine menschliche Demut, aus der er sehr leicht dazu neigte, der Meinung anderer mehr zu trauen als seiner eigenen. Man darf bei dieser Demut Bruckners aber nicht übersehen, daß viele dieser Änderungen einer geradezu überstrengen Gewissenhaftigkeit entsprangen; ihren schriftlichen Spuren begegnet man auf vielen Seiten seiner Autographe. Wie jeder Komponist wollte auch Bruckner seine Werke aufgeführt wissen und war daher bereit, für solche Gelegenheiten Zugeständnisse zu machen. Aber, bei der Drucklegung sollte das Werk ungekürzt erscheinen, denn diese so von ihm gewollte Gestalt war für „spätere Zeiten" bestimmt, wie er am 27. Januar 1891 an Weingartner schrieb, als er selbst davon sprach, bei einer Aufführung der VIII. Symphonie durch diesen Dirigenten „nur fest zu kürzen".

Die zeitliche Aufeinanderfolge der Symphonien zeigt deutlich die rasche, sichere Schaffenskraft Bruckners, aber auch die Zwischenphasen der Umarbeitungen.

In einem kurzen Jahrfünft entstehen in unmittelbarer Aufeinanderfolge 1871/72 die II., 1873 die III., 1874 die IV. und 1875/76 die V. Symphonie.

Darauf folgen Jahre der Umarbeitungen: 1875/76, gleichzeitig mit der Entstehung der V. Symphonie, die II., 1876/77 die III. (zur Aufführung am 16. Dezember 1877), 1877 eine Durchsicht der I. und die 3. Bearbeitung der II. Symphonie; 1877/78 wird die V. durchgesehen und 1878—1880 die 2. Fassung der IV. Symphonie erarbeitet.

Diese Zeit der Umarbeitungen wird von der zweiten Schaffensperiode abgelöst: 1878/79 entstehen Streichquintett und Intermezzo, 1879—1881 die VI., 1881—1883 die VII. und 1884—1887 die VIII. Symphonie. Dazwischen, 1881 und 1884, stehen die beiden Fassungen des Te Deum. Unmittelbar anschließend an die VIII. Symphonie beginnt Bruckner im September 1887 mit der IX. Da aber schob sich eine neue Welle von Umarbeitungen dazwischen: 1887/88 die 3. Fassung der IV., 1888/89 die 3. Fassung der III. und 1890/91 die 2. (Wiener-)Fassung der I. Symphonie. Danach schuf Bruckner, nurmehr wenig abgelenkt, an seiner IX., konnte sie jedoch nicht mehr vollenden.

Die Umarbeitungen können verschiedenes Ausmaß haben. Von einfachen Änderungen in den Geigenfigurationen oder Instrumentationsverschiedenheiten führen sie über Kürzung oder Verlängerung einzelner Perioden bis zur Neukomposition ganzer Sätze.

Die beiden weit auseinanderliegenden Fassungen der I. Symphonie bieten interessante Einblicke in den Stil des jungen und des gereiften Bruckner. Hier werden vorwiegend Instrumentation und Geigenführung umgeändert.

An der II. Symphonie fallen vor allem die Kürzungen auf. Bruckner begegnete zum erstenmal den Ratschlägen anderer (hier Johann Herbeck) und trug ihnen Rechnung; zahlreiche Umformungen, besonders im Finale, waren die Folge.

Die III. Symphonie hat unter allen die meisten Veränderungen erlitten, so daß es von ihr 3 Fassungen Bruckners und 2 Druckfassungen gibt: 1873, 1876/77 und 1888/89 die Autographe, wobei 1. und 2. Fassung in eine Handschrift zusammenfallen, und 1878 bzw. 1890 die beiden Drucke. Als wichtigste der kompositorischen Änderungen sei die Auslassung der Wagner-Zitate aus „Tristan" und „Walküre" vor der Reprise des 1. Satzes genannt. Wieder sind zahlreiche Kürzungen und Umkomponierungen, vor allem in den Ecksätzen, festzustellen.

Ein ähnliches Los traf auch die IV. Symphonie. Bei ihr kam es zu einer Neukomposition des Scherzos (in der 2. Fassung von 1878, das „Jagdscherzo") und zu einer dreimaligen Fassung des Finales: 1874, 1878 („Volksfest") und 1879/80. Dazu gibt es noch die mit Wissen Bruckners von Ferdinand Löwe besorgte Umarbeitung von 1886—1888, die zum Erstdruck von 1889 führt.

Die V., VI und VII. Symphonie sind jede nur in einer Fassung überliefert. Bruckner hat zwar auch an ihnen geändert, aber nicht so einschneidend, daß neue Partituren entstanden wären. Erst bei der VIII. Symphonie müssen wir wieder von zwei Fassungen sprechen: 1884—1887 die erste, 1889—1890 die zweite. Wir wissen, daß Bruckner die Zurückweisung dieser Symphonie durch Hermann Levi sehr schwer getroffen hat, dennoch hat er es über sich gebracht, von diesem Riesenwerk eine zweite Partitur zu schreiben. Die beiden Fassungen unterscheiden sich durch die verschiedene Instrumentation, drei Holzbläser statt zwei, vor allem aber in der Form. Der fff-Schluß des 1. Satzes wurde gestrichen, so daß er das jetzt bekannte Pianissimo-Ende aufweist, das Scherzo bekam ein anderes Trio, der Höhepunkt im Adagio, in dem auch sonst Kürzungen verfügt wurden, ereignet sich nicht auf dem Quartsextakkord von C-Dur, sondern in Es-Dur, auch hat Bruckner verschiedenen Steigerungswellen andere Entwicklungen verliehen.

Alles in allem hat die Arbeit, die Bruckner an die Umarbeitungen verwendete, viel Zeit verschlungen, aber, so war der Mann, und so ist das Werk. Wir können nur staunend stehen vor dieser ungeheuren Energie, die einmal Fertiges umzuformen verstand, vor diesem überragenden Willen, und müssen Bruckner und seine Symphonien eben so nehmen, wie sie von ihm selbst niedergeschrieben wurden.

Erschienen in: *Anton Bruckner, 9 Symphonien,* Originalfassungen Leopold Nowak (Textheft zu den Schallplatten SKL 929—939 der Deutschen Grammophon-Gesellschaft), München 1967, S. 8—9.

Anton Bruckner und München

Aus einem Brief Bruckners an seinen Freund Rudolf Weinwurm in Wien erfährt man, daß er die Absicht hatte, das 2. Münchener Musikfest zu besuchen. Er schrieb unterm 1. September 1863 aus Linz: „Ich gehe im September nach München zum Musikfeste, Du nicht? Vielleicht gehen wir mitsammen."[1]

Bruckner führte seine Absicht aus, es war seine erste Berührung mit der Isarstadt, der noch weitere folgen sollten. München hat in der Folge eine bedeutende Rolle in des Meisters Leben gespielt, vor allem das Orchester der kgl. Oper und sein genialer Dirigent Hermann Levi. Wie bekannt, verdankt Bruckner ihnen jenen ersten entscheidenden Erfolg, der seinem Namen als Symphoniker zum Durchbruch verhalf. Es mag daher nicht unwillkommen sein, die Beziehungen Bruckners zu München zusammenhängend darzustellen.

Am 10. Juli 1863 hatte er mit seinem zweiten Lehrer, dem Linzer Theaterkapellmeister Otto Kitzler, der ihn in Formenlehre und Instrumentation unterrichtet hatte, beim „Jäger am Kürnberg", einem beliebten Ausflugsziel der Linzer, die Beendigung seiner Studien gefeiert. „Seit 10. Juli bin ich von meinen Schulstudien frei geworden, und laß mir's jetzt gut gehen", schreibt er in dem schon zitierten Brief an Weinwurm. In dieser Hochstimmung reiste er zum 2. Münchener Musikfest, das die „Musicalische Akademie" vom 27. bis zum 29. September veranstaltete; Dirigent war Franz Lachner.

Unter seiner anfeuernden Leitung hatten sich 1200 Sänger, 7 Solisten und ein Orchester von 257 Mann zusammengefunden, ähnlich den Händel-Gedächtniskonzerten in London und den Wiener Oratorien-Aufführungen am Anfang des 19. Jahrhunderts. Von den Solisten sind zu nennen: Clara Schumann, die Sängerin Luise Dustmann-Meyer und der Violin-Virtuose Joseph Joachim. Veranstaltet wurden die Konzerte im Glaspalast und im Odeon. Bruckner hatte solche Monster-Konzerte schon 1861 beim Nürnberger Sängerfest erlebt, hier traten sie ihm noch einmal entgegen und gaben ihm Gelegenheit, vor allem die Wirkungen im Orchester zu beobachten. Er war damals 39 Jahre alt und stand als Komponist unmittelbar vor dem „Durchbruch" seines Genius, in der d-Moll-Messe von 1864; das konnte er aber im Herbst 1863 noch nicht wissen.

In dieser gewaltigen „Aufmachung" hörte er damals „Israel in Ägypten" und die kleine Cäcilienode von Händel, Szene und Chor aus Joseph Haydns „Il ritorno di Tobia", das Finale aus Mozarts „Idomeneo" und Marsch und Chor aus den „Ruinen von Athen" von Beethoven. Unter den Orchesterkompositionen befand sich Beethovens „Eroica", ein Violinkonzert, die Ouvertüren zum „Sommernachtstraum" von Mendelssohn und zu Webers „Freischütz"; Franz Lachner brachte seine Orchestersuite in d-moll zur Aufführung. Göllerichs Nachricht, daß Bruckner bei diesem Musikfest die „Jahreszeiten" von Haydn hörte, muß ein Irrtum sein, denn dieses Werk wird in den Berichten über das Fest nicht genannt[2].

An Rudolf Weinwurm berichtet Bruckner unterm 8. Oktober 1863 aus Linz folgendes:

„Liebster Freund"!

. . .

Die großen Männer kennen zu lernen, hatte ich nicht Gelegenheit; noch weniger zu spielen.

Lachner stellte ich mich endlich selbst vor, bat ihn, meine Compositionen einiger Blicke zu würdigen und nach 2 Tagen äußerte er sich: gratuliere, die Werke zeichnen sich aus durch Fluß der Gedanken, Ordnung und edle Richtung; bin nicht abgeneigt die Symphonie im künftigen Jahre zur Aufführung zu bringen, weil ich für diesen Winter schon die Herbeck'sche übernommen.

Das waren ungefähr seine Worte, erzählte mir dann wie Franz Schubert und er in Wien bei der Hofkapelle abgewiesen wurden ect. und wurde endlich sehr warm, nachdem ich ihm auch meine Schicksale erzählt hatte. . . .“[3]

Lachner kann damals gesehen haben: die g-Moll-Ouvertüre, die f-Moll-Symphonie, den 112. Psalm und den „Germanenzug“. Von Bruckner selbst wissen wir, daß er den „Germanenzug“ als seine erste richtige Komposition ansah, die Werke vorher dagegen noch als Studien-Arbeiten wertete. Daß Lachner versprach, die Symphonie aufführen zu wollen, mag noch in den späten Jahren, als der alternde Meister in Wien von der Heßgasse ins Belvedere zog, ihre Rettung vor dem Flammentod gewesen sein, dem so manche der Jugendarbeiten bei diesem „Gericht“ verfielen. Lachner konnte wahrscheinlich sein Versprechen deshalb nicht halten, weil ein Jahr darauf, 1864, Richard Wagner und Hans v. Bülow nach München kamen und damit eine neue Musik-Richtung begann, die Lachner nicht zusagte. Er zog sich zurück, verlangte und erhielt auch 1868 seine Pensionierung.

Der nächste Anlaß für Bruckner, München aufzusuchen, war die Uraufführung des „Tristan“. Bruckner hatte durch Kitzler „Tannhäuser“ und „Lohengrin“ kennengelernt, hatte das Genie Wagners erkannt und brannte darauf, dessen neueste Schöpfung zu erleben. Am 18. April 1865 hatte Wagner schon öffentlich zur Teilnahme an der 1. Aufführung eingeladen, am 3. Mai veröffentlichte man die drei Aufführungstermine: 15., 18. und 22. Mai. Bruckner fuhr am 14., spätestens 15. Mai früh mit dem Linzer Theaterdirektor Pichler-Bodog nach München und wurde so wie viele andere Besucher grausam enttäuscht[4]. Infolge einer plötzlichen Erkrankung von Frau Malwina Schnorr-Carolsfeld, der Darstellerin der „Isolde“, hatte die Aufführung abgesagt werden müssen. Wie so mancher andere auch blieb Bruckner in München, in der Erwartung, daß die Künstlerin bald wieder gesund sein und die Aufführung stattfinden werde. Das geschah aber leider nicht so bald, und so mußte Bruckner Ende Mai wieder nach Linz zurück, weil beim „Oberösterreichisch-Salzburgischen Sängerfest“ seine mit dem 2. Preis ausgezeichnete Komposition „Germanenzug“ zur Aufführung kam.

Er war in München nicht untätig geblieben: am 25. Mai hatte er das Trio seiner I. Symphonie vollendet und war auch oft Gast bei Richard Wagner in der Brienner Straße gewesen. Wagner beglückte ihn dabei mit einer Kabinettphotographie, die seine Unterschrift und das Datum trägt. Bruckner, für den Wagner zeitlebens der „Meister aller Meister“ blieb, mag wohl von diesen freundlichen Beweisen außerordentlich beglückt gewesen sein. Von diesen Tagen überliefert Göllerich folgende Erinnerungen Bruckners:

„. . . Dem Meister stellte ich mich selbst vor. Er war ungemein lieb und freundlich zu mir und hat mi bald gern g'habt und aus'zeichn't. Als ihm der Bülow von der Symphonie erzählt hat, forderte er mich auf, daß ich's auch ihm zeig'. Doch i hab mir net 'traut, i war zu bescheiden und hab' dem Meister nix sehen lassen. — Z'erst hab' i mir net 'traut in seiner Gegenwart mich nieder z'setz'n, er war aber köstli, hat mich jeden Abend eing'lad'n. Die ganzen vierzehn Tag' und allweil 'beten, daß i die Aufführung abwart'. Wie nach'er Frau Schnorr no net g'sund wor'n is, hab i wieder nach Linz z'ruck müssen und bin am Dienstag nach Pfingsten neuerlich nach München g'fahr'n, wo Wagner hocherfreut war und sich extra bedankte, daß ich wieder kam. Zeigt hab' ich ihm damals gar nix von eigene Kompositionen und auch nur an einzigen „Tristan“ hören können. . .“[5]

Bruckner wohnte in dem Hotel „Vier Jahreszeiten“ und lernte dort Anton Rubinstein kennen, der ihn nach Einsichtnahme in den 1. Satz der I. Symphonie mit Hans v. Bülow bekannt machte. Dieser empfing ebenfalls einen starken Eindruck von Bruckners Partitur und so mag diese Anerkennung dem allzeit schüchternen Domorganisten von Linz den Mut eingeflößt haben, sich Richard Wagner zu nähern, aber gezeigt hat er ihm damals „gar nix“.

Es war die 3. Aufführung des „Tristan", Montag, den 19. Juni, die Bruckner gehört hat. Sie soll, den Berichten folgend, die beste von allen gewesen sein; der Theaterzettel fand sich in Bruckners Nachlaß.

Bei seinem ersten Aufenthalt in München hörte Bruckner Werke der Wiener Klassik und der deutschen Romantik und, sicher als Höhepunkt des Festes, Händel. Daraus klang die gute, gefestigte Tradition des deutschen Musiklebens, die bekannten und gekonnten Stilrichtungen aus der ersten Hälfte des 19. Jahrhunderts.

Jetzt, zwei Jahre später erlebte Bruckner *das* Meisterwerk einer neuen, kommenden Zeit, die hochromantischen Spannungen und Melodien von Wagners „Tristan".

Es ist schwer, sich heute die Wucht der Eindrücke vorzustellen, die damals vom „Tristan" ausgingen, es ist noch schwerer, ja unmöglich, sich diese gewaltigen Wirkungen in Bruckners Seele vorzustellen. Er, der doch durch seine intensiven Studien tiefsten Einblick in das Wesen der Harmonie hatte, der umfassendste Kenntnisse besaß auf dem Gebiete des Kontrapunkts, er mußte von Richard Wagners genialer Tat, seinem neuen musikalischen Stil, seiner Instrumentation geradezu hingerissen gewesen sein. Dies um so mehr, als er mitten in der Komposition seiner I. Symphonie stand, der die d-moll-Messe und die „Nullte" Symphonie vorausgegangen waren. Was das Münchener Musikleben Bruckner bei diesen beiden Besuchen geschenkt hat, das muß man mit zwei verschiedenen Welten vergleichen. Bruckner war fähig, sie zu verarbeiten, weil in ihm gleiche Kräfte schlummerten: Formenstrenge und Weite in Melodik und Harmonik. Wie sehr sie in ihm gewirkt haben und den Meister der Symphonie aus ihm schufen, hat Bruckner selbst den Münchenern dann an jenem 10. März 1885 bewiesen, als sie ihm bei der Aufführung seiner VII. Symphonie zujubelten.

In der Zwischenzeit ist Bruckner nur in Gedanken mit München beschäftigt. Am 20. Juni 1868 schreibt er aus Linz an Hans v. Bülow: „Erlaube mir gnädigst die geheime Bitte und Frage: Wenn ich in meinem Vaterlande übergangen werden sollte, da ich nicht ewig in Linz bleiben kann, könnte ich nicht durch Ihre und P. T. Herrn Wagners Empfehlung Audienz beim König bekommen, und die Orgel spielen Sr. Majestät, um auf solche Weise vielleicht eine Stelle als Hoforganist oder Vize-Hofkapellmeister zu bekommen, sei es in der Kirche oder im k. Theater gegen einen bessern und sicheren Gehalt. Wäre das möglich? oder ganz und gar unmöglich für jetzt?"[6]

Die daraus sprechende große Sorge Bruckners war allerdings acht Tage später schon vorbei: am 28. Juni ist er in einem Schreiben an das Konservatorium der Gesellschaft der Musikfreunde in Wien bereit, die ihm angebotene Stelle als Professor für Orgel und Musiktheorie anzunehmen. Damit begann sein Weg in Wien: ein Weg des Leides, aber auch des schließlichen Triumphes.

Er hat drei Jahre später anscheinend noch einmal erwogen, sich um eine Stelle in München zu bewerben, vermutlich an einer Lehrerbildungsanstalt. Man weiß dies nur aus einer Verneinung: „Nach München habe ich nicht petiert", heißt es in einem Brief vom 21. Oktober 1871 an J. B. Schiedermayr in Linz[7]. Es kann sich jedoch dabei auch um eine andere Stelle gehandelt haben. Bruckner hatte um diese Zeit großes Ungemach zu ertragen: er unterrichtete auch an der Lehrerinnenbildungsanstalt bei St. Anna in Wien und war ungerechtfertigterweise denunziert, vom Unterrichtsministerium aber glänzend rehabilitiert worden. In seinem berechtigten Unwillen darüber mochte er eine kurze Zeit daran gedacht haben, von Wien wegzugehen.

Er sah jedoch München wieder, als er auf seiner Reise in die Schweiz die Stadt am 24. August und 11. September 1880 betrat. Da war er, der für Natureindrücke nicht unempfänglich gewesen ist, voll der Erlebnisse, die er von den Schweizer Bergen empfangen hatte;

vor allem die höchste Spitze der Alpen, der Mont Blanc hatte es ihm angetan; er dehnte deshalb seine Reise bis nach Frankreich aus.

Vier Jahre später empfing München neuerdings einen Besuch Bruckners, als dieser auf der Rückreise von Bayreuth nach Stift Kremsmünster in der Isarstadt Station machte. Es muß dies zwischen Ende Juli und dem 17. August 1884 gewesen sein. Der Landgraf von Fürstenberg, einer der bedeutendsten Förderer Bruckners, hatte ihm Empfehlungsbriefe an Erzherzogin Gisela, die Gemahlin des Prinzen Leopold von Bayern, und an den Intendanten des Hoftheaters, Karl Freiherrn von Perfall, mitgegeben. Bruckner wurde von der Erzherzogin, die eine Tochter Kaiser Franz Josephs war, in Audienz empfangen, ebenso konnte er bei Karl von Perfall vorsprechen. Max Auer vermutet („... Schon damals scheint Bruckner den Plan gefaßt zu haben, seine neue Symphonie dem König Ludwig zu widmen und aus diesem Grunde dürfte er jene Herrschaften aufgesucht haben..."), daß diese Vorsprachen wegen der am 5. September 1883 vollendeten VII. Symphonie geschahen[8]. Der Anfang des Briefes Bruckners vom 13. September 1884 an Perfall scheint darauf hinzudeuten. Er lautet: „Gestatte mir Hochdemselben die in meinen Händen sich befindlichen Reliquien (resp. Abschriften derselben) sowie einzelne Erlebnisse in meinem Verhältnisse zu unserem unsterblichen heißgeliebten Meister übersenden zu dürfen, welche gewiß zur Erreichung meiner Zwecke einst zugleich von hohem Nutzen sein dürften."[9]

Im selben Brief teilt Bruckner mit, daß das Konzert in Leipzig aufgeschoben wurde: es war die Uraufführung der VII. Symphonie durch Nikisch, jener Symphonie, mit der Bruckner im März 1885 in München seinen größten Triumph erleben sollte. Mit diesem Ereignis hat sich München, die kgl. Hofkapelle mit Hermann Levi an der Spitze, das größte Verdienst um Anton Bruckner und seine Kunst erworben. Der Beifall, der damals den Komponisten und die Ausführenden umrauschte, trug den Namen Bruckner in die ganze Welt, von dieser Aufführung aus begann Bruckners Musik die Welt zu erobern, eine Entwicklung, die, wie man weiß, heute noch anhält.

Am 7. März verließ Bruckner in Begleitung Friedrich Ecksteins mit dem Nachtzug Wien und traf gegen 7 Uhr in München ein. Nach kurzem Verweilen Bruckners in der Theatinerkirche und dem Frühstück in einem Kaffeehaus ging es zu Hermann Levi, der zu so früher Stunde natürlich noch nicht sprechbereit war. Man wartete im Salon, Levi begrüßte Bruckner mit größter Begeisterung, lud beide Herren zu seinem Frühstück ein und begann darauf sofort ein Gespräch mit Bruckner über die Siebente. Levi war begeistert von dem Werk, kannte den 1. und 2. Satz auswendig, auch das Scherzo gefiel ihm, nur das Finale begriff er nicht. Bruckner hat ihm in diesem Gespräch auch sicher die Form dieses 4. Satzes erklärt[10], so daß Levi das Werk vollständig erkannte und in der um 11 Uhr stattfindenden Probe alles zur größten Zufriedenheit Bruckners ausführte. Die Aufführung am 10. März 1885 im Odeon-Saal, als 2. Abonnement-Konzert der Kgl. Hofkapelle, wurde dann auch, wie man weiß, mit stürmischem Beifall bedacht. Das Münchener Publikum hatte das Werk mit Verständnis aufgenommen und dem durch solche Triumphe bestimmt nicht verwöhnten Meister eine übergroße Freude bereitet.

Die 1. Abteilung des Programms enthielt die Jagdouvertüre von Mehul, das a-Moll-Violinkonzert von Viotti, Lieder von Schumann und Violinstücke von Sandler; den 2. Teil bildete Bruckners Siebente. Die Proben hatten auch das Orchester für die Schönheiten der Symphonie empfänglich gemacht, so daß die Musiker dem Tonwillen Bruckners mit Begeisterung folgten. Eine jahrzehntelange, von Franz Lachner eingeleitete Erziehung erklomm an diesem Abend ihren wohlverdienten Höhepunkt. Was Lachner begonnen, das hatten Wagner und Bülow in den neuen Stil hinübergeführt. Hermann Levi bleibt das Verdienst, diesen Klangkörper auch für Bruckner gereift zu haben. Es war ein Triumph, der für Anton Bruckner das Tor in die Welt aufstieß. Von diesem Abend an datiert Bruckners Anerkennung als Symphoniker.

Aus den Worten, die Heinrich Porges in den Münchener Neuesten Nachrichten vom 12. März 1885 über Bruckner und seine Siebente schrieb, verdient folgende Stelle festgehalten zu werden: „Aus dieser Symphonie spricht eine Persönlichkeit zu uns, in deren Innern jener Urgrund elementaren Musiklebens zum Durchbruch gekommen ist, der uns aus den Werken Beethovens nahe tritt. Ein gewaltiger, stets in die Breite gehender Musikstrom reißt uns bei Bruckner mit sich fort: das ist endlich einmal ein Tondichter welcher nicht mit sorgsamer Klügelei kleine und nichtige Themen zu etwas Großem zu erheben sich abmüht, sondern der schon ursprünglich wahrhaft groß empfindet."[11]

Am Abend des nächsten Tages, 11. März, war Bruckner in der Oper. Anstelle des angekündigten „Trompeters von Säckingen" setzte Levi die „Walküre" an. Weil das Haus ausverkauft war, saßen Bruckner und Eckstein im Orchester neben Levi und genossen aus unmittelbarer Nähe Wagners Musik. Nach dem 1. Akt ließ Levi für Bruckner im Musikzimmer einige Tubenstellen spielen, der Meister konnte sich am Klang dieser auch von ihm verwendeten „Wagner-Instrumente" nicht satt hören. Die größte Freude bereitete ihm das Orchester aber *nach* der Oper. Im völlig leeren, verdunkelten Opernhaus spielten sie Bruckner noch einmal die Trauermusik aus dem Adagio seiner Siebenten vor; und nicht einmal, sondern dreimal. Im Andenken an den vor zwei Jahren erst verstorbenen Bayreuther Meister muß dieses Spiel einen ganz tiefen Eindruck auf alle Anwesenden gemacht haben, wußte man ja, daß gerade dieser Teil von Bruckner zum Andenken an den „Meister aller Meister" geschrieben worden war. Levi hatte diese musikalische „Auszeichnung" für Bruckner mit folgenden Worten eingeleitet: „Meine Herren! In diesem Hause haben wir schon oft vor dem König allein Meisterwerke gespielt. Wir haben einen Fürsten im Reich der Töne vor uns. Ich bitte Sie, für ihn noch einen Teil des Adagios seiner Symphonie zu spielen."

Bruckner hat darüber an Hans von Wolzogen berichtet: „Am 11. wohnten ich u. meine Freunde aus Wien der Walküre Vorstellung in München bei. Prachtvoll, wie ich das Wunderwerk vollständig seit 1876 nie mehr hörte. Und nachdem das Publikum sich entfernt hatte, ließ Herr Levi auf meine Bitte zum Andenken an den Hochseligen, heißgeliebten, unsterblichen Meister dreimal den Trauergesang aus dem 2.ten Satze der 7. Sinfonie mit den Tuben u. Hörnern executiren, wobei wohl der Tränen unzählige flossen. Ich kann *die* Situation im dunklen Hoftheater nicht beschreiben. Requiescat in pace!!!"[12]

An diesem Abend hat sich in München nicht nur ein künstlerisches, sondern auch ein menschliches Ereignis größter Bedeutung abgespielt. Bruckner, der von den Wiener Verhältnissen her bestimmt nicht an Beifall und Anerkennung gewohnt war, sah sich nun auf einmal verstanden, umjubelt, als Mittelpunkt gesellschaftlicher Ereignisse. Einladungen zu Levi, zu Dr. Konrad Fiedler, zu Hermann Kaulbach, der ein Porträt von ihm schuf, ein Festabend der Künstlergesellschaft „Allotria" — all das mußte Bruckner wohltun, sich so als Mittelpunkt zu sehen[13]. Diese Ereignisse müssen überdies auch als ein Beitrag zur Stärkung seines menschlichen Selbstbewußtseins gewertet werden. In seiner Kunst war er schon lange sicher, da kannte er kein Wanken, obwohl die vielen Änderungen und Fassungen seiner Werke scheinbar dagegen sprechen. Hier geht es jedoch um ein anderes Verhalten im Charakter Bruckners: seine „menschliche" Ängstlichkeit. Sein Künstlertum befindet sich auf einer ganz anderen Ebene. Gerade diese Münchener Tage sind dazu angetan, solche Unterscheidungen als wahr zu bestätigen; es war nicht immer leicht, mit dem Menschen Bruckner auszukommen, seine verschiedenen Freunde wußten davon ein Lied zu singen, aber der Künstler in Bruckner stand auf der Höhe.

Außer dem Porträt von Kaulbach entstand in diesen Tagen auch auf Fritz von Uhdes „Abendmahl" der Apostelkopf mit den Zügen des Meisters. Die Malerstadt München hat solcherart in der nur ihr eigenen Weise zum Ruhm Bruckners beigetragen, wobei die beiden photographischen Porträts, die Hanfstaengl über Betreiben Levis aufnahm, nicht vergessen werden dürfen.

Die Begeisterung für Bruckner hielt an. Am 7. April 1886 brachte Hermann Levi im 3. Akademie-Konzert das Te Deum. Neuerlich umbrandete den anwesenden Bruckner Jubel und Begeisterung; er mußte sich verstanden fühlen und sah in Hermann Levi seinen „künstlerischen Vater", wie er sich in seiner überschwenglichen Dankbarkeit audrückte. Levi muß man als einen der größten und einflußreichsten Förderer Bruckners bezeichnen. Nicht nur, daß er seine Werke aufführte — zu einer Zeit, in der Bruckners Musik noch umstritten war —, er half auch sonst, wo sich ihm Gelegenheit bot: bei der Annahme der Widmung der Siebenten durch König Ludwig II., bei der Vermittlung von Audienzen, bei der Drucklegung der Symphonie und 1891 noch durch ein Gutachten über den Meister an die Universität Wien zur Verleihung des philosophischen Ehrendoktorates. Vor so viel Beweisen der Zuneigung zu Bruckner verblaßt seine unsichere, absprechende Haltung gegenüber der VIII. Symphonie. Diesem Riesenwerk standen so manche der Zeitgenossen ratlos gegenüber.

Der Besuch von 1886 war Bruckners letzter Aufenthalt in München. Sein Lebensweg führte ihn nicht mehr dorthin, aber die Eindrücke, die er von der Stadt an der Isar und ihrem Musikleben empfangen hatte, die sind sicher bleibende gewesen: Händel, Richard Wagners „Tristan", seine eigene VII. Symphonie und sein Te Deum. Ihm, dem Symphoniker, der gewohnt war in der Klangwelt des Orchesters zu leben, ihm hat ganz gewiß die kgl. Kapelle bestimmteste Eindrücke in seinem Musikerdasein hinterlassen. 1891 noch erinnerte er sich anläßlich einer „Tristan"-Aufführung in Berlin, „das Holz nie mehr so herrlich gehört zu haben, wie damals unter Bülow". So wurde in München die Liebe zu Anton Bruckners Musik geweckt, sie ist hier gewachsen und bildet ein unzerstörbares Fundament, auf dem die Leistungen der Münchner Philharmoniker mit ihrer gleichstarken Liebe zum Meister von St. Florian aufbauen konnten. Sie haben diese Liebe durch ihr Spiel gemehrt, — möge es auch in Zukunft so sein.

1 Anton Bruckner, Gesammelte Briefe. Neue Folge. Herausgegeben von Max Auer. Regensburg 1924. Seite 58.

2 August Göllerich-Max Auer, Anton Bruckner. Ein Lebens- und Schaffens-Bild. Band III/I (Regensburg 1932) Seite 213. An Berichten über das Musikfest konnten eingesehen werden: Signale für die musikalische Welt, Leipzig 1863, Seite 641 ff. (Ludwig Nohl); Die Presse Nr. 270, Wien, 2. Oktober 1863 (Eduard Hanslick, Das Münchener Musikfest); Recensionen und Mitteilungen der Monatsschrift für Theater und Musik. Wien 9. Band, 1863, Seite 663—666 (gezeichnet mit X).

3 Anton Bruckner, Briefe a. a. O. Seite 51.

4 Linzer Zeitung Nr. 111 vom 14. Mai 1865.

5 Göllerich-Auer, a. a. O. Bd. III/I, Seite 316—317.

6 Anton Bruckner, Briefe, a. a. O. Seite 97.

7 Anton Bruckner, Briefe, a. a. O. Seite 117.

8 Göllerich-Auer, a. a. O. Bd. IV/2, Seite 186 f.

9 Franz Gräflinger, Anton Bruckner. Berlin 1927, Seite 355 f.

10 Vgl. dazu: Leopold Nowak, Das Finale von Bruckners VII. Symphonie. Festschrift Wilhelm Fischer. Innsbruck 1956, Seite 143—148 (Innsbrucker Beiträge zur Kulturwissenschaft. Sonderheft 3).

11 Göllerich-Auer, a. a. O. Bd. IV/2, Seite 284, nach Münchener Neueste Nachrichten, 12. März 1885.
12 Anton Bruckner, Briefe a. a. O. Seite 181.
13 In einer Matinee bei Dr. Fiedler kam auch das Streichquintett zu Gehör. Siehe Göllerich-Auer, a. a.
   O. IV/2, Seite 285.

Erschienen in: *Die Münchner Philharmoniker 1893—1968. Ein Kapitel Kulturgeschichte,* in Zusammenarbeit mit Ernst W. Faehndrich hrsg. von Alfons Ott, München 1968, S. 47—51.

100 Jahre e-Moll-Messe von Anton Bruckner

Der Neue Dom in Linz ist ein Denkmal ganz eigener Art. Er wächst aus der Mitte des vorigen Jahrhunderts in die Glaubens- und Kulturkämpfe dieser Zeit und ist mit seiner Vollendung in unserem Jahrhundert ein Glaubensbote in die Zukunft über die noch schrecklicheren Wirren unserer Tage.

Er ist aber, vor allem, ein Denkmal zu Ehren der „Unbefleckten Empfängnis" Mariens und des darauf Bezug nehmenden Dogmas. Dies ist sein oberstes Ziel, sein eigentlicher Zweck: das Lob der allerseligsten Jungfrau und Gottesmutter. Damit zeugt er gleichzeitig für die Glaubenskraft des oberösterreichischen Volkes und nicht zuletzt für den Bischof, der in diesen Jahren die Diözese Linz leitete: Franz Josef Rudigier. Ihm, dem starken, unbeugsamen Oberhirten von Linz gebührt das hohe Verdienst, als die Persönlichkeit angesehen zu werden, der dieser Bau von Anfang an zu danken ist. Wenn er auch seine Vollendung nicht erlebte, so hat er doch ein anderes „vollendetes" Werk gehört, das mit diesem seinem Dom innigst zusammenhängt und das ihm sicher große Freude bereitet hat: jene Messe, die vor hundert Jahren, am Feste des hl. Erzengels Michael, am 29. September 1869, zur Einweihung der Votivkapelle erklang.

Und hier hatte die Vorsehung dem kunstsinnigen und musikliebenden Bischof den richtigen Komponisten beschert: Anton Bruckner, den Domorganisten von Linz. Es war eine seltene Einheit von Kirche und Kunst: der hochgebildete, diplomatisch gewandte Bischof und der einfache, aber begnadete Organist. Man weiß, daß Bischof Rudigier Anton Bruckner außerordentlich schätzte, und so kann es kaum wundernehmen, daß er bei seinem Domorganisten die Messe zur Einweihung der Votivkapelle bestellte. Hatte Bruckner ja schon die Kantate für die Grundsteinlegung des Neuen Domes zu des Bischofs Zufriedenheit ausgeführt, der ja außerdem auch 1864 die d-Moll-Messe seines Domorganisten gehört hatte. So konnte er überzeugt sein, mit seinem Wunsch nach einer „Einweihungsmesse" einen Auftrag vergeben zu haben, dessen Ausführung sicher zu aller Zufriedenheit ausfallen wird.

Das muß vor 1866 oder am Anfang dieses Jahres geschehen sein, denn am 25. November 1866 war die Partitur vollendet. Sie liegt als kostbarstes Autograph im Archiv des Neuen Domes. Bis zu ihrem Erklingen vergingen noch drei Jahre, so lange dauerte es, bis die Votivkapelle fertig war. Die Aufführung mußte im Freien stattfinden, das erklärt auch die ungewöhnliche Besetzung des Werkes: vierstimmiger gemischter Chor, der sich stellenweise zur Achtstimmigkeit entfaltet, und 15 Bläser, die sich aus zwei Oboen, zwei Klarinetten, zwei Fagotten, vier Hörnern, zwei Trompeten und drei Posaunen zusammensetzen. Man muß die Produktion der Zeit kennen, um zu ermessen, wie überraschend eigenartig dieser Klangkörper empfunden werden mußte und welch eine Genietat er darstellt. Dies trifft auch zu, wenn man, ins Weltliche abgleitend, an die Pflege der Militärkapellen erinnert, von woher die „Blasmusik" in ihren verschiedensten Besetzungen bekannt und beliebt war. Es bedurfte des Mutes eines ganz Starken, um diesen Klangkörper zum Wirken zu bringen. Die Messe steht mit diesem Instrumenten- und Chorapparat um 1866 vollkommen vereinzelt da, und man muß dem Genie Anton Bruckner uneingeschränktes Lob zollen, daß er dieses „Unmöglich"-Scheinende bei der Uraufführung von 1869 dennoch möglich gemacht hat.

Bruckner selbst hielt die zahlreichen Proben, wofür die Liedertafel „Frohsinn", der „Sängerbund" und die Schüler des „Musikvereines" den Chor stellten. Im Salon des Hotels „Stadt Frankfurt" war nun der Meister mit unermüdlichem Eifer dabei, die Messe einzustudieren. Es wird erzählt, daß Bruckner die Pianissimo-Stellen nicht leise genug sein konnten, bis die Sänger einfach überhaupt nicht mehr sangen und der dirigierende Komponist die Akkorde nur mehr mit seinem inneren Ohr hörte. Er merkte aber schließlich doch die List seiner Sänger.

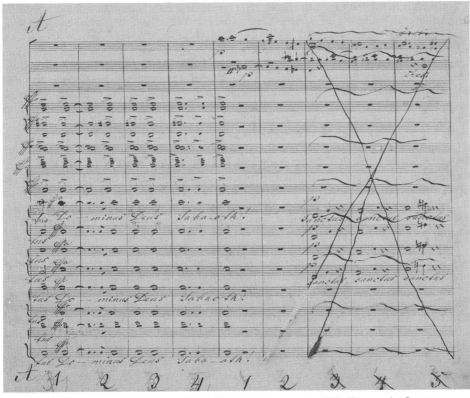

Anton Bruckner: e-Moll-Messe. Abschrift der 1. Fassung von 1882, Kürzung im Sanctus.

Diese Anekdote findet ihre Bestätigung in den Chorstimmen der Uraufführung, in denen sich an solchen Pianissimo-Stellen bis zu 14 p, aneinandergereiht, vorfinden. Damit wollte man ausdrücken, daß diese Stelle Bruckner nicht leise genug sein konnte. Die Bläser kamen von der Militärmusik und sollen nicht gerade zu Bruckners Zufriedenheit gespielt haben. Bruckner wird mit ihnen seine liebe Not gehabt haben, waren sie doch eher auf Märsche und Unterhaltungsmusik eingeübt, als auf den asketisch-weihevollen, aber nicht minder auch sakral-dramatischen Stil, mit dem Bruckner die vom Chor vorgetragenen Worte der hl. Messe „umgab". Wie die Berichte melden, ging am 29. September 1869 alles sehr gut, bis auf den Bläsereinsatz im Sanctus nach der langen achtstimmigen A-cappella-Stelle, bei der der Chor infolge der Schwierigkeit die Höhe nicht gehalten hatte und gesunken war. Der Gesamteindruck muß jedenfalls ein gewaltiger gewesen sein. Das bekennt Bruckner selbst 16 Jahre später in einem Brief an Domkapellmeister Johann Burgstaller, Wien, 18. Mai 1885, als man vorhatte, die e-Moll-Messe zum hundertjährigen Bestehen der Diözese Linz aufzuführen. Er schreibt: „Die Messe, dem Hochseligen Hochwürdigsten Bischofe gewidmet, gehört dem Dombauvereine. Ich habe Änderungen vorgenommen und dürfen die jetzt noch in den Stimmen eingetragen werden? da ein neuer Bischof regiert? Die Messe ist Vocal, mit Holz- und Blechharmoniebegleitung ohne Streichinstrumente. 1869 von mir einstudiert und dirigiert an dem herrlichsten meiner Lebenstage bei der Einweihung der Votivkapelle. Bischof und Statthalter toastierten auf mich bei der Bischöflichen Tafel."

Die Änderungen, von denen Bruckner in diesem Brief spricht, stammen aus zwei verschiedenen Jahren. Einmal, als der Meister alle drei Messen 1876 einer „rhythmischen Durchsicht unterzog und das andere Mal 1882, als er die e-Moll-Messe im Sommer in Stift Wilhering „restaurierte". Mit diesem Ausdruck bezeichnete der Meister Durchsichten, die meist mit kleineren oder größeren Änderungen verbunden waren. Die Veränderungen, die bei der e-Moll-Messe zur 2. Fassung führten, geschahen 1876: Bruckner kontrollierte den Periodenbau und die gesamte Architektur. Aus Kalenderaufzeichnungen wissen wir, daß er in diesem Jahre sich auch mit den Symphonien Beethovens beschäftigte. Mag sein, daß gerade um diese Zeit in ihm ein gesteigertes rhythmisches Feingefühl erwachte, das ihn so handeln hieß.

Die e-Moll-Messe wurde 1876 an mehr als 30 Stellen verändert, zumeist durch Verdoppelung von Takten. Das vollzog sich manchmal durch einfache Wiederholung, anderswo wieder mußte der Melodieverlauf geändert werden, der auch sonst zu verschiedenen Malen neu geformt wurde. Ebenso blieb die Instrumentation nicht unberührt. Über all dies wird die für die Bruckner-Gesamtausgabe bereits fertiggestellte Partitur der 1. Fassung Aufschluß geben. Es ist eine für Bruckners Arbeitsweise ganz besonders kennzeichnende Charaktereigenschaft, daß er an seinen Werken, auch wenn sie schon vollendet waren, weiter arbeitete; er wollte ihnen die beste Form geben, sie sollte ihrem geistigen Inhalt entsprechen.

Der „geistige Inhalt" strahlt in der e-Moll-Messe Bruckners ganz besonders stark reine Hoheit aus. Das braucht für Kirchenmusiker nicht eigens ausgeführt werden, soll aber wenigstens mit einigen Worten angedeutet sein. Man muß dabei an die Kirchenmusik um die Mitte des vorigen Jahrhunderts denken: absinkende Tradition des Wiener klassischen Stils, instrumental betont, bis zur sentimentalen Verflachung und der erst drei Jahre nach der Vollendung der e-Moll-Messe, 1869, von Franz Xaver Witt ins Leben gerufene „Cäcilianismus". Dazwischen steht die Palestrina-Renaissance und die Wiedererweckung des Gregorianischen Chorals.

Bruckner schenkt in seiner e-Moll-Messe sowohl real achtstimmige Sätze, wie im Kyrie und im Sanctus, zeigt sich jedoch im wundervollen „Et incarnatus est" (und auch an anderen Stellen) mit der Doppelchor-Technik vertraut. Die sich übertürmenden Stimmen im Agnus Dei weisen dagegen weit in Klangvisionen des 20. Jahrhunderts hinein. Die Dramatik der Gloria-

Fuge offenbart gleichfalls „Zukunftsmusik" kirchlicher Bestimmung, wie sie damals noch niemand geschrieben hat, Franz Liszt vielleicht ausgenommen, und auch das Ineinanderwirken von Chor und Bläsern zeugt von so eigenartigem und neuem Klangempfinden, daß man aus all diesen Beobachtungen wohl mit Recht sagen kann: die e-Moll-Messe Anton Bruckners ist eine Komposition, die, ganz allein, einen eigenen Stil besitzt, einen Stil, der nicht zuletzt nur von der Musik, sondern ganz bestimmt von der Frömmigkeit Bruckners und seiner Glaubenskraft bewirkt wurde. Damit aber hat der oberösterreichische Meister dem Neuen Linzer Dom einen Dom aus Tönen zur Seite gestellt, der Gottesmutter zu Ehren und Bischof Rudigier, dem dieses Werk gewidmet ist, zum Lob; uns allen aber zu immerwährendem Glauben an einen allmächtigen Gott, der zur Welt spricht, durch wen immer und wie immer ER will.

Erschienen in: *Singende Kirche* 17, Heft 1, Wien 1969—1970, S. 11—12.

Metrische Studien von Anton Bruckner an Beethovens III. und IX. Symphonie

Bruckners symphonisches Schaffen legte schon zu Lebzeiten des Meisters den Vergleich mit Beethoven nahe. Schriftlich wie mündlich kam diese Nachbarstellung zum Ausdruck, die schon am Ende des vorigen Jahrhunderts aussprach, was der heutigen Musikgeschichtsschreibung als unumstößliche Tatsache gilt: das XIX. Jahrhundert weist in Beethoven und Bruckner die beiden „Brückenpfeiler" der Symphonie auf, in deren Werken die Vollendung der orchestralen Musik für die Grenze von 1900 erreicht wurde.

Die Frage, ob Bruckner sich mit Beethovens Symphonien beschäftigt hat, ist berechtigt und eigentlich selbstverständlich. Sie ist aber, leider, mit eindeutigen Hinweisen nur spärlich zu belegen. Bruckner war keine „literarische" Persönlichkeit, die, mitteilsam wie so manche andere, über sich und ihre Beschäftigung Aufschluß gegeben hätte; er beschränkte sich auf seine Unterrichtstätigkeit und sein Komponieren.

Aus der Studienzeit bei Kitzler wissen wir aus dessen Erinnerungen, daß Beethovensche Kompositionen durchgenommen wurden[1]. Als Instrumentationsübung hat sich auch in einem Studienbuch die von Bruckner instrumentierte Exposition der „Pathétique" erhalten, sonst aber gibt es keinerlei schriftliche Zeugnisse von Bruckners Beschäftigung mit Beethovens Werken, als jene Notizen, die Gegenstand dieser Untersuchung sein sollen.

Sie stehen im „Österreichischen Volks- und Wirtschafts-Kalender für das Schaltjahr 1876..." XXV. Jahrgang, auf den zwischen dem Kalendarium befindlichen, für Notizen leergelassenen Seiten XVI (Juni), XIX (Juli), XX (August), und lauten wie folgt[2]:

S. XVI   Juni

Beethoven 9. Sinfonie 1. Satz
auf dem 3. Tacte Schluß
1ter Theil auf 6. Tact [am Anfang dieser Zeile: *2. Satz;* gestrichen]
weils fortgeht.

2. Satz Scherzo 1. Theil 6. Tact Schluß
         2. „   8. „   ———
         weils fortgeht.
Trio 8. Tact im 1. Th.[eil]
    2. Th.[eil] 4. Tact.
Schluß des Trio 3. Tact
Coda 8. Tact
Presto Schluß 3. Tact

3. Satz
   Andante 8., 6. Tact. 2. Tact.
   8. Tact Schluß 3. Tact.

Finale 5. Tact Schluß

NB Bei der 9. Sinfonie
   sämmtl[iche] Schlüße auf
   3. o[der] zuletzt /Finale 5.
      [zwischen dieser und der folgenden Zeile eingefügt: *ungerade*]
   Tact.; während in der
   Mitte (1. Th[eil] die <u>gerade</u>
   Tactzahl ist.

Eroica   1. Satz
  sowol   1. als 2. Th.[eil]
      [daneben, durch einen Kurvenstrich abgetrennt:
         ungerade Schluß 3.]
  2. Satz ungerader Schluß 3.
     Trauermarsch.
Scherzo <u>beide</u> Theile <u>6.</u> Tact Schluß
   also gerade — <u>weil</u>
   <u>anknüpft.</u>

    Trio   8. Tact — im 1. Theil.
          2. Theil: 6. Tact
  Scherzo Schluß auf <u>1.</u> u[nd]

Finale Schluß auf dem
  3. Takt ungerade
  1. Theil Schluß 8. Tact rep.[etiert]
  ferner rep.[etitionen]   8. Tact rep.[etiert]
  „   „   8. Tact rep.[etiert][3]

Juni.

Beethoven 9. Sinfonie 1. Satz
auf dem 3. Tacte Schluß

2. Satz 1ter Theil auf 6. Tact
wird fortgesetzt.

2.Satz Scherzo 1. Theil 6. Tact Schluß
2 " 8 " "
wird fortgesetzt.

Trio 8 - Tact in 1. Th.
2 Th. 4. Tact
Schluß des Trio 3. Tact
Coda 8. Tact
Presto Schluß 3. Tact

3.Satz Andante 8 y 6. Tact 2. Tact
8. Tact Schluß 3. Tact

Finale 5. Tact Schluß

NB Bei der 9. Sinfonie
hauke Schlüsse auf
3 . o gelegt Finale S.
_____ ungerade
Taet. , währand in der
Mitte (1. 2/.) die gerade
Tactzahl ist . .

Eroica 1. Satz (ungerade
haud 1. alt 2. Th. Schluss 3.

2. Satz ungerader Schluss 3,
Trauermarsch.

Scherzo beide Theile 6. Tact Schluss.
also gerade — weil
auhringft.

Trio 8. Tact — im 1. Theil.
2. Theil : 6. Tact

Scherzo Schluß auf 1.

August.

Finale Schluß auf dem
3. Tact ungerade

1. Theil Schluß 8. Tact reg.
Frauen rep. 8. Tact reg.
„ „ 8. Tact rep.

16
6
9

An Kulke, Speidl, Traunmüller, Sänger, Mayfeld
Juczek geschrieben. 23. Juli 876.

fn K   4 fl   pro Juli frühre verlangt.
          2 + 5 pro August
          1 + 5 pro Sept.
          7 = 10. — 17 fl.
          Gratific. Vorschuß   5   pro 29 fl
                        22 fl

18
6
1.08
98   erhalten
10   nicht zu erhalten

Bruckner untersuchte die Abschlüsse in der 3. und 9. Symphonie Beethovens. Ihn interessierten die Periodenbildungen am Ende jedes Satzes, aber nicht nur dort, sondern auch in den großen Teilabschnitten im Inneren einzelner Sätze: am Ende der Exposition, am Ende der Durchführung oder sonst einem Abschnitt, der für die Bildung der einzelnen Teile und somit für die Architektur im großen von Bedeutung ist.

Der Untersuchung im einzelnen muß vorausgeschickt werden, daß die Aufzeichnungen Bruckners nicht immer mühelos zu deuten sind. Man muß versuchen, seinen Gedankengang zu erkennen, einige Stellen widerstehen einer klaren Erkenntnis: sie verleiten daher dazu, einen Irrtum Bruckners anzunehmen. Dem ist aber eigentlich nicht zuzustimmen, da man bei Bruckners bekannter Genialität wohl annehmen muß, daß er Beethovens Form „erkannt" hat; wie die Untersuchung zeigen wird, gibt es jedoch Taktbestimmungen, die ungeklärt bleiben müssen.

IX. Symphonie

1. S a t z , S c h l u ß. Bruckner faßte die letzten drei Takte (545—547) zusammen. Er empfand sie als Einheit, weil sie das Hauptmotiv enthalten, und demgemäß Takt 547 als einen dritten, oder, wie er es oft in seinen Symphonien zu bezeichnen pflegt, als Einzeltakt, der, mit größtem „metrischen" Gewicht begabt, den Satz endgültig abschließt.

An dieser Auffassung braucht nichts geändert zu werden, auch wenn man ab Takt 539 zwei viertaktige Perioden annimmt; sie enthalten ja nur eine Art von Vergrößerung des Hauptmotivs.

1. S a t z , 1. T e i l. Für den Schluß der Exposition nimmt Bruckner eine 6taktige Periode an (T. 158—163). Den vier Takten Tremolo gehen zwei Takte Oktavensprünge voran. Die vom Motiv her naheliegende Teilung in 2 + 4 sieht Bruckner als ein Ganzes an, weil darin die Halbtonrückung vom Ende der Exposition zur Durchführung geschieht. Sie ist bekanntlich eine der stärksten Wirkungen, die Beethoven in diesem Satz erzielt, führt sie doch überraschend in die vom Beginn her bekannten leeren Quinten.

2. S a t z. S c h e r z o , 1. T e i l. Die Feststellung Bruckners *1. Teil 6. Takt Schluß* muß ein Irrtum sein. Das Scherzo weist ab Takt 127 eine so klare Gruppierung von Achttakt-Perioden auf, daß es schwer hält, am Ende eine sechstaktige Gruppe zu setzen. Die einzige Möglichkeit wäre die, daß Bruckner nur das musikalische Geschehen zählt und daher die fünf Takte von Takt 143 an bis 147, vervollständigt mit der ersten der drei Pausen, als eine sechstaktige Gruppe ansieht. Es blieben dann allerdings die folgenden zwei Pausentakte (T. 149 und 150) übrig, die Bruckner aber aus rein metrischen Gründen nicht übersehen haben kann.

Derartige Sechstakt-Perioden kommen in diesen Studien noch viermal vor, darunter sind sie an zwei Stellen gleichfalls problematisch. Wenn man Bruckners Gedankengänge wüßte, könnte man ihre Setzung erklären und begreifen, so aber bleibt allein die Mutmaßung, die natürlich unbefriedigend ist.

2. S a t z. S c h e r z o , 2. T e i l. Die Takte 404—411 führen als achttaktige Periode in die Prestotakte und damit ins Trio. Die gerade Taktzahl besteht zu Recht, weil es, wie sich Bruckner ausdrückt, *fortgeht*. Es gibt keinen Abschluß wie in seinen Symphonien, in denen er gerne die einzelnen Partien durch Pausen voneinander trennt, wie etwa ganz besonders in der 2. Symphonie, der man deshalb den Namen „Pausen-Symphonie" gab.

2. S a t z. T r i o , 1. T e i l. Die einfache achttaktige Periode Takt 415—422 bietet metrisch keine besonderen Merkmale, genau wie das Ende des folgenden Abschnittes, 2. Teil, Takt 488—491, bei der Bruckner nur den 2. Teil der achttaktigen Periode zählt (T. 488—491).

Das liegt in dem veränderten Nachsatz begründet, mit dem Beethoven sein Trio-Thema an dieser Stelle in den Oboen und Violinen versieht. Für Bruckner war der Streichersatz eine eigene „Kompositionseinheit", die er stets gesondert betrachtete. Das geht aus so manchen Daten seiner Autographe hervor, die genau die Vollendung oder Durchsicht der Streicher bezeugen. Den Flöten und Klarinetten folgend, hätte er auch an dieser Stelle von 8 Takten sprechen können. Das Trio bringt ja als besonderes Merkmal die 23malige Wiederholung des Hauptmotivs, und nur an dieser einen Stelle ändert Beethoven in Oboen und Violinen den Nachsatz. Man kann aus diesen „4 Takten" schließen, daß Bruckner diesen Unterschied sehr wohl wahrgenommen und ihn mit seiner Taktzählung zum Ausdruck gebracht hat. Zusammen mit weiteren Notizen ist das ein schlüssiger Beweis für Bruckners feines Formgefühl, aber auch für sein Verständnis, das er Beethovens Formgebung entgegenbrachte.

2. S a t z. T r i o , S c h l u ß. Mit Takt 523 sind die seit dem Ende des vorangehenden Abschnittes (T. 491) folgenden vier Achttakt-Perioden zu Ende. Die Takte 524—530 bringen den Trio-Schluß: einen Viertakter (524—527) und zwei Takte (528—529) mit einem dritten, einem von Holz, Hörnern und Streichern ausgehaltenen Quartsextakkord in g-Moll. Einzig die 1. Violine bringt in Moll die Begleitfigur aus dem 1. Takt des Trio-Themas und führt so vollkommen motivgerecht zur Reprise des Scherzos. Nicht übersehen werden darf aber die Korone auf dem letzten Viertel. Beethoven bringt durch sie einen gewollten Stillstand ganz klar in der Notierung zum Ausdruck, damit sagend, daß hier, trotz der melodischen Führung der 1. Violine die Musik „stehen" soll. Diese Stelle hat als Ende des Trios vor der Wiederholung des Scherzo-Teiles abschließende Funktion, kommt somit einem Satzende gleich und weist daher eine ungerade Taktzahl auf.

2. S a t z. C o d a - u n d P r e s t o - S c h l u ß. Die Notizen bieten dazu nichts Besonderes: der Coda-Schluß liegt in den Takten 539—546 und das Presto schließt mit den drei letzten Takten des Scherzoteiles (T. 412—414 = T. 557—559). Für Bruckners Anschauungsweise von geraden und ungeraden Takten für volle Schlüsse bzw. für Abschnittenden, die „weitergehen", liegt hier ein ebenso einfacher wie deutlicher Beweis vor.

3. S a t z. A d a g i o. Die Aufzeichnungen dazu sind unvollständig. Vor allem fällt auf, daß Bruckner das erste Adagio nicht erwähnt, sondern gleich mit dem Andante, dem 2. Gedanken, beginnt. Und auch hier gibt die Ziffer *8* am Anfang ein nicht zu lösendes Rätsel auf, denn nirgends, weder im 1. Adagio noch im folgenden Andante steht als Abschluß eine achttaktige Periode. Alle folgenden Angaben Bruckners stimmen, so daß man also annehmen muß, er habe die Form dieses Adagio bis in die einzelnen Teile erkannt, wie ja auch nicht anders zu erwarten ist.

Der eigenartige Formwille Beethovens in diesem Adagio ist bekannt. Schon der Verlauf des 1. Hauptgedankens (Adagio) mit den Echotakten in den Holzbläsern (T. 7, 12, 15 und 19) und dem von ihnen besorgten sechstaktigen Abschluß (T. 19—24) hat seit je die Bewunderung für Beethovens Einfallsreichtum hervorgerufen. Daß Takt 19 letztes Echo und gleichzeitig Beginn der abschließenden Periode darstellt, ist ebenso bemerkenswert wie die Tatsache, daß die letzten zwei Takte dieser Periode eigentlich zwei den jeweiligen Teilen v o r g e l a g e r t e Takte sind. Die Takte 23 und 24, 41 und 42, 63 und 64, 81 und 82 werden von Beethoven als Überleitungen zu den jeweils folgenden Abschnitten verwendet. Sie erfüllen aber gleichzeitig die Funktion von auftaktartigen Einleitungen wie dies die Takte 1 und 2 für das erste Adagio und somit für den ganzen Satz bilden. In diesem Zusammenhang muß auf das Adagio der Hammerklaviersonate op. 106 verwiesen werden, dessen ersten Takt Beethoven erst 1819 in den schon vorliegenden Bürstenabzug einfügte. Diese Terz ist der für das Beginnen notwendige Auftakt, das „Atemholen"[4]. Eine ähnliche Rolle, aber mit anderem Ausdruck, spielen die zwei Akkordschläge am Beginn der Eroica (s. weiter unten).

Daß Bruckner dieser Aufbau vertraut gewesen ist, beweisen die der rätselhaften *8* folgenden Angaben. Der *6. Tact* will besagen, daß die erste Adagio-Variation mit einer sechstaktigen Periode schließt (T. 59—64) und das nachfolgende 2. Andante (die Wiederholung des 2. Gedankens) mit einem Zweitakter (T. 81 und 82). Das sind jene zwei Takte, deren überleitende Funktion soeben dargelegt wurde. An dieser Stelle stehen sie zum letzten Mal, denn die nachfolgende Adagio-Variation (T. 83—98) ist in ihrer 2. achttaktigen Periode selbst schon wieder Einleitung für die anschließende letzte Variation des Adagio-Gedankens. Das hält Bruckner mit der Zahl *8* fest. Den endgültigen Abschluß bewirkt Beethoven mit den drei Takten 155—157.

4. S a t z. F i n a l e. Für diesen ausgedehnten Satz hat Bruckner nur eine Notiz über das abschließende Prestissimo niedergeschrieben: *5. Tact*. Es besteht aus zwei achttaktigen, einer viertaktigen Periode und dem einen, fünften Takt mit dem Schlußakkord. Im Gegensatz zum Adagio, an dem Bruckner fast alle Teilabschnitte und -schlüsse festhält, ist er beim Finale von überraschender Kürze. Es ist möglich, daß ihn als den Instrumentalkomponisten die Verwendung des Chores in der Symphonie nicht interessierte, er daher die musikalisch-formale Behandlung des Textes nicht weiter einer Untersuchung würdigte. Ihm ging es um die Feststellung, wie die abschließenden Perioden beschaffen sind. Die auf S. XIX stehende Notiz besagt, daß alle tatsächlichen Schlüsse, die Satzenden, eine ungerade Taktzahl aufweisen, die Abschnitte innerhalb der Sätze dagegen gerade Taktzahlen, weil das musikalische Geschehen „weitergeht". Auf Seite XVI sieht man an den vier Dreiern und dem einen Fünfer deutlich, wie sie aus den übrigen Angaben herausragen.

III. Symphonie

Die selben Ergebnisse bringt die Untersuchung der Eroica.

1. S a t z. Die Aussage *sowol 1. als 2. Th[eil]* kann nur im Zusammenhang mit den vorangehenden letzten Zeilen der Notiz über die IX. Symphonie richtig verstanden werden. Bruckner setzt nämlich seine Beobachtung, daß *in der Mitte (1. Th[eil] die gerade Tactzahl ist* über den Querstrich hinweg — in Gedanken — fort! Er meint, daß dies im 1. und 2. Teil des 1. Satzes der Eroica auch so ist. Damit man das nicht mißversteht grenzt er den *ungeraden Schluß* durch eine gekrümmte, gekurvte Linie von den links davon stehenden Worten ab; und so ist es auch in der Tat.

Der 1. Teil, die Exposition, schließt Takt 148—151 mit vier Takten ab. Takt 152 und 153 sind die metrische Entsprechung für die beiden Akkordschläge in Takt 1 und 2, und danach beginnt die Wiederholung der Exposition.

Der 2. Teil, die Durchführung, geht mit den acht Takten 390—398 unmittelbar in die Reprise über und bietet, abgesehen von dem berühmten Horneinsatz über der Sekunde des Dominantseptimenakkordes, formal nichts Außergewöhnliches.

2. S a t z. Von der letzten achttaktigen Periode, Takt 239—246, nimmt Bruckner Takt 245 und 246 zusammen mit dem Schlußtakt zu einer dreitaktigen Einheit, zu zählen als 2 + 1. Diese Betrachtungsweise gibt zu denken. Anders als in den beiden Ecksätzen und im Scherzo stehen hier die zwei Takte vor dem Schluß nicht als eigene Takte, sondern in Verbindung mit der letzten Periode da. Die Melodie des Trauermarsches wird zerstückelt: sie geht mit dem 1. Achtel von Takt 246 zu Ende. Es ist aber sehr wohl möglich, Takt 245 als Anfang der von Bruckner gezählten drei Schlußtakte aufzufassen, so daß Takt 245 und 246 ein Paar bilden, dem als vom Metrum her notwendiger Abschluß Takt 247 folgt. Überlagerungen solcher Art gehören zu den anziehendsten „Ereignissen" in der Welt der Form, weil sie zeigen, wie mannigfaltig verknüpft die Regelmäßigkeiten der Form mit dem melodisch-motivischen Leben

sein können. Daß Bruckner hier mit keinem Wort von einer Gruppierung von 8 + 1 Takten schreibt, ist bezeichnend für sein musikalisches Denken, das sehr scharf zwischen Metrum und Melodik unterscheidet.

S c h e r z o. Beide Teile weisen an ihren Enden sechstaktige Perioden auf: Takt 25—30 und Takt 159—164, *weil anknüpft.* Auch hier überlagert die Motivik das Metrum, und Bruckner zeigt durch diese Bestimmung seine genaue Erkenntnis der Form in ihren konstruktiven Einzelheiten. An der ersten Stelle reicht die achttaktige Periode, Takt 25—32, mit zwei Takten hinüber in den neuen Teil. Am Ende dieses 2. Teiles wird dies durch das Prima volta deutlich sichtbar. Die sechs von Bruckner gezählten Takte reichen von Takt 159 bis 164, die folgenden zwei Takte entsprechen den Takten 29 und 30, der Vervollständigung der achttaktigen Periode.

T r i o. Die erste Angabe *8. Tact im 1. Theil* stimmt, sie bezieht sich auf die Takte 191—198, wobei Takt 197 und 198 aber wieder eine Verschränkung mit dem 2. Teil bilden. Die Hornmelodie ist mit dem 7. Takt der Periode, Takt 197, zu Ende. Ihr muß noch 198 als 8. Takt hinzugezählt werden; so tut es auch Bruckner, den metrischen Gesetzen folgend.

Die zweite Angabe *6. Tact* für den 2. Teil läßt sich weder metrisch noch motivisch rechtfertigen. Es könnte aber sein, vielleicht, daß Bruckner die sechs Takte des Prima-volta-Zeichens als Grundlage für seine Zählung genommen hat, sich der Autorität Beethovens fügend, der er stets größte Hochachtung entgegengebracht hat. Das wäre allerdings nur eine rein äußerliche Begründung, die keinerlei musikalische Geltung für sich in Anspruch nehmen kann.

S c h e r z o. S c h l u ß. Die Feststellung *1. u[nd]* ⌢ zeigt wieder einmal, wie deutlich Bruckner unterscheidet. Nach der letzten achttaktigen Periode, Takt 432—439, bleiben drei Takte. Bruckner könnte ebensogut schreiben: „ungerade, 3 Takte", soweit es nur die Takt a n z a h l betrifft. Das tut er aber nicht, denn der Takt i n h a l t ist ein anderer. Der Schluß hier ist nämlich ein Pausentakt, ohne Noten (Akkord oder ausgehaltene Schlußnote), der für die Vervollständigung des Metrums, nicht nur der Perioden, notwendig ist. Die Ecksätze von Beethovens 1. Symphonie zeigen schon die gleiche Erscheinung, noch dazu in unterschiedlicher Verwendung: als Vollendung des Metrums (1. Satz) bzw. einer achttaktigen Periode (Finale).

Bruckner zählt an diesem Scherzo-Ende nach den Takten 432—439 (achttaktige Periode) zwei Takte mit den Schlußakkorden und dazu, für sich allein, den Pausentakt. Dieses Verfahren hat auch er in seinen Symphonien angewendet. Es ist das ein Zeichen von lebendiger Rhythmus-Ordnung, die gleich einem Pulsschlag eine Komposition durchzieht, unbeschadet dessen, was in und über ihr an Rhythmen, Motiven und Melodien geschieht, aber im Einklang mit ihnen steht[5].

F i n a l e. Die Notiz Bruckners bietet keinerlei Probleme: die drei letzten Takte setzen sich für ihn aus 2 + 1 zusammen, es sind die Takte mit den abschließenden Akkorden. Über die ihnen vorausgehenden beiden Takte mit den Tonleitern schweigt Bruckner. Seiner Zählung nach wäre die letzte achttaktige Periode (T. 469—472) eine Summe von 2 + 2, was sie ihrer Musik nach ja auch ist: zweimal Tonleiter, zweimal Akkord. Und so kann Bruckner hier nicht von einem Ende auf dem 5. Takt sprechen wie beim Finale der IX. Symphonie, sondern von einem solchen auf dem 3. Takt. Er befindet sich hier mit sich selbst in Übereinstimmung, denn alle von ihm als Schlüsse auf dem 3. Takt bezeichneten Satzenden sind so gebaut.

Die folgenden drei Aufzeichnungen beschäftigen sich mit drei der vier wiederholten kurzen achttaktigen Perioden von Takt 45 bis 75. Bruckner schreibt diese Angabe nur dreimal hin. Es mag ihm für seine Absichten nicht wichtig genug erschienen sein, diese kurzen Perioden einzeln anzuführen. Er war am Ende seiner Untersuchungen und hatte gefunden, was er wollte, daher verfolgte er den Gang der Komposition nicht mehr weiter. An dieser Stelle besagt

„Teil" nicht Exposition oder Durchführung, sondern das, was ebenso wie eine Exposition zwischen zwei Doppelstrichen steht. Nach Takt 75 kommt im Finale der Eroica kein Doppelstrich mehr vor.

Damit schließen Bruckners Untersuchungen. Man darf von ihnen nicht erwarten, daß sie in systematischem Aufbau die Fragen und ihre Lösungen darbieten, auch Vollständigkeit war nicht beabsichtigt. Bruckner war kein Mann der Wissenschaft, sondern ein Genie, und sein schöpferisch begnadeter Geist beschäftigte sich nur mit dem, was ihn im Augenblick interessierte. Wir dürfen und müssen sogar annehmen, daß er nicht alles niederschrieb, was er bemerkte. Sicher zu beobachten ist aus diesen Aufzeichnungen nur, daß er sich über die Schlußbildungen bei Beethoven Rechenschaft geben wollte.

Der Frage nach dem „Warum" muß die Frage nach dem Zeitpunkt vorangehen, an dem Bruckner sich mit diesen beiden Symphonien beschäftigt. Es scheint so, als ob sich daraus auch ein wenig die Absichten Bruckners erschließen lassen. Einen Fingerzeig erhalten wir dadurch, daß sich unmittelbar anschließend auf den Seiten XXIII und XXIV eine gleichgeartete Untersuchung der IV. Symphonie Bruckners anschließt. Er verglich also seine Art der Schlußbildung mit der Eroica und der IX. Symphonie Beethovens. Das führt wünschenswerterweise sofort zur Bestimmung des Zeitpunktes.

Die IV., romantische Symphonie war am 22. November 1874 vollendet worden. Die Aufzeichnungen stehen aber in einem Kalender von 1876, sie können also frühestens im Dezember 1875 eingeschrieben worden sein, wenn überhaupt Bruckner den soeben neugekauften „Österreichischen Volks- und Wirtschaftskalender" für diesen Zweck hätte benützen wollen. Eine Bemerkung in der Untersuchung des Finales ermöglicht jedoch eine genauere Bestimmung.

Es heißt dort: *4. Satz, Finale 1. Th.[eil]* ... *Schluß[gruppe] 8 geht fort durch Pauke 1.* Die Erwähnung der Pauken gibt die Gewißheit, daß es sich nur um das Finale in der Fassung von 1878 handeln kann, denn nur dort wird der Übergang von der Schlußgruppe zur Durchführung von einem zweitaktigen Paukensolo bewerkstelligt[6]. In der 1. Fassung von 1874 stehen Pausen, und die 3. Fassung nimmt an dieser Stelle überhaupt einen anderen Verlauf. So können diese Untersuchungen an den Symphonien Beethovens nur nach dem 30. September 1878 entstanden sein, dem Tag, an dem das Finale in 2. Fassung beendet war. Es kann mit Sicherheit angenommen werden, daß die Eintragungen fortlaufend zum gleichen Zeitpunkt vorgenommen wurden. Tintenfarbe und Schriftzüge sprechen dafür und geben keinerlei Veranlassung zur Annahme, daß die Notizen über die zwei Symphonien Beethovens zu einem anderen Zeitpunkt entstanden wären als die über Bruckners eigene Vierte.

Neben dem Zeitpunkt läßt sich auch die Veranlassung einigermaßen glaubhaft machen. Von 1871 bis 1876 entstanden in einem als gigantisch zu bezeichnenden Schaffensbogen die II., III., IV. und V. Symphonie. Durch die Aufführung der auf Herbecks Rat geänderten II. Symphonie wurde jedoch eine Welle von Umarbeitungen eingeleitet, die erst 1878/79 mit der Komposition des Streichquintetts und den diesem folgenden großen Werken (VI. bis VIII. Symphonic, Tc Dcum) beendet wurde. Durch das vorhin mitgeteilte Enddatum des 2. Finales zur IV. Symphonie kommen die Untersuchungen Bruckners an das Ende dieser Umarbeitungsperiode zu stehen, denn am 9. Dezember 1878 schreibt der Meister an Wilhelm Tappert nach Berlin[7], daß er mit dem Streichquintett begonnen habe. So stünden diese Beethoven-Studien Bruckners also am Ende seiner ersten Umarbeitungsperiode, sozusagen als abschließende Untersuchungen zur Formgebung in Symphonien.

Bei der Einschätzung dieser Notizen darf man nicht vergessen, daß Bruckner, als er sie niederschrieb, selbst bereits fünf große Symphonien komponiert hatte, also sehr wohl wußte, wie die Form auszusehen hatte, nach seinem Willen. Es ist jedoch für seine Gewissenhaftigkeit bezeichnend, daß er sich aus Beethovens Werken Vergleiche holte. Er wird sicher noch andere Kompositionen Beethovens daraufhin untersucht haben, aber nur von diesen zweien, der Eroica und der Neunten, haben wir schriftliche Kenntnis erhalten und damit ein kleines Denkmal für ein sozusagen geistiges Beisammensein der zwei größten Symphoniker des XIX. Jahrhunderts.

1 O. Kitzler, *Musikalische Erinnerungen, mit Briefen von Wagner, Brahms, Bruckner und Richard Pohl.* Brünn 1906, 29.

2 S. m. 3181 der Musiksammlung der Österreichischen Nationalbibliothek. Tinten- und Bleistiftschrift sowie der Wechsel von Latein- und Kurrentschrift werden nicht unterschieden. Die Ergänzungen der Abkürzungen stehen in eckigen Klammern.

3 Die erste Veröffentlichung dieser Notizen steht, nicht ganz fehlerfrei, in: *Anton Bruckner. Ein Lebens- und Schaffensbild von* August Göllerich. Nach dessen Tod ergänzt und herausgegeben von Max Auer 4/1. Regensburg 1936, 440—441.

4 Vgl. dazu den Brief an Ferdinand Ries, Wien 16. April 1819. L. van Beethoven, *Sämtliche Aufzeichnungen und Briefe.* Hrsg. v. F. Prelinger 2. Wien 1907, 256.

5 Andere Vorkommen solcher Pausentakte am Ende, die im Metrum ihre Begründung haben, zeigt Beethoven in den Klaviersonaten op. 7, 1. Satz, op. 10 Nr. 1, 1. Satz und op. 10 Nr. 3, 1. Satz. Pausentakte am Ende eines Satzes findet man aber auch schon bei Haydn, z. B. in den Symphonien GA 23, Finale (1764) und GA 82, Finale (L'ours", 1786).

6 Anton Bruckner. *Sämtliche Werke. Kritische Gesamtausgabe...* Hrsg. von Robert Haas 4/1. Wien 1936, S. 17*, Takt 163/164.

7 Anton Bruckner. *Gesammelte Briefe. Neue Folge...* Hrsg. v. Max Auer. Regensburg 1924, 148. Das Datum, Wien, 9. Dez. 1878, gehört an das Ende des Briefes Nr. 113 auf S. 149.

Erschienen in: *Beethoven-Studien. Festgabe der Österreichischen Akademie der Wissenschaften zum 200. Geburtstag von Ludwig van Beethoven,* Wien 1970, S. 361—371.

Als ergänzende Studie dazu siehe „Anton Bruckners Eroica-Studien", S. 257 ff.

Ein Doppelautograph Sechter-Bruckner

Die Musiksammlung der Österreichischen Nationalbibliothek verwahrt unter der Signatur S.m.33.803 zwei Blätter Harmonielehrestudien von Anton Bruckner. Dieser Bogen wurde ihr von der Handschriftensammlung im März 1968 zugewiesen; er stammt aus der Autographensammlung Miller-Aichholz, deren umfangreiche Bestände sich in der genannten Sammlung befinden. Eingehende Untersuchungen dieser vier Seiten haben Ergebnisse gezeitigt, die geeignet sind, einiges über die Unterrichtsmethode Sechters auszusagen.

Die von Bruckner selbst besorgte Seitenzählung 7 bis 10 weist darauf hin, daß es sich um einen Teil aus etwas Größerem handeln müsse. Diese ganz einfach anzustellende Vermutung wurde durch einen anderen in der Musiksammlung vorhandenen Bogen mit Harmonielehreübungen Bruckners verstärkt. Die Signatur S.m. 2124, erworben im Juli 1924, enthält nämlich die Seiten 15 bis 18 von Übungen ähnlicher Art[1]. Die Ansicht, daß diese beiden Bogen zu einer größeren Einheit gehören, wurde vom Verfasser schon unmittelbar nach der Kenntnisnahme von S.m. 33.803 ausgesprochen[1a]. Die Richtigkeit dieser Vermutungen bestätigte die Musikhandschrift MH 4124/c der Wiener Stadtbibliothek[2]. Sie ist ein Faszikel von 25 Blättern gleichen Querformates und gleicher Schrift, in dem die beiden in der Österreichischen Nationalbibliothek vorhandenen Bogen fehlen und auch, wie ein Augenschein ergab, genau hineinpassen.

Aus diesen einzelnen Teilen ergibt sich folgende Reihenfolge:
S. 1—4: fehlen in MH 4124/c
S. 5 und 6 in MH 4124/c vorhanden
S. 7—10 in S. m. 33.803 der Österreichischen Nationalbibliothek
S. 11—14 in MH 4124/c
S. 15—18 in S. m. 2124 der Österreichischen Nationalbibliothek
S. 19—28 in MH 4124/c
S. 29—34 fehlen
S. 35—63 in MH 4124/c

Hier begegnet man wieder einmal der traurigen Tatsache, daß Zusammengehöriges zerrissen und in einzelne Stücke zerstreut wird. Dieser Band von Bruckner-Studien ist durch die Umstände wenigstens in zwei Bibliotheken am gleichen Ort bis auf einige noch fehlende Blätter wieder zusammengekommen. Daß zu Beginn etwas fehlt, ist sicher, ob auch am Ende noch weitere Bogen vorhanden waren, das läßt sich nicht mit Sicherheit behaupten.

Zur vollständigen Beschreibung des Fragmentes muß noch hinzugefügt werden, daß vor Seite 35 sich ein nicht gezähltes Blatt befindet, das mit dem Blatt, auf dem die Seite 37 steht, einen Bogen bildet. Das Gleiche geschieht ein zweitesmal vor Seite 24; dieses Blatt gehört mit dem der Seiten 62 und 63 zu einem Bogen zusammen und bringt die sehr erwünschte Angabe, wann diese Studien entstanden sind. Auf der ersten ungezählten Seite steht am oberen Rand mit Bleistift von Bruckners Hand: „3. Juli [1]858. Conservatorium." Die darunter befindlichen Übungsbeispiele wurden also nicht in der Wohnung Sechters geschrieben, in der der Unterricht für gewöhnlich stattfand, sondern im Gebäude der Gesellschaft der Musikfreunde. Diese befand sich damals im eigenen Hause, Tuchlauben Nr. 558. Bruckner schreibt über diesen Unterricht aus der Erinnerung am 9. Mai 1884 an Anton Vergeiner in Freistadt: „Habe in Linz täglich 7 Stunden studiert und so viele Klavierstunden gegeben, und reiste jährlich 1 oder 2 mal nach Wien auf 6—7 Wochen, wo ich den ganzen Tag über beim Professor zubrachte[3]". Sechter wohnte damals in der Mariahilfer Hauptstraße Nr. 13; das Haus befand sich genau

Harmonielehrestudien Anton Bruckners für Simon Sechter. (Bl. 7r der Handschrift S. m. 33.803 der Österreichischen Nationalbibliothek).

gegenüber der einmündenden „Großen Stiftgasse" (heute Stiftgasse), an deren Ecke die Stiftskirche steht. Wir können aus den Worten Bruckners und der Notiz in der Handschrift MH 4121/c annehmen, daß er Sechter wohl auch auf dessen Weg ins Konservatorium begleitet und dabei so manche mündliche Unterweisung „in musicis" empfangen haben wird. Es muß eine patriarchalische Art des Theorieunterrichtes gewesen sein, wozu noch der Respekt Bruckners vor Sechter, dem ersten k. k. Hoforganisten und Professor für Generalbaß, Harmonie- und Compositionslehre am Konservatorium[4] kam, dessen Äußerungen und Belehrungen er stets mit vollster Hingabe entgegengenommen hat.

Das Datum bezeugt weiterhin, daß diese Blätter beim ersten Studienaufenthalt Bruckners in Wien entstanden sind. Bischof Franz Josef Rudigier war seinem Domorganisten sehr gewogen und gewährte ihm bereitwilligst Urlaub. Solche Aufenthalte fanden bis 1861 statt. Bruckner hatte sich in seinem unermüdlichen Fleiß die ganze Lehre Sechters zu eigen gemacht; wie sein noch erhaltenes Exemplar von Sechters dreibändigem Werk: „Die Grundsätze der musikalischen Komposition", Leipzig 1853—1854, beweist, nicht ohne kritische Anteilnahme. Es gibt Seiten in diesen Bänden, die mit Anmerkungen Bruckners geradezu übersät sind.

Die Verbindung Bruckners mit Sechter war durch eine Anregung des Prälaten von St. Florian Friedrich Theophil Mayr zustande gekommen, für dessen Amtsantritt Bruckner 1854 die Missa solemnis in b-Moll komponiert hatte; sie ist auch diesem Prälaten gewidmet. Bruckner stattete im Juli 1855 Sechter in Wien seinen ersten Besuch ab, wies diese Messe vor und wurde sofort von dem ob seiner Strenge und seiner Kenntnisse weithin berühmten Professor als Schüler angenommen; Sechter hatte Bruckners ungewöhnliche Begabung sofort erkannt. Der Unterricht fand vorerst auf schriftlichem Wege statt, wofür ein Brief Bruckners an seinen in Wien weilenden Freund Rudolf Weinwurm vom 1. September 1857 Zeuge ist[5]. Im Sommer 1858 reiste Bruckner dann zum ersten Male auf einen Monat nach Wien; das persönliche Beisammensein hatte sich als unumgänglich notwendig erwiesen.

Von den Übungen dieses ersten Aufenthaltes zeugen die Blätter der drei am Beginn genannten Handschriften. Sie gewähren durch ihr Aussehen, Noten- wie Wortschrift, einen aufschlußreichen Einblick in die Art, wie der Unterricht stattfand. Es wird immer ganz allgemein gesagt, Bruckner habe mit ungeheurem Fleiß bei Sechter studiert, aber nie, wie das im einzelnen vor sich ging. Die rein historisch erfaßte Tatsache dieses Unterrichtes ist zu wenig, man möchte gerne wissen, wie Bruckner von Sechter, von ihm selbst, die „Grundsätze der musikalischen Komposition" vorgetragen bekam. Und dies noch dazu in einem Privatunterricht, zu zweit, nicht nur stunden-, sondern tagelang.

Eine erste Antwort auf diese Frage liegt in der Feststellung, daß die Noten von S. m. 33.803 nur zum geringsten Teil von Bruckner geschrieben sind, sondern von Sechter stammen. Er hat im Unterricht immer zwischen zwei Doppelstrichen stehende Beispiele vorgeschrieben, und Bruckner mußte sie fertigschreiben (Faksimile auf S. 117). Viele Beispiele hat Sechter zur Gänze geschrieben und dazu ganz sicher mündliche Erklärungen gegeben. S. m. 33.803 enthält insgesamt 83 Beispiele, von denen Sechter 28 vollständig geschrieben hat.

An den übrigen Beispielen bemerkt man folgenden Vorgang, der am 1. Beispiel von Seite 7 erklärt werden möge.

Sechter schreibt Akkolade und Schlüssel, die Akkorde der ersten drei Takte und die Notenköpfe der Fundamente. Bruckners Aufgabe war es, in die folgenden fünf Takte die entsprechenden Noten in beiden Systemen einzufügen; diese Noten sind von ihm geschrieben und zeigen gegenüber denen Sechters deutlich erkennbare Unterschiede. Sechter schreibt die Noten sehr oval und gleichmäßig dick im Strich, obwohl er sie, so wie Bruckner, aus einer oberen und einer unteren Hälfte zusammensetzt. Während man jedoch an Bruckners Noten diese Zusammensetzung deutlich sieht, verschmilzt sie bei Sechters Noten oft, so daß man annehmen könnte, die runden Noten seien in einem einzigen Zug geschrieben worden. Bei Bruckner werden die beiden Hälften der hohlen Noten deutlicher sichtbar: er schließt sie nicht, und so entstehen kleine Zwischenräume. Man vergleiche die beiden d^1 im 4. und 6. Takt des 1. Beispieles, oder das g im unteren System des 7. Taktes. Überdies ist seine Feder weniger breit als die Sechters, die Züge geraten daher etwas feiner. Einen weiteren Unterschied verursacht der Druck seiner Hand beim Schreiben: die Linien bleiben nicht wie bei Sechter gleichmäßig, son-

118

dern sind am Anfang und am Ende schmäler, sehen geschwungen aus. Das ist an vielen seiner Noten klar ersichtlich.

Daß die vorgezeichneten Schlüssel verschieden sind, ist wohl selbstverständlich. Ihre Gegenüberstellung läßt die Unterschiede augenfällig werden; sie waren es auch, die zu allererst darauf aufmerksam machten, daß man es nicht mit einem Autograph zu tun habe, das ausschließlich und allein von Bruckner stammt.

Die Schlüssel stammen aus Handschrift S. m. 2124, in der die beiden Seiten 15 und 18 ganz und die letzten 1 1/2 Zeilen der Seite 17 von Bruckner geschrieben sind.

Dieser Umstand bezeugt, daß Sechter seine Unterrichtsmethode gelegentlich so abänderte, daß er den Schüler ganze Beispiele schreiben ließ. Das ging aber nicht ohne seine Mitwirkung ab, wie Seite 18 von S. m. 2124 beweist:

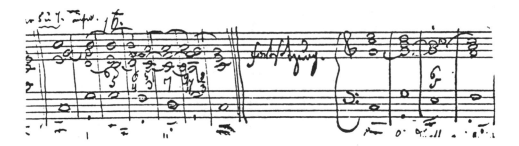

Bruckner löste darauf Aufgaben mit dem Quintsextakkord und gelangte auf dem dritten Doppelsystem, 5. und 6. Zeile, anscheinend zum letzten Beispiel. Neben seinem abschließenden Doppelstrich steht ein deutlich von einer anderen Hand gezogener dritter Strich. Es ist Sechter, der noch einmal „abschließt", aber gleichzeitig daneben das Wort „Fortsetzung" hinschreibt und diese Fortsetzung auch gleich mit seiner ihm eigenen Akkolade, seinen Schlüsseln und vier Takten Akkorde beginnt. Bruckner führt das Beispiel mit zwei Takten zu Ende und schreibt auf dieser Seite weiter, die so, mit Ausnahme der Sechterschen „Einsprengung", ganz von Bruckners Hand stammt.

Andere Merkmale zur Unterscheidung liefert die Generalbaßbezifferung. Die Zahlen Sechters sind klobig, haben die gleichen kräftigen Striche wie seine Noten, während die Bruckners dagegen feinere und auch schwungvollere Züge aufweisen. Einige Gegenüberstellungen aus S. m. 33.308 sollen dies anschaulich machen.

Die Ziffer 2: Bei Sechter Seite 7, über Zeile 6, Takt 15, und von Bruckner, 2 Takte weiter:

Ähnliche Unterschiede sieht man über Zeile 12, Takt 10 (Sechter) und Takt 17 (Bruckner).
Die Ziffer 5, vor allem in der Verbindung $^6_5$:
Bei Sechter hat sie am oberen Hals immer den Strich nach rechts, Seite 7, Zeile 8, Takt 5 und 6:

Bruckner macht diesen Strich nie, sondern verschleift ihn in einer schwungvollen Kurve mit dem darüberstehenden Sechser; ibid. Zeile 24, Takt 12:

Vgl. dazu auch das Faksimile Seite 117 und die Abbildung am Kopf dieser Seite.
Die Ziffer 7 zeigt besonders deutlich den Unterschied der beiden Hände. Sechter schreibt sie mit sehr gerader Oberlinie und ohne den Querstrich am Schaft, Bruckner dagegen läßt wohl auch den Querstrich durch den Schaft weg, krümmt aber sehr ausgiebig die Oberlinie. Ein Beispiel auf Seite 10, Zeile 12, Takt 11—14 erweist deutlich den Unterschied:

Die enge Zusammenarbeit von Lehrer und Schüler zeigt sich aber ganz besonders in den Bezeichnungen der Abschnitte und in den überaus aufschlußreichen Rand- und Zwischenbemerkungen. Sechter schreibt die einzelnen Abschnitte, die verschiedenen Akkord-Arten an: Seite 7 „Auflösungen der $\frac{6}{4}$ accorde". Die vorangehenden Beispiele gehören zur „Vorbereitung der 2-accorde", die auf Seite 6 von MH 4124/c stehen. An 71 Beispielen werden die verschiedensten Möglichkeiten erprobt. Danach folgen, Seite 10, „Auflösungen der Septaccorde". Ihre Fortsetzung finden sie auf Seite 12 von MH 4124/c mit Akkord Nr. 12.

Diese über den betreffenden Takten stehende Numerierung der Akkorde bezeugt die Genauigkeit von Sechters Unterrichtsmethode. Wenn er eine bestimmte Akkordgattung in fortlaufend aneinandergereihten Beispielen behandelt, dann wird das Vorkommen des gerade in Untersuchung stehenden Akkordes aufeinanderfolgend numeriert. So zeigen in genau gleicher Weise die auf Seite 7 beginnenden Quartsextakkorde die Numerierung 1—12. Sie setzt sich auf der folgenden Seite mit 13, 14, 15 fort bis zu einem dreifachen Strich und beginnt dann wieder in einem neuen Abschnitt dieser Materie mit 1. Hier geht es bis 11 bis zum nächsten dreifachen Strich, um sich dann in gleicher Weise weiter fortzusetzen, bis die Septakkorde beginnen.

Durch diese genaue Bezeichnung sind Sechter und sein Schüler Bruckner instand gesetzt, jede einzelne Möglichkeit festzuhalten und jede Frage wie Antwort auf eine ganz bestimmte Akkordfolge beziehen zu können. Es geht ja immer nicht nur um den Akkord an sich, sondern um seine Verbindung zum nachfolgenden. Wie das im einzelnen gemeint ist, zeigen die auf dem rechten Rand von Seite 7 stehenden, von Bruckner geschriebenen Notizen; sie beziehen sich auf die Auflösungen der Quartsextakkorde der 5. Stufe.

Man liest: „$\frac{6}{4}$ der 5. Stufe/1. in [den]^6 Dreikl[ang]/2.-Sextakk.[ord]/3. Septakk.[ord]/4. $\frac{6}{4}$ akk.[ord] der Unterdo-/minant[e]/5. in Dreikl[ang] der/Do-/min:[ante] — [der Zusatz „der Dominante" gilt für 5., 6. und 7.] — / $\frac{6}{5}$. Sek.[und] akk.[ord]/7. Septakk.[ord]/8. in Dreikl[ang der] 6. St.[ufe]/9. Septakk[ord der] 6. St.[ufe]/10. Sekundakk[ord der] 6. St.[ufe]/11. in Sextakk[ord der] 5. St.[ufe]/12. Sextakk[ord der] 4. St.[ufe]/13. $\frac{6}{4}$ Akk[ord der] 4. St.[ufe]." Alle 13 Vorkommen sind solcherart genau bezeichnet und konnten bei Erläuterungen sofort und eindeutig gefunden werden.

Bruckners Randbemerkungen enthüllen den von Akkord zu Akkord fortschreitenden Lehrgang Sechters und lassen uns einen Einblick gewinnen in die Art und Weise dieses Theorieunterrichtes.

Bruckner hat selbstverständlich auch Fragen gestellt. Sie haben gleichfalls schriftlichen Niederschlag in diesen Seiten gefunden. Dieser „fragende" Bruckner wird durch eine Bemerkung am linken Rand der selben Seite 7, neben dem 4. Doppelsystem sichtbar: „könnte gleich e sein?" will er wissen und bezieht sich damit auf den 6. Takt in dieser Zeile und dessen zwei halbe Noten. Sechter schreibt darüber: „Vorhalt", erklärt damit die Tonfolge, sagt aber nicht, ob da, nach seinem Dafürhalten, gleich das e einsetzen könnte (was ohneweiters möglich wäre), uns so die Gewißheit gebend, daß er hier Bruckner sicherlich mündlich darüber unterrichtet haben wird.

So böte das Studium dieser und aller übrigen Seiten mit den Doppelschriften von Sechter und Bruckner eine ungemein große Fülle von Einzelheiten, aus denen man Hinweise bekäme, wie Sechter den damals schon 40jährigen Bruckner unterrichtete. Daß er diese Methode nicht nur bei Bruckner, sondern auch bei anderen seiner Schüler angewendet hat, beweist die Handschrift S.m.27.652 der Musiksammlung der Österreichischen Nationalbibliothek. Sie enthält einen ganz gleich abgefaßten, aber kürzeren Lehrgang vom Generalbaß bis zum doppelten Kontrapunkt, bei dem ebenfalls der hier allerdings bis jetzt unbekannt gebliebene Schüler die von Sechters Hand begonnenen Beispiele beendet. Der Unbekannte hat auch die Bogennumerierung und einzelne Beispiele in die meist frei gebliebenen Zeilen am unteren Rand geschrieben.

Spätere Dokumente dieser Art zeigen dann Bruckner als alleinigen Schreiber, aber eben darum sind die hier beschriebenen Blätter von so entscheidender Bedeutung für die Erkenntnis von Bruckners Werdegang, weil sie in unmißverständlicher und deutlicher Weise das Zusammensein von Lehrer und Schüler, von überragendem, die Gesetze seiner Kunst vollkommen „wissenden" Musik-Gelehrten und dem Genie beweisen, einem Genie, das Demut und Ausdauer besaß, sich auf eine gemessene Zeit der Theorie zu unterwerfen, obwohl es bereits sein „Können" durch eine große Messe und andere Werke unter Beweis gestellt hatte. Daß diese „Unterwerfung" nicht zu seinem Schaden war, das hat das Lebenswerk Bruckners zur Genüge bewiesen.

1 Einen Bericht über diese vier Seiten mit Faksimilierung einzelner Zeilen gab Elsa Bienenfeld im Neuen Wiener Journal Nr. 11.813 vom 10. Oktober 1926 S. 9 und 10 unter dem Titel: *Anton Bruckner bei Simon Sechter. Die Studienhefte des achtunddreißigjährigen Schülers. Erste Veröffentlichung.*
1a Palatina-Nachrichten 6 (1968) Nr. 2/Juli — August. Wien, Österreichische Nationalbibliothek.
2 Die Nachforschungen erstreckten sich auch auf die Bibliothek der Gesellschaft der Musikfreunde und auf das Archiv des Wiener Blindenerziehungsinstituts, Wien 2, Wittelsbachstraße 5. Die Bibliothek der Gesellschaft der Musikfreunde besitzt zwar Autographe von Bruckner und sehr viele von Sechter, von Sechter auch solche theoretischen Inhaltes, aber kein Doppelautograph Sechter — Bruckner. Am Blindenerziehungsinstitut, das sich Anfang des 19. Jahrhunderts in der Josefstadt (jetzt 8. Wiener Gemeindebezirk) befand, war Sechter von 1810 bis 1825 Lehrer für Musik. Unter den zahlreichen musealen Objekten dieser Anstalt zur Geschichte und Entwicklung des damals für Europa vorbildlichen Unterrichtswesens für Blinde befinden sich bei den Noten auch Kompositionen Sechters, autograph und abschriftlich, die er für seine blinden Schüler komponiert hat, aber keine musiktheoretischen Autographen. Die Untersuchungen mußten auf den Umkreis Österreichische Nationalbibliothek, Gesellschaft der Musikfreunde und Stadtbibliothek beschränkt bleiben.
3 Anton Bruckner, *Gesammelte Briefe, Neue Folge,* hrsg. von Max Auer, Regensburg 1924. Nr. 131, S. 161.
4 Adolph Lehmann [Hrsg.], *Allgemeines Adreß-Buch...,* Wien 1861, S. 293b. Damit gleichlautend auch im *Hof- u. Staatshandbuch des Kaiserthums Österreich für das Jahr 1856,* Bd. 1, S. 13.
5 Anton Bruckner, *Gesammelte Briefe. Neue Folge...,* Nr. 6, S. 26: „Sei so gut und gehe auch zum H. Prof. Sechter. Du bekommst schon Schriften und Aufgaben für mich."
6 Der Artikel „den" ist überall sinngemäß zu ergänzen.

Erschienen in: *Symbolae Historiae Musicae. Festschrift Hellmut Federhofer,* Mainz 1971, S. 252—259.

Von der Größe Anton Bruckners

Zum 75. Todestag des Meisters

Wer am Ende der langen Flucht der „Kaiserzimmer" im Stift St. Florian an die beiden Anton Bruckner gewidmeten Gedenkräume gelangt, der wird, wenn er die mehr als bescheidenen Möbel des Meisters betrachtet, wohl ins Sinnen kommen. Wie „groß" ist seine Musik, wie überwältigend sind die Baulichkeiten des Stiftes, wie einfach sind dagegen diese Zeugen aus der Wohnung Bruckners.

Man wird im ersten Raum an sein Sterben erinnert, das andere Zimmer beherbergt die Reste seiner Wohnungseinrichtung. Dazwischen liegt Bruckners von Gott gewollte Aufgabe: sein Wirken, was er getan und was er der Menschheit hinterlassen hat. Danach beurteilt ihn die Nachwelt, spendet ihm Lob oder Tadel, bezeichnet ihn als einen „großen" Menschen und reiht ihn unter die „Unvergeßlichen" ein. Daß er wie ein „Betrunkener" komponiert habe, das wird heute wohl niemand mehr sagen.

Anton Bruckner gehört in der Tat zu den „großen" Menschen, und wenn jetzt hier an ihn erinnert wird, so soll dies unter ganz eigenen Vorzeichen geschehen, unter Vorzeichen, die man vielleicht gar nicht erwartet, ja, die vielleicht sogar überraschen, die aber dennoch in dieser „Lebenssymphonie" nicht übersehen werden sollten. Sie geben ihr einen ganz eigenen, merkwürdigen Klang, wollen jedoch vorsichtig und behutsam entgegengenommen werden.

Wenn man den Namen Bruckner ausspricht, dann drängt sich dem musikliebenden Menschen sofort die Vorstellung von mächtigen Bläserakkorden, Chorälen, von mitreißenden Steigerungen und Höhepunkten, aber auch von unsäglich eindringlichen Melodien und zarten Streicherklängen auf. Wir ahnen: seine Größe kommt aus Gottes Nähe, aus einem nie erlahmenden Verantwortungsbewußtsein gegenüber dem Allerhöchsten. Seine Musik erfließt bei aller Weltzugewandtheit, die sie in den Scherzo-Sätzen durchaus nicht verleugnet, aus einer Frömmigkeit, die eindringlich und durch sein ganzes Leben vorhanden, den Menschen Bruckner und damit auch seine Musik geprägt hat.

Nun bilden aber die Kompositionen Bruckners, seine Symphonien, Messen, Motetten, seine Kammermusik, nicht den einzigen Lebensinhalt des Meisters. Sie bilden auch nicht einmal die vollständige Offenbarung seines Charakters, denn, wie bei jedem Genie, so läuft auch bei Bruckner mit seiner Kunst sein tägliches Leben, oft in größtem Gegensatz und, wenn schon nicht so, dann sicher in einer ganz anderen „Harmonie" als sein künstlerisches Schaffen. Dort, wo beim schöpferischen Menschen, beim Genie, das „Menschliche" in Erscheinung tritt, dort öffnen sich so manches Mal Klüfte und Risse, die man mit Erstaunen, ja mit Bestürzung wahrnimmt, hat sich doch eigentlich aus dem Werk eine ganz andere Vorstellung herangedrängt.

Bei einer Betrachtung von Bruckners Charakter muß man bedenken, daß sein eigentlicher und erster Beruf nicht der eines Komponisten war. Er selbst dachte gar nicht daran, konnte auch bei den ärmlichen Verhältnissen, unter denen er heranwuchs, gar nicht daran denken, zum „Komponieren" berufen zu sein, wie es jetzt unsere musikalische Jugend tun kann, wenn sie eine Musikhochschule besucht. Bruckner wurde zu allererst Volksschullehrer, oder, wie es im Wortschatz der Jahre um 1840 hieß: „Schulgehülfe an Trivialschulen". Daß er sich dabei schon damals von seiner geliebten Musik nicht zu entfernen brauchte, lag daran, daß dem Lehrer des Vormärz am Anfang des 19. Jahrhunderts das „Musikalisch-Sein" zur unabdingbaren Voraussetzung gemacht wurde, um seinen Beruf überhaupt ausüben zu können. Das wurde in solchem Maße erwartet, daß er diese Kunst nicht nur theoretisch, sondern auch praktisch auf mehreren Instrumenten und im Komponieren kleiner, für die bescheidenen

Kräfte seines Kirchenchores tauglichen Werke beherrschen mußte. Das war für Bruckner ein Glück, so wie auch seine Aufnahme als Sängerknabe in die Barockherrlichkeit des Stiftes Sankt Florian das erste Glück seines Lebens gewesen ist, wie Max Auer mit Recht sagt; sie wurde bestimmend für seinen ganzen Lebensgang. Bruckner hat es mit seinen Lehrerpflichten immer sehr genau genommen. Er hat unter dem „Schuljoch" der vormärzlichen Verhältnisse sicher oft geseufzt, aber er hat mit einem Pflichtbewußtsein sondergleichen sich der Jugend angenommen, ihr Lesen, Schreiben und Rechnen beigebracht, nebst manchem anderen. Das haben Hunderte seiner Berufskollegen auch getan, aber sie hatten daneben nicht die Last des Genies zu tragen, die, eingebettet in Bruckners Inneres, ihn so manches Mal bedrückt haben wird, auch wenn er vielleicht noch nicht recht wußte, was da in ihm „los" war. Man muß es nur einmal versuchen, sich den 18jährigen Bruckner in der kleinen Schulstube von Windhaag vorzustellen, mit 60 bis 80 Kindern in diesem einen Raum, ihnen die Buchstaben oder Zahlen beibringend.

Dieses „enge" Leben war für ihn selbstverständlich. Er hatte es selbst gewählt, als er von Prälat Arneth gefragt wurde, was er denn werden wolle. Da er aber zum Genie berufen war, lag in ihm der Drang zu Höherem. Das beweist schon seine Laufbahn als Lehrer: er besuchte zehn Jahre nach seiner Ausbildung noch als Privatist die Unterrealschule (1850/51), und vier Jahre darauf, 1855, legte er die Prüfung als Hauptschullehrer ab. Ein Jahr vorher war aber bereits die Missa solemnis in b-Moll komponiert worden. Das Genie, der Komponist, kam zum Vorschein, aber Bruckner tat weiter als Lehrer seine Pflicht. In der Bescheidenheit seines Lehrerdaseins offenbarte Bruckner eine Kraft zum Ausharren und zum Weiterstreben, daß man bei einem solchen Ethos von Pflichterfüllung wohl von „Größe" sprechen muß. Es dauerte ja auch nicht lange und der bereits 1850 als Stiftsorganist von St. Florian beschäftigte Volksschullehrer mußte von seiner Schule Abschied nehmen. Er wird als Dom- und Stadtpfarrorganist von Linz ganz von der Musik in Anspruch genommen: der Weg zum Komponisten ist frei, das Genie meldet sich unmißverständlich mit den drei großen Messen, der „Nullten" und der I. Symphonie (1864 bis 1868).

So lag der ruhmversprechende Weg eines Komponisten für Bruckner nun offen? Er war Domorganist, hatte Privatstunden und konnte in seiner freien Zeit komponieren nach Herzenslust. Leider kam es nicht so. Sein Schicksal rief ihn nach Wien, er wurde wieder Lehrer. Jetzt wohl, in seiner ihm eigenen Kunst, der Musik, als Professor für Harmonielehre, Kontrapunkt und Orgel am Wiener Konservatorium, aber er war eben wieder Lehrer mit festgesetzten Tagen und Stunden und Schülern, deren Leistungen er begutachten und korrigieren mußte. Das Genie Bruckners kam vom Lehrerdasein nicht los, es tat aber noch ein Übriges: es hob dieses Lehren aus der Mittelschule des Konservatoriums in die Sphäre der Hochschule, der Universität Wien, als Lektor für Harmonielehre und Kontrapunkt. Wie viele Hindernisse Bruckner bestehen mußte, wie sehr er sich der unversöhnlichen Gegnerschaft Eduard Hanslicks zu erwehren hatte, das muß man aus den erhalten gebliebenen Akten lesen. Bruckner aber blieb Sieger. Er, der seine Erkenntnisse der musikalischen Gesetze als eine „Wissenschaft" ansah, er hat ihr die Aufnahme in das Universitätsstudium erkämpft. Der „Schulgehülfe" von Windhaag unterrichtete fünfunddreißig Jahre danach an der Universität Wien.

Bruckner bleibt ein Lehrender bis nahe an sein Lebensende. Er darf nicht ungehindert schaffen, er muß die besten Tageszeiten opfern für andere. Sicher, es ist ihm daraus begeisterte Zuneigung erflossen, aber gehindert hat ihn dies doch an der Erfüllung seiner ihm ureigenen Aufgabe, dem Komponieren.

Zuerst, bis 1855, ist es ein Aufgehen in der Welt der Kinder. Es wird von seiner Güte, aber auch von seiner Strenge berichtet, und dies schon aus seinen Knabenjahren, wenn er den erkrankten Vater in der Klasse vertreten mußte. Aber auch der Professor für Musiktheorie war ein strenger, doch ebenso stets humorvoller Lehrer, wenn es galt, den Studierenden die Regeln des Kontrapunktes oder der Harmonielehre beizubringen.

Bruckner gehörte zu jenen Komponisten, die die Fähigkeit des Unterrichtens besaßen. Darin, aber mehr noch in dem Verzicht, diese Stunden für sein eigenes Schaffen verwenden zu können, liegt eine Größe, die Bruckner mit so manchem anderen Meister der Tonkunst gemeinsam hat. Andere wieder, wie Brahms und Wagner, stehen in dieser Hinsicht im Gegensatz zu ihm.

Aus seiner im Vormärz liegenden Jugend hatte Bruckner eine Bescheidenheit in seine Lebensführung mitgebracht, die ihn im Verein mit Eigentümlichkeiten in Kleidung und Lebensweise als einen Sonderling erscheinen ließ. Der Intellektualismus der Gründerjahre an der Jahrhundertwende wollte es nicht wahrhaben, daß ein Künstler, man denke nur an Liszt, Rubinstein, Wagner u. a., so ohne jede „Aufmachung" durchs Leben gehen könne. Dazu kam noch seine Unbeholfenheit und Naivität Frauen gegenüber, wo er doch so leicht „entflammt" sein konnte, wenn ihm ein hübsches Mädchen begegnete. Er hatte beim anderen Geschlecht keine Erfolge aufzuweisen, so wie ihm ja auch seine Musik die längste Zeit seines Lebens keine Ruhmeskränze bescherte. Von den Messen vor 1870 und der I. Symphonie abgesehen, blieb Bruckner, verhöhnt, unverstanden von der zeitgenössischen Kritik, in Wien und in der Welt ein Unerkannter. Erst dem 60jährigen Meister beginnt sich mit der Aufführung der Siebenten in München unter Hermann Levi, 10. März 1885, der Horizont zu öffnen. Mühsam beginnen die allerdings manchmal mehr, manchmal weniger stark veränderten Symphonien sich Gehör zu schaffen. Bruckner mußte es hinnehmen, daß seine Musik anders erklang, als er selbst es gewollt hatte. Darin darf man keine Schuld Löwes und der beiden Schalk sehen, solches Vorgehen war Dirigentenbrauch der Zeit — sie haben damit unter großen Opfern ihrem von ihnen glühend verehrten Meister überhaupt den Eingang in die Musikwelt des ausgehenden 19. Jahrhunderts erkämpft. Fast könnte man jedoch sagen: „Bruckner mußte sich selbst verleugnen und sein Kreuz auf sich nehmen." In dieser Entsagung, ob sie nun freiwillig oder unfreiwillig geübt wurde, liegt eine Art von Größe, die sich eindrucksvoll neben die Entsagungen des Volksschullehrers, neben die Bruckner anhaftenden „Eigentümlichkeiten" seiner Lebensführung stellt.

Wie immer man nun Bruckners Erscheinung gegenübertritt, man wird, wenn man die Kluft der Gegensätze betrachtet, ein drückendes Gefühl nicht los, wie denn das überhaupt sein konnte: das Te Deum, die Motetten, die VII. oder VIII., die IX. Symphonie — und daneben die Enge seines täglichen Lebens. Daß er diesen Gegensatz getragen und ertragen hat, das läßt ihn für uns zu einer „Größe" werden, die keineswegs an äußerlichen Einzelheiten sichtbar wird, sondern ganz in den unsichtbaren Tiefen des Geistes liegt. Das war und ist ein Geist, der nicht nur von tiefem Verständnis aller Innerlichkeiten seiner Kunst, nämlich den Gesetzen der Musik, gezeichnet wird, sondern auch durch eine Hinwendung zur Ewigkeit, die allein jenen Seelen beschieden ist, die ihrer Heiligung nachstreben: Anton Bruckner gehörte auch zu ihnen.

Erschienen in: *Singende Kirche* 19, Wien 1971—1972, S. 5—7.

Der Begriff der „Weite" in Anton Bruckners Musik

Als einer der bemerkenswertesten Züge in Anton Bruckners Tonsprache hat man seit jeher ihre Hinneigung zu großen und weiten Gebilden festgestellt. Sowohl auf melodischem Gebiet wie auf dem der Akkorde und der harmonischen Fortschreitungen, nicht minder aber auch in der zeitlichen Ausdehnung, in der Größe, in der Form hat man Dimensionen hinnehmen müssen, die schlechthin ungewöhnlich sind[1]. Darin ist einer der Gründe zu suchen, warum Bruckners Musik so lange brauchte, um sich „durchzusetzen", ja, um überhaupt, vor allem in anderen Ländern außer Österreich und Deutschland, bekannt und erkannt zu werden.

Es läßt sich aus dem Bruckner-Schrifttum mehr als einmal belegen, daß man diese „Großräumigkeit" mit dem Stift St. Florian in Zusammenhang bringt, mit den Eindrücken, die der 13jährige Sängerknabe von dieser alten oberösterreichischen Kulturstätte empfing[2]. Es handelt sich bei Bruckner aber nicht nur um Eindrücke, die mit der steigenden Anzahl der Lebensjahre wieder verblaßten oder sich wandelten, sondern um eine dauernde Beeinflussung, die das musikalische Genie Bruckners in Töne umsetzte. So kann man mit Recht sagen, St. Florian hat Bruckner „geformt", es wurde ihm zur zweiten, zur geistigen und künstlerischen Heimat. Das ist schon mehrmals ausgeführt worden und daher nicht mehr neu, aber man kann es nicht oft genug betonen, und gerade als Jubiläumsgabe mag es dem Stifte St. Florian willkommen sein, daran erinnert zu werden. Die „Räumlichkeit" seiner Mauern, aber auch der in ihnen herrschende Geist der Regel des hl. Augustinus haben es bewirkt, daß sie im Lebenswerk Anton Bruckners, eines der größten Komponisten aller Zeiten — sagen wir es hier und wiederholt zu bedeutsamer Kennzeichnung — „hörbar" geworden sind. Das braucht nun nicht nur in einfachen Sätzen so schlechthin dargelegt werden, sondern kann an Beispielen aus Bruckners Kompositionen seine Bestätigung erhalten.

Dazu sind noch einige Worte zu dem im Titel verwendeten Begriff „Weite" notwendig. Wenn man dafür „Größe" einsetzt, dann trifft man nicht die Absicht dieser Studie, denn unter „Größe" können auch Erscheinungen des menschlichen Lebens gemeint sein, die an sich gar nicht „groß" sind, können auch ethische und charakterologische Bezogenheiten gemeint sein, die mit physischen, sicht- oder wägbaren Ausdehnungen nichts zu tun haben. Es geht dieser Studie darum, die „Dimension" nachzuweisen, soweit man zwischen Architektur und Musik überhaupt von einer solchen Wechselwirkung sprechen kann. Daß man es sehr wohl kann, das mögen die folgenden Untersuchungen beweisen.

Unter „Weite" will hier nun tatsächlich jene Erscheinungsweise verstanden sein, mit der der Mensch etwas bezeichnet, das nicht „eng" ist, sondern, im Gegenteil, an sich eine entsprechend große räumliche Ausdehnung erkennen läßt. Woraus und warum solche Größe entsteht, das ist eine zweite Frage.

Der 13jährige Anton Bruckner kommt 1837 als Sängerknabe aus der Enge des Schulhauses und der Kirche von Ansfelden in die „weiten" Räumlichkeiten von St. Florian[3]. Wir wollen kurz an einzelnes erinnern: die lichtumfluteten, manchmal von Gewölben eingedüsterten Gänge, den Stiftshof mit dem Brunnen, den Marmorsaal, die große, sich langhinstreckende Westfront, das Sommerrefektorium, die Kirche. Überall große und harmonisch ausgerichtete Maße, die auf den in ihnen verweilenden Sängerknaben den stärksten Empfindungs-Einfluß ausüben mußten. Im besonderen Fall Bruckner, dem musikalischen Genie, dessen Veranlagung zum Komponisten schon in ihm schlummerte, gehörte nicht zuletzt die große Orgel dazu und der Raum, der durch sie wie auch durch die beiden Seitenorgeln vorne beim Hochaltar zum „Klingen" gebracht wurde.

Der Musiker Bruckner ist in solcher Weite des Raumes aufgewachsen: Zunächst in St. Florian, dann in Linz im Alten Dom.

Immer wieder ist er, sein ganzes Leben hindurch, in gleichgestaltete Räume zurückgekehrt: nach St. Florian selbst, aber auch Kremsmünster, Klosterneuburg boten ihm solche „Klangentfaltungen". Als Orgelvirtuose hat Bruckner die Notre Dame zu Paris, die Albert Hall und den Kristall-Palast zu London, seit 1872 auch den Großen Musikvereinssaal zu Wien mit den Klängen seiner Improvisationen erfüllt. Da war übrigens Bruckner schon Symphoniker, der sich seine eigene Orchestersprache geschaffen hatte, in der dieses Primär-Erlebnis von St. Florian weiterwirkte.

Dieses „Weiterwirken" ist aber nur so zu verstehen, daß in Bruckner selbst die Disposition vorhanden war, in solcher „Weite" zu empfinden und sie im eigenen musikalischen Schöpfungsakt lebendig werden zu lassen. Er vermochte es, so „weiträumliche" Musik zu schreiben, bei deren Anhören man unwillkürlich an den Marmorsaal oder die Stiftskirche von St. Florian denkt. Bruckner war in großen Räumen „zu Hause".

Als wohl berühmtestes Beispiel dafür muß das Hauptthema vom 1. Satz der VII. Symphonie gelten.

Es ist nicht nur eines der längsten Themen der Symphonie-Literatur, eine Periode von 22 Takten (mit zwei einleitenden Tremolotakten der Geigen), sondern auch eines der umfangreichsten: seine Intervall-Ausdehnung beträgt zwei Oktaven. Beide Dimensionen rufen im Hörer die Assoziation von „Weite" nach jeder Richtung hervor. Die nachfolgende Wiederholung im ganzen Orchester (Takt 25—40) steigert diesen Eindruck; das Takt 34 einsetzende Blech könnte man fast als eine „Untermauerung" auffassen (was sie klanglich ja auch ist), die die weitgespannten Gewölbebogen der Melodietakte 12—16 (Takt 34—38) trägt.

Wie tief die „Weite" dieser beiden Oktaven eigentlich aufzufassen ist, das hat uns Bruckner selbst in den letzten Takten des Adagios seiner IX. Symphonie hinterlassen. Umgeschrieben auf die Notierungsweise der VII. Symphonie lautet dieses „letzte" Motiv aus Bruckners Leben:

Die melodischen Veränderungen, die dabei mit diesem Motiv vorgehen, sind bezeichnend für den „abschließenden" Willen des Meisters; wir lesen den 30. November 1894 im Autograph. Die den E-Dur-Dreiklang eigentlich konstituierende Terz „gis" bleibt aus, nur mehr die „Ur"-Intervalle von Quart und Quint ertönen. Sie genügen, um diese Notenfolge als Motiv der Siebenten zu erkennen. Mehr noch als diese aller menschlichen Regungen entbehrenden Tonfolge, es fehlt ja die Terz, sagt aber der hier lang ausgehaltene, höchste Ton „h". Die Höhe des Lebens ist erreicht, die Gewölbe öffnen sich, abschließend und beginnend zugleich: Sinnbild dafür, daß das irdische in das ewige Leben hinübergeht.

127

Hier erst wird man der großen, schicksalsbetonten Weite inne, die in diesem Ton schlummert, wenn er am Anfang der VII. Symphonie erklingt. Er hat als Melodieton nicht nur eine Längenausdehnung weiterzuführen, sondern er ist selbst, als höchste Intervallgrenze des Motivs „Raum"-Begrenzung, er symbolisiert nicht nur „Weite", er ist sie auch tatsächlich und erwirkt damit beim Hören die Vorstellung von weitdimensioniertem Raum.

Dieses Raumbewußtsein bemerkt man im Schaffen Bruckners zuerst im siebenstimmigen Ave Maria von 1861. Die dreimalige, steigernde Anrufung des Namens „Jesus" ist ohne solche klingende „Weite" nicht zu denken[4]. An sich wäre ein dreimaliger A-Dur-Akkord nicht erwähnenswert, auch bedarf es wohl dazu keines besonderen Einfalles. Bei Bruckners Musik ist das aber etwas ganz anderes: Stil und Durchführung in dieser Komposition, in der man zum erstenmal den „Genius" spürt[5] — drei Jahre später sollte ja die d-Moll-Messe folgen — sind von solcher Eindringlichkeit, daß gerade in diesem auch auf dem Partiturblatt in den Notenlinien sichtbaren Aufeinandertürmen eben der Raum, die Weite, sichtbar und bei der Aufführung hörbar wird.

Bruckner war innerlich dazu disponiert, Raumerlebnisse, „Weiten", zu empfangen und in seiner Musik wiederzugeben. Gleich seine „Nullte" Symphonie von 1864 ist ein Beweis dafür. Der Beginn des 1. Satzes mit den im Akkord auf- und niedersteigenden in Sechzehntel aufgelösten Achteln, umgrenzt den d-Moll- und g-Moll-Klang, ohne ihm ein Motiv „einzuschreiben". Die Wiederholung ab Takt 17 führt in gleicher Weise nach Es-Dur und c-Moll, und wieder ist kein Motiv zu bemerken. Bruckner beginnt sein symphonisches Schaffen gleich beim ersten dieser Werke in jener Art, die für ihn kennzeichnend und bestimmend bleiben sollte: nicht das Hauptthema erscheint, so wie es ein guter klassischer Brauch war, sondern der räumliche Untergrund. Es tut sich eine „Weite" auf, und in ihr erscheint, nach gebührender Vorbereitung, das Motiv. Diese Vorbereitungsperioden können sehr kurz, mindestens zwei Takte (meist Geigentremolo), aber auch länger sein[6]. In der V. Symphonie wird eine eigene Adagio-Introduction daraus, ähnlich den langsamen Einleitungen der klassischen Symphonien.

Das Vorbild für diesen Vorgang ist der 1. Satz von Beethovens IX. Symphonie. Während bei ihm aber in dieser 16taktigen Einleitung das Hauptthema in kleinen Motiven anklingt, bringt Bruckner in seiner ersten „komponierten" Symphonie überhaupt kein Hauptmotiv. Dieser Umstand veranlaßte Hofkapellmeister Dessoff, als Bruckner ihm die Symphonie in Wien, vermutlich um 1869, vorspielte, zu der erstaunten Frage: „Wo ist denn das Hauptthema?" Darin dürfte auch der Grund zu suchen sein, daß Bruckner die Symphonie beiseite legte und die Partitur mit einer großen Null versah. Dennoch aber ist gerade diese „verworfene" Symphonie der erste Zeuge von Bruckners ureigenstem Stil, von seiner Kraft, sich „in der Weite" bewegen zu können.

Diese Art „Raum-Komposition" ist aber etwas für Bruckner sehr Kennzeichnendes. Sie tritt zuerst in der Coda des Finales der f-Moll-Symphonie von 1863 auf. Als „Schulaufgabe" für seinen Lehrer Otto Kitzler geschrieben und von diesem nicht ganz beifällig beurteilt, hat sie Bruckner nie seinen „Kompositionen" zugezählt, hat die Partitur aber glücklicherweise auch nicht vernichtet. Nach dem „Germanenzug", den er selbst als seine erste „Komposition" bezeichnete[7], schrieb er, vor der d-Moll-Messe, die „Nullte". Und da taucht der Achtel-Gedanke vom Ende des Finales der f-Moll-Symphonie als Beginn wieder auf, um, nachdem auch dieses Werk beiseite gelegt wurde, 1872/73 in der jetzigen III. Symphonie seine neuerliche Auferstehung und endgültige Formulierung zu finden. In seinem Raum liegt aber nun jenes berühmte Trompetenmotiv, das Wagner so gut gefiel, daß er sich diese Symphonie zur Widmung aussuchte. Dieses Motiv ist einer der stolzesten Zeugen für Bruckners Weite in Melodie und Ausdruck.

Des Meisters Vorliebe für die Elementarintervalle der Musik, Oktave, Quint und Quart, ist aus diesem Umfang in geradezu strahlender Reinheit zu erspüren. Es sind die gleichen natürlichen und daher einfachen Elemente wie Säulen, Wölbungen und Bogen, aus denen ein Kirchenschiff, Gänge oder Gemächer entstehen. Am Anfang der IV. Symphonie erfährt dieser Gestaltungswille durch das Hinzutreten von Halbtönen seine romantische Färbung. Die Zugehörigkeit zu den Quint-Quarträumen der Oktave wird hier gleichfalls, wenn auch in anderer Weise, als wesentliche Grundkomponente spürbar.

Das Finale der III. Symphonie bietet in der 3. Fassung von 1889 einen anderen Typus von Weite in seinem Hauptgedanken. An dem Grundton d wird durch Umspielen mit seinem oberen und unteren Halbton eine „Ausweitung" vollzogen, die, wie das Wort schon besagt, eine Weite voraussetzt und sie auch zum Ausdruck bringt durch die nachfolgende absteigende melodische d-Moll-Tonleiter.

Tonleitern als Ausdruck von „Weite" werden unten noch beim Te Deum anzuführen sein.

Auch für den Nicht-Musiker sofort erkennbar wird dieser Ausdruck der Weite an jenen Themen, die, wie das von der VII. Symphonie, einen großen Intervallumfang aufweisen. Daher gehören noch folgende Hauptthemen: IV. Symphonie, Finale (sowohl in der Originalgestalt Takt 43—49 wie in der Umkehrung Takt 351—357); VIII. Symphonie, Finale (Hauptthema), IX. Symphonie (Takt 63—75), das Adagio-Thema und das Hauptthema aus dem nur in Skizzen vorhandenen Finale der IX. Symphonie.

Liegt die Wahrnehmungsmöglichkeit der „Weite" in diesen Themen vor allem in der Vertikalen, so kann man anderseits solche Weite auch in der Horizontalen feststellen, da ist sie dann, wie es nicht anders sein kann, mit dem melodischen Element untrennbar verbunden, wie im Hauptthema der Siebenten.

Die Trio-Melodie aus dem Scherzo der III. Symphonie zeigt, was damit gemeint ist:

Die Bezeichnung „weitgespannt" trifft hier zu: in der Anzahl der 16 Takte, in der Melodie, die nacheinander in wohlgeschwungenen Bogen Sext, Quint und Oktave aufweist und in den „ausschwingenden" Skalengängen, die alles Mitfühlen hin- und hinüberreißen in „weite"

Räume. Mitbestimmend für die „Weite" ist hier auch die Harmonik, die in überraschender und plötzlicher Aufeinanderfolge in das der Melodie zugrundeliegende B-Dur die seltsamsten Akkorde mischt. In diesem Beispiel ist der Eindruck der „Weite" stark vom Melodischen her verursacht, einer Kraft, die Bruckner in ausnehmendem und starkem Maße zu Gebot stand. Seine „Choräle" in den Symphonien sind dafür in überaus eindrucksvoller Weise Zeuge. In diesen Fällen ist es dann weniger die Ausdehnung im Vertikalen als vielmehr im Horizontalen, mehr noch aber als alle diese Komponenten der Klang der Hörner, Trompeten und Posaunen. Mit seiner Mächtigkeit verleitet er den Hörer dazu, an eine „Weite" des Gefühls zu denken, zumal der Bläsersatz an sich schon diese Vorstellung hervorruft.

Die Melodie des Andantes der IV. Symphonie zeigt gleichfalls einen Umfang von zwei Oktaven.

Sie erklimmt terrassenförmig ihre Höhe: wie ein Mensch, der einen Berg hinansteigt und oben dann weit über alle Lande sieht. Es ist wieder ein Ausdruck von Weite, von Kraft, der beträchtlich über das gewöhnliche menschliche Maß hinausgeht.

Eines der eindringlichsten Beispiele solcher himmelanstürmender Kraft, des „Gehens in die Weite", steht im Finale der VII. Symphonie. In der Reprise türmt sich das Hauptthema 22 Takte vor dem Seitensatz in geradezu gigantischem Unisono in schwindelnde Höhen. Nach zweimaligem Anlauf bei Buchstabe P, Takt 191—198, setzt es die Bewegung „breit und wuchtig" unter Einbeziehung des Hauptmotivs in Gegenbewegung in den Bässen zehn Takte fort und treibt es dann bei R (Takt 209—212) auf die höchste Spitze, die in dieser Symphonie vorkommt.

Hier ist innerhalb der Instrumentalmusik Bruckners die größte und eindringlichste Wirkung von „Weite" erreicht. Die anschließende Generalpause gehört inhaltsmäßig dazu, denn nur die nachfolgende Stille gibt diesem Anstieg, der bis an eine schon als untragbar scheinende Grenze führt, jene eindringliche „Wucht", die Bruckner erreichen will. An dieser Stelle hat der schöpferische Geist Anton Bruckners, sozusagen als Gleichnis, die hohen Gewölbe der Stiftskirche aufgerissen und ist über sie hinaus in den freien Himmelsraum gelangt, wie dies von der barocken Deckenmalerei bekannt ist. Irdische Dimensionen sind nicht mehr zuständig, der Geist des musikalischen Genies hat sich von ihnen befreit.

Ähnliches geschieht in der Einleitung zum 1. Satz der IX. Symphonie. Nachdem die Hörner mit Terz, Quint und Sekund den Raum, die „Weite", abgetastet, auch angekündigt haben, spaltet sich Takt 19 das d in es und des, und die von der Grundtonart d-Moll weit abliegende Tonart Ces-Dur erweckt im Hörer (und ist es auch in der Tat) eine „Weite" des harmonischen Elementes, die von der über 1 1/2 Oktaven sich erstreckenden Melodie noch stärker sinnfällig gemacht wird. (Siehe Notenbeispiel S. 131).

Die „Tonspaltung" ist ein für Bruckner kennzeichnendes Kompositionsmerkmal. In ihr aber liegt einer der Keime für Bruckners „Weitenbewußtsein". Es ist, wie wenn man in einem großen, wohlgegliederten Bauwerk um eine Ecke geht und plötzlich, als neuen, unerwarteten Anblick in ein weites Gewölbe oder in eine Kuppel hineinsieht. In der Stiftskirche von St. Flo-

rian (wie in jeder derartigen kuppelüberkrönten Barockkirche) kann es einem so gehen; oder etwa beim Eintritt in den Marmorsaal von St. Florian, wo man aus dem kleinen Verbindungsstück vom Prälatengang plötzlich in der lichtumfluteten Weite dieses geräumigen Saales steht. Bruckners Musik ruft oft solche Assoziationen hervor.

Es wäre töricht, anzunehmen, Bruckner hätte die Absicht gehabt, diese Gebäude oder Räume „in Musik zu setzen", sie in seiner Musik auszudrücken, nein, die geistige Spannkraft des Genius Bruckner ist an so erdrückend große Dimensionen gewöhnt, daß sie gar nicht anders kann, als so „weit", man kann auch sagen „weiträumig", zu komponieren. Stift St. Florian ist der Ursprung, der Nährboden dafür. Das Stift war die Welt, in der Bruckner heranwuchs und aus der er erkannte, weil er selbst in sich so „beschaffen" und der Dinge mächtig war, daß man solche Musik schreiben könne und müsse.

Der „Urgrund" der Brucknerschen Musik liegt im kirchlichen Raum und in seiner diesem Raum entgegenkommenden seelischen Disposition, die man „Frömmigkeit" nennt. Wie weit Bruckners Charakter von seiner kirchlichen Umgebung geformt wurde und wie weit es sein eigenes seelisches Vermögen war, das wird sich nie sicher getrennt feststellen lassen. Es ist auch sehr die Frage, ob diese Lösung für die Erkenntnis von Bruckners Musik so unumgänglich wichtig ist. Wichtig ist einzig und allein die gegenseitige Beeinflussung, bei der auf seiten St. Florians eindeutig die „Weite" der Räume bleibt, in die Bruckner als Sängerknabe hinein- und als Genie in seiner Musik „heraus" wuchs.

Hält man sich diese glaubensmäßige Bindung vor Augen, dann wird es nicht wundernehmen, wenn sich der Begriff der „Weite" am eindringlichsten in zweien der kirchlichen Werke Bruckners offenbart: in der e-Moll-Messe und im Te Deum. Es sind jene beiden Meisterwerke, die nicht dem Wiener klassischen Kirchenstil verpflichtet sind wie die diesen weiterführenden Messen in d- und f-Moll, sondern jene Schöpfungen, die ganz eigentlich „Brucknerisch" sind.

Von der e-Moll-Messe muß vor allem das Kyrie und das Sanctus angeführt werden. Ihre reale Achtstimmigkeit, ihre Doppelchörigkeit, ihre Führung der einzelnen Singstimmen erweist sie als „Klangwunder" und als Beweise für den Begriff „Weite", wie man ihn sich besser überhaupt nicht vorstellen kann; auch das Agnus mit seiner Stimmenübersteigerung in den beiden „miserere" und mit seinem fern hinhallenden Schluß gehört dazu. In ihnen hat Bruckner, seiner Zeit — 1866 — weit, weit vorauseilend, Kirchenmusik geschenkt, die heute noch unerreicht ist in ihrer Frömmigkeit und allumfassenden Art, die eben so „weit" ist, daß alle in solchen Momenten auftauchenden Gedanken und Gefühle darin Platz haben. Nichts „Kleinliches" ist mehr an dieser Kunst, obwohl ihr Schöpfer damals nur einfacher Domorganist von Linz gewesen ist.

Im Te Deum begegnet man solchen nicht nur hörbaren, sondern auch augenfälligen „Weiten" auf Schritt und Tritt. So etwa dort, wo Bruckner den Chorsatz in weitem Bogen auseinanderzieht, um Ewiges und Himmlisches anzuzeigen wie Takt 324—329, bei „in saeculum saeculi".

Die gleiche Ewigkeitsvorstellung liegt den beiden Dreiklangszerlegungen im Baß-Solo „usque in aeternum", Takt 295—299, zugrunde:

Die Größe des „Königs der Herrlichkeit" („rex gloriae Christe"), Takt 121—124, symbolisiert gleichfalls ein Akkord in „weiter" Lage; seine Wirkung wird noch dadurch erhöht, daß er einem Einklang entspringt.

In vollkommen gleichem Sinne ist die ebenfalls aus dem Einklang entspringende „weite" Lage des f-Moll-Dreiklanges bei den Worten „Tu ad dexteram Dei sedes", Takt 161—164, zu verstehen: Christus, der Richter über alle Menschen. Auch die beiden in die Weite der Herrlichkeiten Gottes auseinanderstrebenden Akkorde C-Dur und B-Dur in der Forte-Stelle des Sanctus, Takt 55—57, gehören hieher[8]. Sie sind altes, bis auf Palestrina zurückreichendes Komponiergut, man denke an dessen Stabat-Mater-Anfang, und beinhalten ebenfalls aus harmoniegesetzlichen Gründen, die in der Aufeinanderfolge der Tonarten im Quintenzirkel ihre Ursachen haben, die Assoziation der Weite, hier im besonderen eines Eindruckes, den man hat, wenn man von Großem in Größeres gelangt. Fast immer ist dies mit Überraschung verbunden, weil man darauf nicht gefaßt ist.

Die Vorstellung von „Weite" kann aber nicht nur durch die Anwendung von Akkorden in „weiter" Lage erweckt werden, sondern auch durch Tonleitern, die sich über einen großen Intervallraum erstrecken. Bei den Worten „in gloria numerari", Takt 227—235, durchmessen Orchester und Chor einen Tonraum von 3 1/2 Oktaven Weite.

132

(Zum besseren Erkennen sind die beiden Linien von Chor und Orchester im Beispiel auseinandergelegt.)

Nach dem anstürmenden Beginn des „Aeterna fac cum Sanctis tuis" ist der Inhalt der Bitte, den Heiligen „beigezählt" zu werden, mit solcher Intensität behaftet, daß dieses Verlangen von Bruckner ebenso ungestüm und mit solcher Weite und Wucht des Ausdrucks wiedergegeben wird, und zwar in einfachster Weise: durch die absteigende Tonfolge.

Für den Ausdruck „Weite" bietet das Te Deum aber auch über längere Strecken Beispiele. Die vorhin erwähnte Sanctus-Stelle liegt in einer solchen ansteigenden Periode. Sie beginnt im Pianissimo, Takt 45, und führt bis Takt 66 zu dem Worte „terra", um dann in den vier nachfolgenden Takten die Periode abzuschließen. Man braucht nur den Verlauf der Sopran-Stimme zu verfolgen, um aus diesem allmählichen Ansteigen die Gewalt der Empfindungen Bruckners zu erfühlen. Die Steigerung wird unterstützt durch die Harmonik, durch die Dynamik, natürlich aber auch durch die Vermehrung der Stimmenzahl. Ab Takt 60 wird der Chor sechsstimmig, in den beiden Endtakten der Steigerung, Takt 65 und 66, wird er achtstimmig. Der Gang in die „Weite" von Himmel und Erde („pleni sunt coeli et terra") hat damit einen vollkommen gleichgestimmten Ausdruck in Bruckners Musik gefunden. Sollte man hier nicht doch vielleicht an die verschiedenen großen Wölbungen von Torbogen, Prälatengang, Marmorsaal und Kirche in St. Florian denken? Um Mißverständnissen vorzubeugen, sei ausdrücklich betont, daß das Te Deum Bruckners ausschließlich in seiner eigenen geistigen und intuitiven Kraft liegt, die keinerlei Vorbilder notwendig hatte, noch weniger sich gezwungen fühlen mußte, sie in Musik umzusetzen, als eine Art Programm-Raum-Musik. Das wäre der lächerlichsten Gedanken einer, die man in diesem Zusammenhang haben könnte; aber die eingangs betonte Beeinflussung des Sängerknaben durch den Aufenthalt und die musikalische Tätigkeit (das muß besonders betont werden) in diesen stiftlichen Räumen, die hat im Te Deum von 1884 ihre kongenialste musikalische Verherrlichung gefunden. Dies darf man auch dann denken, wenn man, so wie es ja auch Bruckner getan hat, als den eigentlichen Urheber und Widmungsträger Gott selbst annimmt. Hierin liegt kein Unterschied: das Stift dient Gott seit 900 Jahren, und auch Bruckner diente Gott in allen seinen Werken.

Die ganz gleichen Empfindungen, nur noch viel mehr verdichtet, zeigt die letzte Steigerung des Te Deum im „non confundar" von Takt 449 an. Aus der an ihrem Ende „zerbröckelten" Fuge (Takt 448) beginnt der Anstieg über Posaunenakkorde. Die Tonleiter von f ansteigend, in einer für Bruckner sehr charakteristischen Weise[9], hebt die Einwürfe der Chorstimmen immer weiter empor, bis sie, beim C-Dur von Takt 456 angelangt (die Töne g^2 im Sopran und g^1 in der Alt-Posaune), vom Soloquartett, einen Halbton weiter hinaufgeschoben, in As-Dur fortgesetzt werden. Bruckners Steigerungskraft, sein Gang in die „Weite", hat aber hier erst die Mitte erreicht. Von diesem As-Dur weg (Takt 457, as^1 im Solo-Sopran) führen acht Takte in der gleichen stufenweisen, harmonisch unterbauten Manier in das es^2 (Quint von As-Dur) in Takt 464. Eine kleine Terz höher setzt der Chor zur letzten Steigerung ein. Lang ausgedehnt, Takt 465—490, also volle 26 Takte, ist sie durch ihre Halbtonrückungen von besonders starker Eindringlichkeit. Über fis^2, $fisis^2$ (Takt 472), gis^2, a^2 gelangt sie im dreifachen Forte in das b^2 des verminderten Septakkordes cis-e-g-b.

Diese weitgespannte Entwicklung ist wohl das überzeugendste Beispiel für Bruckners Fähigkeit, mit seiner Musik weit hinaus in „Räume" zu führen, die schon nicht mehr als irdische bezeichnet werden können.

Die anschließende C-Dur-Coda mit dem großen bis ins c^3 reichenden Bogen des Soprans ist die Befreiung aus dem verminderten Septakkord, gleichermaßen aber auch die jubelnde Bestätigung, daß der Meister für die Musik seines Te Deums die „Weite" gesucht, aber auch überzeugend gefunden hat.

Man könnte diesen Beispielen noch manche andere anschließen. Solche, an denen schon äußerlich aus den räumlichen Abständen der Noten die Absicht zur Vorstellung von Weite gegeben ist. Andere wieder würden, nicht so rasch sichtbar, aber dafür im Ausdruck ihrer Musik die „weite" Gesinnung zu erkennen und zu fühlen geben. Immer aber werden wir es mit musikalischen „Gestalten" zu tun haben, Motiven, Melodien, bei deren Anhören wir auf keinen Fall „enge Verhältnisse" spüren. Immer wird auf sie zutreffen, daß man sie als „groß", „großartig", „großzügig", als „umfassend", als „weit" empfindet.

In solche „weite" Verhältnisse hat St. Florian den 13jährigen Anton Bruckner aufgenommen, hat ihm Heimstatt und Entwicklung geboten. Was der Knabe bekam, das hat der Meister in seiner Musik der Welt wiedergegeben, und wenn dies auch zuerst und allein eine Gnade Gottes gewesen ist, so war doch St. Florian das Gefäß, aus dem diese Gnade auf Bruckner überfloß, und so hat das 900jährige Stift St. Florian einen gar nicht so kleinen Anteil an Bruckners Musik — und an den wollte diese Studie erinnern.

---

1 Das Anwachsen der Symphonien zeigt sich, rein äußerlich schon, in den Taktzahlen: Die 1773 komponierte Symphonie in C-Dur von Joseph Haydn (Hoboken Verzeichnis I : 50) zählt insgesamt 510 Takte, die ein Jahr vorher entstandene „Abschieds-Symphonie (Hob. Verz. I : 45) weist mit ihren über die Norm reichenden fünf Sätzen 732 Takte auf. Hundert Jahre später hat in der 1. Fassung der III. Symphonie Bruckners der 1. Satz allein 746, der letzte 764 Takte; alle vier Sätze zusammen 2056 Takte, das ist gegenüber der Symphonie Haydns von 1773 das Vierfache! Eine kleine Auswahl bekannter Symphonien möge die Wachstumsverhältnisse vor Augen führen. Zu bemerken ist, daß in den Scherzosätzen dort, wo der Hauptteil nach dem Trio einfach „da capo" verlangt, dieser Teil mitgezählt, also die volle Taktzahl gegeben wird.

1788 — Mozart KV 551, „Jupiter"	983
1791 — Haydn GA 94, „Paukenschlag"	832
1807 — Beethoven V.	1566
1812 — Beethoven VII.	1848
1823 — Beethoven IX.	2203
1828 — Schubert VII.	2624
1842 — Mendelssohn III., „Schottische"	1435
1850 — Schumann III., „Rheinische"	1011
1866 — Bruckner I., Linzer Fassung	1192

1869 — Bruckner „Nullte", 2. Fassung	1270
1873 — Bruckner III., 1. Fassung	2208
1876 — Bruckner V.	2169
1885 — Brahms IV.	1226
1890 — Bruckner VIII., 2. Fassung	1880

2 Einige Auszüge aus dem Schrifttum über Bruckner am Ende dieser Studie (S. 136 ff.) mögen zeigen, wie in den Lebensbeschreibungen der Eintritt Bruckners als Sängerknabe in St. Florian gewertet wird. Man findet darin Bemerkungen über die Gegensätze, die zwischen Ansfelden und St. Florian bestehen, über die „Raumwirkungen" und, ganz wichtig, über die musikalisch-akustischen Einflüsse der großen Orgel in der Stiftskirche.

3 Ein Vergleich der Raummaße zwischen dem Schulhaus in Ansfelden und einigen Räumen im Stift St. Florian läßt die Verschiedenheit der Größenordnungen, die Anton Bruckner 1837 erlebte, anschaulich werden.

Flächenmaße im Schulhaus von Ansfelden:

Geburtsraum: 6,18 × 2,98 m. Wohnraum: 6,18 × 3,96 m. Klassenzimmer: 8,82 × 7,30 m.

In diesem Klassenzimmer wurden zur Zeit von Bruckners Vater, 1823 bis 1837, halbtägig etwa 220 (!) Schüler unterrichtet. (Adalbert *Schwarz,* Der Schüler und Lehrer Anton Bruckner. Erziehung und Unterricht 116 [1966] 439.)

Einige Flächenmaße aus Stift St. Florian:

Musikzimmer: 8,80 × 7,70 m

Es entspricht dem Klassenzimmer von Ansfelden, nur ist es 4,40 m hoch und wirkt dadurch geräumiger.

Marmorsaal: 30,35 × 15,04 m

Er ist etwa fünfmal so lang und breit als der Raum, in dem Bruckner geboren wurde; für das Wohnzimmer gelten mit einer kleinen Abänderung dieselben Verhältnisse.

Innenraum der Stiftskirche: 80 × 14 m mit einer Höhe von 25 m, in der Kuppel 30 m. Das Schulhaus von Ansfelden mit seiner Außenlänge von 23,30 m und einer Breite von 8,50 m könnte man mehrmals in diesem Kirchenraum unterbringen. Der Prospekt der großen Orgel ist höher als das Schulhaus von Ansfelden, da es 1838 noch keinen Stockaufbau hatte.

Der Kaisergang mit seinen 175 m und die Westfront des Stiftes mit 204 m boten dem jungen Bruckner Größenordnungen dar, vor denen alles, was er bisher an Ausdehnungen erfahren hatte, in den Schatten gestellt wurde.

(Für die Größenangaben des Stiftes ist der Verfasser S. Hw. Archivar DDr. Karl Rehberger zu größtem Dank verpflichtet.)

4 Vgl.: Leopold *Nowak,* Der Name „Jesus Christus" in den Kompositionen von Anton Bruckner. (Wissenschaft im Dienste des Glaubens. Festschrift für Abt Dr. Hermann Peichl O.S.B., Wien 1965) 199.

5 Vgl.: Max *Auer,* Anton Bruckner als Kirchenmusiker. (Deutsche Musikbücherei 54, Regensburg 1927) 14 f.

6 August *Halm,* Die Symphonie Anton Bruckners (München 1914) 42: Zum erstenmal bei Bruckner empfinden wir ganz die Heiligkeit des Ursprünglichen; etwas wie Schöpfungsluft glauben wir einzuatmen, wenn wir von den ersten Tönen seiner siebenten, neunten, vierten Symphonie umflossen werden. Wir spüren es: hier beginnt nicht ein Musikstück, sondern die Musik selbst hebt an.

7 Vgl.: Leopold *Nowak,* Anton Bruckner, Musik und Leben (Wien 1964) 36.

8 Man vergleiche dazu das „Et resurrexit" in Beethovens Missa solemnis. Nach einem G-Dur-Akkord erklingen die gleichen Akkordfolgen C-Dur — B-Dur, gefolgt von drei weiteren Akkorden, die nach G-Dur zurückführen. Sie bilden die einzige A-cappella-Stelle in diesem großen Werk, werden also dadurch schon als etwas ganz Besonderes empfunden. Für die Darstellung des Wunders, das sich „weit" über alle menschliche Vorstellung hinaus, gemäß der Hl. Schrift ereignet, greift Beethoven zu dem gleichen harmonischen Mittel wie Bruckner: dem „Auseinanderziehen", dem „Ausweiten" der Harmonik durch Aneinanderfügen der I. und der um einen Halbton erniedrigten VII. Stufe: B-Dur, die Subdominante der Subdominante von C-Dur.

9 Man höre solche harmonisierte Tonleiterfolgen in den Symphonien; etwa: V. Symphonie, 2. Satz, Takt 187 ff.; VII. Symphonie, 2. Satz, Takt 164 ff.; VIII. Symphonie (1890), 3. Satz, Takt 197 ff.

Anhang

Einige Auszüge aus dem Schrifttum über Anton Bruckner
(Siehe S. 135, Anm. 2)

1905

Rudolf *Louis,* Anton Bruckner, 13 f. „So groß man den Einfluß dieser zugleich ehrwürdigen und prunkvollen Umgebung auf den empfänglichen Sinn des heranwachsenden Knaben Bruckner auch anschlagen mag — und ich glaube, daß man allen Grund hat, die Nachwirkung dieser, wenn auch noch so unbewußt aufgenommenen Jugendeindrücke als einen wesentlich mitbestimmenden Faktor der Geistes- und Gefühlsentwicklung des Meisters einzuschätzen — *einen* Schatz barg St. Florian, der wichtiger für ihn werden sollte als alle architektonische und dekorative Pracht der Kirchen- und Stiftsgebäude, wichtiger als alle Malereien und Schildereien von welscher und deutscher Künstlerhand, wichtiger als alle Kostbarkeiten der Bibliothek, wie der anderen wissenschaftlichen und Kunstsammlungen: es war die hochberühmte, herrliche *Orgel,* das Instrument, an dem Bruckners Genius zuerst als einem seiner würdigen Ausdrucksmedium die himmelanstrebenden Schwingen erproben durfte, und dem es wohl in erster Linie zuzuschreiben ist, daß gerade die Ton- und Klangwelt der Orgel die vornehmste Inspirationsquelle für seine tonkünstlerische Muse werden sollte."
(Wiederholt in der 3. vermehrten Aufl. 1918.)

1919

Ernst *Decsey,* Bruckner, Versuch eines Lebens, 17, 19, 20. „Hier beginnt die eigentliche Brucknerwelt. Er fand die Stätte, die, allen Anlagen entgegenkommend, seiner Natur Entwicklung und Richtung gab. Die Stiftsgemeinde von Sankt Florian wird Bruckners Familie... Die Symbolik von Wänden und Portal, die bunten Freskomalereien der Decke, die heiteren Emporen, der Hochaltar, von dem die himmelfahrende Madonna des Römers Ghezzi leuchtet, die Schwarze Kanzel aus Lilienfelder Marmor, das tiefbraune Chorgestühl, das Gold und Silber der Geräte, die geometrische Grundlage des Raumganzen, das Gegenwart und Leben ins Zeitlose strebt, die weitlaufenden, sich aufschwingenden, in Bögen zurückrauschenden Linien, die die Himmelskuppel nachzubilden scheinen — das alles muß mit seiner Wucht befreiend, nicht bedrückend, auf Bruckners junges Gemüt gewirkt und ihm seine Gewalt für immer zurückgelassen haben: der Geist einer weihevollen, traditionserfüllten Kulturstätte der Provinz gab dem Mann ein unverlierbares Gut mit.
Dem Hochaltar gegenüber aber steht die große Orgel, selbst ein Altar der Musik... Sie steigerte alle Brucknerschen Orgel-Erlebnisse. Wenn er als Sängerknabe seine Stimme in den Raum ausschickte, wenn er später selbst die Orgel spielte, dann mußte der Tönend-Betende in der andächtigen Gemeinde seine ersten Zuhörer erblicken, und, als Mensch mit größeren musikalischen Raumvorstellungen geboren, sich öffnen für Pracht und Wölbung, Stimmenfülle und Verklärtheit einer feierlichen Raummusik, die als einziger großer Gesang zwischen Diesseits und Jenseits schwebte. Hier, nicht im Konzert-Orchester Joseph Haydns, fand die symphonische Empfängnis des Künstlers statt."

1922

August *Göllerich,* Anton Bruckner „Ein Lebens- und Schaffensbild", Band 1, 121 ff. „Der befreiend-jubilierende Stimmungszauber des mächtigen Domes mit seinen goldumflossenen Säulen und himmelanstrebenden Bögen, seiner glänzenden Kanzel aus Lilienfelder Marmor, seinem herrlichen, von Engeln umlächelten Chorgestühl, der ganze blendende malerische

Pomp katholischer Kirchenfeste, der schon die Tage seiner Kindheit verschönt hatte, umfingen jetzt immer enger und mächtiger die rege Gefühlswelt des Erwachenden, dessen Kraftnatur in all den katholischen Prunk so recht hineingeboren war, dessen Seelenkultur in der klösterlichen Weltabgeschiedenheit ungestört die rechte Nahrung fürs ganze Leben gewann ... Das Spiel des Stiftsorganisten Kattinger in der Christ-Nacht blieb einer der unvergeßlichsten Eindrücke seines Lebens. Die Schwingen des regsam Aufwärtsstrebenden badeten nun selig in den Tonfluten dreier Orgeln, deren eine, die berühmte große Orgel, als eigentliche Lehrmeisterin des jungen Bruckner bezeichnet werden muß... Die orchestrale Wirkung dieser neben der Orgel von St. Stephan in Wien größten Kirchenorgel Österreichs (94 Registerzüge) nährte die musikalische Vorstellungskraft des Reifenden in denkbar mächtigster Weise. Die Klang-Wunder derselben befruchteten das Gemüt des stets nach Erhebung Lechzenden mit vollem Zauber."

1923

Max *Auer* Bruckner, 22. „...Tonerl aber kam ... Ende Juli in das nahe Augustiner-Chorherrenstift St. Florian als Sängerknabe. Es war ein Glück für den Knaben, vielleicht der einzige Glücksfall seines Lebens, hier Aufnahme gefunden zu haben. Eine ganz andere Welt umgibt ihn hier. Das Großzügige der ganzen Anlage des berühmten Stiftes, die prunkvolle Ausstattung der sogenannten „Kaiserzimmer" und besonders das herrliche Krismannsche Orgelwerk übten auf den empfänglichen Knaben ihren Zauber aus. Wie viele Züge seiner großen Werke weisen doch auf diese Jugendeindrücke zurück! Das Lapidare und Prunkvolle seiner Tonwerke wurzelt sicher in diesen Eindrücken."

1925

Alfred *Orel,* Anton Bruckner. Das Werk, der Künstler, die Zeit, 129ff. „Die Kindheitseindrücke des heimatlichen Dorfes, der Enge des Schulhauses, der kleinen Kirche und ihres Chores daheim und in Hörsching wurden von all dem Neuen abgelöst, das nunmehr auf den Knaben einstürmte. Es waren nie geahnte Herrlichkeiten, denen Bruckner jetzt gegenüberstand; es tat sich vor ihm die Pforte einer höheren Welt auf, in die seine erstaunten Kinderaugen ehrfürchtige Blicke werfen durften, ja der er sich in gewissem Sinne als zugehörig betrachten konnte... von größter Bedeutung wurde aber für ihn die neue Umwelt, in die er versetzt war. Wer nicht Gelegenheit hatte, eines der reichen Stifte Österreichs zu besuchen, kann sich schwer eine Vorstellung machen von der Breite, dem feudalen Glanze, der machtgegründeten Ruhe und Sicherheit, die äußerlich und innerlich das Leben an diesen Stätten durchströmen. Für den Sängerknaben kam wohl vorerst die bauliche Gestaltung des Stiftes, insbesondere die Pracht der barocken Stiftskirche und ihre berühmte Orgel in Betracht, die sich mit dem Prunke eines feierlichen Pontifikalamtes, das den Prälaten in seinem vollen Glanze als Kirchenfürst erscheinen ließ, zu einem einheitlichen Ganzen vereinigen mußte, dessen Eindrücke unauslöschlich in der Seele des Kindes haften blieben."

1925

Ernst *Kurth,* Bruckner, 90. „...Ein seltsamer Doppeleindruck von Weltmacht und Weltüberwundenheit. Herrlicher Prunk in Bau und Innenräumen einte sich hier dem jungen Bruckner mit den Geheimnissen der großen Weihe, als er aus seiner leuchtenden Naturheimat in die ernst abgedüsterten Stiftsgänge einkehrte. Diese zweite Heimat war ihm vorbestimmt. Die Stimmungsklänge, die sie ihm erweckte, brachten nur tiefe Grundtöne zum Anklingen, die schon in der ganzen Naturfrische seiner eigenen Kindheit schlummerten und nur einer großen Erfüllung bedurften; Urklänge einer dunklen Pracht, die ihm über alle Welt hinaus zu schwellen schien, wenn er nun in die weite Landschaft hinaussah. Sie umsponnen all sein Tun und Lernen und alles, was daraus hervorgehen sollte..."

1930

Fritz *Grüninger,* Anton Bruckner. Der metaphysische Kern seiner Persönlichkeit und Werke, 19 f. „Es ist eine alte Erfahrung der Psychologie, daß die in der Jugend empfangenen Eindrücke zu den stärksten und nachhaltigsten des ganzen Lebens gehören und daß ihr Einfluß von dauernder Lebendigkeit ist. Daher sind unstreitig wesentliche Eigenschaften der Werke des Meisters auf die Auswirkungen seiner Jugendeindrücke zurückzuführen. Der Einfluß der in St. Florian geschauten und mit der Lebendigkeit einer begnadeten Künstlerseele erlebten Barock-Pracht, wozu sich später noch ähnliche Eindrücke in Kremsmünster, in Klosterneuburg und Melk gesellten, war sicher bestimmend für die barocke Bauweise seiner Symphonien. Und noch mehr: In der prunkvollen Umgebung, die den Knaben in der herrlichen Barockkirche von St. Florian umfing, wurden die jungen Triebe, welche in der Heimat als Lebenselemente in seine Seele gepflanzt worden waren, frommer Sinn und Begeisterung für die Kirchenmusik, zu kraftvollem Leben geweckt, zu einem Leben, das die herrlichsten Früchte zeitigen sollte."

1934

Robert *Haas,* Anton Bruckner, 8. „Die Lehrzeit (bei J. B. Weiß in Hörsching) wurde durch die schwere Erkrankung des Vaters 1837 bald und jäh abgebrochen, und mit dessen Tod löste sich der Haushalt in Ansfelden auf, den dreizehnjährigen Jungen nahm das regulierte Chorherrenstift St. Florian als Sängerknaben gastlich auf, obwohl er schon mutierte.
Die reichen Jugendeindrücke der drei Erziehungsjahre im Stift wurden für das ganze folgende Leben bestimmend und grundlegend, sie haben das innere Zugehörigkeitsgefühl zu dieser geistlichen Heimat dauernd besiegelt."

1955

H. F. Redlich, Bruckner and Mahler, 5. „Tonerl ... should become a pupil and chorister in the famous monastery of St. Florian, the oldest-established Augustinian foundation in the crown-land, renowned for its wealth, its famous library and its architectural beauties, by whose atmosphere and influence his future development was to be largely determined. With this momentous step he established his lifelong close association with the Church, with the organ and with the Church, with the organ and with the music of the Roman service."

1963

Erwin *Doernberg,* Anton Bruckner. Leben und Werk. Erweiterte deutsche Ausgabe, 40. „... den tiefsten Eindruck machte auf den Jungen weniger der Unterricht als vielmehr das palastähnliche Stift, die klösterliche Atmosphäre und vor allem der Klang der großen Orgel in der Stiftskirche, die die Schüler jedoch nicht spielen durften... Als Bruckner mit dreizehn Jahren St. Florian zum erstenmal sah, muß ihn der Gegensatz zwischen den bescheidenen Schulhäusern von Ansfelden und Hörsching auf einem Ort von so überwältigender Pracht als ein sichtbares Symbol des Ruhmes und der Macht der Kirche tief beeindruckt haben. Um einen wirklichen Eindruck von diesen herrlichen Barockgebäuden zu bekommen, muß man St. Florian oder Melk besuchen; Photographien können die Großartigkeit und die stilistische Reinheit dieser beiden schönsten Barockgebäude der Welt nicht wiedergeben. Aufnahmebereit, wie Bruckner in seinen frühesten Jahren war, wurde hier der Grund für sein tief verwurzeltes und das ganze Leben anhaltende Verhältnis zur Kirche, insbesondere zu St. Florian gelegt. Die

Bande, die Bruckner mit St. Florian verknüpften, hielten länger als seine Lebensspanne: in der Krypta der Stiftskirche, unter der großen Orgel, steht sein Sarkophag. St. Florian war im Leben seine liebste Zuflucht und wurde seine letzte Ruhestätte."

Daß diese enge Verbindung zwischen dem Stift und dem Meister auch von anderer, kunstgeschichtlicher Seite bemerkt und festgehalten wird, dafür möge die folgende Stelle zeugen:

1963

Wilhelm *Hausenstein,* Besinnliche Wanderfahrten, S. 350 (3. erweiterte Auflage des 1955 zuerst erschienenen Buches):

„ . . . und nicht zuletzt die musische Weihe, die dem Stiftsgebäude und der weiß-goldenen Stiftskirchenorgel durch den Namen Anton Bruckner verbürgt ist. Denn dies ist die Stätte, mit der Bruckner, in einem spätern Zeitalter den zeugenden und empfangenden Kräften des Barock noch ähnlich, immer am meisten und am schönsten wird verbunden erscheinen — wie er an dieser Stätte ja auch seine Gruft gefunden hat. Hier im Stift der Augustiner-Chorherren seine Verlassenschaft: ein paar armselige Möbel und ein bescheidener Flügel. An ihm wurden freilich Töne erprobt — schöpferisch genug, um, in der Orgel zu ihrer vollen Macht auswachsend, einen höchst repräsentativen Kirchenraum zu überwältigen, der, weiß und stark wie die Theatinerkirche in München, mit wahrhaft römischem Maßstab und Reichtum, den Staat seiner Halbsäulen, Bogen, Emporen, Gebälke, Wölbungen voll beharrender Kraft um unser staunendes Kommen, Stehen und Gehen schließt."

Erschienen in: *Sankt Florian, Erbe und Vermächtnis. Festschrift zur 900-Jahr-Feier,* Linz 1971, S. 397—412.

Die Bruckner-Gedenkzimmer im Stift St. Florian

In den Monaten Mai und Juni dieses Jahres feiert eines unserer schönsten Barockstifte, St. Florian in Oberösterreich, ein besonderes Jubiläum: es sind 900 Jahre, daß hier der Orden der Augustiner-Chorherren zu wirken begonnen hat. Mit Ausnahme einer kurzen Unterbrechung nach 1938 hat sich an diesem Ort eine ungebrochene Tradition geistlicher und kultureller Tätigkeit entwickelt, die bis heute aus der Kulturgeschichte Österreichs nicht wegzudenken ist.

Aus diesem Anlaß wurde der am Ende der Kaiserzimmer im oberen Stockwerk befindliche Bruckner-Gedenkraum einer gründlichen Erneuerung unterzogen. Die finanziellen Mittel stellte das Land Oberösterreich zur Verfügung, die architektonische Ausgestaltung nahm Regierungsoberbaurat Dipl.-Ing. Karl Heinz Hattinger vor, wissenschaftlich und historisch beraten vom Verfasser dieser Zeilen. Mit dieser Gedenkstätte darf nicht das Zimmer auf dem Prälatengang verwechselt werden, in dem Bruckner bei seinen Besuchen im Stift immer gewohnt hat.

Das ursprünglich kleine Gelaß konnte durch den glücklichen Umstand, daß sich anschließend noch ein bislang unbenützter Raum befand, auf zwei Räume erweitert werden. So war es glücklicherweise möglich, die eng zusammengedrängten Gegenstände — Möbel, Kränze, Schleifen, Bilder — in eine aufgelockerte und schaubare Form zu bringen.

Der erste Raum erinnert an Bruckners Tod und die Leichenfeierlichkeiten. Er wurde mit braunem Samt ausgeschlagen. Auf einem mit dem gleichen Stoff überzogenen Podest steht des Meisters Messingbett. An den es umgebenden drei Wänden hängen sieben Kränze und an die 70 Schleifen, die sachgemäß restauriert wurden. Sie stammen von den Leichenfeierlichkeiten in Wien und St. Florian, 14. und 15. Oktober 1896; einige erinnern an Jubiläen späterer Jahre. So sieht man u. a. die Schleifen vom Kranz der Familie, der k. k. Hofkapelle, des Hofoperntheaters, von Ferdinand Löwe, Franz und Josef Schalk, von den beiden Städten Linz und Wien. Die Lorbeerkränze sind wohl Erinnerungen an die Aufführungen Brucknerscher Werke zu Lebzeiten des Meisters. Sie bilden eine stilvolle Umrahmung und einen eindrucksvollen Gegensatz zu den drei Vitrinen an der Fensterseite.

Diese enthalten in zeitlicher Aufeinanderfolge Photographien, die an das Lebensende Bruckners, seinen Tod und seine Bestattung erinnern, die letzten Gebetsaufzeichnungen bis zum 10. Oktober 1896, der Meister auf dem Krankenbett (eine Photographie von Fritz Ehrbar, aufgenommen am 17. Juli 1896), das „Kustodenstöckl" im Belvedere, in dem Bruckner gestorben ist. Weiters sind zu sehen: die beiden Parten von der Familie und dem Gemeinderat der Stadt Wien, eine Abbildung der Totenmaske, Außen- und Innenansicht der Karlskirche und ein Bild des Prachtleichenwagens der „Entreprise des pompes funèbres", in dem, sechsspännig, der Sarg Bruckners vom Belvedere zur Karlskirche und von dort zum Westbahnhof geführt wurde[1]. Den Ablauf des Leichenbegängnisses in Wien schildert ein Bericht des „Neuen Wiener Tagblattes" vom 15. Oktober 1896. Das Gegenstück dazu bildet die „Linzer Tages-Post" vom 17. Oktober mit der Beschreibung der Feierlichkeiten in St. Florian. Vom Wiener Westbahnhof, der in seiner alten Gestalt vor 1945 zu sehen ist, führen die weiteren Stationen zur Spitalskirche in St. Florian, zur Stiftskirche, zur großen Orgel, unter der Bruckners Sarkophag steht. Die Stelle im Kirchenboden, beim Eingang, kennzeichnet der allen Besuchern bekannte Gedenkstein. Bis dorthin geleiten die Photographen den Beschauer.

Im zweiten Raum haben die im Stift aus dem Nachlaß Anton Bruckners stammenden Möbel Platz gefunden. 1896 gab es in Wien keine Stelle, die sich bereitgefunden hätte, das Sterbezimmer Bruckners zu übernehmen. So stehen die wenigen Möbel jetzt hier, wo seine geistige Heimat gewesen ist, und zeugen von der Anspruchslosigkeit seines Erdendaseins.

Die beiden Hauptstücke sind der alte Bösendorfer-Flügel, den er 1848 vom „Hofschreiber" des Stiftes, Franz Sailer, erbte, und der mehr als einfache Arbeitstisch. An diesen beiden Stücken sind fast alle Brucknerschen Kompositionen entstanden. Die Tintenspuren der Tischplatte könnten so manches von Bruckners Freuden und Leiden bei der Niederschrift seiner Werke erzählen, wenn sie reden könnten, aber auch so manches von des Meisters Privatschülern, die mit ihm an diesem Tische saßen. Die beiden Sessel stammen ebenfalls aus Bruckners Wohnung, ebenso der Kasten, der Aufsatzkasten und die Uhr. Mit besonderer Pietät muß man die kolorierte Photographie von Bruckners Mutter auf dem Totenbett betrachten. Sie starb am 11. November 1860 in Eferding, wo sie auch begraben liegt. Bruckner hat sie immer in Ehren gehalten und sich dieses Bild, das gleichzeitig ein Dokument früher Photographie ist, anfertigen lassen.

Aus des Meisters häuslicher Umgebung stammt noch ein goldenes Kruzifix, ein Madonnenbild (farbige Wachsbossierung in Goldrahmen), sein Tintenfaß, der Kerzenleuchter samt dazugehörendem Behälter für Schwefelhölzer. Die vier kleinen Photographien in schmalen Goldrähmchen stammen aus dem Besitz von Bruckners Bruder Ignaz, der 1913 in St. Florian verstarb: die Schwestern Nanni und Rosalie, Anton Bruckner (Photographie aus Marienbad 1873, als er zu Richard Wagner fuhr) und Ignaz Bruckner selbst. Das Porträt Bruckners im Hintergrund gehört neuerer Zeit an und ist eine Widmung für das frühere Gedenkzimmer.

Ein besonders in die Augen fallender Gegenstand ist der große Lehnsessel im Hintergrund unter der Uhr. Eine der beiden auf dem Arbeitstisch stehenden Photographien zeigt den Meister in diesem Sessel, die andere beim Klavier. Beide Bilder sind höchstwahrscheinlich 1894 zu

140

Bruckners 70. Geburtstag entstanden. Sie sollen als originale Photographien wenigstens einen kleinen Begriff geben, wie dieser Mann, der größte Symphoniker nach Beethoven im 19. Jahrhundert, inmitten seiner hier stehenden Möbel ausgesehen hat. Denn, alles leblose Gerät hat nur dann die richtige Kraft der Erinnerung, wenn man sich den Menschen vorstellen kann, der in ihnen lebte und schuf: Anton Bruckner und seine Musik.

1 Von ihm, der ursprünglich ein spanischer Hofwagen gewesen ist (18. Jh.), sind einzelne Teile im Museum der Städtischen Leichenbestattung, der Nachfolgerin der „Enterprise", Wien 4, Goldeggasse 19, zu sehen.

Erschienen in: *Österreichische Musikzeitschrift* 26, Wien 1971, S. 386—388.

Die Symphonien Anton Bruckners in der Gesamtausgabe

Die kritische Gesamtausgabe der Werke Anton Bruckners, herausgegeben von der Generaldirektion der Österreichischen Nationalbibliothek und der Internationalen Bruckner-Gesellschaft im Musikwissenschaftlichen Verlag Wien, bietet in den von ihr veröffentlichten Partituren den Notentext der Symphonien so, wie er vom Meister niedergeschrieben wurde.

Es erhebt sich dabei gleich ein Einwand. Bekanntermaßen pflegen Komponisten nach Aufführungen ihrer Werke, selbst wenn sie schon gedruckt vorliegen, zu ändern. Bei Bruckner geht das, wie man weiß, so weit, daß durch dieses Ändern neue Partituren des Werkes, zweite Fassungen, entstanden; bei ihm allerdings auch bei solchen Werken, die er nie hören konnte, wie die 1. Fassung der Achten. Die Folgerung, die diese Änderungen, nach dem Druck und auch nur in einer bestimmten Partitur bzw. deren Stimmen eingetragen, nach sich ziehen, heißt, daß die gedruckte Partitur oder die letzte Niederschrift also doch nicht den endgültigen Willen des Komponisten darstellen.

Für die Bruckner-Gesamtausgabe (BRGA) ergab sich folgende Lösung: bestimmend für den Notentext ist die handschriftliche Partitur Bruckners, die das letzte Stadium der Kompositionsentwicklung enthält. Das kann ein vollständiges Autograph, das kann eine Abschrift sein, deren Änderungen und Zusätze unzweifelhaft Bruckners Handschrift zeigen. Dazu kommen noch die bei Bruckner ganz seltenen Fälle von brieflichen Mitteilungen, in denen etwas verlangt wird, das nicht in der Partitur steht. Gerade die VII. Symphonie bietet dafür zwei Beispiele. Das eine bezieht sich auf die Totenklage um Richard Wagner im Adagio Takt 190 bis 193, wo im Autograph 1. und 2. Horn „a due" blasen. Bruckner schreibt jedoch in seinem Brief vom 3. März 1887 an Jean Louis Nicodé in Dresden: „NB. Am Schlusse des 2ten Satzes (Adagio) bei dem Tubensatze (der eigentl. Trauer-Musik) wirken drei Takte vor Y *vier Hörner* fff geblasen viel besser als zwei[1]."

Das andere Beispiel betrifft den Tempowechsel im Finale. Bruckner teilt Arthur Nikisch, der in Leipzig am 30. Dezember 1884 die Uraufführung dirigierte, am 17. Juli dieses Jahres folgendes mit: „Letzthin wurde mir auf 2 Clavieren durch Herrn Schalk und Löwe das Finale der 7. Symphonie gespielt, und da sah ich, daß ich ein zu schnelles Tempo gewählt haben dürfte. Es wurde mir die Überzeugung, daß das Tempo sehr gemäßigt sein müsse und oftmaliger Tempowechsel erfordert wird..."[2] Diese Tempomodifikationen sind in das Autograph von fremder Hand eingetragen worden, mußten aber dennoch in die Gesamtausgabe aufgenommen werden.

Andere, nicht von Bruckner herrührende Eintragungen in seinen Partituren blieben unberücksichtigt, da keinerlei authentische Beglaubigung durch den Meister selbst vorliegt.

Mit diesem Grundsatz, der eigentlich eine Selbstverständlichkeit darstellt, wurden alle vor der Gesamtausgabe (GA) erschienenen gedruckten Symphonie-Partituren (Erstdrucke) ausgeschaltet, weil sie Änderungen verschiedener Natur enthalten, die in größtem Maße die Instrumentation betreffen, stellenweise durch Kürzungen aber auch die Form veränderten. Das hat schon 1919 Georg Göhler in seinem temperamentvollen Aufsatz „Wichtige Aufgaben der Musikwissenschaft gegenüber Bruckner" in der Zeitschrift für Musikwissenschaft, Jahrgang 1, S. 293—295, an der VI. Symphonie gerügt.

Die Verwirklichung der von ihm geforderten „Reinigung" begann mit der 1929 ins Leben getretenen Bruckner-Gesamtausgabe, damals noch im Verlag Filser, Augsburg, seit 1933 in dem von der Internationalen Bruckner-Gesellschaft (IBG) gegründeten Musikwissenschaftlichen Verlag (MWV). Vom ersten Augenblick an betrachtete es die IBG als ihre wichtigste Aufgabe, alle Werke Bruckners in einer kritischen Gesamtausgabe vorzulegen[3].

Ihr erster wissenschaftlicher Leiter wurde der damalige Direktor der Musiksammlung der Österreichischen Nationalbibliothek, Robert Haas. Er hat mit zäher Ausdauer, unermüdlichem Fleiß und wissenschaftlicher Genauigkeit die Bruckner-Gesamtausgabe bis zum Ende des Zweiten Weltkrieges geführt. Er hat auch die heute noch geltenden Editionsprinzipien, u.a. die Einbeziehung der Skizzen in die Revisionsberichte, festgelegt, er mußte vor allem aber die Auseinandersetzungen mit den Verfechtern der Erstdrucke über sich ergehen lassen. Es war begreiflich, daß man sowohl die Partituren wie die Stimmen dieser Editionen nicht als Makulatur sehen wollte, es galt dabei aber auch, das Andenken der „Bruckner-Apostel" Ferdinand Löwe, Franz und Josef Schalk hochzuhalten. Sie hatten diese Veränderungen in den Partituren bewirkt, teilweise mit, viel öfter aber ohne Zustimmung Bruckners. Deswegen wurden schwere Vorwürfe gegen sie erhoben. Man muß aber wissen, mit welch glühender Verehrung diese Schüler Bruckners an ihm hingen, wie viel sie für ihn taten — die Aufführung einer Bruckner-Symphonie konnte damals üble Folgen nach sich ziehen[4] — und daß sie diese „Bearbeitertätigkeit", wenn man es überhaupt so nennen darf, nur zu dem einen Zweck unternahmen, Bruckners Musik in einer Weise aufzuführen, die dem herrschenden Zeitgeschmack entgegenkam. Mit dieser „Methode" haben sie Bruckners Symphonien in die Welt getragen, und dafür sind wir alle ihnen ständig zu Dank verpflichtet.

Mit der von Siegmund von Hausegger in München am 2. April 1932 dirigierten Aufführung der IX. Symphonie nach der von Alfred Orel besorgten Partitur war die Richtigkeit der kritischen Gesamtausgabe erwiesen. Diese Partitur wurde 1934 als Band IX mit allen damals erreichbaren Skizzen veröffentlicht. Ihr folgten bis 1938 die beiden Fassungen der I. (1935), die V. und VI. Symphonie (ebenfalls 1935), die 2. Fassung der IV. (1936) und die II. Symphonie (1938). Die Herausgabe dieser Symphonien mit den Revisionsberichten hat Robert Haas besorgt, und auch noch die der folgenden, in Partitur-Sonderausgaben, ohne Revisionsbericht: 2. Fassung der VIII. (1939) und VII. Symphonie (1944). Damit lagen in der großformatigen Ausgabe neun Symphonien vor.

Nach dem Zweiten Weltkrieg übernahm Leopold Nowak als Nachfolger von Robert Haas die wissenschaftliche Leitung. Die Wiederherstellung des MWV ermöglichte 1951 die Fortsetzung der Gesamtausgabe in kleinerem Format, vorläufig ohne Revisionsberichte, da möglichst rasch die Partituren erscheinen sollten. 1951 wurde mit der 2. revidierten Ausgabe der IX. Symphonie begonnen. Ihr folgten die V., VI., VII., die 1. Fassung der I., die 2. Fassung der IV., die 2. Fassung der VIII. und die II. Symphonie in 2. revidierter Ausgabe. Neu sind erschienen: die III. Symphonie (3. Fassung), die „Nullte", die VIII. (1. Fassung) und die „Studiensymphonie" in f-Moll. Da die 1. Fassung der III. und IV. Symphonie im Stich ist, fehlt nur noch die Revision der 2. Fassung der I. Symphonie, damit das ganze symphonische Werk Bruckners der Welt in originalgetreuen, kritisch gesichteten Partituren zur Verfügung steht.

Die Revisionsarbeit an den Haas'schen Partituren ergab in der IV. infolge Entdeckung einer in New York liegenden Abschrift mit Eintragungen Bruckners einige nicht unwichtige Ergänzungen. Bei der der VIII. Symphonie mußten die von Haas in seine Ausgabe aufgenommenen Stellen aus der 1. Fassung entfernt werden, damit eine dem Autograph der 2. Fassung genau entsprechende Partitur vorliegt. Da die 1. Fassung der Achten jetzt gleichfalls gedruckt ist, kann man deutlich die Unterschiede beider Partituren feststellen.

In die Partitur der VII. Symphonie hatte Haas auch Noten aufgenommen, welche Bruckner in seinem Autograph ausradierte, die aber noch lesbar sind. Da es aber auch radierte Takte gibt, deren ursprünglichen Text man nicht mehr entziffern kann, und die von Bruckner radierten Stellen eindeutig besagen, daß der Meister die Noten eben getilgt wissen wollte, so sind auch hier in der 2. Ausgabe diese Stellen wieder entfernt worden.

Das wichtigste Ergebnis der Arbeit an der Bruckner-Gesamtausgabe ist wohl zuerst dieses, daß die Symphonien jetzt so erklingen können, wie sie in den Autographen enthalten sind; dann aber auch, daß alle ersten Fassungen der I., III., IV. und VIII. Symphonie bekannt werden, und daß auch die „Nullte" und die f-Moll-Symphonie originalgetreu erschienen sind[6].

Der Symphoniker Anton Bruckner ist durch die Partituren der Gesamtausgabe nunmehr der ganzen Welt zugänglich. Sein Orchesterstil, seine symphonische Form, die musikalische Gestalt seiner „Sprache" können nun voll erkannt werden. Das entspricht der von der IBG aufgestellten Forderung und auch den Wünschen aller, die Bruckners Symphonien achten und lieben.

1 Anton Bruckner, Gesammelte Briefe. Neue Folge, hrsg. von Max Auer, Regensburg 1924, Nr. 199, S. 218.
2 Ibid. Nr. 134, S. 164.
3 Vgl. August Göllerich und Max Auer: Anton Bruckner. Ein Leben und Schaffensbild, Bd. IV, 4. Teil, Regensburg 1937, S. 87.
4 Den Beweis für diese Behauptung erbringt Bruckner selbst in seinem Brief an die Wiener Philharmoniker vom 13. Oktober 1885, worin er sie ersucht, seine VII. Symphonie nicht aufzuführen. Anton Bruckner, Gesammelte Briefe, Nr. 171, S. 196.
5 Die 2. Fassung der III. (1878) wurde von Fritz Oeser 1950 im Brucknerverlag Wiesbaden herausgegeben.
6 Die „Nullte" erschien 1924, hrsg. von Jos. V. v. Wöss, in der Universal Edition, Wien, von der f-Moll-Symphonie im gleichen Verlag 1913 nur das Andante.

Erschienen in: *Österreichische Musikzeitschrift* 29, Wien 1974, S. 180—183.

Anton Bruckner:
Genie zwischen Gegensätzen

Man höre den Anfang seiner VII. Symphonie und halte daneben den Beginn des Finales im gleichen Werk. Eine weit ausgespannte, von Seligkeit erfüllte, große Melodie steht neben nervös zuckenden, kleingehackten Rhythmen, unterbrochen von massivem Bläsersatz, hin und her pendelnd zwischen „a tempo" und „ritardando".

Ist das ein und derselbe Mensch? Ist das ein Künstler von einem Format, wie es nicht viele vor und nach ihm gab, ein Schaffender, der einmal von beherrschter, aber dennoch überströmender Ruhe sein kann, das andermal sich in aufreibende Zuckungen verliert? Sicher, allen Schaffenden ist es aufgetragen, die verschiedensten Gefühle, Seelenzustände, Stimmungen wiederzugeben, weil es so in ihrem Inneren aussieht. Aber bei keinem der Meister des 19. Jahrhunderts mögen die Unterschiede so große gewesen sein wie bei Bruckner, denn ihn bedrückten sie nicht nur im Werk — da gehören sie zu den Notwendigkeiten von Form und Inhalt —, sondern auch im Leben, ja sogar in seiner eigenen Person. Daran hat er gelitten, des dürfen wir sicher sein, sie hat er in seinem Werk überwunden und viele Male zu überwältigender Einheit zusammengeschweißt, man denke nur an den Schluß der VIII. Symphonie. Aber immer noch blieb ihm ein Erdenrest „peinlich zu tragen", der wohl bedacht sein muß, wenn man sich an die Betrachtung seiner Persönlichkeit wagt. Wir kommen nie bis in die innersten Schichten einer Menschenseele, alle unsere Forschungsmethoden reichen nicht aus, um bis zum Grund vorzustoßen. Vielleicht soll dies auch gar nicht sein, denn das Letzte am Menschen, an seiner Seele, worüber nur er selbst vor einem ewigen Gericht wird Rechenschaft geben müssen, das steht ausschließlich ihm allein zu, das verbirgt sich, vielleicht sogar auch ihm selbst. Unbewußt Wirkendes, unbekannt Bleibendes erfüllt vor allem den schöpferisch Begabten, schafft einen Bezirk, undurchdringlich, unerreichbar allem menschlichen Wissensdurst.

Und dennoch, der Trieb, ja die Pflicht, zu erkennen, spornt uns an, den Versuch zu wagen, Bruckners Persönlichkeit zu erforschen. Es kann immer nur Versuch sein und bleiben, denn obwohl uns die Wissenschaft vom Menschen und von den menschlichen Beziehungen sozusagen einen Freibrief mitgibt, überall hinzugehen, wo wir meinen, etwas finden zu können, sind wir dennoch gehalten, in jenen Grenzen zu bleiben, die uns die Ehrfurcht einzuhalten gebietet.

Von solchen Voraussetzungen ausgehend, will diese Studie Bruckners Persönlichkeit von einer ganz bestimmten Seite sehen, indem sie sich bemüht, die Spannungen aufzuzeigen, unter denen er und sein Schaffen gestanden sind.

Schon die Jugend beschert ihm gegensätzliche Verhältnisse. Nach dem Tod seines Vaters nimmt ihn Prälat Arneth nach St. Florian als Sängerknabe. Dieser Umschwung war wohl das einzige wirklich große Glück im Leben des Meisters. Aus der Dürftigkeit des kleinen Schulhauses in Ansfelden gelangte er in die Weiträumigkeit barocker Pracht. Dieser Gegensatz schlug in ihm zum Guten, ja Besten aus. Aus ihm keimte der spätere Meister groß angelegter Symphoniesätze, die große Orgel schenkte ihm ein erstes, in seiner Macht und Wucht geradezu glückhaft niederschmetterndes Erlebnis. Man darf dabei nie vergessen, daß Bruckner damals ein Knabe von 13 Jahren war. Und was in Seele und Gemüt eines zum Genie bestimmten Dorfschulmeistersohnes vorging — wer vermag es zu ergründen?

Diesem glückhaften Gegensatz folgt ein anderer. Er führt von der Musik, zu der ihn die Chrismann-Orgel hinführen hätte können, wieder weg: zum Lehrer. Diese von ihm selbst übereilt getroffene Entscheidung — „Wie der Vater", auf die Frage Arneths, was er denn werden wolle — enthüllt in ihrer Ergebenheit und Demut viel Unerfahrenheit für die Bestimmung seines eigenen zukünftigen Lebensweges. Daß er Musiker werden könnte, daran dachte er in seiner damaligen engen Denkweise nicht. Jahre später hat er seiner Mutter Vorwürfe gemacht, daß er nicht hatte Kapellmeister werden dürfen wie einer seiner Bekannten, auch damit könne man sein Brot verdienen.

Es war nur ein Glück für Bruckner, daß die Lehrerausbildung von 1840 Musik als einen Hauptgegenstand betrachtete und er so seiner geliebten Kunst nicht entfremdet wurde. Wieder jedoch fällt dem Betrachter ein Gegensatz auf. Derselbe Hilfsschullehrer, der den Kleinen Lesen, Schreiben und Rechnen beibringt, vertiefte sich in die Wunderwelt Johann Sebastian Bachs, in das „Wohltemperierte Klavier“, in die „Kunst der Fuge“. In der ärmlich-rauhen Gegend des nördlichen Mühlviertels, in Windhaag, stand für Bruckner die Kunst Bachs gegen das Einmaleins und die von Pfarrer und Lehrer erforderte manuelle Hilfe. Und da erweiterte sich der Gegensatz: Wie viele seiner Amtskollegen hat auch Anton Bruckner Noten geschrieben, eigene Einfälle zu Papier gebracht. Vom schlichten vierstimmigen Satz eines Männerchores hob er sich empor bis zur Missa solemnis in b-Moll von 1854.

Da war aber bereits der Zeitpunkt gekommen, wo der Gegensatz Lehrer — Musiker ausgelöscht worden war. Wir sehen Bruckner während seines Jahrzehnts in St. Florian (1845 bis 1855) 1850 bereits als provisorischen Stiftsorganisten. Die große Orgel hatte gesiegt, hatte ihn zu sich herübergezogen und ihn dann Ende 1855 ganz vom Schuldienst befreit und zur Domorgel nach Linz entlassen.

So wären die Gegensätze in Bruckners Leben nun gebannt gewesen? Mitnichten, andere taten sich auf, griffen nach seinem Menschentum, seinem Charakter, wie solches ja das allgemeine Wachstum einer Persönlichkeit mit sich bringt, sie griffen immer tiefer in sein Gemüt.

Aus dem Florianer Jahrzehnt sind uns Belege für seelische Schwierigkeiten Bruckners bekannt. Neid und Mißgunst sagten ihm Schlechtes nach, so daß er sich gezwungen sah, durch ein Sittenzeugnis von Jodok Stülz sein inneres Gleichgewicht wieder zu finden. Er litt an Melancholie, fühlte sich als Musiker vereinsamt, weil man im Stift „nichts von Musik hielt“, ja er suchte sogar um Aufnahme in die Gerichtspraxis an. Er wollte sein Einkommen verbessern, wollte „sicher“ sein und wohl auch einmal eine Familie gründen. Aber schon sein erster Versuch bei Aloisia Bogner, der Tochter seines Schulleiters, schlug fehl. Das alles stand wohl nicht direkt im Gegensatz zu seiner Berufung, wohl aber sah sich Bruckner in einem Spannungsfeld gefangen, aus dem er sich nicht befreien konnte, es sei denn durch die Musik, und da vor allem durch die Improvisation auf der Orgel.

Wir wissen ja, daß Bruckners Ruf und Ruhm sich zuerst von der Orgel aus verbreitete. Das freie Hinströmen-Lassen von Gedanken, das war es, was ihm vor allem behagte, was er brauchte, ja, was ihm nottat. Wir werden nicht allzuweit fehlgehen, wenn wir annehmen, daß alle die Gegensätze und Spannungen, die ihm das Leben bescherte, von ihm, für ihn auf der Orgel gelöst wurden. Man vergegenwärtige sich: größte dynamische Gegensätze können auf einer Orgel unmittelbar nebeneinandergestellt werden; Motive und Melodien können, selbst wenn sie, so wie im Leben, einander entgegenstehen, im kontrapunktisch gekonnten Spiel miteinander verbunden, ihre Gegensätzlichkeiten in ein harmonisches Ganzes aufgelöst werden. Hierin liegt ein ausschlaggebender seelischer Beweggrund für Bruckners stundenlanges Orgelüben und für das nach 1855 einsetzende theoretische Studium bei Simon Sechter: er will die Gesetze ergründen, nach denen er spielt und komponiert.

Was ihm im Leben nicht gelang, in seiner Musik vollbrachte er es: Gegensätze zur Einheit zu führen. Darin liegt die große Bedeutung des Florianer Jahrzehnts, es schuf aus dem „auch komponierenden“ Schullehrer den schöpferisch befähigten Organisten und den Komponisten.

Unverändert blieb für Bruckner aber seine Einsamkeit. Auch die nachfolgenden Linzer Jahre 1856 bis 1868 änderten daran nichts. Die Freundschaft mit Rudolf Weinwurm blieb ein Einzelfall. Die Förderung durch Bischof Rudigier und das Dienstverhältnis zu Domkapellmeister Zappe liegen auf anderer Ebene. Zappe hat Bruckner durch sein freundliches Wesen sicher viel geholfen. Rudigier wurde zum ersten entscheidenden Gönner des Meisters. Er hatte ihn als wirksamen „Musiktherapeuten" erkannt, wenn er ihn, wie berichtet wird, an sorgenvollen Tagen in den Alten Dom berief, damit er ihm spiele. Er hat aber auch den Komponisten zur Tat aufgerufen, als er bei ihm die Festkantate zur Grundsteinlegung des Neuen Domes und die Messe zur Einweihung der Votivkapelle dieses Domes bestellte, die e-Moll-Messe von 1866.

Zu diesem Zeitpunkt hatte sich Bruckner aber seit zwei Jahren, da die „Nullte" Symphonie und die d-Moll-Messe entstanden waren, zu seinem eigenen persönlichen Kompositionsstil durchgerungen und sich damit in dauernden Gegensatz zu seiner Umwelt gesetzt.

Das strenge Studium bei Sechter und Kitzler hatte ihn zum „Wissenden" werden lassen, und dies in einem solchen Maße, daß für ihn seine Kunst zur „Wissenschaft" wurde, zu einer Angelegenheit, die eine Art „Gesetzeskunde" darstellte, der man sich zwar nicht beugen muß, die man aber in vollem Umfang zu kennen und zu beherrschen hat. Während der Jahre bei Sechter (1858 bis 1861) ertrug Bruckner einen ihm von seinem Lehrer aufgetragenen Gegensatz: er durfte nicht komponieren. Aus dieser Enthaltung befreite ihn Kitzler durch das Studium Beethovens und der zeitgenössischen Romantiker, vor allem Wagners. Kann man sich einen größeren Gegensatz denken als eine für Sechters Unterricht bestimmte Schulfuge und die Venusberg-Musik im „Tannhäuser"? An dieser Stelle seines Lebens wurde Bruckner in Stilgegensätze geworfen, wie sie in seinem ganzen Leben nie wieder vorkamen, und wir können uns nicht lebhaft genug den Eindruck vorstellen, den die „Tannhäuser"-Musik auf den Organisten und Kontrapunktiker Bruckner gemacht haben wird.

Mit diesen Gegensätzen, weil sie musikalischer Natur waren, ist Bruckner bald fertig geworden; er hat zu sich selbst gefunden: mit der „Nullten" Symphonie (1863/64) und der d-Moll-Messe (1864). Nicht so rasch fertig werden konnte er aber mit seiner eigenen menschlichen Natur. Die jahrelang ununterbrochen fortgesetzten Studien und die zwischen 1864 und 1866 hervorbrechende Schaffenskraft verursachten einen Nervenzusammenbruch. Die körperlichen Kräfte bäumten sich auf gegen die geistigen und versagten ihnen den Gehorsam. Bruckner bekam den Gegensatz von Geist und Körper zu spüren und hat aus diesem Kampf einige Wunden davongetragen, vor allem seine hochgradige Nervosität und eine Zählmanie, die ihn beide bis an sein Lebensende begleiteten. Die Sucht zu zählen hat uns ja dann später die Periodenziffern (metrische Ziffern) in den Partituren beschert. Sie sind uns wertvolle Hinweise auf Bruckners Form und Architektonik. In ihnen hat sich eine nervöse Gewohnheit Bruckners zu sinnvoller Tätigkeit gewandelt.

Aus diesem Konflikt mit seiner Natur rief ihn sehr bald ein solcher seines Berufes. Er sollte als Nachfolger Sechters nach Wien gehen und Organist an der Hofmusikkapelle werden. Sein darüber mit Herbeck geführter Briefwechsel zeigt deutlich, mit welchen Ängsten der Meister dieser Wendung in seinem Leben entgegensah. Zaghaft, mit sich uneins, zögernd, so lernen wir den Meister der drei großen Messen und einer von ihm als „I." gezählten Symphonie kennen, die bezeichnenderweise von ihm den Beinamen „das kecke Beserl" bekam. Hier offenbart sich ein kaum zu erklärender Gegensatz.

Bruckner ging dann doch nach Wien und hat das zu wiederholten Malen bereut, obwohl er selbst verschiedentliche Versuche unternommen hatte, in die Kaiserstadt zu kommen. Das eine war ihm schon klar, daß Wien ihm die größeren Möglichkeiten bot als Linz mit Domorgel und „Frohsinn".

Es hatte sich in ihm ein Wandel vollzogen: von der Orgel hatte er zum Klang des Orchesters gefunden und darin das seinem Schaffen kongeniale „Instrument" entdeckt. Wenn er auch noch weiter und in steigendem Maße (in Nancy, Paris und London) als Orgelvirtuose gefeiert wurde, so war er doch für die Verwirklichung seiner Ideen zum Orchester gekommen. Er hatte ja auch die Komposition für die Kirche aufgegeben und sich vollends der Symphonie verschrieben.

Denkt man an diesen „inneren" Wandel Bruckners, dann wird klar, daß der zeitlich damit zusammenfallende Wechsel von Linz nach Wien ihn um so mehr bedrückte. Wobei gerne zugegeben werden kann, daß die Hinwendung von der f-Moll-Messe zu den ihr folgenden Symphonien der Jahre 1872 bis 1875 durchaus nicht einem zielsetzenden Entschluß entsprungen sein muß. Es war eben so, die symphonischen Gedanken stellten sich ein, mußten niedergeschrieben werden, und so trat die Kirchenmusik in den Hintergrund.

Man bezeichnet nicht ohne Grund die Wiener Jahre Bruckners als seine Leidenszeit. In ihnen brachen Gegensätze auf, die unüberbrückbar waren. Sie lagen zuerst in Bruckners Persönlichkeit selbst: er unterschied sich in einer für ihn sehr unvorteilhaft wirkenden Weise von der in Wien den Ton angebenden Gesellschaft. Sie lagen natürlich auch in der Art und Weise seiner Musik, die, völlig ungewohnt klingend, die Zuhörer überraschte, ja geradezu schockierte. Man denke nur an den berühmten Mißerfolg mit der III. Symphonie am 16. Dezember 1877. Bruckner befand sich ununterbrochen mitten zwischen Gegensätzen, die ihm großen Kummer bereiteten, ihn niederdrückten. Sein Beruf bescherte ihm zu diesen beiden noch einen dritten Gegensatz: die Unterrichtstätigkeit. Mußte er darin, genau den Regeln und Gesetzen folgend, seinen Schülern Harmonielehre und Kontrapunkt beibringen, ihre Aufgaben korrigieren und die Schikanen Leopold A. Zellners ertragen, so wußte er sich sehr wohl frei davon im eigenen Schaffen. Man mag dies so leichthin als selbstverständlich hinnehmen: hier regelgebundener Lehrer, dort frei schaffendes Genie. Bei einigem Nachdenken wird man jedoch zugeben müssen, daß die Unterrichtstätigkeit für Bruckners kompositorisches Schaffen eine sehr schwere Behinderung darstellte. Dazu kam noch der regelmäßige Orgeldienst in der Hofmusikkapelle!

Dieser Gegensatz von Unterrichten und Schaffen lag aber in Bruckner selbst. Er war im Besitz einer Doppelbegabung, die, zuerst beim Volksschullehrer ausgebildet, ihn später befähigte, Lehrer in seiner eigenen Kunst zu sein. Ja, er ruhte nicht, bis er sie auch an der höchsten Stätte der Wissenschaft, an der Universität, „beheimatet" wußte, mit ihm als erstem Lektor dieses neuen Faches. Die hartnäckige Gegenstellung Hanslicks in dieser Angelegenheit ist zu bekannt, als daß sie hier ausführlich darzustellen wäre.

Kommen diese Gegensätze immer noch irgendwie von außen, von der Umwelt, von bestimmten Vorfällen, so gibt es dagegen ein Gebiet, wo sie aus Bruckner selbst entspringen: es sind seine Werke. Er hatte, wie jedes Genie, seinen eigenen Stil. Damit aber stand er zu seinen Lebzeiten vollkommen vereinsamt da, weil seine „Sprache", seine Art, die einzelnen Symphoniesätze zu bauen, so neu, so ungewöhnlich war, daß sie von der Mitwelt nicht begriffen wurde. Bruckner ist kein „Fortsetzer", kein „Vollender", sondern ein „Neuerer", einer, der seine Musik anders formte, als man es bisher gewohnt war. Beethoven und Schubert sind die Grundfesten, Wagner der ihm kongeniale Romantiker; bei diesem aber nur im instrumentalen Teil. Text, Dramatik und Bühne, die fanden bei Bruckner keinen Widerhall. So befand er sich in großem Gegensatz zu den Komponisten seiner Zeit. Man zog ihn sogar in die Gegnerschaft Brahms — Wagner. Innerhalb der beiden Parteien zählte man ihn zu den verhaßten Wagnerianern, schon deshalb, weil er Wagner sehr verehrte und dieser keinen Hehl daraus machte, seine Wertschätzung für Bruckners Symphonien in die Worte zu kleiden: „Einen nur kenne ich neben Beethoven, und der heißt Bruckner." Der Zwist der Parteien schürte den Gegensatz, auch Brahms war daran beteiligt, und so sah sich Bruckner in eine Kunstfehde verwickelt, die ihm und der Verbreitung seiner Werke sehr schadete und dauernden Kummer bereitete.

Die Hilfsbereitschaft begeisterter Schüler und Freunde brachte ihn nun dabei in einen Gegensatz mit sich selbst. Man riet zu Änderungen in der Form, in der Instrumentation, griff selber zu, manchmal mit, zumeist ohne Bruckners Einwilligung, und gab dadurch den Werken an so manchen Stellen ein anderes Aussehen. So führte man die Symphonien auf und verursachte dort, wo man die Form verändert hatte, das ungerechte Urteil, daß Bruckner nicht einmal einen richtig gebauten Sonatensatz schreiben könne. Was Hilfe war, wirksame Hilfe — denn so eroberten die Schüler, vor allem Löwe und die beiden Brüder Schalk, ihrem von ihnen heißgeliebten Meister die Welt —, das war auf der anderen Seite ein Verbergen des echten Bruckner. Hier wurde im Lebenswerk des Meisters ein Gegensatz verursacht, der erst in der Mitte unseres Jahrhunderts gelöst wurde durch die Bruckner-Gesamtausgabe, zu deren originalen Partiturbildern man sich erst jetzt bekennt, Jahrzehnte nach des Meisters Tod. Das Brucknersche Schicksal ist darin kein Einzelschicksal, es erfüllt sich bei ihm nur an einem ganz Großen im Reiche der Tonkunst, daher ist er so bedeutsam.

Bei der Darlegung dieses Gegensatzes, der das Höchste betrifft, was wir von Bruckner besitzen, seine Werke, muß man auch auf des Meisters Herkunft und seine Jugend zurückschauen. Der österreichische Vormärz der dreißiger Jahre des 19. Jahrhunderts kannte noch unbedingten Gehorsam gegen geistliche und weltliche Obrigkeit, einen Autoritätsglauben, der alles für wahr hielt, was der Nächsthöhergestellte anordnete. Er hielt das Volk in engen Grenzen, sowohl in bildungsmäßiger wie materieller Hinsicht, und wachte ängstlich darüber, daß nur ja keine andersgearteten Meinungen die Staatsraison in Gefahr brachten. In dieser Enge, der das Jahr 1848 und die folgenden Jahrzehnte der Regierung Kaiser Franz Josefs I. ein Ende bereiteten, wuchs Bruckner auf. Er hat sie, diese Enge, soweit sie seine eigene Person betraf, nie verlassen. Er ist der einfache, bieder denkende Oberösterreicher geblieben: in seinem Briefstil, seinem devoten Wesen, seinen einfachen Lebensgewohnheiten, den Frauen gegenüber. Er blieb es in seiner Kleidung, seiner Nahrung und in der Konversation mit anderen Menschen, wobei er auch Witze liebte. Aber sie durften nicht ins Schlüpfrige abgleiten, darin kannte er keinen Spaß, dabei konnte er sehr energisch werden! Wir wissen auch nichts von literarischen Interessen oder solchen für die bildende Kunst. Man darf daher auch Bruckners Reisen in ihrer Wirkung auf den Meister nicht überschätzen. Sie haben ihm die Bekanntschaft Wagners und Liszts gebracht, von Orgeln, von Bergen in der Schweiz, er aber hat aus ihnen nicht jenen Nutzen gezogen, den man hätte erwarten können. Mit den Reisen Mozarts oder jenen der Musiker unseres Jahrhunderts sind sie auf keinen Fall zu vergleichen. Bruckner verharrte in den Lebensgewohnheiten seiner Jugend und mußte allein dadurch den nach Bildung strebenden, intellektuell ehrgeizigen Bewohnern der aufstrebenden k. k. Reichshaupt- und Residenzstadt Wien als rückständig vorkommen.

Und dennoch bemerkte man, daß dieses gesellschaftlich ungewöhnliche Äußere von einem Kopf überragt wurde, der dem eines Cäsaren glich. So devot Bruckner sein konnte, so beherrschend selbstbewußt muß er zuzeiten gewesen sein, denn er war sich des Wertes seiner Musik vollkommen bewußt und sicher. So wohnte in ihm neben der Unterwürfigkeit ein Stolz, der allen Widerwärtigkeiten trotzte und schließlich den Sieg errang. Als er gestorben war, glich sein Leichenbegängnis dem eines Fürsten. Sein Sarkophag steht einsam erhöht, wie thronend, in der Gruft der Stiftskirche von St. Florian, genau unter der großen Orgel, die „seine" Orgel war. Die Gegensätze sind verstummt, seine Werke erklingen ganz nach seinem Willen. In ihren Tönen geht das Menschlich-Allzumenschliche von Bruckners Leben in vollendeter Harmonie auf, nichts bleibt uns mehr zu fragen übrig, als das eine: ob wir selbst dieser Musik schon so nahe sind, daß wir ihn, Anton Bruckner, und sein Werk nicht nur verstehen, sondern auch lieben.

Res tantum intelligitur,   (Es wird dir mehr Erkenntnis wohl gegeben,
quantum diligitur.   Je mehr der Lieb' du hast in deinem Leben.)
(Augustinus)

Erschienen in: *Österreichische Musikzeitschrift* 29, Wien 1974, S. 397—404.

Bruckner und Wels

Das menschliche Leben gewährt seinen Betrachtern viele verschiedene Ansichten. Im einzelnen wie im gesamten bietet es eine unglaubliche Fülle von Vielfalt, von überraschender Abwechslung, von manchmal geradezu erschreckenden Gegensätzen. Jeder von uns hat diese Erfahrung schon gemacht, an sich, an seiner Familie, an seiner Umgebung, er weiß, daß sein Tag für Tag fortschreitendes Leben mannigfachsten Einflüssen unterworfen ist, nicht zuletzt den wechselnden Stimmungen seines eigenen Ichs, seinem Willen und seinen Absichten. Von diesem Blickpunkt aus erscheint das Leben unserer bedeutenden Persönlichkeiten aus Kunst, Wissenschaft, Technik und öffentlichem Leben als eine Summe von Einzelheiten, die in einer besonders gelagerten Entwicklungslinie liegen und den Beschauer zu eindringender Anteilnahme auffordern. Dieser Aufforderung kann man beispielsweise nachkommen, wenn man in einem Künstlerleben die verschiedenen Orte betrachtet, an denen es sich abgespielt hat. Wir alle gehen ja vom Ort unserer Geburt aus, durchlaufen unsere Schul- und Ausbildungsjahre, die uns vielleicht anderswohin versetzen, erreichen unseren Beruf, gleichfalls an verschiedenen Wirkungsstätten, und landen schließlich dort, wo uns Erfüllung und Lebensende beschieden sind.

Sieht man die Persönlichkeit Anton Bruckners unter diesem Gesichtswinkel, dann läßt sich ein mächtiges Crescendo erkennen: Vom kleinen Ansfelden gelangt Bruckner über Stift St. Florian, dem besondere Bedeutung für Bruckners Werdegang und seine Persönlichkeit zukommt, nach Linz und von da, der oberösterreichischen Hauptstadt, in die k. u. k. Haupt- und Residenzstadt Wien. Dazwischen liegen einzelne Stationen, die jede von ihnen seinem Leben einen jeweils anders „gefärbten" Punkt eingefügt haben. Man erkennt auch, daß jeder dieser Orte für Bruckner eine eigene Bedeutung gehabt, daß seine Persönlichkeit sich jeweils anders gegeben und bewährt hat, daß er selbst aber auch jeweils andere Eindrücke und Anregungen empfing.

Die Stadt Wels ehrt sich selbst, wenn sie heute Bruckner feiert durch die Enthüllung dieser Gedenktafel und ihm, dem gebürtigen Oberösterreicher, ein Denkmal setzt, weil er mehrmals in ihren Mauern geweilt hat.

Wir wissen, daß Bruckner seinem Heimatland zeitlebens treu geblieben ist in vielen seiner Gewohnheiten: Kleidung, Essen, Umgangsformen und Sprache. Man hat ihn deswegen in Wien als „Provinzler" angesehen, als einen Mann, beengt in den Gebräuchen Oberösterreichs, als nicht gesellschaftsfähig, ja als ungebildet. Die für die Kunstkritik maßgebenden Kreise Wiens scheuten sich nicht, auf ihn „herabzublicken", und meinten, wie es ein überliefertes Wort besagt: „Den Bruckner haben die Pfaffen von St. Florian auf dem Gewissen."

Dieser „Provinzler" Bruckner aber komponierte zur selben Zeit so mächtige, große Symphonien, die durchaus nichts Provinzielles an sich tragen, daß man staunend vor solcher Größe steht und einfach nicht begreift, wie solche Gegensätze in Person und Werk möglich waren. Und so ist es nur recht und billig, wenn an allen Brucknerorten seine Größe kundgetan wird, wenn man sich darauf besinnt, daß Bruckner ein überragendes musikalisches Genie war, dessen geistige Macht dazu bestimmt ist, über die ganze Welt zu wirken.

Jeder der Orte, den sein Fuß betrat, und mag dies nur für kurze Zeit gewesen sein, ist ein Stein im Lebensmosaik des Meisters. Man kann ihn nicht herausbrechen, dann würde er fehlen, und man merkte es.

Soweit bis jetzt bekannt, war Bruckner dreimal in dieser Stadt: 1865, 1869 und Sommer 1881, jedesmal nur einen Abend lang vermutlich, so daß man kaum stärkere Auswirkungen seiner Persönlichkeit erwarten darf. Die nähere Untersuchung zeigt aber, daß dem doch nicht ganz so ist. Jedesmal stellt sich den Welsern ein anderer Bruckner vor, jedesmal ist er, bei gleichbleibendem Äußeren, eigentlich eine andere Persönlichkeit, und so gewinnen wir wie aus einem Prisma verschiedene „Farben", die aber schließlich doch zu einem „Bild" gehören, zu einem Porträt Bruckners. 1865 erleben ihn die Musikfreunde von Wels als Chormeister. Ein Vorfall, der sich oft im Kunstleben ereignet, ist die Ursache: Alois Weinwurm, der Gründer und Chormeister des Linzer „Sängerbundes", ist verhindert, bei einem am 6. August dieses Jahres in Wels stattfindenden Gründungskonzert des oberösterreichischen Sängerbundes zu dirigieren. Er ersucht Bruckner, ihn zu vertreten, und so singt der Linzer Sängerbund unter Bruckners Leitung den Chor „Waldeinsamkeit" von A. M. Storch. Von dieser Aufführung wird erzählt, daß Bruckner den Ton A vom Flügelhornisten der mitwirkenden Husarenkapelle angeben ließ. Zum Schrecken der Sänger benützte dieser ein Instrument, das um einen halben Ton höher war als die Normalstimmung, die ersten Tenöre fürchteten daher um ihre höchsten Töne. Max Auer schließt daraus, daß Bruckner kein absolutes Gehör besaß. Über den Erfolg des Chores ist nichts bekannt.

Mag das auch nur als Nebensächlichkeit gewertet werden, viel wichtiger ist, daran zu erinnern, daß dieser Chormeister Bruckner, der dem Linzer „Frohsinn" seit 1858 angehörte und dadurch dem Chorwesen nahestand, ein Jahr vorher sein erstes Meisterwerk komponiert hatte, die d-Moll-Messe, von deren Uraufführung am 20. November 1864 und ihrer Wiederholung man sicher auch in Wels gehört hatte. Dem Komponisten Bruckner hat man damals wahrscheinlich noch nicht jene Aufmerksamkeit geschenkt, die er verdient hätte, zumal man ja auch nichts wissen konnte von der knapp vor der Messe entstandenen Symphonie in d-Moll, der später sogenannten „Nullten". In ihr klingen gleichfalls schon Motive und Klangfolgen auf, die für Bruckners kommende musikalische Eigenart kennzeichnend sind.

Derselbe Chormeister Bruckner hatte kurz vor seinem Auftreten in Wels aber noch einen seiner stärksten musikalischen Eindrücke seines Lebens erfahren: Richard Wagners „Tristan und Isolde", die er bei deren 3. Aufführung in München am 19. Juni 1865 gehört hatte. Wieviel Anregungen damals auf ihn einströmten, die er dann später zu eigener Ausdruckskraft umwandelte, das ist jedem Musikfreund aus den Symphonien des Meisters bekannt.

1865 jedoch war er außer seiner Eigenschaft als Linzer Domorganist auch als Komponist von Männerchören hervorgetreten. Hatte doch im gleichen Jahr sein Männerchor „Germanenzug" mit Blasorchester beim Sängerfest des Oberösterreichisch-Salzburgischen Sängerbundes in Linz den 2. Preis errungen. Bruckner war darüber sehr verstimmt, er hatte den 1. Preis erwartet.

So sehen wir den Bruckner des Jahres 1865 von Chorgesang und Männerchorwesen umgeben, in diesem Rahmen erschien er auch in Wels.

Ganz anders verhält es sich beim zweiten Besuch, 1869. Der Meister befindet sich auf der Rückreise aus Frankreich, wo er in Nancy und Paris außerordentliche Erfolge als Orgelvirtuose und Improvisator gefeiert hat. Jetzt ist er nicht mehr der kleine Männerchordirigent, sondern ein gefeierter Virtuose, von dem es aus Paris heißt: „Die Orgel der Notre-Dame-Kirche hat geglänzt wie noch nie und unter den Händen des deutschen Künstlers Bruckner ihren Triumphtag gefeiert."

Göllerich berichtet einen Ausspruch Bruckners über dieses Improvisationskonzert in Notre-Dame, der mit den Worten schließt: „Z'letzt warn's ganz aus'n Häusl, und ich war auch ungeheuer aufgeregt." Unter den Zuhörern befanden sich bedeutende Komponisten Frankreichs, wie Camille Saint-Saëns und César Franck. Die große Orgel von Notre-Dame hatte 5 Manuale und war eben von der berühmten Orgelbaufirma Cavaillé-Coll im Umbau fertiggestellt worden.

Bruckners Empfindungen über diese Erfolge geben mit aller Deutlichkeit die durch Göllerich überlieferten Worte wieder: „Endli' habn si' Leut g'funden, die mich do gelten lassen haben." Diese Worte lassen tief blicken und stellen die Ehrung, die Wels dem Meister bereitete, in helles Licht.

Wie bekannt, hat auf Grund von Meldungen über die Erfolge Bruckners in Frankreich August Göllerich senior in seiner Eigenschaft als Vorstand des Welser Männergesangvereines die Anregung gegeben, Bruckner zum Ehrenmitglied zu ernennen. Das geschah auch spontan, und so empfing Bruckner hier in dieser Stadt die erste Ehrung seines Heimatlandes Oberösterreich. Er hat sich sehr darüber gefreut, das kann man als sicher annehmen, und dankte dafür mit einem Orgelkonzert in der Stadtpfarrkirche.

Eine dieses Konzert berührende Zwischenbemerkung sei hier gestattet. Als Bruckner am 7. November 1891 im Senatsitzungssaal der Wiener Universität die Würde eines Ehrendoktors der Philosophie erhielt, da sagte er am Schluß seiner kurzen Dankrede: „So wie ich möchte, kann ich Ihnen nicht danken, wäre eine Orgel hier, ich würde es Ihnen schon sagen."

Nun, in Wels war eine Orgel, und so konnte Bruckner auf seine geniale Art danken, auf der sicher noch ein Abglanz der französischen Triumphe lag.

Und da, bei dieser Gelegenheit, entzündete sich ein Funke in eines jungen Menschen Seele, der sich bis zu einem lodernden Feuerbrand für des Meisters Ehre entwickeln sollte. Sie wissen alle, meine Damen und Herren, wen ich meine: Es ist August Göllerich jun., dem die Welt die bisher umfassendste Brucknerbiographie verdankt, die nach seinem leider allzufrüh erfolgten Tode ein anderer Oberösterreicher, Max Auer, zu Ende geführt hat.

Göllerich wurde in Wien sein Schüler und einer seiner tätigsten Freunde. Vom Meister selbst zu seinem Biographen bestellt, beginnt er das Vorwort seines Werkes mit den Worten: „Gigantisch ragt die Erscheinung Anton Bruckners aus den Erinnerungen meiner Knabenzeit." Dahinter liegt die Begeisterung verborgen, die schon Göllerich, der Vater, für Bruckner empfand, weil er, ein Welser, einer der wenigen war, die schon sehr früh das Genie Bruckners erkannt hatten.

Göllerich jun. erzählt dann weiter von der Verleihung der Ehrenmitgliedschaft und dem Orgelkonzert in der Stadtpfarrkirche und gelangt zu dem Satz: „Da traf mich zum ersten Male seines Auges Strahl."

Das ist die Geburtsstunde einer Begeisterung für Bruckner, die über ein halbes Jahrhundert andauern sollte. Es ist nicht verwunderlich, daß dem letzten Schüler und Sekretär Liszts und begeistertem Wagnerianer hier ein Satz einfällt, der an Wagners „Parsifal" erinnert, er hat den ersten Band seines Bruckner-Werkes weiter so in Begeisterung und Enthusiasmus geschrieben. Nach einer kurzen Schilderung des Spieles Bruckners weiß Göllerich auch davon zu berichten, daß Bruckner „nächsten morgens zeitlich früh die Hand des schönsten Welser

Mädchens aus einer der ersten, ihm ganz fremden Familie begehrte" und daß er dadurch „zum Gespött der damaligen Kleinstadt geworden war". Göllerich, der Vater, „bemitleidete den ganz Unkonventionellen und... erklärte (so weiter Zitat aus Göllerich), Bruckner sei eben in jeder Beziehung ein völlig Außerordentlicher, der nicht wisse, wie er auf diesen ‚miserablen Planeten' geraten sei".

In Wels hat sich im Sommer 1881 dann noch eine ähnliche Begebenheit abgespielt mit Louise, der Tochter des Landesgerichtsrates Hochleitner. Sie besaß eine sehr gut ausgebildete Kontra-Altstimme, von der Bruckner begeistert war. Einige Zeit später entstand für sie am 5. Februar 1882 das Ave-Maria in F-Dur für Alt und Harmonium. Diesem in Wels veranlaßten geistlichen Werk Bruckners steht aber noch ein anderes, ein weltliches, zur Seite, der Männerchor „Sängerbund". Die Titelseite des Erstdruckes berichtet: „Sr. Hochwohlgeboren Herrn Stadtrat August Göllerich, Vorstand des Oberösterreichisch-Salzburgischen Sängerbundes gewidmet." Im Juni 1883 fand in Wels ein Sängerfest statt, und zu dem hatte sich Göllerich von Bruckner einen Männerchor gewünscht und vom Meister auch erhalten. Er war am 3. Februar 1882 entstanden als ein auf Massenchor berechnetes Stück und dementsprechend auch im einfachen Liedertafelstil komponiert. Bruckner ließ darin Anklänge an den damals sehr beliebten Männerchor „Das deutsche Lied" von Kalliwoda einfließen, um größere Breitenwirkung zu erzielen. Die Wogen der nationalen Begeisterung gingen in diesen Jahren sehr hoch, und die Veranstalter von Sängerfesten verlangten zugkräftige, wirkungsvolle Stücke. Als ein solches bewährte sich auch dieser Chor bei seiner Uraufführung in der Welser Volksfesthalle am 10. Juni 1883.

Wenn man bedenkt, daß zu der Zeit Bruckner mit seiner VII. Symphonie beschäftigt war, einem Werk also, in dem sich die Höhe seiner Meisterschaft in geradezu hinreißender Weise offenbart, dann gewinnt die Gabe an Göllerich einen ganz eigenen Sinn. Bruckner, in der Größe seiner symphonischen Konzeption stehend, scheut sich nicht, in die Welt der einfachen Männerchorkomposition sozusagen hinunterzusteigen, nur um seinen oberösterreichischen Freunden Freude zu machen. Auch darin offenbart sich die Anhänglichkeit an seine oberösterreichische Heimat, offenbart sich ungebrochene Treue zu seinen Landsleuten, aber auch zu einem Kompositionsstil, den er in seiner „Frohsinn"-Zeit in Linz kennengelernt, von dem er sich aber durch seine künstlerische Entwicklung himmelweit entfernt hatte. Den Grund dazu müssen wir in der Persönlichkeit von Göllerichs Vater suchen.

Man musizierte hier in Wels und in der näheren Umgebung gern und viel: Blasmusikvereinigungen, Chorvereinigungen, wie eben auch der Welser Männergesangverein, der Kirchenchor waren mit Erfolg bestrebt, Frau Musica eine tönende Heimstatt zu bereiten.

So sind auch die Begegnungen, die Meister Anton mit Wels gehabt hat, fruchtbar gewesen. Dem Chormeister schenkte man hier Beifall, dem Orgelvirtuosen ließ man Anerkennung zuteil werden, und der Komponist Bruckner schrieb auf Anregungen, die ihm aus Wels zuteil wurden, zwei Kompositionen.

Der Punkt im Leben Bruckners, der Wels heißt und den der Meister eigentlich ja nur vorübergehend gestreift hat, zeigt dennoch deutlich und unverlierbar drei Seiten aus Bruckners Persönlichkeit: den Chordirigenten, den Orgelimprovisator und den schaffenden Künstler.

Von weitreichender Bedeutung aber war die Begegnung des jungen Göllerich mit Bruckner. Er wurde in Wien sein Schüler, hat sich in vielen Gesprächen mit dem alternden Meister Erkenntnisse, Tatsachen und Berichte Bruckners geholt, die er dann für die Biographie verwendete. Damit hat sein Werk für immer grundlegende Bedeutung, weil es Aussprüche des Meisters und seiner Zeitgenossen wiedergibt, die wir heute nie und nimmer erlangen könnten. Bruckner schätzte Göllerich sehr und bezeichnete ihn in der Widmung einer Porträt-Photographie als einen ausgezeichneten Tonkünstler, „meinen wunderbaren Biographen".

Wels, dessen künstlerische Traditionen in der Vergangenheit bis auf Hans Sachs und die Meistersinger zurückgehen, dessen musikalisches Leben einen Johann Nepomuk David gekannt hat und nun in seiner Musikschule und allen übrigen musikalischen Institutionen der tönenden Kunst auch eine erfolgreiche Zukunft gestaltet, dieses Wels hat guten Grund, seine Erinnerungen an Anton Bruckner wachzuhalten und durch Aufführungen seiner Werke breitesten Schichten seiner Bevölkerung zu vermitteln.

. Halten wir dazu noch fest, daß es in seinem Stadtmuseum Bruckner-Autographe besitzt, unter denen sich als besondere Kostbarkeit des Meisters erste Komposition befindet, die Stimmen der Windhaager Messe, daß sich darunter aber auch der erste Brief Bruckners befindet vom 19. März 1852; Briefe vor diesem Datum sind bis jetzt nicht zum Vorschein gekommen. Er ist an Josef Seiberl in St. Marienkirchen gerichtet und begleitet einen von Bruckner komponierten und Seiberl gewidmeten Männerchor „Die Geburt". Von ihm und seinem Bruder Karl, der mit Bruckner in St. Florian Sängerknabe gewesen war, kamen die Autographen an das Stadtmuseum in Wels. Die Handschriften stellen somit ebenfalls eine direkte Beziehung zwischen Bruckner und Wels her.

In der Zeit, die so sehr dem Chaotischen zuneigt, wo Gegensätze aufeinanderprallen, die teils gewollt, teils ungewollt ihre verheerenden Wirkungen bis in das Leben des einzelnen tragen, da ist es geboten, zu jenen Persönlichkeiten unserer geistigen Kultur zu gehen, die imstande sind, uns durch ihre Werke wieder einen festen Halt und das Gefühl von Echtheit und Frieden zu geben. Das findet man in den Werken von Anton Bruckner — mögen sie oft in dieser schönen Stadt erklingen.

Erschienen in: *Brucknerland* (Mitteilungen des Brucknerbundes für Oberösterreich), Linz 1975, S. 7—11.

Anton Bruckner, der Romantiker

Man schrieb den 22. November 1874. In den Abendstunden dieses Tages vollendete Anton Bruckner seine neue Symphonie, die vierte. Sie hatte ihn seit dem 2. Jänner beschäftigt, hatte ihm Melodie auf Melodie beschert, in Kräften, in Freuden, in Leiden. Als er jetzt die Feder aus der Hand legte, da konnte er zunächst seinem Werk zustimmen, nicht aber dem Jahr; es gehörte zu denen, die ihm viel Kummer und Sorge bereitet hatten.

Daran muß man zuallererst denken, wenn man sich mit der ersten Fassung der IV. Symphonie Bruckners, seiner „Romantischen" , beschäftigt. Sie wird ja morgen ihren Geburtstag „im Klang" feiern: 101 Jahre nach ihrer Niederschrift wird sie zum erstenmal zur Gänze aufgeführt. Für Linz, das Bruckner-Haus, die Münchner Philharmoniker und den Dirigenten Kurt Wöss ein besonders denkwürdiges Ereignis.

Kehren wir aber in das Jahr 1874 zurück. Es ist notwendig, sich das kummervolle Leben vorzustellen, das Bruckner in diesem Jahre beschert wurde. Einer freundlichen Geste des Ministeriums für Kultus und Unterricht, einem Künstlerstipendium von 500 Gulden, folgte, ebenfalls zu Jahresbeginn, die Enttäuschung vom oberösterreichischen Landtag: Bruckner hatte um eine lebenslängliche Dotation gebeten, sie wurde abgelehnt. Er sorgte sich immer um seinen Lebensunterhalt, stammte er doch aus bescheidensten Verhältnissen und wußte, wie Armut tut, daher seine Bemühungen um eine gesicherte, dauernde Lebensexistenz.

Im Oktober dieses Jahres mußte er den größten bisher erlittenen Verlust hinnehmen, seine Klavierlehrerstelle an der Lehrerinnenbildungsanstalt bei St. Anna. Man entließ ihn, sein Freund Rudolf Weinwurm wurde ihm vorgezogen. Für Bruckner bedeutete das einen Jahresverlust von 1000 Gulden.

Größten Kummer und bitterste Zurücksetzung bereitete ihm aber der Professor für Ästhetik und Musikgeschichte an der Universität Wien, Eduard Hanslick.

Um „Zeit und Muße zur musikalischen Komposition zu gewinnen", wie er in seiner Eingabe schreibt, wollte Bruckner die „Creierung einer k. k. fixen Anstellung (mit Gehalt und Pensionsfähigkeit verbunden) womöglich an der k. k. Universität für Theorie der Musik als Harmonielehre etc." erlangen. Mit dieser ausführlich begründeten Bitte wandte er sich unterm 18. April 1874 an das hohe Ministerium für Kultus und Unterricht.

Zu diesem Zeitpunkt hatte er den 1. Satz seiner Vierten schon beendet und den 2. gerade in Arbeit.

Drei Wochen später hielt er die von Hanslick veranlaßte Ablehnung in Händen. Bruckner ließ sich aber nicht abschrecken und sandte unmittelbar danach eine „berichtigende" Eingabe an das „hochlöbliche Professoren-Kollegium" der Philosophischen Fakultät „um gnädige Verleihung einer Lehrstelle an der k. k. Universität" — und wurde am 15. Mai wieder abgewiesen.

Einen Monat später vollendete er den 2. Satz der Vierten und begann drei Tage danach, am 13. Juni, das Scherzo. Das war nicht das uns bisher bekannte Jagd-Scherzo, sondern eine andere Komposition. Wir sehen: allen Unbilden zum Trotz schuf Bruckner an seiner Symphonie weiter, daran hinderte ihn auch nicht die Ablehnung eines Vorschlages wegen Studienänderung am Wiener Konservatorium; auch ein Gesuch an den österreichischen Gesandten in London blieb unbeantwortet.

Da unternahm der Meister in der Universitäts-Angelegenheit einen dritten Versuch. Am 15. Juni wiederholte er seine Bitte an das Dekanat der Philosophischen Fakultät und legte über Rat des ihm sehr gewogenen Unterrichtsministers Stremayr „diesbezügliche Studienzeugnisse, als auch einige Partituren" bei. Es waren deren drei: die f-Moll-Messe, die II. Symphonie und die zwei bisher fertiggestellten Sätze der Vierten.

So lag am Schreibtisch Professor Hanslicks und danach in der Sitzung des Professorenkollegiums vom 31. Oktober auch die erste Hälfte der „Romantischen" als Beweis für das Kompositionstalent Bruckners vor den Augen der gestrengen Professoren. Die stummen Notenblätter sollten Zeugnis ablegen für ihren Schöpfer, aber wir dürfen wohl annehmen, daß keinem, die da über Bruckners Ansuchen zu Gericht saßen, die Schönheit der Themen und Motive, das stolze Hauptthema, der Vogel „Zizibe" oder die Serenadenmelodie des 2. Satzes aufgefallen sein wird.

Das dritte „Nein" Hanslicks darauf muß selbst die Herren der Fakultät beunruhigt haben, es gab bei der Sitzung eine lange Debatte und gegen Ende Dezember einen Artikel in der „Presse" mit der Überschrift: „Der Generalbaß im philosophischen Professorenkollegium".

Da war die Vierte aber schon ganz fertig. Bruckners Genius hatte ihn über allen Streit erhoben und mit einem Strom von Einfällen überschüttet, der den Meister befähigte, einen Riesenbau von vier Sätzen mit fast 2000 Takten aufzurichten. Er hatte viel zu sagen, wußte aber allen seinen Einfällen richtige Gestalt und gehörige Verbindung zu geben, sein Überschwang an Begeisterung kannte keine Grenzen.

Welch ein Gegensatz zum täglichen Leben des Herrn Professors für Musiktheorie am Wiener Konservatorium! In der Welt gedemütigt und zurückgewiesen, am Himmel seiner Kunst ein leuchtender Stern! Man schätzte ihn nur als virtuosen Meister der Orgel und der Improvisation, dafür war er auch im Ausland berühmt. Der Komponist Bruckner war jedoch nicht gefragt, der hatte sich mit seiner begeisterten Zustimmung zur Kunst Richard Wagners eher verdächtig gemacht bei den Anhängern der in Wien herrschenden Tagesmeinung „in musicis".

Und doch befand sich der „Komponist" Bruckner gerade in diesen Jahren 1872 bis 1875 in einer Epoche künstlerischen Aufstiegs. Nicht weniger als vier Symphonien vollendete er in diesem Zeitraum, die Zweite bis Fünfte. Bruckner erstarkte in seiner künstlerischen Aussage, er fand in diesen vier Werken seinen Stil. Man kann diesen Schöpfungen unleugbar ein inneres Wachstum entnehmen, dessen Gipfel in der V. Symphonie liegt, die ja, wie bekannt, zu ihrer thematischen Wucht in ihrem Finale auch ein prunkvolles Gewand von Doppelfuge und Choral erhielt.

So ist die IV. Symphonie eine Art Kettenglied in einer geschlossenen Reihe. Der Dramatik der Zweiten folgt die stolze Festigkeit der Dritten mit ihrer Verneigung vor dem Bayreuther „Meister aller Meister" wie Bruckner ihn nannte, in den Zitaten aus „Tristan" und „Walküre". Zwischen ihr und dem hochragenden Gebäude der Fünften steht die naturzugewandte Vierte. Bruckner hat ihr selbst den Beinamen „Romantische" gegeben und sie damit wie kaum ein anderes seiner Werke gekennzeichnet. Diese Kennzeichnung betrifft den in ihr dargestellten Inhalt und die Charaktere ihrer Themen. Sie betrifft aber auch die Stellung dieses Werkes in seiner Zeit, und das veranlaßt uns, die Stellung Bruckners überhaupt in der Romantik zu untersuchen. Denn, als der Meister diese Symphonie niederschrieb, war die eigentliche Zeit der Romantik in Österreich und Deutschland schon vorbei. Bruckner, der 1824 Geborene, hat sie aber in seiner Entwicklung erlebt, und es mag geboten sein, an jene Stationen seines Lebens zu erinnern, an denen er mit der Musik der Romantik in Berührung kam.

Erste Eindrücke dieser Musik empfing er sicher in Linz während seiner Studien an der Präparandie. Er hörte die Ouvertüren zu „Freischütz" und „Euryanthe" von Carl Maria v. Weber. Ob er schon als Sängerknabe in St. Florian Kompositionen von Romantikern zu hören Gelegenheit hatte, wissen wir nicht. Wohl aber, daß er während seiner Tätigkeit in Kronstorf, 1841—1843, im nahe gelegenen Steyr mit Werken von Franz Schubert bekannt gemacht wurde; sicher hat er auch Lieder kennengelernt. Diese für Bruckners Kompositionsentwicklung außerordentlich wichtige Bekanntschaft vermittelte Karoline Eberstaller.

Eine andere Gattung von Musik lernte Bruckner in dem von Hans Schläger, dem späteren Domkapellmeister und Direktor des Mozarteums in Salzburg, gegründeten Männerquartett in St. Florian kennen. Hören und selbst ein solches Quartett in Kronstorf gründen war Sache eines kurzen Entschlusses. Ihm verdanken wir eine der frühesten Kompositionen des jungen Lehrers, das „Tafellied", dem Herrn Stadtpfarrer in Enns, Josef Ritter von Peßler, zu dessen Geburtstag gewidmet.

Hier nimmt Bruckner an einer der wichtigsten Musikgattungen der Romantik, dem Männergesang, teil. Als Soloquartett wie als Chor entwickelte sich diese Gattung zu einem eigenen Stil, dem „Liedertafelstil". Einfluß und Bedeutung des vierstimmigen Männergesanges — es traten natürlich bald auch gemischte Chöre an seine Seite — sind enorm. Diese Musik entsprach dem politischen Geschehen der Zeit, von den Napoleonischen Befreiungskriegen an über die 1871 erfolgte Gründung des Deutschen Reiches bis in die national-deutschen Bestrebungen um und nach 1900.

Wir brauchen da nur an Bruckners Tätigkeit in der Linzer Liedertafel „Frohsinn" zu denken, um mitten in der „romantischen" Komposition Bruckners etwa mit „Abendzauber" zu stehen. Die damals so beliebte Begleitung enes Solisten durch Brummstimmen, dazu 4 Hörner und drei Jodlerstimmen, stellen in diesem Chor die richtige alpenländisch-romantische Stimmung her. Nicht minder wird in der Nachfolge der „Hymnen an die Nacht" von Novalis auch die „Mitternacht" besungen. Bruckner hat ein Gedicht dieser Stimmung gleich zweimal vertont. In dem für das erste Salzburgisch-Oberösterreichische Sängerfest in Linz 1863 komponierten „Germanenzug" wird der deutschen Vorgeschichte gedacht. Männerchor und Bläser untermalen den vom Dichter Dr. August Silberstein geschilderten Kampfesmut. Romantisch wirkt allein schon der Tonarten-Wechsel im Mittelstück: „In Odins Hallen wird es licht": fis-Moll und H-Dur gegenüber der Grundtonart d-Moll. Mit diesem Mittelsatz verabschiedete sich die Wiener Studentenschaft beim Leichenbegräbnis am 14. Oktober 1896 vor dem Kustodenstöckl des Belvederes vom Meister.

Bruckner war diesem Chorwesen treu geblieben, obwohl sein eigener persönlicher Stil ihn andere Wege gehen hieß. Noch 1893 komponierte er zum 50jährigen Jubiläum des Wiener Männergesangvereins den symphonischen Chor „Helgoland", wieder auf einen Text von Dr. August Silberstein und wieder mit germanischem Inhalt: eine römische Flotte segelt auf das „Eiland der Sachsen" zu, um es zu erobern, wird aber vom Sturm vernichtet.

Der Ausgangspunkt für diese Beschäftigung mit dem Chorwesen lag in St. Florian, dann in Linz. Aber das weitaus bedeutsamere Ereignis im Erfahren romantischer Musik war, daß Bruckner in Linz die Gewalt der Musik Richard Wagners erlebte. Er kam in Berührung mit der bis über die Jahrhundertwende dauernden musikalischen Hochromantik.

Man stelle sich vor: durch mehrere Jahre bewegte er sich bei Simon Sechter in der trockenen Luft des Kontrapunkts. Kaum ist er dieser strengen Schule entronnen — da war er noch weit weg von romantischen Gefühlen und Stimmungen —, so vermittelte ihm Otto Kitzler die Musik des „Tannhäuser". Man kann wohl mit Recht sagen, es war die größte künstlerische Erschütterung, die Bruckner erlebte: den doppelten und dreifachen Kontrapunkt samt Kanon und Fuge hatte er verlassen, nun hüllten ihn die Venusberg-Musik, die Pilgerchöre und der Sängerkrieg auf der Wartburg ein. Von da an war er ein begeisterter Wagnerianer und fuhr zu allen Uraufführungen: „Tristan" (1865), „Meistersinger" (1868), „Ring" (1876), „Parsifal" (1882). Hier öffneten sich ihm die höchsten Höhen deutscher Romantik. Sage und Mythos in Wagners Dichtungen, von ihm weniger, fast gar nicht beachtet, dagegen um so mehr die Musik. Bruckner versenkte sich in sie, Anregungen strömten auf ihn ein, aber die Gewalt der Wagnerschen Musik machte aus ihm keinen Epigonen des Bayreuther Meisters; er blieb ein Eigener.

Fügen wir hinzu, daß Bruckner um diese Zeit, 1866, „Fausts Verdammnis" von Berlioz unter dessen eigener Leitung in Wien hörte und im Jahre vorher Liszt bei der Uraufführung von dessen „Hl. Elisabeth" in Budapest begegnete, dann haben wir zu dem Zentralgestirn Wagner zwei der bedeutendsten Meister des 19. Jahrhunderts in unsere Darstellung einbezogen: Berlioz, den frühen Romantiker, und das Haupt der Neudeutschen Schule, Franz Liszt. Wir können ein musikalisches Kräftefeld entdecken, in dessen Spannungen sich Bruckners Musik durchaus eigenständig entwickelte. Er verharrte eigentlich bis zu seinen letzten Lebenstagen darin. Denn: was ist das Trio im Scherzo der IX. Symphonie anderes als eine 70 Jahre nach Mendelssohns Ouvertüre zum „Sommernachtstraum" neu empfundene Elfen-Musik.

Am 22. März 1866 hörte Bruckner unter Herbeck in Wien auch Beethovens IX. Symphonie, und ein Monat später beendete er seine Erste. Die an Beethoven gewohnte Strenge der symphonischen Form schien in der IX. aufgelöst, erweitert, nicht nur formal, sondern auch durch Zuhilfenahme von Soloquartett und Chor. Hierin offenbart sich schon ein Grundzug der Romantik: anders zu gestalten als die Klassik, nicht mehr streng, sondern freizügig mit den Einfällen schalten zu können.

Die Neunte von Beethoven, seine letzten Klaviersonaten, die Impromptus von Schubert, die Klaviermusik von Schumann, sie alle verlassen die festgefügte thematisch durchgearbeitete Form und wollen charakterisieren, wenn nicht überhaupt malen. Die „Waldszenen" von Schumann, die „Lieder ohne Worte" von Mendelssohn, das Heer all der sich ihnen anschließenden kleinen Klavierstücke, sie zeigen die Abwendung von der Klassik und die Hinwendung zu jener Musik, die sich eines poetischen Vorwurfs bedient, von den symphonischen Dichtungen Liszts an bis zu Smetanas „Moldau", zu „Till Eulenspiegel" und „Don Juan" von Richard Strauss.

Die Vermischung von Poesie und Musik in der Instrumentalmusik war Bruckner fremd. Er war zeitlebens ein Künstler der absoluten Musik, der Orgel, des Orchesters. Auch die IV. Symphonie ist in ihrem Grundgefüge von klassischer Form. Die vier Sätze sind in der von Beethoven her gewohnten Weise gestaltet. Zwei Ecksätze, der letzte mit deutlichem Finale-Charakter, der zweite als langsamer Satz — in der Vierten ein Andante mit Serenaden-Charakter — und der dritte Satz als Scherzo.

Von der durch Bruckner bewerkstelligten Auswertung der Beethovenschen Symphonieform durch die Bildung ganzer Themengruppen, von der Intensivierung der dynamischen, das heißt „bewegenden" Kräfte in Zwischenteilen, Übergängen und „Wellen" (ein von Ernst Kurth eingeführter Begriff), soll hier nicht weiter die Rede sein, das würde zu weit führen. Nach dieser Seite war Bruckner in seinem Schaffen kein Meister freier Form, kein „Romantiker". Er war sehr streng mit sich und seinen Gedanken, so daß Hans Pfitzner von ihm einmal, leicht übertreibend, feststellen zu müssen glaubte: Bruckner habe nicht neun Symphonien, sondern nur eine komponiert — weil sie sich alle gleichen.

Man kann Bruckner, den man ob seiner „Größe" gerne einen barocken Meister nennt — mit der weiten Stiftskirche von St. Florian und deren großen Orgel im Hintergrund —, auch als einen „gotischen" Meister bezeichnen. Neuere Forschungen an der V. und IX. Symphonie sowie an der e-Moll-Messe legen dies nahe; Gebet und mystisches Versenken stehen hier im Vordergrund. Bruckner kannte beides, denn die Konzentration bei den Improvisationen kennt auch eine Versunkenheit, natürlich mehr im künstlerisch-musikalischen Sinn, aber eben auch ein Aufgehen in „Welten-Ferne".

Wie ist das nun bei der Vierten? Sie hat eine klassische, festgefügte Form und ist dennoch eine „romantische Symphonie". Da der Begriff „romantisch" für die Form nicht in Betracht kommt, können wir ihre Romantik nur im Inhalt suchen, in den Motiven und Melodien.

Da entdecken wir im Schaffen Bruckners eine Einmaligkeit: er gibt selbst an, was er sich bei dieser und jener Stelle vorgestellt hat. Das trifft schon für die erste Fassung von 1874 zu, denn die Motive bleiben für den ersten und zweiten Satz dieselben. Für den dritten und vierten Satz muß man die 1880 beendete zweite Fassung heranziehen.

Daß Bruckner schon bei der ersten Niederschrift bestimmte Vorstellungen gehabt hat, das kann man als sicher annehmen. In der großen Biographie von Göllerich-Auer werden folgende Aussprüche des Meisters überliefert.

Für den Beginn des ersten Satzes heißt es: „Mittelalterliche Stadt — Morgendämmerung — von den Stadttürmen ertönen Morgen-Weckrufe — die Tore öffnen sich, auf stolzen Rossen sprengen die Ritter hinaus ins Freie — der Zauber des Waldes umfängt sie — Waldesrauschen, Vogelgesang — und so entwickelt sich das romantische Bild weiter."

In einer Abschrift der ersten Fassung finden sich im ersten Satz Bleistiftanmerkungen Bruckners: Über Takt 169, dem Beginn der Durchführung, liest man „Nacht", wenige Takte später „Träume" und zwölf Takte später „verworrene Träume".

Der Meister hatte also bei dieser Symphonie sehr wohl deutliche Vorstellungen: die Weckrufe, das erste Thema, die ausziehenden Ritter, die erste Fortissimo-Stelle mit dem in Gegenbewegung auftretenden Motiv, der „Vogelgesang", der bekannte Vogel „Zizibe" im Seitenthema.

Zum zweiten Satz meinte Bruckner, da „will ein verliebter Bub ‚fensterln' gehen, wird aber nicht eingelassen", der zweite Hauptgedanke in den Violen wird als „Ständchen" bezeichnet.

Von diesen Äußerungen kann man nicht mehr feststellen, ob Bruckner sich das vor Beginn seiner Arbeit so zu schildern vorgenommen hatte oder ob es vielmehr Deutungen sind, die er nachher seinen Motiven als Inhalt gab.

Ganz anders steht es mit dem Scherzo der zweiten Fassung. Hier hatte er vor, zu schildern. Er schreibt am 9. Oktober 1878 in einem Bericht über die Umarbeitung der Vierten an Wilhelm Tappert: „Nur das neue Scherzo bleibt mir noch übrig, welches die Jagd vorstellt, während das Trio eine Tanzweise bildet, welche den Jägern während der Mahlzeit aufgespielt wird." Das wäre der einzige Fall wirklicher Programm-Musik bei Bruckner, hat aber natürlich für die erste Fassung keine Geltung, ihr Scherzo ist anders, wenngleich es von Hörnerklang und Fanfarengeschmetter erfüllt ist, also auch Jagd-Stimmung hervorruft.

Die absolut unprogrammatische Haltung, die Bruckner eigentlich seiner Komposition gegenüber einnahm, geht aus einer Äußerung über das Finale hervor. Er sagte: „Ja, da weiß ich selber nimmer, was ich mir dabei gedacht habe!" Die erste Fassung des Finales bekam von ihm in einer Partitur die Überschrift „Volksfest", die einleitenden Achtel in den Geigen bezeichnete er einmal als „Regenwetter".

So war Bruckner also in seiner Vierten ein romantischer Träumer? Sein Schwelgen in Natur und Vergangenheit (mittelalterliche Stadt) — entspricht das nicht ganz dem damals herrschenden Zeitgeschmack? König Ludwig II. von Bayern baute gerade in der Zeit, 1869—1886, Neuschwanstein, jenes hochragende mit Türmen und phantastischen Malereien geschmückte Schloß. Unter eben desselben Königs Gunst entfaltete Wagner seine Musik. Im mittelalterlichen Nürnberg, in der Ring-Tetralogie mit „Waldweben" und „Feuerzauber". Viele Werke aus bildender Kunst und Literatur wären anzuführen. Die seit dem Beginn des 19. Jahrhunderts erwachte Liebe zur Vergangenheit war mehr und mehr erstarkt, hatte viele Früchte gezeigt. Man denke nur an die deutsche Altertumswissenschaft, die Wiederbelebung der Gotik in Frankreich, in Deutschland (Vollendung des Kölner Doms), in Österreich, der neue Dom in Linz, mit dem die e-Moll-Messe Bruckners in Beziehung steht, an die Wiener Votivkirche.

Diese zur Kennzeichnung der Zeit um 1874 gemachten Andeutungen sollen uns aber nicht von Bruckners IV. Symphonie ablenken, sondern nur die Vielschichtigkeit der Epoche andeuten.

Die Symphonie ist durch ihren Inhalt bemerkenswert, sie nimmt mit ihrer Bezeichnung als „romantische" Symphonie im Gesamtschaffen des Meisters eine besondere Stellung ein. Sie ist aber auch durch ihr weiteres Schicksal bemerkenswert. Das Werk erlebte Änderungen, ein bei Bruckner bekanntes Verhalten seinen Kompositionen gegenüber.

Am 12. Oktober 1877 schrieb Bruckner an Tappert: „Ich bin zur vollen Überzeugung gelangt, daß meine vierte romantische Sinfonie einer gründlichen Umarbeitung dringend bedarf. Es sind z.B. im Adagio zu schwierige, unspielbare Violinfiguren, die Instrumentation hie und da zu überladen und zu unruhig. Auch Herbeck, dem das Werk überaus gefällt, macht dieselben Bemerkungen und bestimmte mich in meinem Entschlusse, die Sinfonie teilweise neu zu bearbeiten."

Diese Briefstelle ist aufschlußreich. Mit dem Adagio ist der Andante quasi Allegretto überschriebene zweite Satz zu verstehen, mit den „unspielbaren Violinfiguren" die Führung der 1. Geigen im dritten Teil dieses Satzes. Die Absicht, die Symphonie „teilweise neu zu bearbeiten", hat Bruckner auch tatsächlich ausgeführt.

Nach der Umarbeitung des 1. und 2. Satzes, die er anfangs 1878 begann, schuf er im Dezember des gleichen Jahres ein neues Scherzo, das von der zweiten Fassung her bekannte „Jagdscherzo". Das Finale mit dem Titel „Volksfest" blieb vorerst noch.

158

Nicht ganz ein Jahr später nach dem neuen Scherzo, im November 1879, begann Bruckner jedoch auch ein neues Finale. Die Hauptmotive wurden beibehalten, erhielten aber eine ganz anders geartete „Umgebung". Bruckner bemerkte darüber zu Viktor Christ: „Damit werden die Schauer der Nacht geschildert, die nach einem schön verlebten Tag hereinbrechen." In echt romantischer Manier denkt der Meister an die Nacht und welch „schauerliche" Empfindungen sie im Menschen hervorrufen kann. Er ist seiner für die IV. Symphonie vorgehabten romantischen Stimmung treu geblieben, obwohl inzwischen der ganz anders geartete Riesenbau der V. Symphonie entstanden war.

Am 5. Juni 1880 beendete Bruckner die ganze IV. Symphonie in ihrer zweiten Fassung. Auf das Autograph der früheren Fassung schrieb er „Alte Bearbeitung" und legte sie beiseite.

Von den insgesamt 1986 Takten dieser alten Bearbeitung sind in der zweiten Fassung um 322 Takte weniger, 1664, erhalten geblieben, wobei zu berücksichtigen ist, daß das Scherzo ganz und das Finale zum größten Teil neu geschrieben wurde.

Beim Umzug ins Belvedere, 1895, hat Bruckner viele von seinen Manuskripten vernichtet, jedoch keines von den früheren Fassungen seiner Symphonien. Das läßt uns die Frage finden, ob man nun im Konzertleben die erste oder die zweite Fassung spielen soll. Natürlich die zweite Fassung, denn die erste hat Bruckner als „alt" zurückgestellt. Es kann aber sehr wohl die Ansicht vertreten werden, daß man zu bestimmten Anlässen, wie etwa bei einem Brucknerfest, eben jetzt, die erste Fassung spielt. Sehr zu begrüßen wäre es, wenn man einmal beide Fassungen unmittelbar hintereinander in einer Art Studienaufführung hören könnte, so wie dies 1932 bei der Darbietung der IX. Symphonie unter Siegmund von Hausegger ebenfalls mit den Münchner Philharmonikern der Fall war.

In der von der Österreichischen Nationalbibliothek und der Internationalen Brucknergesellschaft herausgegebenen, im Wiener Musikwissenschaftlichen Verlag erscheinenden Gesamtausgabe müssen beide Partituren erscheinen, sie hat ja alle Werke Bruckners zu veröffentlichen und so auch die erste und zweite Fassung der Vierten. Denn aus ihnen spricht Bruckners starker schöpferischer Wille. Man kann die Fassungen vergleichen und wird staunend bemerken, in welche Vollendung der Meister sein eigenes Werk hinaufhebt.

Darin liegt das Verdienst der morgigen Uraufführung, für die wir Kurt Wöss und den Münchner Philharmonikern größten Dank zollen müssen. Sie werden uns hören lassen, wie Bruckner seine Romantische Symphonie in erster Vision gestaltet und niedergeschrieben hat.

Erschienen in: *Mitteilungsblatt der Internationalen Bruckner-Gesellschaft*, Nr. 8, Wien 1975, S. 2—10.

Studien zu den Formverhältnissen in der e-Moll-Messe von Anton Bruckner

Wie der Titel schon sagt, wollen sich diese Untersuchungen nicht einfach mit der Form beschäftigen, sondern mit den Beziehungen, die zwischen den einzelnen kleineren und größeren Teilen herrschen. Man kann Form sozusagen nach dem Metermaß darstellen, die Länge der einzelnen Partien wie mit einem Zentimeter Takt für Takt feststellen, auch ihre Aufeinanderfolge und ihre Wiederholungen in genauer oder veränderter Weise. Damit erhält man Einblick in die Ausdehnung einer Komposition und wie sie vom Meister durch Aneinanderreihung bzw. Entwicklung seiner Gedanken entstanden ist. Solche Untersuchungen haben mit Motiv, Periode, Satz zu tun und bleiben bei ihnen stehen, weil es sich dabei nur um die Anlage der betreffenden Komposition, um ihren Grundriß, handelt.

Daß dabei kompositionstechnische Erörterungen Platz haben und auch haben müssen, liegt in der Natur der Materie: Man muß der Entwicklung der Gedanken nachgehen, ihrer Verarbeitung, ihren Veränderungen und den Zwischengliedern, mit denen der Komponist die Hauptgedanken seines Werkes verbindet. Das alles gehört zur Formenlehre und ist einer der besten Wege, in ein Werk so einzudringen, daß man es bis in seine kleinsten Einzelheiten erfassen und verstehen kann.

Die folgenden Untersuchungen an Bruckners e-Moll-Messe beabsichtigen jedoch etwas anderes. Sie stoßen von der rein formalen Darstellung der einzelnen Meßteile vor in einen Bereich, der sozusagen als „hinter" den formalen Gegebenheiten liegend die Verhältnisse der einzelnen Teile zueinander aufdeckt und damit das in ihnen vorhandene „logische Gleichgewicht" der Form offenbart, das durch eine einfache Formuntersuchung, wie vorher angedeutet, nicht zutage tritt. Als „logisches Gleichgewicht" sei jene Beobachtung bezeichnet, die wir an uns selbst machen, wenn wir beim Anhören einer Komposition diese als „vollendet", als „harmonisch", auch als „ausgeglichen" bezeichnen. Wir haben dabei die Überzeugung — das Wort Gefühl soll ausdrücklich vermieden werden —, daß man einer solchen Komposition nichts wegnehmen noch hinzugeben könne. Das trifft auf alle „Meisterwerke" der Musik zu. Zu ihnen gehört auch, es ist müßig, dies eigens zu betonen, die e-Moll-Messe von Anton Bruckner.

Bei solchem Tun begibt man sich auf eine Ebene, die „hinter" dem musikalischen Geschehen beim Komponieren liegt, deren Vorhandensein sicher dem Komponisten selbst im Augenblick des Schaffens nicht bewußt ist und sehr wahrscheinlich auch weiterhin unbekannt bleibt. Es ist jene intuitiv wirkende Kraft, die den schöpferischen Menschen eben so und nicht anders schaffen heißt. Er befindet sich dabei innerhalb einer „Ordnung", die er nicht kennt, vielleicht nur spürt und deren Ergebnisse er selbst erst im nachhinein, ebenfalls vielleicht, feststellt, soferne er überhaupt die Absicht hat, soviel „Reflexion" an seinem eigenen Werk anzustellen. Denn: musikalisch in seiner Ausdehnung nach Länge und Tiefe (Architektonik, Harmonik und Melodik) ist es ja fertig, vollendet. Dazu kommt noch die Klangordnung, die Instrumentation als wesentliche Komponente.

Verschiedene Beobachtungen an den Werken Bruckners haben gezeigt, daß in ihnen eine ganz bestimmte Architektonik zu erkennen ist, eine „Bauweise", die an geistige, Bruckner innewohnende Kräfte denken läßt, die nur ihm zu eigen waren[1]. Es muß dazu weiters angenommen werden, daß er sich ihrer nicht bewußt war. Ihm mußte es genügen, den „Bau" zu schaffen mit all dem gedanklichen Rüstzeug, das ihm seine „Wissenschaft" der Musik bot[2]. Das liegt in der Art des Genies und seines Schaffens, daß die Intuition, die Eingebung, die größte

Rolle spielt. Das „Es" wirkt in ihm und verhilft ihm zu jener erstaunlichen Vollendung und Vollkommenheit, die wir an allen solchen Werken bewundern[3].

Was damit gemeint ist, das sollen die folgenden Untersuchungen zeigen.

Die sechs Teile der Messe bieten schon vom Text her dem Komponisten verschiedene Formen an. Die meiste Regelmäßigkeit zeigen die beiden Außensätze, das *Kyrie* und das *Agnus Dei.*

Das *Kyrie* besteht aus 3×3 Anrufungen, die von sich aus also schon eine Form von drei Abschnitten anregen, von denen jeder wieder dreigeteilt ist:

Kyrie eleison,
Christe eleison,
Kyrie eleison[4].

Das *Agnus Dei* bietet dem Komponisten ebenfalls drei Anrufungen, die sich gleichfalls wieder in drei kleinere Abschnitte zerlegen:

Agnus Dei,
qui tollis peccata mundi:
miserere nobis (beim drittenmal:*dona nobis pacem*).

Das *Sanctus* gibt dem Komponisten gleichfalls aus dem Text Anregung zu musikalischer Gliederung: zuerst das dreimalige *Sanctus*, dann die Anrede Gottes: *Dominus, Deus, Sabaoth*; danach die Aussage: *Pleni sunt coeli et terra gloria tua* mit dem abschließenden *Hosanna in excelsis*. Während *Kyrie* und *Agnus Dei* die Form geradezu zwingend vorlegen, bleibt es hier schon dem Komponisten überlassen, ob und welche Textzeilen er zusammenzieht.

Am kurzen Text des *Benedictus,* der wie das *Sanctus* mit *Hosanna in excelsis* abschließt und so seine liturgische Nachbarschaft zum *Sanctus* deutlich macht, ist dem Komponisten völlig freie Hand gelassen, welche Form er daraus gestalten will.

Die Texte, die bei ihrer Vertonung am stärksten den Gestaltungswillen herausfordern, sind *Gloria* und *Credo*. Die Fülle der hymnischen Lobpreisungen im *Gloria* wie der dogmatischen Glaubenssätze im *Credo* hat seit altersher verschiedene Gliederungen gefunden, hier hatten die Komponisten vollkommen freien Spielraum. Sie haben ihn auch je nach Zeit und Stil in mannigfachster Weise zu nützen gewußt.

Die Formverhältnisse, die Bruckner in der e-Moll-Messe erkennen läßt, können folgendermaßen dargestellt werden:

I Kyrie 117 Takte

$$\begin{array}{lll} \text{I} & \textit{Kyrie} \text{ T.} & 1\text{—}39 \\ \text{II} & \textit{Christe} & 39\text{—}73 \\ \text{III} & \textit{Kyrie} & 74\text{—}117 \end{array}$$

Im einzelnen zeigen die drei Abschnitte folgende Gliederung:

$$\begin{array}{llll} \text{I } \textit{Kyrie} & 1. & \text{T.} \quad 1\text{—}6 & = 6 \text{ Takte} \\ & 2. & 7\text{—}10 & = 4 \text{ Takte} \\ & 3. & 11\text{—}16 & = 6 \text{ Takte} \\ & 4. & 17\text{—}22 & = 6 \text{ Takte} \end{array} \right\} \text{Knabenchor}$$

$$\begin{array}{lll} 5. & 23\text{—}28 & = 6 \text{ Takte} \\ 6. & 29\text{—}32 & = 4 \text{ Takte} \\ 7. & 33\text{—}38 & = 6 \text{ Takte} \end{array} \right\} \text{Männerchor}$$

Der Männerchor schließt eigentlich T. 39, wird aber vom Beginn des *Christe* im 2. Sopran überlagert und verschwindet im neuen musikalischen Geschehen. Das *Christe*-Motiv ist stärker als der abschließende Akkord des *Kyrie*-Teiles. Der T. 39 muß für den Männerchor so betrachtet werden wie die Schlußtakte bei den einzelnen Satzenden, die auch immer als ein der vorangehenden Periode angefügter Einzeltakt gelten[5].

Aus der Aufstellung ist deutlich die Gliederung (6 + 4 + 6) + 6 + (6 + 4 + 6) erkennbar, ein Gleichgewicht von zweimal 16 Takten und eine Periode von 6 Takten.

II *Christe* 1. T. 39—47[6] = 9 Takte Motiv aufsteigend
        2.   47—54   = 8 Takte Motiv absteigend
        3.   54—61 = 8 Takte Motiv auf- und absteigend
        4.   62—73   = 12 Takte Steigerung zum Höhepunkt

Die Neuntaktigkeit von 1. entsteht durch die dreimalige Anwesenheit des *Christe*-Motivs in Sopran II, anschließend in Alt I und Alt II. Darin liegt eine wohlausgewogene Dreiheit, die noch deutlicher wird dadurch, daß in der Mitte dieser neun Takte der Alt I das Motiv in verkürzter Gestalt bringt: Anfang und Schluß bestehen nur aus einer halben Note. Diese Dreiheit wird durch den T. 41 einsetzenden Sopran II „übersungen", so daß man nicht gleich auf sie aufmerksam wird, auch führen die beiden Soprane das Motiv weiter, während es in den Altstimmen vollkommen klar, allein, herausgestellt wird. Die Verkürzung des *Christe*-Motivs gibt es allerdings schon gleich zu Anfang dieses Abschnittes, T. 41 und 42. Zwischen T. 47 und 52 gehört sie geradezu zum Kennzeichen der Umkehrung.

Die erste Note des aufsteigenden *Christe*-Motivs muß sich eine Verkürzung auf die Hälfte gefallen lassen, T. 56 setzt es dann im Sopran I volltaktig ein. Die Eröffnung dieses Abschnittes geschieht in genau umgekehrter Weise wie am Beginn T. 39—42. Hier zeigt sich der außerordentlich feine Sinn, den Bruckner für formale Entsprechungen hat.

Die Steigerung zum Höhepunkt ereignet sich in zwei sechstaktigen Perioden:

    T. 62—67 = 6 Takte absteigende Terzen über dem *Christe*-Motiv
         68—73 = 6 Takte Akkordhöhepunkt

Der *Christe*-Abschnitt zeigt also: (8 + 8 + 8) + (6 + 6) Takte. Auf die Zusammenziehung der Perioden 1., 2. und 3. wurde schon hingewiesen. Wenn daher auch der „Länge" nach ein Takt weniger zu zählen ist, so bleibt dem musikalischen „Gewicht" nach (im Motivischen) ideell die Achtzahl erhalten und gibt so den 23 Takten von 39—61 die Bedeutung einer 24taktigen Phrase. Damit ist für den *Christe*-Abschnitt das Verhältnis 24 : 12 = 2 : 1 gegeben.

III *Kyrie*

Das letzte *Kyrie* zeigt folgenden Grundriß:

    1. T. 74—79   =   6 Takte polyphon
    2.   79—85   =   7 (6) Takte polyphon
    3.   85—91 =   7 (6) Takte polyphon
    4.   92—104   = 13 (= 4 + 5 + 4) Takte homophon
    5.   104—110   =   7 Takte Ausklang
    6. 111—117   =   7 Takte Ausklang

Da Bruckner das dreiteilige *Kyrie* in der Abfolge A—B—A komponiert, beginnt er jetzt wieder mit dem Motiv des Anfangs T. 1—6, setzt aber anders, mit dichterer Polyphonie, fort. Die Skalengänge aus dem *Christe*-Teil und das Motiv von Tenor I und II im *Kyrie*, T. 35—37, geben das Material. Den drei 6- bzw. 7taktigen Perioden (mit zusammen 18 Takten) folgt als Mittelteil eine homophone Periode, deren 13 Takte sich harmonisch-symmetrisch aus 4 + 5 + 4 Takten zusammensetzen. Wieder begegnet eine Dreiteilung, deren Mitte durch das Plus von einem Takt herausgehoben erscheint.

162

Den Ausklang bilden zwei 7taktige Perioden, deren erste verschränkt mit der homophonen Mittelphrase beginnt. Diese Siebentaktigkeit ist ein auskomponiertes Ritardando, ganz besonders in den letzten sieben Takten 111—117. Es wird bedingt durch die Absicht, diese Akkorde langsam im Kirchenschiff verklingen zu lassen[7]. In der Partitur der 1. Fassung sind die beiden Perioden noch sechstaktig: T. 110 und 116 hat Bruckner später eingefügt.

Aus den ins einzelne gehenden Gliederungen des *Kyrie* geht hervor, daß es sich zumeist um 6taktige Perioden handelt. Das Grundmaß des *Kyrie*-Baues der e-Moll-Messe beträgt also 6 Takte[8].

Im I. *Kyrie* sind alle Perioden sechstaktig, Periode 2. und 6. sind 2/3 von 6. Im III. *Kyrie* sind die ersten drei Perioden sechstaktig, ebenso die letzten zwei, 5. und 6. in der 1. Fassung.

Das *Christe* wird als Mittelteil des *Kyrie* herausgehoben. Das neue Motiv wird in 3 × 8 Takten abgewandelt, T. 39—61. Die anschließende Steigerung zum Höhepunkt T. 62—73 kehrt aber wieder zur Sechstaktigkeit zurück.

Der Abweichung vom Grundmaß 6 kann man eine eigene Bedeutung zumessen: Es wird die zweite göttliche Person angerufen, die Mensch geworden ist und irdische Maße angenommen hat. Daher tritt die 3, das Symbol für die Trinität, zurück und wird erst wieder in den zum Höhepunkt führenden Takten 62—73 spürbar. Die durch je zwei Takte führenden Terzen bzw. Sextakkordskalen ertönen dreimal, der den gesamten Satz in das Fortissimo „hineinhebende" Halbton h—c im 2. Baß ertönt dreimal, für den Abschluß bleiben dann ebenfalls drei Takte übrig. So sind in den Taktgliederungen, daher auch in den zutage tretenden Grundzahlen, das menschliche und göttliche Wesen der zweiten göttlichen Person versinnbildlicht. Die Untersuchung gleitet damit in hermeneutisches Gebiet ab, das für diese Darlegungen streng vermieden wird. An dieser einen Stelle wenigstens soll die Möglichkeit solcher Behandlung angedeutet sein und die Meinung angefügt werden, daß Bruckner beim Niederschreiben dieser Musik höchstwahrscheinlich keineswegs solche Gedanken gehegt hat. Er war kein „theologischer" Komponist, wohl aber ein frommer Mensch, das alles geschah bei ihm intuitiv.

Agnus Dei   75 Takte

Der letzte Teil der Meßkomposition ist dem ersten, dem *Kyrie,* sehr ähnlich. Die Zweiteiligkeit des Textes:

> *Agnus Dei, qui tollis peccata mundi:*
> *miserere nobis.*

wird durch die Ausführung im gregorianischen Choral zur Dreiteiligkeit:

Kantor:	*Agnus Dei,*
Schola:	*qui tollis peccata mundi*
Chor:	*miserere nobis.*

In Bruckners Musik wird diese Dreiteiligkeit aber so umgestaltet: Zeile 1 und 2, die Anrufung mit dem anschließenden Relativsatz, bleiben beisammen in einer Phrase, das *miserere* hingegen (bzw. *dona*) wird wiederholt. Diese Dreiteilung entspringt aber dem Willen Bruckners und ist nicht textgegeben, denn das *miserere nobis* wird im gregorianischen Choral nicht wiederholt.

Ob Bruckner zu seiner Dreiteilung sich den gregorianischen Choral zum Vorbild nahm, das muß dahingestellt bleiben, das läßt sich weder ergründen noch beweisen. Bemerkenswert bleibt nur, daß die Form im großen bei Bruckner dennoch auch dreiteilig wird in jedem der drei Abschnitte, obwohl er, wie nicht anders zu erwarten, den Relativsatz bis zum Doppelpunkt als eine Einheit betrachtet, wie es auch grammatikalisch richtig ist.

163

Die Gliederung sieht so aus:

I   T. 1—18   = 18 Takte
        18—20 = 3 Takte (Überleitung)
II   21—43   = 23 Takte
        43—44 = 2 Takte (Überleitung)
III   45—75   = 31 Takte

Die Taktzahlen ergeben folgende Verhältnisse:

I 20 Takte = 5×4
II 24 Takte = 5×5—1
III 31 Takte = 5×6+1

Daraus wird ein Längenwachstum ersichtlich, das deutlich zum „*dona nobis pacem*" hinlenkt; Bruckner verleiht seinem Werk den entsprechenden „gewichtsmäßig" bedeutenden Abschluß.

Im einzelnen zeigt sich folgendes Bild:

Agnus I   T. 1—6   = 6 Takte
miserere   7—14   = 8 Takte
miserere   14—18   = 5 Takte
Überleitung   18—20   = 3 Takte
Agnus II   T. 21—26   = 6 Takte
miserere   27—36   = 10 Takte
miserere   36—43   = 8 Takte
Überleitung   43—44   = 2 Takte
Agnus III   T. 45—52   = 8 Takte
dona   53—60   = 8 Takte
dona   60—75   = 16 Takte

Die Taktzahlen ergeben durch die Verschränkungen ein etwas unruhiges Bild. Wie man sieht, werden aber bei Berücksichtigung dieser Takte die Summen 20, 24 und 31 für die drei Abschnitte wieder sichtbar.

Eine einfache „Längenmessung", Taktzahlen ohne Einbeziehung der Verschränkungen, ergibt folgende Verhältnisse:

Agnus I   T. 1—6 = 6 Takte
miserere   7—13 = 7 Takte
miserere   14—20 = 7 Takte
Agnus II   21—26 = 6 Takte
miserere   27—35 = 9 Takte
miserere   36—44 = 9 Takte
Agnus III   45—52 = 8 Takte
dona   53—60 = 8 Takte
dona   61—66 = 6 Takte
dona   67—75 = 9 Takte

Das läßt sich so darstellen:

I   II   III
(6 + 7 + 7) + (6 + 9 + 9) + (8 + 8 + 6 + 9)

164

Man bemerkt auch hier das Wachsen der Glieder: bei I und II im *miserere,* bei III im Einsetzen der 8taktigen Perioden, die hier *Agnus* und erstes *dona* umfassen; die frühere Sechstaktigkeit wird um 2 Takte verlängert. Nach ihr werden dann die Verhältnisse von II, 6 + 9, angefügt.

Wie im *Kyrie,* so erreicht Bruckner auch im *Agnus* ausgewogene Verhältnisse in der Aufeinanderfolge und der Stellung der einzelnen Glieder. Diese Verhältnisse sind aber keine starren, sondern bewegliche. Ihre Veränderung ist eine Dynamik der Form, die, wie es auch gar nicht anders sein kann, aus den Motiven und ihren Entwicklungen kommt.

Sanctus 51 Takte

Die Textgestalt des *Sanctus* bietet dem Komponisten gleichfalls eine Dreiteilung:

1. *Sanctus, Sanctus, Sanctus Dominus, Deus Sabaoth.*
2. *Pleni sunt coeli et terra gloria tua.*
3. *Hosanna in excelsis.*

Das *Sanctus* der e-Moll-Messe zeigt in seinen Chor-Blöcken genau diese Dreiteilung:

$$1. \text{ T. } 1—32$$
$$2. \quad 33—39$$
$$3. \quad 40—51$$

Allerdings, zwischen „*Hosanna*" und „*in excelsis*" werden drei Takte Pausen eingeschaltet. Der Text wird solcherart „zerrissen". Die Begründung dafür ist im Bläsersatz zu suchen, worüber weiter unten berichtet wird.

Obwohl sich Bruckner, wie man sieht, an Form und Gliederung des Textes gehalten hat, ist er in der Musik doch seine eigenen Wege gegangen. Er komponierte so:

I	*Sanctus*	T. 1—27	= 27 Takte polyphon
II	*Dominus*	27—31	= 5 Takte homophon
III	Zwischenspiel	31, 32	= 2 Takte
IV	*Pleni*	33—39	= 7 Takte
V	*Hosanna*	40—51	= 12 Takte

I enthält den mit bewundernswerter kontrapunktischer Meisterschaft gestalteten achtstimmigen Chorsatz über das Wort *Sanctus,* und zwar[9]:

T. 1—21 Motiv in fließender sich selbst steigernder Polyphonie
22—27 Skalenbewegung

das ergibt 3×7 Takte $+ 6$ Takte Abschluß.

II ist homophoner Gegensatz und Höhepunkt zur vorangegangenen Polyphonie. Der Abschnitt besteht aus

T. 27—32 und
31 u. 32 mit den abwärts gleitenden Bewegungen im Holz, ein Echo auf die Takte 22—27 darstellend. Den Verschränkungstakt 27 mitgerechnet, ergibt dies eine Periode von 6 Takten.

IV und V müssen trotz der durch Pausen getrennten Chorblöcke motivisch und formal als Einheit betrachtet werden. Bruckner bildet sie aus 7taktigen Perioden.

T. 33—39 = 7 Takte Chor, gleichzeitig aber
33—46 = 14 Takte Bläser. Sie beginnen mit dem *Sanctus*-Motiv und spielen danach die absteigenden Skalen von T. 23, 24 aus, und dies, mit geringer Abwandlung in den Takten 40/41 (3., 4. Horn, Baßposaune) und 42, bis zur Ausbreitung des Chorsatzes in ganzen Noten, T. 47. Die abwärts gleitenden Sextakkorde in den Posaunen lassen die gesamte Viertelnotenbewegung hinübergleiten in die breit ausschwingenden Schlußtakte. Es sind dies:
T. 45—51, ebenfalls 7 Takte.

Abschnitt IV und V zeigen daher die Verhältnisse: 7 + 14 + 7; diese Perioden sind motivisch bedingt und überlagern sich, greifen ineinander. Das lineare Längenmaß von 51 Takten wird durch die Musik „vergrößert". Man kann eben in der Musik zwei Dinge (Motive) zu gleicher Zeit hören und daher „Gewichtsteile" (Perioden) gleicher Länge ineinanderschieben. Die zugrunde gelegte Zahl 7 ist der logischen Überlegung im *Sanctus* ohneweiters ersichtlich:

$$
\begin{aligned}
\text{T.} \quad 1\text{—}21 \quad &= 21 \text{ Takte} = 7 \times 3 \\
22\text{—}27 \quad &= 6 \text{ Takte} \\
27\text{—}32 \quad &= 6 \text{ Takte} \quad \Big\} \text{ linear 11 Takte} \\
33\text{—}39 \quad &= 7 \text{ Takte} = 7 \times 1 \\
33\text{—}46 \quad &= 14 \text{ Takte} = 7 \times 2 \\
45\text{—}51 \quad &= 7 \text{ Takte} = 7 \times 1
\end{aligned}
$$

Die insgesamt elf Takte von 22—32 sind ungefähr $7 + \frac{7}{2}$ Takte, worin man gleichfalls eine Bewahrung des Grundmaßes 7 sehen kann. In der Musik dürfen solche, zahlenmäßig nicht ganz entsprechende Brüche (Teile) hingenommen werden. Das mathematisch nicht restlos entsprechende Verhältnis wird vom Gehör „überhört". Musik ist bei aller Gesetzmäßigkeit ihrer Formen keine Rechenaufgabe in Tönen, keine „Mengenlehre". Sie bildet und verträgt in diesem Sinn „Ungenauigkeiten"[10].

Diesem gedanklichen Überlegungen entspringenden „Grundmaß" 7 tritt aber die Musik mit anderen Maßen gegenüber. Sie ergeben sich aus den Motiven:

Die Takte 1—21 stellen sich, den Motiveinsätzen folgend, so dar:

$$
\begin{aligned}
\text{T.} \quad 1\text{—}6 \quad &= 6 \text{ Takte} \quad \text{1. Einsatz,} \quad 2 \times 3 \\
7\text{—}12 \quad &= 6 \text{ Takte} \quad \text{2. Einsatz,} \quad 2 \times 3 \\
13\text{—}21 \quad &= 9 \text{ Takte} \quad \text{3. Einsatz,} \quad 3 \times 3 \\
22\text{—}27 \quad &= 6 \text{ Takte} \quad \text{Beginn der Skalengänge} \\
&\phantom{= 6 \text{ Takte} \quad} \text{Motiv fehlt, } 2 \times 3
\end{aligned}
$$

Aufschlußreich dazu sind Bruckners metrische Ziffern in der von Franz Schimatschek geschriebenen Kopie Mus. Hs. 29.301 der Musiksammlung der Österreichischen Nationalbibliothek, die der Meister zur Umarbeitung benützt hat. Die Takte 1—26 sind darin zuerst als 3 Perioden mit je 8 Takten (T. 1—24) bezeichnet, T. 25 und 26 werden vorerst nicht beziffert, mit T. 27 beginnt in der letzten der darunterstehenden drei Ziffernreihen eine bis T. 30 reichende 4taktige Periode.

Von Takt 7 an ist eine zweite Reihe zu lesen. Sie zählt zwei 6taktige Perioden, T. 1—12, und dann eine 4taktige (T. 13—16) und eine 10taktige (T. 17—26), also 6 + 6 + 4 + 10 Takte. Man erkennt daraus, daß Bruckner selbst sich bemühte, den Fluß des achtstimmigen Satzes in seinen einzelnen Perioden zu erkennen. Er hat dies erst nachträglich getan, das steht fest, und so sind auch alle an der e-Moll-Messe zu beobachtenden Formverhältnisse intuitiv entstanden, bis auf jene Stellen, die sich als gewollte Veränderungen bei der Umarbeitung herausstellen. Die metrischen Ziffern setzen sich bis zum Schluß des *Sanctus* in zwei, gelegentlich auch in drei Reihen fest.

Diese Gegenüberstellung will erkennen lassen, daß die Periodenzählung der musikalischen Formenlehre und die in dieser Studie dargelegten „Verhältniszahlen" zwei verschiedenen „Ebenen" angehören, wie schon eingangs betont. Es muß im Schaffen des Komponisten eine Kraft wirken, die ihn „bauen" heißt, nach Gesetzen und geordneten Verhältnissen, die ihm selbst im Augenblick des Niederschreibens nicht bewußt sind.

Benedictus   92 Takte

Die bis jetzt behandelten Teile geben dem Komponisten schon durch ihren Text Anregung zu einer auch musikalisch bestimmt ausgeprägten Form. Die beiden Textzeilen des *Benedictus* tun das nicht, und so ist die musikalische Gestaltung ganz allein dem Komponisten überlassen. Die Gliederung sowie alle daraus erfließenden Verhältnisse werden von der Musik bestimmt.

In Bruckners e-Moll-Messe sieht das *Benedictus* so aus:

I	T.	0—18	=	19 Takte[11]
II		18—25	=	8 Takte
III		26—42	=	17 Takte
IV		42—59	=	18 Takte
V		60—78	=	19 Takte
VI		78—83	=	5½ Takte
VII		83—92	=	9½ Takte

zusammen 15

Die motivische Zuordnung heißt:

I	II	III	IV	V	VI	VII
A	a	B	A	A	B	b[12]

Die Wiederholung von A im Abschnitt V geschieht verändert, die Motive erscheinen wortgetreu wie in I, aber in anderen Stimmlagen. Die Benützung von A in IV geschieht dagegen nicht in der gleichen Tonart, sondern in der Untermediante As-Dur und außerdem in frei variierter Weise.

Hingewiesen sei auch auf die Steigerung in der Bläserumspielung. In III besteht sie aus vier Achtelnoten und nachfolgenden acht Sechzehntelnoten, in IV sind es durchwegs akkordbrechende Sechzehntelnoten. Sie werden ab T. 54 auf Achtelnoten verlangsamt, die dann bei der Wiederholung von I in V die umspielende Begleitung ergeben, jetzt aber in C-Dur, der Tonart von I.

Die Längen der einzelnen Perioden lassen hier keine „Grundzahl" erkennen. Ihre Aufeinanderfolge

I	II	III	IV	V	VI	VII
19	8	17	18	19	5½	9½ Takte

zeigt wohl die genaue Übereinstimmung von I und V, enthält auch ein schon im *Agnus* beobachtetes Ansteigen in III, IV und V, gibt aber sonst keinerlei Möglichkeiten, ein „Grundmaß" zu erkennen. Der kompositorische Fluß bewegt sich frei, anders als in den bisher untersuchten Sätzen.

Es ist ganz aufschlußreich, die Periodenlängen der 1. Fassung gegenüberzustellen. Sie lauten:

I	II	III	IV	V	VI	VII
17	6	17	16	17	4½	8½ Takte

Bruckner hat bei der Umarbeitung alle Abschnitte mit Ausnahme von III verlängert: I, II, IV und V um je zwei Takte, VI und VII um je einen Takt.

Gloria   193 Takte

Gloria und *Credo* gehören zu den längsten Teilen der Meßkomposition. Ihre Prosatexte lassen zwar vom Textinhalt her die Setzung von Abschnitten zu, doch steht dies ganz im Belieben des Komponisten. Im Laufe der Jahrhunderte haben sich bestimmte Gewohnheiten herausgebildet, die aber je nach Epoche, Zeitstil und Persönlichkeit verschieden sind.

Bruckner teilt in der e-Moll-Messe das *Gloria* in vier Abschnitte:

I	T.	1— 64	= 64 Takte	*Et in terra...Filius Patris.*
II		65— 97	= 33 Takte	*Qui tollis...miserere nobis.*
III		98—133	= 36 Takte	*Quoniam...Dei Patris.*
IV		134—193	= 60 Takte	*Amen*-Fuge

Diese Teilung folgt den im Autograph durch Doppelstrich (bei T. 64), durch *Tempo I^{mo}* (T. 97) und durch den Fugeneinsatz gegebenen Einschnitten.

In der Musik stellen sich die Abschnitte etwas anders dar:

I	T.	1—59		= 59 Takte
II		59—94		= 36 Takte
III			94—133	= 40 Takte
IV			133—193	= 61 Takte

Alle Abschnitte sind ineinander verschränkt, nur der Fugeneinsatz hat zwischen sich und dem vorhergehenden Abschnitt eine Viertelpause; hier ist die Verschränkung nur „räumlich", auf dem Papier, zwischen den beiden Taktstrichen.

Der Schnitt zwischen I und II ist rein der Form nach durch den Doppelstrich bei T. 64/65 gegeben; T. 65 setzt *Andante* das „*Qui tollis*" ein. Die Musik bringt dem Hörer jedoch schon T. 59—64 jenes modulierende Motiv der vier Hörner, das dann T. 71—75 noch einmal kommt und so ein Charakteristikum dieses Abschnittes darstellt. Also ist mit der Silbe „*tris*" von „*Patris*" der erste Abschnitt zu Ende, aber gleichzeitig beginnt hier der zweite; dem Hören nach beginnt hier schon das „*Qui tollis*". Ähnliches geschieht vor dem „*Quoniam*". Mit *Tempo I^{mo}* wird T. 98 der Beginn von Abschnitt III angezeigt, in der Musik taucht aber, beginnend mit T. 94, dem Abschluß des „*Qui tollis*"-Teiles, schon der gehende Rhythmus in den Fagotten auf. Er ist für den Beginn des *Gloria* charakteristisch. Der Hörer hört demnach den Anfang von Abschnitt IV schon vier Takte, bevor dieser der Partitur-Bezeichnung nach beginnt. Klangbild und Niederschrift zeigen darin verschiedene Betrachtungsweisen, die zwar richtig sind, aber dennoch zwei voneinander abweichende „Ansichten" bieten.

Die „formale" wie die „musikalische" Abgrenzung ergeben aber beide, daß man für das *Gloria* die Grundzahl 6 annehmen muß. Hier die Gegenüberstellung:

	Form	Musik
I	64 Takte = $(6 \times 10) + 4$	59 Takte = $(6 \times 10) - 1$
II	33 Takte = $(6 \times 5) + 3$	36 Takte = (6×6)
III	36 Takte = 6×6	40 Takte = $(6 \times 6) + 4$
IV	60 Takte = 6×10	61 Takte = $(6 \times 10) + 1$

Die außerhalb der Multiplikationen stehenden Zahlen sind jeweils die Hälfte, ein Drittel oder zwei Drittel von 6, so daß die Grundzahl auch als Teil vorhanden ist.

Die Bezeichnung des Schlußtaktes mit „1" soll noch begründet werden[13]. In der Umarbeitungspartitur Mus. Hs. 29.301 beginnt Bruckner die Fuge T. 133 mit 1 zu zählen und schreibt bis T. 140 die Ziffern 1 bis 8 aus. Dann fehlen sie bis zur Korone, T. 169, und setzen danach wieder ein: 1—8 (T. 170—177), 1, 2 (T. 178, 179), 1—8 (T. 180—187), 1—4 (T. 188—191), 1, 2 (T. 192, 193). Vorher aber hatte Bruckner die letzten sieben Takte, T. 187—193, mit 1—7 bezeichnet. Die Ziffern wurden aber mit den zuerst angeführten überschrieben. Der Meister zählt also die beiden letzten Takte als 1 und 2. Das widerspricht der eben angeführten Zählung mit $(6 \times 10) + 1$.

Daß der letzte Takt aber dennoch mit „1" bezeichnet werden kann, das beweisen alle anderen Teile: *Credo, Sanctus, Benedictus, Agnus.* Bei allen hat Bruckner im Laufe seiner Änderungsarbeiten dem letzten Takt einen Pausentakt angefügt, damit er die Schlußordnung „1. 2" bekäme. Er hat die Pausentakte aber alle wieder weggestrichen und auch die Ziffer „2" wegradiert. Die Bezeichnung des Schlußtaktes mit „1" blieb stehen, ist also zutreffend.

Die 61 Takte der Fuge, die sich bei Annahme der zugrunde liegenden „Grundzahl" 6 als $(6 \times 10) + 1$ darstellen, werden durch die Musik, das Fugenthema und seine Verarbeitung, natürlich anders gegliedert. Die Fuge entwickelt sich folgendermaßen:

T.	133—138	= 6 Takte	1. Einsatz
	138—143	= 6 Takte	2. Einsatz
	144—151	= 8 Takte	Thema in Alt und Baß
	152—157	= 6 Takte	Thema in Sopran und Tenor
	158—161	= 4 Takte	Umkehrung im Alt
	162—169	= 8 Takte	Umkehrung im Sopran, Original im Baß
	170—175	= 6 Takte	Engführung
	176—179	= 4 Takte	1. Vergrößerung
	180—185	= 6 Takte	2. Vergrößerung
	186—193	= 8 Takte	Schluß

Sieht man die Länge der einzelnen Phrasen an, dann bemerkt man, daß zwei 4taktige, drei 8taktige und die Hälfte der Fuge, nämlich fünf, 6taktig sind. Aus dieser Tatsache darf man schließen, daß die Grundzahl 6 sich auf diese Weise auch in der Fuge bemerkbar macht. Sie regiert die Form von innen heraus, wie ein verborgenes Maß, auch wenn sie zuläßt, daß einmal auch kürzere oder längere Phrasen im Fluß der musikalischen Entwicklung vorkommen.

Credo 225 Takte

Das *Credo,* der längste der Prosateile, hat gleich dem *Gloria* im Laufe der Jahrhunderte bestimmte Teilungsmöglichkeiten entwickelt. Es bleibt dem Komponisten überlassen, wie er dem langen, zum Teil rein dogmatisch ausgerichteten Wortgefüge „Form" geben will.

Bruckner teilt in seiner e-Moll-Messe so:

	T.				
I	1— 54	= 54 Takte	*Patrem...de coelis.*
II	55— 92	= 38 Takte	*Et incarnatus est...sepultus est.*
III	93—153	= 61 Takte	*Et resurrexit...non erit finis.*
IV	154—210	= 57 Takte	*Et in Spiritum...mortuorum.*
V	211—225	= 15 Takte	*Et vitam...Amen.*

Die formalen Abgrenzungen stimmen mit den musikalischen überein, darin unterscheidet sich das *Credo* vom *Gloria.*

Aus den Taktzahlen kann man unschwer wiederum die Zahl 6 als Grundzahl erkennen:

I	54 Takte	=	6×9
II	38 Takte	=	$(6 \times 6) + 2$
III	61 Takte	=	$(6 \times 10) + 1$
IV	57 Takte	=	$(6 \times 9) + 3$
V	15 Takte	=	$(6 \times 2) + 2 + 1$

Die Verlängerungen über die reine Multiplikation der 6 sind alle Teile von 6. Diese Gewichts-Gleichmäßigkeit 6 hat nichts mit den musikalischen Perioden zu tun, sie ist sozusagen außermusikalisch und ist eine Einheit der Verhältnisse, die zwischen den vier Abschnitten des *Credo* in ihrer Gesamtheit herrscht. Die folgende Zergliederung der *Credo*-Teile wird zeigen, daß eine durchgehende Anwendung von 6taktigen Perioden im *Credo*, weil der Musik widersprechend, unstatthaft ist. Aber man kann und soll daraus erkennen, daß sich im Kunstwerk der e-Moll-Messe Ebenmaße äußern, die man allerdings aufsuchen muß, und dann daraus bemerkt, daß künstlerische Vollendung sich nicht von ungefähr ergibt. Zu dieser Vollendung gehören natürlich nicht nur die in dieser Studie aufgezeigten Längenmaße, Takte, Perioden und Verhältnisse, sondern auch alle anderen Elemente des musikalischen Kunstwerks, wie die Melodie und ihre Verarbeitungen, Satz, Harmonik, Rhythmus und Klang.

Die einzelnen Teile zeigen folgende Gliederungen:

I T. 1—54

1. T.	1—8	*Patrem...*	8 Takte
2.	9, 10	Überleitung	2 Takte
3.	11—32	*et in unum...*	22 Takte
4.	32—41	*Genitum...*	10 Takte
5.	41—49	*Qui propter*	8 Takte
6.	49—54	Überleitung	6 Takte

Daraus ergibt sich die Grundzahl 10:

$$1. + 2. = 10 \text{ Takte}$$
$$3. = (2 \times 10) + 2 \text{ Takte}$$
$$4. = 10 \text{ Takte}$$
$$5. + 6. = 10 + 4 \text{ Takte}$$

Die beiden Verlängerungen betragen 1/5 bzw. 2/5 von 10.

II T. 55—92: das „*Et incarnatus est*"

1. T.	55—62	1. *Et incarnatus*	8 Takte
2.	63—70	2. *Et incarnatus*	8 Takte
3.	71—78	*Crucifixus*	8 Takte
4.	79—82	*etiam...*	4 Takte
5.	83, 84	*passus*	2 Takte
6.	85—89	*et sepultus*	5 Takte
7.	89—92	Überleitung	4 Takte

Es herrschen die Grundzahl 8 und deren Teile 4 bzw. 2 vor. Die Phrase 6. *et sepultus* besteht in der Fassung von 1866 auch aus 4 Takten. Die Takte 87, 88 über ...*pultus* sind aus Verdoppelung eines Taktes entstanden. Bruckner komponiert das hier gebotene ritardando aus[14].

III T. 93—153

1. T.	93—106	*Et resurrexit...*	14 Takte
2.	107—115	*Et ascendit...*	9 Takte
3.	115—128	*Et iterum...*	14 Takte
4.	129—153	*judicare*	25 Takte

4. gliedert sich in 3 Phasen:

    a) 129—142   *judicare*   14 Takte

    b)   142—148 *judicare*   7 Takte

    c) 149—153   *cujus regni*   5 Takte

Die Grundzahl dieses Abschnittes ist 7:

1.	14 Takte	7×2
2.	9 Takte	$7 + 2$
3.	14 Takte	7×2
4 a.	14 Takte	7×2
4 b.	7 Takte	7
4 c.	5 Takte	$7 - 2$

Die Aufeinanderfolge von 1. und 2. bedarf einiger Worte. Der Chor schließt seine Phrase von 14 Takten mit T. 106. Die von T. 93 an festgehaltene Achtelbewegung schließt aber erst T. 107. Trotzdem wird man T. 106 als Abschluß nehmen müssen, weil in ihm gleichzeitig (quasi Verschränkung zu T. 107) die Hörner einen Rhythmus beginnen, der sich in T. 107 mit dem beginnenden *Et ascendit* in den Posaunen fortsetzt. Hier ereignen sich Trennung und Bindung zu gleicher Zeit, wie man solches manchmal feststellen kann.

    Ähnlich steht es mit T. 129. Er ist das auskomponierte Ritardando der Achtelbewegung in den Holzbläsern. Für sie gehören T. 129 und 130 noch zu dem Vorangegangenen. Mit T. 129 setzt jedoch eine Erinnerung an den *Gloria*-Beginn ein, daher müssen die auslaufenden Viertelnoten schon zu dem kommenden *judicare*-Abschnitt gezählt werden. Das Wort *judicare* zeigt ebenso ein fallendes Intervall wie das *Et in terra pax,* nur anstelle der kleinen die große Terz. Der daraus sich ergebende nachfolgende Halbton verleiht dem *judicare* den notwendigen Ernst.

IV   T. 154—210

1.	T.	154—161 *Et in Spiritum...*	8 Takte
2.		162—177 *Qui cum Patre...*	16 Takte
3.		177—184 *Et unam...*	
		185, 186 Zwischentakte	2 Takte
4.		187—198 *Confiteor...*	12 Takte
5.		199—210 *Et exspecto...*	12 Takte
6.		211—216 *Et vitam...*	6 Takte
7.		217—225 *Amen...*	9 Takte (8 + 1)

Die Aufeinanderfolge der Perioden

$$8 + 16 + 8 + 2 + 12 + 12 + 6 + (8 + 1)$$

zeigt deutlich den Wechsel von 8taktigen, 6taktigen und 4taktigen Perioden zum abschließenden *Amen.* Es offenbart sich ein allmähliches Kürzerwerden der Teile. Die zwei in der Mitte stehenden Takte (T. 185, 186) gehören mit ihrem ersten Takt musikalisch noch zum vorangehenden Achttakter, der nach bewährtem Muster zu einer Abschluß-Periode 8 + 1 wird, wie das an Satzenden überhaupt die Regel ist[15]. Mit dem zweiten Takt bieten sie Platz für den Auftakt der ersten 12taktigen Periode T. 187—192. Sie beginnt mit der aus T. 23 ff. bekannten ersten Umformung des Hauptmotivs, solcherart anzeigend, daß T. 187 ein neuer Abschnitt anhebt.

Diese letzte 8taktige Periode muß nicht unbedingt als 8 + 1 gemessen werden. Läßt man ihren Beginn, den Auftakt im Chor, T. 177, als letzten Takt der vorangehenden 16taktigen Periode gelten, dann bedarf es keiner Verschränkung in T. 177, denn auch die Noten der Bläser können als Auftakt bezeichnet werden, was sie musikalisch auch sind, und T. 185, der erste der zwei Zwischentakte, gehört dann rechtens als letzter Takt zu der Periode von T. 178—185 (8 Takte). Eine solche doppelte Betrachtungsmöglichkeit ist durchaus zulässig, denn, wie immer man diese Verhältnisse ansieht, sie bleiben „musikalisch", haben nichts von „konstruktionssüchtiger" Willkür an sich, sondern zeigen nur, daß Musik ein sehr vielschichtiges Gebilde sein kann, in der die Phantasie eine nicht zu unterschätzende Rolle spielt, sie muß nur eine „geordnete" und „ordnende" sein und darf nicht ausschweifen und dadurch unnatürlich werden.

Stellt man die Grundzahlen der einzelnen Abschnitte nebeneinander, so wird man in der „Baustruktur" ein Abnehmen (Kürzerwerden) bemerken:

I : 10, II : 8, III : 7, IV : 8 6 4.

Diese „Abstimmung" ist ganz sicher von Bruckner nicht „rechnerisch" erklügelt worden, sondern einfach intuitiv enstanden. Daraus kann man aber wiederum folgern, daß es außerhalb des künstlerischen Schaffens ein Ordnungsprinzip geben muß, das allem Komponieren immanent ist. Neben den musikalischen Maßen, den Perioden etc., gibt es noch andere Maßstäbe, die solchen Werken zugrunde liegen, ähnlich den gotischen Domen des Mittelalters[16]. Nur daß sie dort bewußt, wenn auch in einer für den Laien verschlüsselten Weise angewendet wurden, wogegen sie im Bereich der Musik wohl allermeistens unbewußt und, wie es scheinen will, intuitiv einem den Meistern innewohnenden Gleichgewichtssinn entspringen. Daraus fügt sich ihnen Ausdehnung, Länge und Form ihrer Werke im ganzen wie im einzelnen[17].

Es zeigt sich also, daß auch jene Teile der Messe, die keine bestimmte Form schon vom Text her mitbringen, wie *Benedictus, Gloria* und *Credo,* zu Beweisstücken werden für den „Willen zur Form", der in ihnen ganz allein vom Komponisten ausgeht. Gerade sie bezeugen, daß der im schöpferisch tätigen Musiker verborgene „Wille zur Gestalt", zum „Bauen", vorhanden ist und er die Musik mit allen ihren Möglichkeiten zum Erschaffen solcher in Form-Verhältnissen geordneten Gebilde heranzieht.

Zusammenfassend kann also gesagt werden: Es muß außerhalb der musikalischen formbildenden Kräfte ein Gesetz geben, das, sich in Verhältnissen bewegend, im „Zueinander-Geordnetsein" von kleineren oder größeren Taktsummen, ein „Gleichgewicht" des künstlerischen Ablaufes herstellt. Zu ihm gesellt sich der Wille des Schaffenden, der schon Geschriebenes aufhebt oder ändert, bis das Werk seinen Absichten entspricht. Darin eingebettet liegen alle musikalischen Faktoren, aus deren Zusammenwirken das Werk im einzelnen wie in seiner Gesamtheit entsteht. Hinter diesem manchmal langwierigen Schaffen — es kann sehr gut auch das Ereignis eines einzigen Augenblicks sein, wie beim Lied — steht diese Kraft, die man gelegentlich zutreffend, ganz unpersönlich, als das „Es" bezeichnet, das im Schaffenden wirkt. Sie ist dem Komponisten selbst, der nur spürt, daß sie in ihm wirkt, vollkommen unbewußt, intuitiv baut dieser sein Werk, bis es jene Vollendung erreicht, in der es sich uns jetzt darbietet. Wäre dies nicht so, dann müßten die Meister der Tonkunst Mathematiker sein, die ihre Gedanken um der Entsprechungen willen auf ein Prokrustesbett aufspannen. Das würde aber wieder die Ausbreitung der „einfallenden" Gedanken beeinträchtigen.

Halten wir vielleicht, wenn wir dieser verborgenen Kraft in ihren Auswirkungen gewahr werden, einen Zipfel jenes Geistes in Händen, den wir Gnade nennen?

Mit dieser Frage, die von der Wissenschaft keine Antwort erwartet, seien die Untersuchungen an der e-Moll-Messe von Anton Bruckner beendet.

Nachtrag

Unmittelbar nach Beendigung der Korrekturen dieser im April 1974 abgeschlossenen Studie erschien die Arbeit von A. Dokalik, Anton Bruckners Symphonien. Auswahl und Darbietung an der AHS (III) in der *Musikerziehung,* Jg. 28 (1974/75), Heft 5, Mai 1975, S. 206—212. Ihr Verfasser weist für den 1. Satz der IX. Symphonie die Grundzahl 9 nach, gleichzeitig aber auch den Zusammenhang mit der Zahl 37 des Wiener Stephansdomes; auch hier wird leider nicht die Quelle genannt, die diese Zahl 37 überliefert. Die von mir schon 1961 (vgl. Anm. 1) geäußerte Vermutung, daß Bruckner *damit intuitiv den Baugrundsätzen der gotischen Dombaumeister* folgte, hat mit diesen Ausführungen ihre eindeutige Bestätigung gefunden. In diesem Zusammenhang muß noch eine Notiz angeführt werden, die 1892 in der *Neuen Musikzeitung* (Stuttgart), Jg. 13, Nr. 16, S. 187 in der Rubrik „Kunst und Künstler" erschien: *„Ein anderer Korrespondent teilt uns mit: Unser Anton Bruckner, der altehrwürdige Symphoniker, trägt sich mit der Absicht, seinen neun Symphonien eine zehnte hinzuzufügen, und zwar die ,gotische'. Um in die richtige Stimmung zu kommen, geht er seit Tagen stundenlang in und um die Stephanskirche und studiert deren edle Bauformen."* Der Meister war also während der Arbeit an seiner IX. Symphonie — der 1. Satz entstand zwischen Ende April 1891 und 14. Oktober 1892 —, häufig beim und im Stephansdom gesehen worden.

Erschienen in: *Bruckner-Studien. Festgabe der Österreichischen Akademie der Wissenschaften zum 150. Geburtstag von Anton Bruckner,* Wien 1975, S. 249—270.

1 L. Nowak, Anton Bruckners Formwille, dargestellt am Finale seiner V. Symphonie. *Miscellanea en homenaje a Mons. Higinio Anglés.* Barcelona 1958—1961, 609—613. Mit Hinzufügung einer graphischen Darstellung zitiert in: *Anton Bruckner zum 150. Geburtstag. Ausstellung im Prunksaal der Österreichischen Nationalbibliothek, 29. Mai bis 12. Oktober 1974.* Wien 1974, 83. Ähnliches ist vom Verfasser auch an anderen Symphoniesätzen Bruckners festgestellt worden. Die Studien darüber sind aber noch nicht abgeschlossen.

2 Bruckner hatte sich durch seine strengen Studien bei Sechter und Kitzler ein derart eindringendes Wissen von den Gesetzen seiner Kunst erworben, daß er aus dieser Sicht in der Rede bei seiner ersten Vorlesung als Lektor an der Wiener Universität, 24. April 1876, von einer *musikalischen Wissenschaft* sprach. Er begründete seine Meinung auch hinlänglich und erwies sich darin als ein intuitiver Denker, der seine Erkenntnisse zwar nicht in Worten, wohl aber in Tönen mitzuteilen wußte; in den Kompositionen liegen sie aber nicht so offen zutage. Die Konstruktionen, Konstruktivismen, aleatorischen Vorgangsweisen und sonstige „Techniken" unserer Jahrzehnte gehören anderen Denkschematismen an und haben mit den bei Bruckner zu beobachtenden Kompositionsgrundlagen keinerlei wie immer geartete Zusammenhänge.

3 Die „Eingebung", der „Einfall", ist das erste. Damit wird die Weiterarbeit aber nicht ausgeschlossen, im Gegenteil, sie wird oft gefordert. Wieviel und was daran dem Überlegen, der Kompositions-Technik, zukommt, das läßt sich schwer auseinanderhalten. H. Pfitzner hat dazu bezeichnende Worte gefunden in seiner Schrift *Über musikalische Inspiration.* 4. erweiterte Auflage, Berlin 1943.

4 Durch die Liturgiereform des II. Vatikanischen Konzils wurde die Trinitätssymbolik des *Kyrie* leider zerstört. In seiner jetzt zweiteiligen Form von Ruf und Antwort läßt es die sinnvolle Bezogenheit der um Hilfe rufenden Menschheit zur allerheiligsten Dreifaltigkeit vollkommen vergessen.

5 Vgl. dazu die auf diesen Schlußtakt Bezug nehmenden Ausführungen beim *Gloria,* Seite 168 f.

6 Hier wie in den folgenden Gliederungs-Tabellen bedeuten untereinandergestellte Zahlen, daß es sich bei diesen Takten um „Verschränkungen" handelt: eine Periode schließt, die andere beginnt in diesem gleichen Takt. Sie müssen auf zweierlei Weise gemessen werden: In der „linearen" Abmessung der Form, die es nur mit den tatsächlich vorhandenen Takten zu tun hat, zählen diese Takte als ein Takt, so wie es die Numerierung tut. Da aber in ihnen eine musikalische Phrase aufhört und gleichzeitig eine andere beginnt, hat es das Gehör in diesen Takten mit zwei Eindrücken zu tun. Der eine ist das Ende und der andere der Anfang einer Phrase.

7 Bruckner rechnet mit der Akustik solcher hoher, gewölbter Kirchenräume. Die Wiedergabe der Messe im Konzertsaal hat aus diesem Grund etwas Problematisches an sich. Dem kann allerdings entgegengehalten werden, daß ihre Uraufführung am 29. September 1869 auch in keinem Kirchenraum, sondern im Freien stattgefunden hat. Bestimmend für diese Betrachtung bleibt aber die aus dem vollendeten A-cappella-Satz erkennbare Absicht Bruckners. Dieses Schluß-Ritardando ähnelt der von den mittelalterlichen Musiktheoretikern für den gregorianischen Choral geforderten *mora vocis*, bei der die Schlußtöne eines Gesangsstückes ebenfalls „hingezogen", verlangsamt gesungen werden sollten.

8 Diese Feststellung eines Grundmaßes, einer „Grundzahl", nach der der Satz gebaut ist, ähnelt den Beobachtungen, die an den Maßen gotischer Dome gemacht wurden. E. Castle hat für den Wiener Stephansdom die Zahl 37 ermittelt. Seine Darlegungen im *Neuen Wiener Tagblatt* vom 15. November 1940 nennen allerdings nicht die Quelle dafür, er verweist darin aber auf die Forschungen von S. Boisserée. Dieser hat in seiner *Geschichte und Beschreibung des Doms zu Köln*, zweite umgearbeitete Ausgabe, München 1842, als Ergebnis seiner 1808 begonnenen Messungen die Maße und Verhältnisse dieses Domes genau festgestellt (S. 30—40). Seine Beobachtungen ergaben für den Kölner Dom ein Grundmaß von 50 zehnzölligen römischen Fuß (S. 31). Die Zahl 50 und die aus ihr gewonnenen Teilungen bzw. Vielfachen bestimmen die Größenordnungen des Kölner Doms bis ins einzelne. Ganz ähnliche Studien, die sich jedoch auf die Goldene Zahl beziehen, beinhaltet M. Jay, *Le Symbolisme des nombre de la cathédrale de Reims. Le nombre d'or dans le plan de la cathédrale*. Reims 1959 und eine weitere Veröffentlichung: M. Jay et D. Jay, *Le nombre d'or sur la façade de la Cathédrale de Reims*. Reims 1963. Es kann nicht Aufgabe dieser musikwissenschaftlichen Studie sein, gotische Architekturprinzipien zu beschreiben. Aus der Fülle der zur Verfügung stehenden Werke seien hier nur genannt: H. Sedlmayr, *Die Entstehung der Kathedrale*. Zürich 1950. — O. v. Simson, *The Gotic Cathedral. The Origins of Gothic Architecture & the Mediaeval Concept of Ordre*. London 1956. — J. Gimpel, *Les battisseurs de Cathédrales*. Bourges 1958, hier vor allem S. 125 f. — F. Cali, *Das Gesetz der Gotik. Eine Studie über gotische Architektur*. Aus dem Französischen von D. Calleen und S. Zoner. München 1965.

9 Das in Alt I und Tenor I einsetzende Motiv findet sich als sehr ähnlicher Typus in der *Missa brevis* von G. P. da Palestrina (Gesamtausgabe hrsg. von R. Casimiri, Band 6, Rom 1939, 62—83). Über den das kontrapunktische Gerüst bildenden Quintkanon vgl. M. Auer, *Anton Bruckner als Kirchenmusiker*. Regensburg 1927, 130 f.

10 Solche Abweichungen vom genauen mathematischen Maß stellt auch Boisserée fest, a. a. O., 32: „*Überhaupt werden die Verhältnisse der Baukunst in der Ausführung nie so haarscharf beobachtet; schon aus technischen Ursachen ist es nicht möglich; daher finden sich denn auch an dem Domgebäude, wie an den vollkommensten Denkmalen der griechischen und römischen Kunst, in mehreren Teilen solche kleine Abweichungen.*"

11 Wie schon im Vorwort von Band XVII/2 der Gesamtausgabe ausgeführt, muß vor Takt 1 im *Benedictus* noch ein Pausentakt stehen. Er kommt bei der Aufführung nicht zur Geltung, ist aber für das richtige „Gewicht" der Form absolut notwendig. Man ersieht dies deutlich aus den Takten 18 und 19 (T. 18 = T. 0, T. 19 = T. 1). Bruckner hat diesen Takt in beide Handschriften, seine Umarbeitungspartitut Mus. Hs. 29.301 und die von 1882, Mus. Hs. 6014, nachgetragen. Diese zwei Takte wiederholen sich T. 42, 43 und T. 60, 61; dort sind sie auskomponiert vorhanden.

12 Die Kleinbuchstaben bedeuten, daß die vorkommenden Motive aus A, bzw. B stammen.

13 Vgl. dazu L. Nowak, Metrische Studien von Anton Bruckner an Beethovens III. und IX. Symphonie. *Beethoven-Studien. Festgabe der Österreichischen Akademie der Wissenschaften zum 200. Geburtstag von Ludwig van Beethoven*. Wien 1970, 361—371.

14 Das Auskomponieren des Ritardando durch Verdoppelung der Notenwerte und dadurch Verlängern eines Taktes auf zwei kommt in der e-Moll-Messe auch an anderen Stellen vor, z. B. *Credo* T. 87/88 bei *sepultus, Hosanna* des *Sanctus* T. 47/48 und *Benedictus* T. 85/86. Immer handelt es sich dabei um eine Ausdruckssteigerung. Die diesen Stellen zugrunde liegende Struktur wird in ihren Verhältnissen durch das + 1 leicht gestört. Das hindert aber gar nicht das Erfassen der Verhältnisse, denn dem Ausdruck muß sein Recht auf Wirksamwerden des „Musikalischen" gewährt werden. Selbst dort, wo ein Ritardando nicht auskomponiert (geschrieben) steht, wird es von geübten Ausführenden (Dirigen-

ten) gemacht und dadurch die Musik entsprechend lebendig. Derartige Abweichungen vom mathematischen Maß können, ja müssen hingenommen werden. Vgl. dazu Anm. 10.

15 Vgl. die Ausführungen darüber im *Gloria,* S. 168.

16 Vgl. Anm. 8.

17 Es kann nicht Aufgabe dieser Studie sein, nun ein Verzeichnis von Arbeiten über die Zusammenhänge von Musik und Zahl zu geben. Neben den grundlegenden Werken von H. Kayser und R. Haase über die Harmonik, die allerdings andere Bereiche und Zielsetzungen betreffen als gerade nur die Form, sei, sozusagen stellvertretend für alle übrigen, die Studie von P. Benary, Zum periodischen Prinzip bei J. S. Bach. *Bach-Jb.* 1958 und 1959, hingewiesen. Die in Anm. 1 genannte Studie des Verfassers gehört in den gleichen Bereich.

Erschienen in: *Bruckner Studien. Festgabe der Österreichischen Akademie der Wissenschaften zum 150. Geburtstag von Anton Bruckner,* Wien 1975, S. 249—270.

Die Einrichtung des Geburtshauses Anton Bruckners

Der E i n g a n g s r a u m bringt links neben der Türe eine Karte der „Bruckner-Orte" in Oberösterreich und rechts auf zwei Tafeln eine Übersicht über das österreichische Schulwesen um 1830. Der Besucher erfährt aus ihnen den Aufbau des Unterrichtswesens jener Zeit sowie die Benennungen der verschieden gestuften Lehr- und Aufsichtspersonen; es wird ihm damit das Verständnis der in den ausgestellten Dokumenten und Zeugnissen ersichtlichen Titulaturen erleichtert.

Die zunächststehende Vitrine enthält Photographien der Taufprotokolle Anton Bruckners und seiner Eltern, dazu auch das Heiratsprotokoll der Eltern.

Links der Stiege befand sich ursprünglich die Küche; der Raum wurde jedoch beim Umbau vollkommen verändert und dient jetzt als Garderobe. Die linke Tür führt in den Wohnraum, aus dem man anschließend in das Geburtszimmer Anton Bruckners gelangt.

Der W o h n r a u m enthält Möbel, wie sie um 1830 ein Landschullehrer besessen haben mag. Er wird bestimmt vom Eßtisch mit dem Herrgottswinkel (mit einem Kreuz aus der Schwanthaler-Werkstatt) und zwei Hinterglasbildern. Die Kredenz enthält volkstümliches Glas und Fayencen, darunter ein Tintenzeug und Wachsbossierungen; Kachelofen und Eckbank runden die Einrichtung stimmungsvoll ab. Bei der Ausstattung dieses Raumes wurde bewußt auf jene „Bauernromantik" (Einrichtung mit bemalten Möbeln) verzichtet, die bei der Erstaufstellung des Brucknermuseums in den dreißiger Jahren noch vorherrschend gewesen war. Die Lebensumwelt Anton Bruckners war kleinbürgerlich, nicht bäuerlich.

Links von der Eingangstüre hängt eine 1839 gezeichnete Pfarrkarte von Ansfelden; aus ihr ist die Ausdehnung des Pfarrbereiches zu ersehen. Im Ausschnitt daneben sieht man unter Nr. 28 und 29 die auf der Karte als „Schulhaus" bezeichneten kleinen Gebäude.

Zwischen den beiden Fenstern hängt die Ahnentafel Anton Bruckners, angelegt nach den Forschungen von Ernst Schwanzara, Othmar Wessely und Heinz Schöny; gegenüber eine Landkarte mit den Orten dieser Ahnentafel.

Den G e b u r t s r a u m beherrscht eine Bronzebüste des Meisters, geschaffen von Akad. Bildhauer Prof. Franz Forster, St. Florian; an den Wänden erinnern die Hauptthemen der neun Symphonien Bruckners einschließlich des Hauptthemas des unvollendeten Finales der „Neunten", in Bronze getrieben, an die geistige und musikalische Größe jenes Genies, das hier am 4. September 1824 der Welt geschenkt wurde (Entwurf und Ausführung Maximilian Stockenhuber, Linz).

Im Raum „ B r u c k n e r   a l s   S c h ü l e r " vermitteln Einrichtungsgegenstände, Tafel, Katheder, Kasten und Bänke den Eindruck einer ländlichen Volksschulklasse um 1830. Diese Schulmöbel stammen zum größten Teil aus der alten Volksschule in Hirschbach bei Freistadt, die Schulbücher („Fibel") stellte das OÖ. Landesmuseum zur Verfügung. In einer Vitrine ist das Anstellungsdekret des Vaters Anton Bruckners in Photographie ausgestellt. Gegenstände und Photos beziehen sich auf die Jahre 1830—1839, in denen Bruckner selbst Schüler in diesem Haus, in Hörsching und St. Florian gewesen ist.

Die zwei Vitrinen in der Mitte zeigen das Schreibgerät der damaligen Zeit, die Kielfeder, und Photographien aus dem „Buch der Ehre und des Fleißes" der Marktschule von St. Florian. Darin wird Anton Bruckner 1838 als Zweitbester, 1839 als Klassenerster aufgeführt.

Der anschließende Raum „ B r u c k n e r   a l s   L e h r e r " ist der Zeit von 1840—1855 gewidmet, in der das nachmalige Genie der Musik „Schulgehülfe" und „Unterlehrer" an „Trivialschulen" war. Seine zehnmonatige Ausbildung erfolgte an der „Präparandie" in Linz (1840/41), seine Wirkungsstätten waren Windhaag an der Maltsch bei Freistadt (1841—1843), dann Kronstorf (1843—1845) und St. Florian (1845—1855). Nun wendet sich sein Lebenslauf der Musik zu: Bruckner wird gleichzeitig Stiftsorganist und gelangt von hier über Linz nach Wien. Die Dokumente, Zeugnisse von Pfarrherren und Schullehrern, sprechen deutlich von Zuverlässigkeit, Fleiß und Tüchtigkeit des jungen Lehrers. Diktate und Schreibübungen erinnern an seine Lehrtätigkeit, ebenso die „Instruction für Schulgehülfen". Sein rastloses Streben nach weiterer Schulbildung wird durch die Zeugnisse der Unterrealschule und der Prüfung zum Hauptschullehrer belegt. Mit einem Gebet zum hl. Schutzengel nimmt er 1855 Abschied von seinen Schülern, von der Volksschule überhaupt.

Für den Lehrer des Vormärz war die Musik Pflichtgegenstand. An Bruckners musikalische Betätigung während dieser Jahre erinnern hier so manche sein Musiktalent hervorhebende Worte in den Zeugnissen, weiters das Zenettihaus in Enns, der Orgelprospekt von Steyr, der sich jetzt in Reichenthal im Mühlviertel befindet, und die große Orgel von St. Florian. Auf sein Geigenspiel bei Tänzen und Hochzeiten deuten drei Geigen und die Landlerbank hin; vom Verbot dieser Tätigkeit spricht auch Punkt 8 der „Instruction". Neben ihr zwei musikalische Werke von J. S. Bach und Albrechtsberger (Photokopien), die Bruckner bei seinen Musikstudien benützte. Links davon geschriebene und gedruckte Musiknoten, wie sie zwischen 1800 und 1850 auf den Kirchenchören in Gebrauch standen.

Gegenüber vom Haupteingang führt eine S t i e g e ins Obergeschoß. Die Wandvitrinen präsentieren kunstgewerbliche Arbeiten, die das Zeitkolorit aufzeigen sollen, in dem Bauer und Bürger zur Zeit Bruckners lebten; unter andern:

Bäuerliche Festtracht; Goldhaube, Halstuch aus Seide, Rosenkranz, Petitpointstickerei, Halstuch und Männerhut;

Kreideschnitte in ovalen schwarzen Rahmen, Lichtschirm mit Darstellung einer geselligen Zusammenkunft, Uhrständer; gotisierende Schlüsselbünde, Utensilien für Briefverschlüsse mit Siegelwachs und Verschlußmarken; Feuersteine und Schlageisen; Bürgermeister Drouot von Linz als Kommandant der Nationalgarde zu Pferd (von Johann Rint 1848). Daneben ein geschnitzter Schild mit Brandmalereien mit den Wappen von Linz, Wels, Ried und Steyr und Darstellungen aus Landwirtschaft und Gewerbe; Entwurf von Hans Epeil, gezeichnet von Alois Epeil, ausgeführt in der Holzfachschule in Ebensee 1898

Feines Wiener Porzellan aus bürgerlichem Besitz;

Miniaturen in Messingständern um 1840 („Zweites Rokoko"), Zinnsoldaten; Schreibtischgarnitur, bestehend aus Uhr und Kalender in Bronzeguß; Daguerreotypie (frühe Photographie); Damenspenden für Bälle; Fächer in verschiedenen Techniken, Schirmgriffe; Kämme aus Bein.

Spätbiedermeierliche Scherenschnitte; spätbiedermeierliche böhmische Gläser in verschiedenen Bearbeitungstechniken; gepreßte Blumen in Glaskästchen;
Porzellan und Keramik aus der Mitte des 19. Jahrhunderts.

Im Vorraum des Obergeschosses: Alte Landschaftsbilder aus Oberösterreich.

Im Aufgang zum Dachboden: Plastik der Schmerzhaften Muttergottes, neugotisch.

Der Raum „K i r c h l i c h e K u n s t u m 1 8 3 0" enthält in der linken Vitrine einen mit hervorragend schöner Stickerei verzierten Ornat, den Prälat Ferdinand Moser (1872—1901 Propst von St. Florian) für das „Dechantamt" angeschafft hat. Moser war jener Propst, der Bruckners Wunsch, in der Krypta von St. Florian begraben zu werden, erfüllte. Die Stücke sind gute Zeugnisse der Paramentenstickerei zu Ende des 19. Jahrhunderts.

In der Mitte des Raumes hängt der erste Lorbeerkranz Anton Bruckners. Er bekam ihn anläßlich der Uraufführung seiner d-Moll-Messe im Alten Dom zu Linz am 20. November 1864. Dieses Datum enthält das linke Schleifenband, auf dem rechten stehen die erste und letzte Zeile eines von Moritz von Mayfeld dazu verfaßten Gedichtes: „Von der Gottheit einstens ausgegangen, muß die Kunst zur Gottheit wieder führen."

Die kleine Vitrine links vom Kranz zeigt den Kreuzpartikel von Ansfelden mit seinem Behälter und der 1725 ausgestellten Authentik, die andere beinhaltet ein Sonntagsmeßbuch und zwei silberne Festtagskännchen aus dem Besitz der Pfarre Ansfelden. Von diesen Gegenständen kann mit Sicherheit angenommen werden, daß sie der Knabe Bruckner beim Ministrieren, oder wenn er an Stelle seines erkrankten Vaters Mesnerdienste verrichtete, in Händen gehabt hat.

Vitrine rechts: In der Mitte ein braunes Meßkleid, links außen eine vierfärbige und eine mit Vierfarbenstickerei ausgestattete, rechts außen eine zweifärbige und eine weiße, mit einem feinen Goldgewirke überzogene Kasel. Die von Kaiser Josef II. erlassenen Sparvorschriften erlaubten für jede Kirche nur ein gesticktes Meßkleid in brauner Farbe. Diese Einschränkungen lockerten sich aber allmählich, besonders nach dem Tod des Kaisers, 1790. Die ausgestellten Meßgewänder lassen diese Wandlung deutlich erkennen. Die Vitrine enthält weiter einen Wachsblumenstrauß, wie er zur Dekoration des Hochaltars von St. Florian verwendet wurde, ein kleines Reliquiar in Kreuzform mit einer Zypressenholzperle vom Ölberg bei Jerusalem und zwei Meßbücher.

Die neben der Türe ausgestellten Unterschriftsvergrößerungen zeigen die Namenszüge des Ansfeldner Pfarrers Joseph Grabmer (gestorben 1829) und des Prälaten Michael Arneth. Grabmer erkannte als einer der ersten beim vierjährigen Bruckner das Musiktalent: Arneth nahm Bruckner 1837 als Sängerknaben ins Stift auf.

Der Raum „B r u c k n e r , d e r K o m p o n i s t" ist der musikalisch schöpferischen Persönlichkeit Bruckner gewidmet: ihrem Heranwachsen, ihrer Musik und der Verbreitung seines Lebenswerkes in der Welt. Die Fülle des hier Darzustellenden mußte auf einige der wichtigsten und notwendigsten Punkte zusammengedrängt werden; sie stehen gleichsam als Symbole.

Die Mitte des Raumes beherrscht die Totenmaske (Leihgabe des Brucknerbundes für Oberösterreich). Sie wird umgeben von vier Photographien aus Handschriften Bruckners; stellvertretend für alle je ein Werk aus den Gattungen, die der Meister gepflegt hat: die Kirchenmusik (f-Moll-Messe), Chormusik (Helgoland), Symphonie (IX. Symphonie) und Kammermusik (Streichquintett).

An drei Wänden des achteckigen Raumes wurden Vitrinen adaptiert; links: „Der Weg zum Genie", in der Mitte: „Die Musik Bruckners", rechts: „Der Weg in die Welt".

In der linken Wandvitrine fällt das Auge wohl zuerst auf das Clavichord. Bruckner hat es 1840/41 in Windhaag benützt. Auf ihm hat er Bachs „Wohltemperiertes Klavier" (Faksimile) studiert und die „Windhaager Messe", seine erste Komposition, geschaffen. An der linken Seitenwand erinnern die Photographien an den Unterricht, den Bruckner von J. B. Weiß in Hörsching und bei Zenetti in Enns erhielt. Über die Lehrer Bruckners gibt eine Übersicht Auskunft. Danach folgt in der Mitte links Simon Sechter mit Porträt, Harmonielehreaufgabe und Brief, darunter Otto Kitzler, der Bruckner mit Wagners „Tannhäuser" bekannt gemacht hat. Unter Kitzler schrieb Bruckner auch seine erste Symphonie in f-Moll, „Studiensymphonie" genannt. Darüber das Porträt des Bischofs Franz Josef Rudigier, zu dem (als Auftraggeber) eines der bedeutendsten Werke Bruckners in Beziehung steht: die e-Moll-Messe zur Einweihung der Votivkapelle des Neuen Linzer Domes, 1869 uraufgeführt. Für die Linzer Zeit und Bruckners Tätigkeit als Chormeister beim „Frohsinn" steht der Chor „Abendhimmel" und die erste Nennung Bruckners als Komponist in einer Zeitung. Die rechte Seitenwand füllen Bilder von Orgeln, auf denen Bruckner gespielt hat.

Die Musik Anton Bruckners darzustellen, ist Aufgabe der folgenden mittleren Vitrine. Mit einigen Stellen aus Bruckners Werken wird in Wort, Notenbeispiel und Ton gezeigt, welche Mannigfaltigkeit an Ausdruck in des Meisters Tonschöpfungen zu finden ist. Es ist verständlich, daß damit nicht die gesamte Musik des Meisters ihrem Inhalt nach dargestellt werden kann, aber die für Bruckners Eigenart besonders bezeichnenden Beispiele sollen dem Besucher einen „klingenden" Eindruck vermitteln. Das Porträt des Meisters ist eine Kopie von akad. Maler Franz Glaubacker nach dem im Linzer Stadtmuseum vorhandenen Ölgemälde von Ferry Beraton, Wien, 1888.

Die dritte Wandvitrine veranschaulicht den Weg, den Bruckners Musik auf ihrem Siegeszug in die Welt genommen hat. Auf der Karte sind die Orte verzeichnet, an denen bis 1896 Bruckners Werke in Ur- und Erstaufführungen erklangen. Links sieht man die Porträts von zwölf Dirigenten, die sich in hervorragender Weise für Bruckner eingesetzt haben, rechts sind die Feste der Internationalen Brucknergesellschaft verzeichnet.

Unter der Weltkarte haben die Photographien der ersten Drucke Brucknerscher Kompositionen Platz gefunden, ebenso das Porträt Theodor Rättigs (1841—1912).

Er verlegte als erster eine Symphonie des Meisters, die Dritte. In einer zweiten Reihe erblickt man die Anfänge des Bruckner-Schrifttums, mit dem ersten vom Verlag Doblinger, Wien, gedruckten Werkverzeichnis.

Die beiden größten Bruckner-Vereinigungen sind mit einzelnen ihrer Veröffentlichungen vertreten. Die Internationale Bruckner-Gesellschaft (IBG) mit Programmen, den von ihr bis zum Zweiten Weltkrieg herausgegebenen Bruckner-Blättern, der Gesamtausgabe, die sie gemeinsam mit der Österreichischen Nationalbibliothek herausgibt und der von ihr gestifteten Bruckner-Medaille. Von der Tätigkeit des Brucknerbundes für Oberösterreich zeugen Programme und die Zeitschrift „Brucknerland". Unterstützt von Freunden und Vereinigungen im In- und Ausland sorgen sie für die Verbreitung von Bruckners Musik und Geist.

In der kleinen Vitrine neben der Türe sind die Urheber dieser Bruckner-Bewegung aus Oberösterreich in Porträt und kurzer Legende vorgestellt: Max Auer, August Göllerich und Franz Gräflinger.

Das Lebenswerk Bruckners, das es zu hüten und zu verbreiten gilt, sieht der Besucher auf fünf Tafeln in chronologischer und systematischer Übersicht verzeichnet.

Gedruckt als Katalog des Oberösterreichischen Landesmuseums Nr. 88: *Das Geburtshaus Anton Bruckners* (Führer durch die Schauräume), Linz 1975.

Anton Bruckner und Franz Forster

Es war im Oktober 1921. Anton Bruckners sterbliche Überreste wurden zum erstenmal exhumiert, der innere Zinnsarg war schadhaft geworden. Unter den damals in der Gruft der Stiftskirche von St. Florian Anwesenden befand sich auch ein junger, angehender Bildhauer, der in St. Florian geborene Franz Forster.

Als die Gesichtszüge des verstorbenen Meisters sichtbar wurden — sie waren noch gut erhalten —, da war Forster „so fasziniert und so gefangen genommen", daß er „unter diesem Eindruck es fast als Auftrag oder Befehl empfand, sofort an die plastische Gestaltung eines entsprechenden Porträts zu gehen". Das geschah auch, und 1923 war eine Marmorbüste vollendet, jene Büste, die jetzt im Bruckner-Konservatorium in Linz steht.

Bemerkenswert ist aber, daß Forster sich keinerlei Skizzen vom Leichnam Bruckners gemacht hàtte. Einzige Hilfen boten, wie er selbst schreibt, die Büste von Viktor Tilgner am Denkmal im Wiener Stadtpark und das Modell, das im Atelier von Bildhauer Zerritsch, dem Nachfolger Tilgners, stand. „Ich machte mir dort auch ein paar flüchtige Bleistiftskizzen."

Damit waren jene Grundlagen erfaßt worden, die man mit den Augen erlangen kann. Dies ist für einen Meister der bildenden Künste wohl der erste Weg, um zu wissen, wie er ein Porträt zu gestalten habe: Formentreue in den Zügen wie im Umriß, bis zur überzeugenden Wiedergabe aller charakteristischen Einzelheiten.

Forster ging aber noch einen wesentlichen Schritt weiter. Lassen wir ihn selbst erzählen: „Von Anfang aber war mir auch klar, daß, um zu einem solchen Ziel zu gelangen, das Wichtigste ist, sich zu bemühen, in Bruckners Werk einzudringen, soweit dies einem musikalischen Laien überhaupt möglich ist. Zu dieser Erkenntnis kam ich bereits in Wien, als ich an meiner ersten Brucknerbüste (1922) arbeitete." Mit diesen Worten offenbart Forster das Geheimnis, warum seine Bruckner-Büsten so überzeugend wirken und im Beschauer so tiefen Eindruck hinterlassen.

In Wien, damals, am Anfang, da konnten ihm nur Konzertbesuche die Eindrücke von Bruckners Musik vermitteln. Später kamen Schallplatte und Tonband hinzu. Und so ergibt sich jene geradezu als künstlerisches Phänomen zu bezeichnende Tatsache, daß die Hände des Bildhauers bei gleichzeitigem durch die Ohren empfangenem akustischem Eindruck Bruckners Gesichtszüge formen. Alles Äußerliche wird von innen her, durch die Musik Bruckners, belebt und so in Form gefaßt, wie es dem musikalischen Charakter Bruckners entspricht. So gelangt der eigentliche Bruckner, der innen liegt, das musikalische Genie, nach außen.

Forster hat von 1923 bis 1970 fünf Bruckner-Büsten geschaffen:
1923 (Marmor) Linz, Bruckner-Konservatorium, 1944/45 (Eichenholz) Windhaag, Bruckner-Schule, 1952 (Terrakotta) Zürich, Dr. Volkmar Andreae; davon mehrere Abgüsse, 1964 (Eichenholz) Wien, Dr. Leopold Nowak, 1970 (Bronze) Ansfelden, Bruckner-Gedenkstätte.

An diesen fünf Büsten läßt sich deutlich eine Entwicklung ablesen, die mit steigendem Lebensalter des Künstlers die wachsende Vollendung in der Darstellung Bruckners bis zum Höhepunkt in der Büste für Ansfelden aufzeigt. Franz Forster, der 1972 mit dem österreichischen Professorentitel ausgezeichnet wurde, beging am 25. Mai 1976 das Fest seines 80. Geburtstages.

Neben diesen Büsten entstanden zwischen 1923 und 1960 an die zehn Reliefs für verschiedene Auftraggeber und zu verschiedenen Gelegenheiten. Sie alle sind nur ein Teil in dem sehr umfangreichen Lebenswerk Forsters, aber darin eben ein gewiß sehr bezeichnender, ein nicht zu übersehender Beweis für Forsters künstlerische Fähigkeit, das Wesen Bruckners, mehr noch, das seiner Musik, in der Haltung des Kopfes, in den Gesichtszügen zum Ausdruck zu bringen. In ihm verkörpert sich nicht jenes Künstlertum, das da sagt: „Bruckner, wie ich ihn sehe", sondern ein verantwortungsbewußter Bildhauer, dem es „nicht nur um die naturgetreue Wiedergabe der Gesichtsformen" geht, „sondern vielmehr auch um eine gewisse Verkörperung des großen Genies".

Damit aber erreicht Forster in seinen Bruckner-Plastiken das höchste Ziel, das einem bildenden Künstler geschenkt werden kann: den in Bruckners Musik hörbaren, aber nicht schaubaren Geist sichtbar zu machen.

Anmerkung: Alles unter Anführungszeichen ist Forsters eigenem Bericht: „Wie die Bruckner-Büste für das Geburtshaus in Ansfelden entstand" entnommen. (Mitteilungsblatt der Int. Bruckner-Gesellschaft Nr. 3, Dezember 1972.)

Erschienen in: *Oberösterreichischer Kulturbericht* 30, Linz 1976, S. 103.

Probleme der Bruckner-Forschung

Unter allen Aufgaben, die den nach Wissen begierigen Menschen gestellt sind, ist eine der schönsten die Erforschung von Leben und Werk großer Künstler. Ihr Erdenweg, die Entfaltung vom Kind zum reifen Genie, ihr Lebenswerk von den ersten tastenden, manchmal auch überraschend vollreifen Erstlingen, das alles bietet Anreiz zu mannigfachen Fragen, wirft immer wieder Probleme auf, die beantwortet, die gelöst werden wollen.

So geht es uns auch bei Anton Bruckner. Wenn wir von Problemen der Forschung um diesen großen oberösterreichischen Meister sprechen wollen, dann müssen wir uns für die Absichten dieses ersten Symposions, das seinen Namen trägt, bewußt sein, daß dies hier unter ganz bestimmten Absichten geschieht. Die von der Musikwissenschaft erhobenen Fragen sollen in solcher Weise Antwort finden, daß sie den Zwecken des Unterrichts dienlich sein können. Das verlangt eine von der landläufigen Art verschiedene Behandlung: Wissenschaftliche Erkenntnisse müssen der Schule, damit der Jugend, ja dem Volk schlechthin zugänglich gemacht werden. Kategorien, die einzig der Wissenschaft angehören, müssen zum Verständnis durch den Laien bereitgemacht werden, in unserem besonderen Falle dem heranwachsenden Schüler. Damit ist eine jedem verantwortungsbewußten Lehrer gegenwärtige Forderung verbunden: Verständlichkeit, damit aus diesen Zeilen Anregungen für weitere Beschäftigung mit Bruckner und seiner Musik ausgehen.

Die Grundlage dazu bilden Bruckners eigene Briefe, Mitteilungen seiner Zeitgenossen über ihn und, ganz besonders natürlich, seine Werke, die in diesem Gesamtkomplex einen eigenen ganz großen Kreis bilden. Wenn man sich wie der Schreiber dieser Zeilen seit 40 Jahren mit Bruckner und seiner Musik — vor allem in der Erarbeitung der Gesamtausgabe — beschäftigt, dann haben sich, ganz von selbst muß man sagen, neben den feststehenden Tatsachen eine Reihe von Fragen und Problemen herausgebildet, die Klärung und Antwort fordern. Sie sind zur Erkenntnis von Person und Werk Bruckners wichtig. Die einen weniger, die anderen mehr, aber selbst die Feststellung eines genauen Datums nach Tag, Monat und Jahr kann bei bestimmten Zusammenhängen von ausschlaggebender Bedeutung sein.

Für den heutigen Versuch, Probleme um Bruckner darzustellen, wollen wir uns des Lebensablaufes bedienen, wobei gerne zugegeben werden soll, daß auch eine andere Ordnung, methodisch wie systematisch, zu Ergebnissen führt. Man kann an ein Genie von verschiedenen

Seiten herantreten, wenn man nur zum Mittelpunkt vorstößt, das ist die Hauptsache. Denn: Was kann man nicht alles fragen; aber auch: auf so manche Frage werden wir vielleicht überhaupt keine eindeutige entscheidende Antwort geben können.

Bruckner kam in einem oberösterreichischen Dorf, Ansfelden, in der Nähe von Linz und St. Florian zur Welt. Sein Vater war Lehrer, daher stand er von seinen ersten Tagen an in der Nähe von Musik, wie sie um 1830 in einem Dorf üblich war, voran Kirchenmusik, dann solche zu anderen Gelegenheiten: Taufe, Hochzeit, Kirchtag und Tod. Was hat Vater Bruckner in der Ansfeldener Kirche aufgeführt? Was hat man auf dem Tanzboden gespielt? Die oberösterreichische Volksmusikforschung kann auf die zweite Frage mancherlei Antworten geben. Bruckners Verbindung mit dieser Musik kennen wir aus Windhaag, aber die von ihm selbst geschriebenen Noten sind in Verlust geraten. Nur das von ihm benützte Clavichord ist erhalten geblieben; es steht jetzt in der Bruckner-Gedenkstätte in Ansfelden. Man müßte einmal die gesamte dörfliche Kirchenmusik zwischen 1800 und 1840 systematisch erforschen, der Musikübung in jedem einzelnen Ort nachgehen, dann würde man den „Boden" erkennen, auf dem dieses musikalische Genie wuchs. Bei Vetter J. B. Weiß in Hörsching lernte Bruckner die Messen von Haydn und Mozart, die „Schöpfung" und die „Jahreszeiten" kennen. Weiß muß also fähige Musiker auf seinem Kirchenchor gehabt haben. Daß er selbst ein ausgezeichneter Könner der Musik war, wissen wir, er hat sich auch kompositorisch betätigt, wie so mancher anderer seiner Berufsgenossen. Es ist eine dringende Aufgabe, die Geschichte der österreichischen Schullehrer und ihrer Bedeutung für die Musik in Österreich zu schreiben; auch Franz Schubert kam aus einer Schullehrerfamilie. Die Bedeutung seiner Musik für Bruckner wird immer klarer sichtbar. Das Verhältnis Schubert — Bruckner ist ein eigener Problemkreis, der noch manche Erkenntnisse zeitigen wird.

Ein anderer ist das kirchliche Orgelspiel am Anfang des 19. Jahrhunderts in den Dorfkirchen Österreichs. Der Schullehrer war gleichzeitig Organist, und so manches handgeschriebene Heft mit Orgelstücken zeigt uns, wie und was man um 1830 spielte. Von Bruckner selbst gibt es fünf kleine Orgelpräludien, eher Kadenzen. Dabei darf man nicht vergessen, Bruckner war damals 11 Jahre alt, ist also als ein frühreifes musikalisches Talent zu bezeichnen. Wie immer man sich zu diesen einfachen Sätzen stellt, sie zeigen uns, wie das Orgelspiel in solchen Dorfkirchen wie Hörsching und Ansfelden beschaffen war, sie zeigen aber auch die ersten kompositorischen Regungen Bruckners und seine Spielweise. Auch das „Pange lingua" in C-Dur wird aller Wahrscheinlichkeit nach aus dem Aufenthalt in Hörsching (1835/36) stammen. Der Knabe hörte einen vierstimmigen Chorsatz in sich klingen, so wie er oft bei kirchlichen Feiern vorkam, konnte ihn aber noch nicht richtig zu Papier bringen. 1891 hat der alternde Meister dann diese kleine Komposition pietätvoll „restauriert". 1835 hatte er ja nur Kenntnisse im „Orgeln" und im Generalbaß, vielleicht auch noch ein wenig Unterricht in Harmonielehre erhalten. Er war nur ein Dorfkind, aber ein sehr musikalisches, wie uns Zeitgenossen berichten.

Die Dorfverhältnisse setzten sich in seinem ersten Dienstposten, Windhaag an der Maltsch, fort. Aus diesen Jahren, 1841—1843, besitzen wir in Bruckners eigener Handschrift seine erste Komposition, die Messe in C für Altsolo, zwei Hörner und Orgel. Man erkennt aus dieser Besetzung unschwer die bescheidenen musikalischen Verhältnisse, unter denen Bruckner in Windhaag litt. Man muß sagen „doppelt litt", weil er ja während der vorausgegangenen zehn Monate seiner Lehrerbildungszeit in Linz bessere Musik erlebt hatte. Die Werke der Wiener Klassiker begegneten ihm in Aufführungen in der Minoritenkirche, der Unterricht bei J. A. Dürrnberger öffnete ihm das Tor in die Musiktheorie, mit einer Abschrift der „Kunst der Fuge" von J. S. Bach eroberte sich der angehende „Lehrgehülfe" selbst die größten Geheimnisse und Möglichkeiten des Kontrapunktes.

Was strömte damals alles in die junge, aufnahmebereite und fähige Musikerseele ein! Das Linzer Musikleben stand am Anfang einer neuen Epoche, und wir fragen: Was hat Bruckner damals hören können, welche Noten hatte er in seinen Händen?

Diese Frage berührt auch schon den Sängerknaben von St. Florian ehe er nach Linz ging, sie taucht wieder auf, als Bruckner 1845 nach St. Florian zurückkam. Das stiftliche Musikarchiv müßte einmal gründlich durchforscht werden, welche Noten damals vorhanden waren und auf welchen sich Aufführungsdaten befinden, die für Bruckner, den Sängerknaben und später den Organisten, zuständig sind. Es erheben sich auch Fragen nach der Musikpflege in St. Florian überhaupt. Hatte man im Stift ein Streichquartett, pflegte man Kammermusik oder Musik für Kammerorchester? Wie war es bei weltlichen Feierlichkeiten: kamen da Chöre, Kantaten oder sonst irgendwelche „Festmusiken" zur Aufführung?

Für Windhaag stellt sich eine ähnliche Frage bezüglich der Volksmusik. Bruckner soll damals sehr viele Noten geschrieben haben, er ließ sich Kanons einfallen, die man bei geselligem Zusammensein sang: nichts davon ist erhalten geblieben, lediglich das Bewußtsein, daß Bruckners Kunst in ihren Ursprüngen auf die oberösterreichische Volksmusik zurückgeht, in ihr beheimatet ist, so wie sie auch die Wiener Klassiker und die Satzkunst J. S. Bachs zu ihren Ahnen zählt. Daraus ergeben sich sehr viele Fragen für Bruckners musikalisches Lebenswerk.

Bruckners zweiter Dienstposten, Kronstorf, bringt ihn seiner Berufung näher. Nicht nur räumlich, indem St. Florian für ihn wieder erreichbar wurde, genauer gesagt, die große Orgel, sondern auch ausbildungsmäßig. An dem Regenschori der Stadtpfarrkirche von Enns, Leopold von Zenetti, hatte er einen geübten Lehrer, der ihn weiter in Musiktheorie unterrichtete, dabei aber seine Bachkenntnisse vertiefte mit dem „Wohltemperierten Klavier" und den „vierstimmigen Chorälen". Bruckner, der Katholik, machte Bekanntschaft mit dem evangelischen Choral, der in seinen Werken bis in die Symphonien der Wiener Zeit so manche Spuren hinterließ. Diese führen zu Problemen satztechnischer Natur, die Bruckner, damals, sicher auch improvisatorisch gelöst hat, denn: den zweiten fördernden Einfluß bot die Chrismann-Orgel der Stadtpfarrkirche von Steyr, zu der Bruckner üben ging.

Bei gelegentlichen Besuchen in St. Florian empfing er Anregungen zum 4st. Männerquartett. Er gründete sofort auch eines in Kronstorf und fand so den Weg zur Chorkomposition, der ihm in Windhaag noch verschlossen geblieben war. Hier stellen sich Fragen nach dem Vorhandensein von Männerquartetten, gemischten Quartetten, dem Chorgesang überhaupt, denn wir stehen in der Gründerzeit der „Liedertafeln". Sie sind Ausdruck einer dem Vormärz wie dem Biedermeier eigentümlichen Gesellschaftskunst. In Steyr lernte Bruckner durch Karoline Eberstaller auch die Musik Schuberts kennen. Gibt es da bereits Beeinflussungen, sind verschiedene harmonische Kühnheiten aus der Kronstorfer Zeit schon Akkorde, die den späteren Bruckner vorausahnen lassen, oder kommen sie von Schubert? Dazu gesellen sich auch noch Stileigentümlichkeiten vorklassischer, barocker Kirchenmusik. Man merkt, Bruckner hatte ein offenes Ohr und nahm willig auf, was sich ihm bot, die Volksmusik wurde dabei nicht vergessen.

Es gibt für Kronstorf die gleichen Fragen wie für Windhaag und St. Florian: Was hat man auf dem Kirchenchor und außerhalb desselben musiziert? Das bedeutet ein Stöbern und Suchen nach alten Noten, alten Drucken, soweit sie überhaupt noch erhalten geblieben sind. Die Orgeln und die aus jener Epoche stammenden Instrumente gehören gleichfalls in den Bereich des zu Erforschenden, sie waren ja die Klangträger, sie bestimmten die Vorstellung und Ausarbeitung der Kompositionen.

Instrumente und Instrumentenbau in Oberösterreich bedeuten ein eigenes Forschungsgebiet innerhalb der österreichischen Musikwissenschaft. Damit in Zusammenhang stehen Fragen der Aufführungspraxis: Wie groß waren Chöre und Orchester, denn davon werden wieder die dynamischen Vorschriften betroffen. Ein Fortissimo aus 1840 klang anders als 1975, und Abstufungen im ganzen Klangkörper werden viel differenzierter gewesen sein als heute.

Alle diese Probleme betreffen in vollem Ausmaß schon den Bruckner der zweiten Florianer Periode, 1845—1855. Er entwickelt sich darin zum Organisten und zum Komponisten eines Requiems und einer Missa Solemnis in B. Besonders die Missa ist ein sprechendes (und klingendes) Zeugnis für seine Fähigkeiten im Jahre 1854. Die in ihr herrschenden Stilverschiedenheiten, gebunden in die formale zyklische Einheit eines großen Werkes geben Anlaß zu mannigfachen Überlegungen.

Daneben darf Bruckners ständiger Bildungsdrang nicht außer acht gelassen werden; er führte ihn bis zu einer Abschlußprüfung der zweiten Klasse der Unterrealschule. Die Krönung dieser seiner Bestrebungen (sie bilden eine sehr charakteristische Seite seiner Persönlichkeit) erlebte Bruckner 1891 mit der Würde eines philosophischen Ehrendoktors der Universität Wien. Bruckner war nicht nur schaffendes, musikalisches Genie, sondern besaß auch eine ausgeprägte pädagogische Begabung. Zuerst als Volksschullehrer, dann, ab 1868, in seiner eigenen Kunst, als Lehrer in Harmonielehre, Kontrapunkt und Orgelspiel. Dieses Beisammensein zweier Bereiche hat ihm oft die Klage herausgestoßen, daß er viel zu wenig Zeit zum Komponieren habe. Gerade dadurch, als Lehrender, ist er der Schule, dem Unterricht zugänglich, und muß als ein nicht sehr häufig vorkommender Charakter innerhalb der Musik des 19. Jh.s bezeichnet werden.

Sein Verhältnis zu Simon Sechter, zu dessen Musiktheorie und wie er sie in seinem eigenen Unterricht anwendete, bringt manche Probleme mit sich. Besonders aufschlußreich wirken sich Untersuchungen aus, wie weit mit Sechters Methode die Kompositionen Bruckners erklärt werden können. Zu all diesen Fragen und Problemen kommt auch noch die Harmonik und Kompositionstechnik R. Wagners, vor allem seit dem Tristan (1865), von denen stärkste Anregungen auf Bruckner ausgegangen sind. Der Meister hat allerdings, absoluter Musiker der er war, seine Aufmerksamkeit nur der Musik und dem Orchester Wagners geschenkt. Die dramatischen Belange, Dichtung, szenische Gestaltung und Darstellung berührten ihn nicht. Dem Gesamtkunstwerk Wagners stand er fremd gegenüber.

Zu allem darf der Unterricht bei Otto Kitzler nicht vergessen werden, der den zwischen Kirchenmusik, Sechterscher Theorie und Männerchor-Stil stehenden Linzer Dom-Organisten auf die Formen Beethovens, aber auch auf die der neudeutschen Schule und des Franzosen Berlioz hinwies. Mit der Nennung dieser Namen begeben wir uns in die ureigensten Problemkreise der Musik: Form, Architektonik, Melodik, Rhythmik, Dynamik und Klanggebung (Instrumentation).

In Bruckners Werdegang bedeutet die Periode als Linzer Domorganist (1855—1868) die stärkste Wandlung. Aus dem Komponisten kleiner Kirchenmusikwerke — die Missa Solemnis in B steht noch „davor" — wird der Genius der drei großen Messen und der Symphonie. In jeder der beiden Welten sind fast unerklärbare Höhepunkte zu entdecken: das 7st. Ave Maria von 1861, die e-Moll-Messe (1866) und die I. Symphonie (1866). Fortschreitende Untersuchungen werden für diese Periode sicher neue Erkenntnisse zeitigen.

Daneben gibt es das gesellschaftlich bedingte Schaffen für den „Frohsinn" und andere Vereinigungen gleicher Art. Es nimmt im Lebenswerk Bruckners bis in sein hohes Alter einen eigenen Platz ein. So manche dieser Gelegenheits-Kompositionen entsprang seiner heimatlichen Treue; Wünsche dieser Art, die man an ihn herantrug, konnte und mochte er nicht abschlagen. Er blieb ein treues Mitglied des „Frohsinn" und der von diesem geübten Sangeskultur, ein treuer Landsmann und Anhänger seiner oberösterreichischen Heimat. Daß dadurch gegenüber Bruckners symphonischem Denken größte Gegensätze sichtbar werden, das ist begreiflich, aber eben darum nicht minder aufschlußreich für des Meisters gesamte Kompositionstätigkeit. Hat er doch in seinen Männerchören den Sängern durch kühne Modulationen erkleckliche Schwierigkeiten bereitet, ihnen durch sein in jeder Hinsicht großräumiges Empfinden Aufgaben gestellt, zu deren Bewältigung man alle Kräfte anstrengen muß. Vom einfachen „Tafellied" bis zum symphonischen Chor „Helgoland" hat Bruckner mit den Männerstimmen eindringliche Wirkungen zu erzielen vermocht. Und doch haftet dieser Werkgruppe ein Hauch von Vergangenheit, von „Liedertafel-Stil" an. Daraus ein abwertendes Urteil herleiten zu wollen, wäre abwegig. Mit dieser Erwägung allein wird aber schon das Problematische der Stellung dieser Kompositionen, der Chöre, im Gesamtwerk Bruckners, wenn nicht festgelegt, so doch zumindestens angedeutet.

Durchaus eindeutig dagegen ist die Entwicklung in Bruckners Orchesterwerken von 1868 bis 1896, in seiner Wiener Zeit. Es braucht darauf hier nicht näher eingegangen zu werden, wohl aber darauf, daß im symphonischen Schaffen, zu dem noch die Motetten, das Te Deum und das Streichquartett treten, nun alle jene Fragen auftauchen, die besonders den Musikpädagogen beschäftigen müssen. Es ist das alte Problem: wie sage ich es meiner Jugend, wie kann ich sie zu Bruckner führen. Hier verlassen wir den Boden der Musikgeschichte — die chronologische Ordnung und die Entstehungsdaten der einzelnen Werke sind selbstverständliche Voraussetzung — und begeben uns in das Gebiet von Darstellung und Erläuterung des musikalischen Kunstwerkes. Das kann hier nur in einfachen Zügen umrissen werden: Zuerst die Form, dann das sie erfüllende Leben von Motiv und Melodie, danach deren Aussehen nach Rhythmus und Harmonie und schließlich die daraus abzulesende Bewegung (Dynamik) des musikalischen Geschehens. Die Klangwerdung (Instrumentation) ist ein eigenes Kapitel, dem sich natürlich und notwendig die Aufführungspraxis anschließt.

Das sind einzelne Gebiete des gesamten Lebenswerkes eines schaffenden Musikers. Sie sind bei jedem Komponisten anzutreffen, es sei jedoch versucht, jene Eigenheiten zu skizzieren, die man bei Bruckner antrifft, und die zu Problemen führen, die für ihn und seine Musik kennzeichnend sind.

Da steht wohl unstreitig im Vordergrund das Problem der „Fassungen". Wie kommt es, wie war das möglich, daß Bruckner häufig umänderte, manchmal so stark, daß daraus „neue" Werke entstanden, wie bei der III., IV. und VIII. Symphonie. Hier spielen sehr stark charakterliche Züge des „Menschen" Bruckner herein, der dem „Komponisten" Bruckner diese oft sehr schwierige und auf jeden Fall zeitraubende Arbeit aufbürdete. Einflüsse von außen, von Freunden, die das Beste damit für Bruckner im Auge hatten, sind gleichfalls vorhanden. Sie gingen so weit, daß sie beim Druck Veränderungen vornahmen, die meist instrumentaler Natur sind, aber auch die Form veränderten (IV., V. Symphonie).

Aus diesen Tatsachen folgen eine Unzahl von Fragen, und die im Erscheinen begriffene Gesamtausgabe gibt als Unterlage für die Lösungen die Partituren Bruckners so heraus, wie der Meister sie geschrieben hat. Das ist eigentlich eine Selbstverständlichkeit für uns, aber im 19. Jh. war es gang und gäbe, daß die Dirigenten meinten, man müsse eine Komposition zur Aufführung „einrichten", Bruckner ist da kein Einzelfall.

Original und Erstdruck, die Verschiedenheiten des Originals in 1. und 2. (oder 3.) Fassung, sie alle bergen eine Fülle von Fragen verschiedenster Art, rufen unterschiedliche Folgerungen hervor. Man wird davon im Musikunterricht nur sparsam Gebrauch machen können, aber, so die Meinung dieser Zeilen, darauf hinweisen muß man, denn diese Probleme sind besonders kennzeichnend für Bruckner. Wie ganz anders steht es in dieser Hinsicht mit dem Lebenswerk von Johannes Brahms. Überaus lehrreich gestaltet sich ein Vergleich dieser beiden „Antipoden", besonders in den Symphonien.

Vergleiche von Bruckners Musik mit der seiner Zeitgenossen rufen mit großer Wahrscheinlichkeit die Untersuchung mit jener der auf ihn folgenden Generationen wach. Auch daraus gewinnt man Antworten auf Fragen, die nicht nur für die an Bruckner anschließenden Dezennien, sondern auch für den Meister selbst von Bedeutung sind. Man sieht ihn sozusagen in anderem Licht, man schaut auf ihn „zurück", während man sonst sich in ihm selbst befindet.

Das wäre eine Studie für sich, die Andeutung muß genügen. Gleichfalls eine eigene Behandlung verlangt der „Mensch" Bruckner. Seine Persönlichkeit ließe sich in verschiedenen, oft sehr eigenartigen Zügen darstellen. Sein Charakter mit der ihm eigenen Frömmigkeit, dem nie sich verleugnenden oberösterreichisch-bäuerlichen Gehaben, das andererseits aber sehr wohl um seine künstlerische Größe wußte, sein Verhalten Frauen gegenüber, seine Untertänigkeit vor Höher- oder auch ihm Gleichgestellten, das alles beschäftigt den Biographen, gehört jedoch, am richtigen Platz eingefügt, auch zur Besprechung und Darstellung seiner Musik.

Aber mit einem Ausspruch Schumanns, leicht verändert: „Es ist des Fragens kein Ende", möge diese Erörterung von Problemen der Brucknerforschung ihren Abschluß finden, man müßte sonst ein ganzes Buch schreiben.

Erschienen in: *Anton Bruckner in Lehre und Forschung* (Symposion zu Bruckners 150. Geburtstag, Linz 1974), Regensburg 1976, S. 73—78.

Bruckner-Systematik

Sammlung der Fakten (Materialsammlung)
           Leben allein
           Werk allein
           Leben und Werk zusammen

I. Leben   1824—1868 : 1868—1896
           Oberösterreich Wien
           44 Jahre   28 Jahre

a) wann: *Chronologie* mit allen erfaßbaren Einzeldaten,
                     Datum immer mit Ort
                     über 1896 hinaus: „Fortleben"
                                       „Bruckner-Bewegung"

           dazu unbedingt ein *Register,* damit man das einzelne Datum vom Ereignis her finden kann

b) wo: *Orte und Örtlichkeiten*
           die Namen der Städte und Dörfer etc., in denen Br. geweilt hat; die mit ihm im Zusammenhang stehen
           Örtlichkeiten in den Orten
           Häuser: Wohnhäuser Br.s
                     Wohnhäuser der Schüler
                     Wohnhäuser der Lehrer Br.s
                     Wohnhäuser der Zeitgenossen

Kirchen und ihre Orgeln

öffentliche Gebäude: Regierungsgebäude
                      Universität
                      Hofburg
                      Bahnhof etc.

Gaststätten: Hotel
                      Restaurant
                      Wirtshaus
                      Kaffeehaus
                      Ausflugsstätten

Burgen, Ruinen

Berge: Schneeberg
                      Rigi
                      Mont Blanc
                      La flégère

Denkmäler: Gedenkstätten mit Büste, Relief, Tafel, Inschrift etc.

c) warum: die Gelegenheiten und Anlässe
1 die Orte im Leben Br.s
2 Besuche Br.s
3 Orgelspiel: Improvisationen
             Kollaudierungen
4 Werke: Arbeit an ihnen
        Aufführungen
5 Aufführungen von Werken anderer Meister
6 Feste

d) mit wem: Personen um Bruckner
                  nach Bruckner (Bruckner-Bewegung)
    1 Familie (Stammtafel, Genealogie)
    2 Lehrer Volksschule
        Musik
    3 Vorgesetzte
    4 Freunde, Förderer
    5 Gegner
    6 Verleger
    7 Interpreten seiner Werke (geht über 1896 hinaus, „Bruckner-Bewegung")
    8 Verfasser von Werken, Studien über Bruckner

II. Werk
Quellen: Handschriften: autograph
                      Abschrift mit autographen Eintragungen
                      Abschriften
    Drucke: Erstdrucke
                      spätere Drucke (= Bibliographie der Kompositionen)

Aufführungen: wann

wo

Dirigent

Solisten

Chor

Orchester

veranstaltende Institution

Werkverzeichnisse in verschiedenen Anordnungen

1 chronologisch

2 alphabetisch nach Titel

Text

Textdichter

3 systematisch nach Werkgattungen

Besetzungen

4 die Bearbeitungen

Briefe: 1 von Bruckner

2 an Bruckner

3 über Bruckner   Begrenzung!

Dokumente:

verschiedener Art

1 Zeugnisse von Bruckner

2 Zeugnisse für Bruckner a) Schule

b) Musik

3 Dekrete verschiedener Art

4 Urkunden

5 das Testament

6 Tod und Begräbnis

III. Schrifttum über die gesammelten „Fakten"

1 Bücher   nur über Bruckner und sein Werk

gelegentliche Nennung Bruckners und seiner Werke

2 Aufsätze   (Studien)

1 Sammelwerke, Festschriften

2 in Zeitschriften

3 in Zeitungen: Aufsätze (Essays)

Kritiken

Notizen (Nachrichten); haben dokumentarischen Charakter, vor allem bis 1896.

3 Programme mit Einführungen

ohne Einführungen (bis 1896, zum Teil auch darüber, haben sie dokumentarischen Charakter)

4 Einladungen und Drucksorten zu den verschiedenen Bruckner-Festen und Feierlichkeiten

5 Lexika

6	Kataloge	Bibliotheken	öffentlich
		Bibliotheken	privat
		Ausstellungen	nur Bruckner
		Ausstellungen	Bruckner enthaltend
		Antiquariate	
		Versteigerungen	Musik-...
			allgemeine...

7 Vorreden in den Ausgaben der Werke

IV. Ikonographie
1 Photographien
2 Gemälde
3 Graphiken etc.
4 Büsten
5 Reliefs
6 Briefmarken
7 Medaillen (Abzeichen der Bruckner-Feste) etc.

V. Discographie   Schallplatten
                     Tonbänder

VI. Film

VII. „Dokumentation"
— das Gegenwärtige, „Jetzt-Zeitige" der Bruckner-Pflege (Aufführungen, Schrifttum etc.)
— aber, was heißt „jetzt", das Heutige ist morgen „vergangen"
— braucht einen gewaltigen Apparat, dies „lückenlos" (eigentlich fast unmöglich) zu sammeln
— über die ganze Welt (?!)

Bruckner-Systematik:
Gesamt-Übersicht

I & II	Sammlung der „Fakten"	alles, was von Leben und Werk Bruckners bis 1896 und darüber hinaus (Bruckner-Bewegung) bekannt ist
III	Schrifttum darüber	das darüber „Geschriebene" in jeglicher Form
IV	Bilder dazu	alle „bildlichen" Darstellungen zu Leben und Werk Bruckners
V & VI	Ton dazu (Schallträger)	Schallplatte Tonband Film
VII	„Dokumentation"	die „Gegenwarts"-Stelle

Erschienen in: *Anton Bruckner in Lehre und Forschung* (Symposion zu Bruckners 150. Geburtstag, Linz 1974), Regensburg 1976, S. 99—102.

Die „Messe ohne Gloria" von Anton Bruckner

Über die künstlerische Entwicklung des jungen Bruckner sind wir leider sehr mangelhaft unterrichtet. Seine kompositorische Tätigkeit während der Lehrerjahre in Windhaag (1841—1843), Kronstorf (1843—1845) und St. Florian (1845—1855) kann nur in spärlichem Ausmaß beobachtet werden, vor allem zwischen 1841 und 1845[1]. Vieles ist verlorengegangen, so manches hat der alternde Meister 1895 bei seinem Umzug in das Kustodenstöckl des Belvedere vernichtet[2]. Vor allem der Anfang des Schaffens kann daher nicht genügend belegt werden. Wir kennen bis 1844 nur folgende Kompositionen:
Ein Pange lingua, 5 Stücke (Kadenzen) für Orgel, die Messe in C-Dur (Windhaager-Messe), ein Libera, ein Tantum ergo in D-Dur, ein Asperges in F-Dur[3], die „Choral-Messe für den Gründonnerstag" und den Männerchor „An dem Feste", später „Tafellied" genannt.

Es ist erfreulich, daß die dem Stifte St. Florian gehörenden Bruckner-Schätze einen Fund bescherten, der nach Papier, Schrift, Tinte und kompositorischer Eigenart aus dieser frühen Zeit stammt. Man muß dieses Messen-Fragment — und um ein solches handelt es sich hier — unmittelbar vor die „Choralmesse für den Gründonnerstag" von 1844 setzen, weil beide Messen das gleiche Sanctus besitzen.

Die Handschrift besteht aus zwei ineinandergelegten Bogen (vier Blättern) 16zeiligen Notenpapiers von graugrüner Farbe, sehr dick, handgeschöpftes Notenpapier aus dem 1. Drittel des 19. Jahrhunderts. Bruckners feine Kielfederschrift ist durch die Jahre lichtbraun geworden, zahlreiche Korrekturen beweisen, daß es sich um einen Entwurf handelt. Es ist der erste erhalten gebliebene Versuch Bruckners, einen vierstimmigen gemischten Chorsatz zu schreiben, denn das ebenfalls vierstimmige Pange lingua aus Hörsching, 1837 vermutlich, zählt nicht, es ist sozusagen ein allererstes Beginnen, etwas selbst niederzuschreiben, wozu die in Hörsching gehörte Kirchenmusik den Knaben anregte.

Auf fol. 1 befindet sich das Kyrie. An seinem Ende steht groß: „Sine Gloria." Damit ist die geplante Komposition als Messe für die Fastenzeit gekennzeichnet. Auf den letzten vier Zeilen dieser Seite sollte das Credo folgen und auf den leer gelassenen Seiten fol. 1' und 2 seine Fortsetzung finden; die Zeilen blieben aber leer, es kam nicht dazu. Fol. 2' enthält das Sanctus, fol. 3 das Benedictus, und auf die folgenden zwei Seiten schrieb Bruckner das Agnus. Zwölf Zeilen von fol. 4 und die ganze Seite fol. 4' sind leer.

Es fällt auf, daß der junge Bruckner die einzelnen Sätze mit ihren Tonarten bezeichnet, so wie es Brauch war, vollständige Messen als „Missa in C", „Missa in B" zu bezeichnen. Er schreibt „Kyrie in D-Moll" — „Credo in F." — „Sanctus in B—dur" mit einem „Pleni in F.". Diese letztere Bezeichnung streicht er aber durch, das „Pleni" gehört ja zum Sanctus. Benedictus und Agnus haben keine Tonartenangabe. Das tut Bruckner auch noch in der 1. Niederschrift seiner „Missa solemnis in B", 1854. Es muß nun auf einen besonderen Umstand hingewiesen werden, der in diesem Entwurf zutage tritt: Bruckners Versuche in Modulation und Harmonie. Sie treten ganz klar im Agnus dieser Messe und in einem sicher dieser Epoche angehörenden Asperges zutage. Auch das Sanctus gibt einen merkwürdigen Hinweis. Bruckner schreibt nämlich in ganz sonderbarer, ungewöhnlicher Weise zuerst: „Sanctus in Hes-dur" und setzt unter das „Hes" ein Vorzeichen-b. Das steht in vier Zeilen aufgegliedert am linken Rand, und rechts neben dem „in" in der 2. Zeile steht „B-dur". Bruckner muß sich in dieser Zeit mit Harmoniestudien beschäftigt haben, zu denen vielleicht die Kenntnis von Kompositionen Franz Schuberts bei Karoline Eberstaller in Steyr den Anstoß gegeben haben kann[4]. Das ist eine durch keine weiteren schriftlichen Belege zu beweisende Vermutung. Man braucht aber nur an Schuberts As-Dur-Variationen op. 35 zu denken, um in einer Welt harmonischer

Kühnheiten einzutreten, die ja auch in anderen Kompositionen Schuberts zu hören ist. Nach dem Generalbaß- und Harmonielehre-Studium bei Dürrnberger und dem anschließenden Unterricht bei Leopold von Zenetti in Enns — den Kontrapunkt kannte Bruckner außerdem aus Werken von J. S. Bach — war die Welt Schuberts vor allem in ihrer harmonischen Komponente für ihn eine „terra nova". Bruckner betrat sie, aber er mußte sich in ihr selbst zurechtfinden, und so wird ein einfaches B-Dur zu einem ungewöhnlichen „Hes-Dur". Allerdings, eine zweite so kurios klingende Bezeichnung ist bei Bruckner nicht mehr bekannt.

Die Tonart der Messe ist d-Moll, nur das Sanctus steht in B-Dur. Bruckner hat es mit ganz geringen Veränderungen in seine 1844 datierte „Vierstimmige Choral-Messe für den Gründonnerstag" hinübergenommen[5], das sieht aus wie Skizze und endgültige Fassung. Damit ist die Entstehungszeit für die „Messe ohne Gloria" gegeben: sie muß vor dieser Gründonnerstag-Messe geschrieben worden sein. Die übrigen Sätze behalten das d-Moll bei. Im Kyrie und Benedictus bestimmt es mit gelegentlichen Ausweichungen in das benachbarte F-Dur und a-Moll den tonartlichen Charakter. Das Agnus jedoch macht eine Ausnahme. Es bietet sich, plötzlich, als ein Tummelfeld für gewagte Modulationen dar. Die Grundtonart ist F-Dur, in ihr beginnt und schließt es. Das erste Agnus bleibt zunächst im Rahmen von F-Dur: F—C—F—B—F—d. Von Takt 12 an moduliert es aber über B-Dur nach Es-Dur. Das zweite Agnus, Takt 17—24, beginnt abzuschweifen: Des—b—As—f. Das 3. Agnus beginnt Takt 25 mit einer Kette von Septimenakkorden und erreicht mit plötzlicher, überraschender Wendung über B—g—H-Dur! (Takt 28—32). Das anschließende Dona (Takt 33 ff.) gelangt über e—a—F—C—F—d—B Takt 39 zum Quartsextakkord von C, über den der Schluß in F erreicht wird. Man erkennt daraus den völlig anders gearteten Charakter des Agnus gegenüber den vorangehenden Sätzen. Daß dieser Entwurf erhalten geblieben ist, muß als großes Glück bezeichnet werden, er gewährt nämlich einen seltenen Einblick in die Entwicklung von Bruckners harmonischer Komponente. Erste Anzeichen dazu bieten schon die fünf Orgelstücke (Kadenzen) in Es-Dur aus 1835/36. Wenn man mit ihnen das aus den gleichen Jahren stammende Pange lingua vergleicht, dann sieht man deutlich, wie harmonisch ruhig Bruckner im „Kirchenstil" zu schreiben verstand und welche Ausnahme dieses soeben analysierte Agnus darstellt. Auch die „Windhaager-Messe" gehört zum einfachen „Kirchenstil".

Der „suchende" Bruckner zeigt sich in der „Messe ohne Gloria" auch in der Perioden-Gliederung. Sie ist in den einzelnen Sätzen verschieden: Im Kyrie mit seinem Anklang an den evangelischen Choral, den Bruckner gerade in diesen Jahren bei Zenetti studierte, sind die Perioden sehr unregelmäßig, auch wird die dreimalige Folge Kyrie — Christe — Kyrie nicht eingehalten. Bruckner verwendet den Text in sehr freier Weise, so auch, wenn er im Sanctus nach „Sabaoth" das Wort „Sanctus" noch einmal wiederholt: es soll die Feierlichkeit des „Heilig" betont werden. Der Periodenbau wird von Satz zu Satz „geordneter", im Agnus hat er dann die Gleichmäßigkeit von Acht-Taktern erreicht, dafür geht die Harmonik überraschende Wege.

Da der Messe das Credo fehlt, der Platz dafür ist freigelassen, so muß man sie als Fragment bezeichnen. Nach den neuen liturgischen Vorschriften soll das Credo jedoch von der gesamten Gemeinde gebetet werden. Daher ist dieser Entwurf Bruckners, von dem der Meister wohl selbst gesagt haben würde, daß er nicht aufführungsreif ist, dennoch zur Verwendung im Gottesdienst geeignet, wie dies ja auch bereits geschehen ist[6]. Wer mit Verständnis und Anteilnahme zuhört, der gewinnt einen aufschlußreichen Blick in Bruckners musikalische Jugendjahre, in sein „Ringen und Reifen" vor seiner Missa solemnis in B von 1854[7].

1 August Göllerich, Anton Bruckner, Band 1, S. 199, Regensburg 1922, berichtet für Windhaag: „In stillen Arbeitsstunden gab er sich rastlos Kompositionsversuchen hin."

2 August Göllerich — Max Auer, Anton Bruckner, Band 4/3, S. 512, Regensburg 1936: „Auch die Sichtung der in hohen Stößen aufgestapelten Noten besorgte Meißner, wobei vieles auf Befehl des Meisters dem Feuer übergeben werden mußte."

3 Veröffentlicht in August Göllerich — Max Auer, Anton Bruckner, Band 3/2, Nr. 10, S. 140/141, wo es den Linzer Jahren, 1856—1868, zugesprochen wird, aber mit der Meinung, daß es früher entstanden sein muß (ibid. Band 3/1, S. 504: „Wir möchten seine Entstehung eher in die ersten sechziger Jahre verlegen." — Es muß aber sicher noch eine frühere Entstehungszeit angenommen werden, vermutlich Kronstorf. Das Band 3/1, S. 503 angegebene Manuskript (Autograph? Abschrift?) ist leider im Musikarchiv des Neuen Domes in Linz jetzt nicht mehr vorhanden nach einer freundlichen Auskunft des Domkapellmeisters Josef Kronsteiner.

4 Man sehe das bei Otto Erich Deutsch, Schubert. Die Dokumente seines Lebens, Kassel 1964, S. 597—599 veröffentlichte „Verzeichnis der zu Schuberts Lebzeiten erschienenen Werke". Wir können natürlich nicht wissen, welche dieser Kompositionen Bruckner kennengelernt hat.

5 Erstveröffentlichung durch August Göllerich, Anton Bruckner, Band 1, S. 258—274.

6 Die Uraufführung fand am 1. Adventsonntag, 1. Dezember 1974, in der Stiftskirche von St. Florian statt (Leitung: Augustinus Franz Kropfreiter), die Wiener Erstaufführung leitete Gerhard Kramer am 9. März 1975 in der Piaristenkirche.

7 Alle in dieser Studie genannten kirchenmusikalischen Kompositionen Bruckners werden in Band XXI der Anton-Bruckner-Gesamtausgabe „Kleine Kirchenmusikwerke" erscheinen.

Erschienen in: *Mitteilungsblatt der Internationalen Bruckner-Gesellschaft,* Nr. 9, Wien 1976, S. 2—5.

Mendelssohns „Paulus" und Anton Bruckner

Das Stift St. Florian besitzt unter seinen Bruckner-Schätzen auch eine Anzahl von Blättern, auf denen Bruckner Abschriften von Werken anderer Meister und Studien gemacht hat, darunter auch Aufzeichnungen von Themen, so z. B. das der „*Et vitam*"-Fuge aus dem Credo seiner *Missa solemnis* in B[1]. An verschiedenen Stellen beschäftigt er sich mit Motiven, die sich zu kontrapunktischer Improvisation eignen.

So hat er sich auch zwei Stellen aus dem Oratorium „*Paulus*" von Felix Mendelssohn-Bartholdy notiert, sie schienen ihm für seine Zwecke geeignet.

Das Oratorium „*Paulus*" war am 22. Dezember 1847 und noch einmal am 15. Jänner 1848 in Linz aufgeführt worden. Wir wissen nicht, ob Bruckner eine dieser Aufführungen gehört hat, aber er muß jedenfalls die Noten in Händen gehabt haben, sonst hätte er diese Aufzeichnungen nicht machen können.

Die erste lautet:

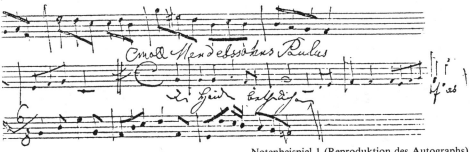

Notenbeispiel 1 (Reproduktion des Autographs)

191

Dabei steht die Bemerkung: „C Moll Mendelssohns Paulus" und der geänderte Text „Die Heiden beten dich an".

Die zweite ist umfangreicher, weil ihr Versuche kontrapunktischer Verarbeitung folgen:

Notenbeispiel 2

Auch sie versieht Bruckner am Anfang mit einer Notiz: „D moll / aus Paulus / beiläufig / (abgeändert)."

Von diesen beiden Aufzeichnungen behauptet Walter Schulten[2], daß die eine (Notenbeispiel 2) „nicht mehr mit einer Melodie aus *Paulus* von Mendelssohn zu identifizieren" sei und auch die andere (Notenbeispiel 1) „eigenartigerweise im Oratorium unauffindbar" sei. Diese Feststellung übernimmt Othmar Wessely in seiner Studie „Bruckners Mendelssohn-Kenntnis"[3].

Es hat sich nun herausgestellt, daß diese beiden Themen sehr wohl im „*Paulus*" vorkommen, nur hat sie Bruckner ein wenig umgestaltet.

Das 1. Thema findet sich gleich in Nr. 1, im Chor „*Herr, Du bist der Gott*", aber nicht am Anfang, sondern als melodisch bestimmendes Motiv des Mittelsatzes, Takt 47—83. Es lautet dort in Tenor und Baß unisono:

Notenbeispiel 3

Bruckner hat, wie man sieht, das Thema von fis-Moll nach c-Moll transponiert — darauf weist auch seine Angabe „C moll" hin — und hat ihm einen anderen Text gegeben; damit im Einklang stehen auch die rhythmischen und melodischen Veränderungen.

Der Ablauf ist ruhiger geworden. Die punktierten Rhythmen verschwinden, und das Ende wird melodisch ausgestaltet; das Vokal-Thema ist „orgelfähig" geworden.

Noch mehr Einsicht in Bruckners Variationskunst gestattet das 2. Thema. Es stammt aus Nr. 28 des 2. Teiles, dem Chor „*Ist das nicht der zu Jerusalem verstörte*". Er beginnt:

Notenbeispiel 4

In Takt 5—9 bringt der Alt das Motiv dann auf d, so wie Bruckner es notiert. Der Meister betont in der vorangestellten Bemerkung, daß es nur „beiläufig" so sei und er es „abgeändert" habe. Diese Worte, aus denen klar hervorgeht, daß Bruckner die Motive nicht einfach abgeschrieben, sondern für seine (Organisten-)Zwecke abgeändert hat, veranlaßten den Verfasser, „*Paulus*" genau durchzusehen und nach Ähnlichkeiten zu suchen. Die Bemühungen haben sich gelohnt und erbringen überdies den Beweis, daß Bruckner bei seiner Beschäftigung mit

„*Paulus*" vollkommen eigenmächtig vorgegangen ist. Seine ihm innewohnende Kraft, zu „variieren", zu „verändern", die er in späteren Jahren bei der Konzeption und vor allem bei der Umarbeitung seiner Symphonien bewies, zeigt sich in ganz kleinem Rahmen schon hier. Eric Werner hat in seiner Studie „Die tektonische Funktion der Variante in Bruckners Symphonik" neuerdings auf diese Eigenart Bruckners hingewiesen[4].

Es ist außerordentlich bezeichnend für die Erfindungsgabe Bruckners, wie er das aufgeregte 6/8-Takt-Sprechthema Mendelssohns in einen gleitenden 12/8-Rhythmus, ähnlich dem Eingangschor der Matthäuspassion von J. S. Bach, umwandelt und ihm auch gleich einen ebenso monumental wirkenden wie fließenden Baß beigibt. Dieses Thema war so im „*Paulus*" natürlich nicht zu finden.

Nicht genug an dem: der damals noch nicht bei Sechter in die Lehre gegangene Bruckner — das sei ganz besonders hervorgehoben — versucht gleich die Umkehrung und gelangt beim letzten Versuch (Zeile 5 und 6) zum Kopfmotiv zurück, wie es bei Mendelssohn im weiteren Verlauf des Chores ebenfalls vorkommt.

Bruckners kontrapunktisches Genie, seine Fähigkeit, Themen bzw. Motive zu verwandeln und in andere „Umgebung" zu setzen, werden gerade durch diese Stellen aus „*Paulus*" in hellstes Licht gerückt.

Auch die Zeit der Niederschrift läßt sich einigermaßen mit Wahrscheinlichkeit bestimmen. Einer dieser Studienbogen von gleichem Aussehen in Papier, Schrift und Tinte trägt am Ende seiner vierten Seite das Datum „Am Allerh[eiligen]fest 1848".

Die Entdeckung der beiden „*Paulus*"-Zitate beweist also, daß Bruckner sich wirklich mit Mendelssohns Oratorium beschäftigte. Sie beweist aber auch, daß er in diesem Falle nicht einfach abgeschrieben hat, sondern seine eigene Verarbeitungskraft walten ließ. Der 24jährige Stiftsorganist Anton Bruckner war gewohnt, sehr genau und auch freischaltend zu studieren. Der Meister der Improvisation, der Bruckner damals schon war, ließ sich gern auch von anderen Meistern „inspirieren".

1 Anton Bruckner. Sämtliche Werke, hrsg. von der Österr. Nationalbibliothek und der Internationalen Bruckner-Gesellschaft, Band 15. Wien 1975, S. 91.
2 „Anton Bruckners künstlerische Entwicklung in der St. Florianer Zeit (1845—1855)." Diss. Mainz 1956 (ungedruckt), S. 102 (zu Notenbeispiel 1) und 94 (zu Notenbeispiel 2).
3 Bruckner-Studien. Festgabe der Österreichischen Akademie der Wissenschaften zum 150. Geburtstag von Anton Bruckner. Hrsg. von Othmar Wessely. Wien 1975, S. 98 f. Daß an dieser Stelle von einer Teilabschrift des „Paulus" durch Bruckner gesprochen wird, geht auf die ungenaue Ausdrucksweise bei Göllerich — Auer, Anton Bruckner, Band 2/1, S. 33, zurück. Wessely berichtigt dies selbst schon S. 98 unten.
4 Bruckner-Studien... (s. Anm. 3), S. 285—301.

Erschienen in: *Österreichische Musikzeitschrift* 31, Wien 1976, S. 574—577.

Die Arbeit an der I. Fassung der III. Symphonie

Bei allen Symphonien Anton Bruckners, die in mehreren Fassungen vorhanden sind, gibt es für jede Fassung eine autographe Partitur: Zur I., IV. und VIII. Bei der III. Symphonie ist die Lage anders: für die zweite und dritte Fassung (1877, 1889) ist je ein eigenes Autograph vorhanden, aber nicht für die erste Fassung, die mußte für die Gesamtausgabe aus verschiedenen noch erhaltenen einzelnen Bogen zusammengestellt werden.

Bruckner hat nämlich die erste Niederschrift (= 1. Fassung) seiner III. von 1873 *(A 1)** zur Umarbeitung herangezogen, so daß jetzt die 2. Fassung, Cod.* 19.475 *(A 2)* der MS der ÖNB aus zweierlei Bogen besteht: denen, die Bruckner aus der ersten Niederschrift, mit den entsprechenden Veränderungen versehen, für die zweite Fassung verwendete, und solchen, die er für diese zweite Fassung neu geschrieben hat. Sie traten an die Stelle der entsprechenden Bogen der ersten Fassung, die er ausschied, die aber zum Glück beinahe alle erhalten geblieben sind. Aus ihnen konnte mittels Xerokopien fast das gesamte Autograph der ersten Fassung rekonstruiert werden.

Vom 1. Satz fehlen nur die Bogen 9, 11, 14 und 15, vom Finale nur Bogen 13 und 14; der zweite und dritte Satz sind vollständig erhalten geblieben.

Diese Vollständigkeit war nur dadurch zu erreichen, daß die Besitzer der nicht in der ÖNB vorhandenen Bogen diese für die Arbeit an der Gesamtausgabe bereitwilligst zur Verfügung stellten, wofür ihnen aufrichtiger Dank gebührt.

Die folgende Aufstellung gibt eine Übersicht, wie und von woher die einzelnen Ergänzungen bewerkstelligt werden konnten:

1. Satz: In Wien (nur ÖNB) vorhanden: Bogen 1—8, 12, 13, 17—23;
   In Stift Kremsmünster: Bogen 10;
   In Straßburg, Nachlaß Frédéric Goetz: Bogen 16.

   Die Bogen 13 und 21 sind als Zweitschriften von der Hand Bruckners auch in Berlin, Deutsche Staatsbibliothek — Preußischer Kulturbesitz, erhalten.

2. Satz: In Wien (ÖNB): Bogen 1—10 und der dazu fehlende Schlußbogen 11 in der Gesellschaft der Musikfreunde.

3. Satz: In Wien (ÖNB): Bogen 1—3, 5—9.
   Der fehlende Bogen 4 konnte in Stift Kremsmünster gefunden werden.

4. Satz: In Wien (ÖNB): Bogen 1—8, 10, 11 und 15—23;
   Bogen 9 und 12 sind in Stift Kremsmünster vorhanden.

Dem von *Göllerich-Auer* IV/I, S. 259 genannten Bogen 16 des ersten Satzes, der dem Herausgeber nur in Photokopie vorliegt, aber derzeit unbekannten Aufenthaltes ist, muß noch nachgeforscht werden.

Die in Berlin vorhandenen Bogen führt *Göllerich-Auer* IV/I, 259 unter den dort genannten Bogen an. Vielleicht befanden sie sich zur Zeit der Abfassung dieses Teiles im Besitz Max Auers. Die Angabe „die sich in der Nationalbibliothek (S. m. 6031) befinden" trifft nicht ganz zu. Fünf der aufgezählten Bogen (13 zweimal, 21 zweimal und 22 einmal, zur ersten und zweiten Fassung) haben ihre endgültige Heimstätte in Berlin gefunden.

Die Meinung nun, daß diese erste Niederschrift der III. *(A 1)* als Hauptvorlage für die Gesamtausgabe herangezogen werden kann, erweist sich aus dem vorhin angeführten Umstand der darin vorhandenen Änderungen als irrig. *A 1* kann nur zum Nachprüfen verwendet werden, soweit man überhaupt aus den radierten Stellen, den Durchstreichungen und Überschreibungen noch die früheren Noten erkennen kann. Hauptquelle für die Edition sind *6033* und vor allem die Widmungspartitur für Richard Wagner in *Bayreuth*. Die Annahme in *Göllerich-Auer* IV/1, 259 f., daß die beiden Bände von *6033* die Widmungspartitur gewesen seien, stimmt nicht. Als Max Auer diese Zeilen schrieb war die eigentliche Widmungspartitur verschollen; sie ist aber vorhanden.

Bruckner hat diese Widmungspartitur am 9. Mai 1874 signiert und sicher wenig später an Wagner abgesendet. Leider ist sein Begleitbrief, den er unzweifelhaft geschrieben hat, im Richard-Wagner-Archiv nicht vorhanden, wohl aber die Partitur. Aus ihr erkennt man, daß sie der gleiche Kopist geschrieben hat, der auch *6033* anfertigte. Die Abfassung beider Kopien muß sehr rasch vor sich gegangen sein, denn beide Vorlagen sind im Setzen der Phrasierungsbogen sehr flüchtig, auch unterschiedlich, und lassen es auch sonst an genaueren Ausführungsbezeichnungen fehlen.

Diesen Mangel an Vortragsbezeichnungen bemerkt man zum Teil auch in Bruckners Autograph *A 1,* wenngleich er doch mehr und besser bezeichnet als sein Kopist. Aber so genau durchgearbeitet wie die IV. und V. Symphonie ist die Partitur der III. in ihrer 1. Niederschrift noch nicht. Das ist dann erst bei der zweiten Fassung geschehen, die aber nach der IV. und V. Symphonie geschrieben wurde.

Bei aller Unvollkommenheit ist die *Bayreuther Handschrift* grundlegender Zeuge. Nach ihr hat schon 1944 Robert Haas die Partitur für die Gesamtausgabe stechen lassen. Der Zweite Weltkrieg zerstörte in Leipzig das gesamte Material; es hat sich aber zum Glück ein Exemplar des Grünabzuges der vollständigen Symphonie bei Willy Hess in Winterthur erhalten. Dankenswerterweise hat Herr Hess diesen Korrekturabzug für die Gesamtausgabe gleichfalls zur Verfügung gestellt. Er diente als Stichvorlage, ergänzt und richtiggestellt mit Hilfe von *A 1* und *6033*. Aus dem Vergleich der drei Handschriften ergab sich der für die Gesamtausgabe gültige Notentext. Er kann mit Sicherheit als die erste Niederschrift der 1. Fassung der III. Symphonie erkannt werden.

Der ständige Vergleich dieser drei Handschriften brachte Sicherheit, aber auch Probleme. Zuallererst stellte sich natürlich die Frage, inwieweit verschiedene Ergänzungen in *A 1* für den Text der 1. Fassung gültig sind oder nicht. Eintragungen, die der Vergleich mit *Bayreuth* als später hinzugekommen erkannte, weisen die gleiche Tinte auf wie *A 1*. An vielen anderen Stellen aber läßt eine dunklere Tinte sie als späteren Zusatz erkennen. Das trifft bei der Phrasierung der 1. Gruppe des 1. Satzes beim Hauptthema zu, aber auch beispielsweise beim Scherzo, dem in *A 1* die Keile hinzugefügt wurden; in *Bayreuth* und *6033* zeigt das Scherzo jedoch noch keine Keile.

Für Bruckner sind bei einem solchen Motiv die Keile typisch. Er verwendet sie schon in seiner f-Moll-Symphonie von 1863, aber 1872, in der II. Symphonie, fehlen sie. Der Unterschied in der Strichart ist jedem der Musiker klar, und so mußte für die III. Symphonie die 1. Fassung ohne Keile, die zweite dagegen mit Keilen gedruckt werden.

Andere Unterschiede in der Phrasierung, die bei der Textbearbeitung sehr wohl zur Kenntnis genommen werden mußten, betreffen das Hauptthema des 1. Satzes und die Gegenmelodie der Geigen in der Gesangsgruppe des Finales.

Im 1. Satz stehen Takt 377 ff. lauter Akzente in der 1. Fassung: sie werden für die zweite Fassung in Marcatozeichen umgewandelt. *A 1* zeigt deutlich, wie Bruckner bei der Umarbeitung ein Zeichen über das andere gesetzt hat.

Die Gesangsgruppe im Finale läßt den 2. Takt der Streicherfigur, die Gegenmelodie zum Choral der Holzbläser (die 2. Fassung verlegt ihn in das Blech), gebunden spielen. Später werden es Achtelnoten mit Keil. Auch diese Änderung ist in *A 1* deutlich zu bemerken: man sieht den radierten Bogen und die zwei Keile. Sie stehen in *A 1* noch über Viertelnoten, *A 2* verwandelt diese in Achtelnoten mit den entsprechenden Pausen.

So ließen sich noch eine Reihe von Stellen anführen, die je nach Art und Lage Entscheidungen verschiedensten Ausmaßes verlangten. Die gegebenen Lösungen entsprechen aber alle der 1. Fassung. Sie wird geeignet sein, den Brucknerkennern und Freunden des Meisters Arbeitsweise und seine eigenen Entscheidungen in der Ausformung der drei Fassungen der III. Symphonie vor Augen zu führen.

Bleiben doch von den 2065 Takten der ersten Fassung 1889 in der III. nur 1644 Takte übrig. Wie immer man sich nun zu dieser Verkleinerung stellt, eines ist sicher: die erste Fassung zeigt das Werk in seiner ungeschmälerten Größe und offenbart damit die schier unermeßlichen Weiten, in die Bruckner von seinem Genius geführt wurde.

* Abkürzungen:

A 1:   Autograph Nr. 1. Die 1. Fassung (1873) = erste Niederschrift, aus den vorhandenen Teilen in Xerokopie zusammengesetzt.

A 2:   Autograph Nr. 2. Die 2. Fassung (1877) Cod. *19.475 in der Musiksammlung der Österreichischen Nationalbibliothek.

6033:   Abschrift Nr. 1 der 1. Fassung, Mus. ms. 6033 der Musiksammlung der Österreichischen Nationalbibliothek.

Bayreuth: Abschrift Nr. 2, das Widmungsexemplar für Richard Wagner. Bayreuth, Richard-Wagner-Archiv. Von Bruckner signiert und datiert mit 9. Mai 1874.

MS: Musiksammlung

ÖNB: Österreichische Nationalbibliothek, Wien

Erschienen in: *Mitteilungsblatt der Internationalen Bruckner-Gesellschaft,* Nr. 11, Wien 1977, S. 18—21.

Die Windhaager Messe von Anton Bruckner

Wer sich mit der ersten Messe beschäftigen will, die Anton Bruckner geschrieben hat, die Messe in C für eine Altstimme, zwei Hörner und Orgel, der sogenannten „Windhaager-Messe", der tut gut daran, sich zuerst zu überlegen, unter welchen Umständen dieses kleine Werk entstand. Nur dann kann man die Unzulänglichkeiten begreifen, die daraus entgegentreten, aber auch ihre Schönheiten würdigen, die in ihr schlummern. Das klingt wie ein Widerspruch, der aber liegt in den Lebensumständen, die Bruckner damals bedrückt haben.

Zuerst ist festzuhalten, daß der junge Bruckner 1841, als er seinen ersten Posten als Lehrer in Windhaag antrat, durchaus nicht daran dachte, ein „Komponist" zu werden oder gar vielleicht es schon zu sein. Er hatte 1841 die Prüfung an der Lehrerbildungsanstalt, der „Präparandie", in Linz nach 10monatigem Studium mit ausgezeichnetem Erfolg bestanden und konnte, wie das Zeugnis ausdrücklich feststellt, „als Gehülfe an Trivial-Schulen verwendet werden". Bruckner stand an der untersten Sprosse der Leiter, auf der er im Vormärz zu immer besseren Positionen in diesem Beruf aufsteigen konnte.

Windhaag, im nordöstlichen Zipfel des oberösterreichischen Mühlviertels gelegen, war 1840 ein kleiner Ort. An die 200 Bewohner gingen darin ihren Beschäftigungen nach, oft bei rauher Witterung in Sturm und Schneeschauern, aber auch inmitten blühender Wiesen und reifender Kornfelder. In der engen Schulstube — der Raum besteht noch heute — mußten 70 Kinder Platz finden und je nach Alter in den verschiedenen Schulgegenständen unterrichtet werden.

Bruckner lehrte die Kleinen Lesen, Schreiben, Rechnen, Singen. Für den in ihm schlummernden Genius war es ein Glück, daß der Lehrer des Vormärz musikalisch zu sein hatte, zumindest mußte er Geige und Orgel spielen können. Geige für die Schule — und nebstbei für Hochzeiten und Kirchtage —, Orgel für die Kirche; er hatte auch Mesnerdienste zu verrichten, unter anderem das tägliche Glockenläuten. Hierin liegt bei Bruckner ein merkbarer Widerspruch: derselbe junge Lehrgehilfe, der seinen einfachen Orgelverrichtungen nachkam, wie sie eben der dörfliche Kirchenchor unter seinem Schulmeister Franz Fuchs erheischte, studierte die „Kunst der Fuge" und das „Wohltemperierte Klavier" von J. S. Bach. Man kann sich keinen größeren musikalischen Gegensatz denken als Bach und etwa eine „Land-Messe" von Franz Bühler (1760 — 1824). Dieses Spannungsfeld und seine eigene Musikalität ließen den jungen Lehrgehilfen Bruckner zur Feder greifen und eine Messe schreiben. Der kleine Kirchenchor von Windhaag hatte nur die Orgel und zwei Hörner zur Verfügung — und die schöne Altstimme der Maria Jobst, der Solistin des Chores. Vielleicht spielte auch ein wenig menschliche Zuneigung mit. Welcher musikbegabte Mensch hört nicht gern eine schöne Frauenstimme!

Kann man hierin schon eine gewisse Vertrautheit mit den Mitteln des musikalischen Satzes erkennen, Erfolg des Generalbaß- und Harmonielehre-Unterrichts bei Joh. Aug. Dürrnberger, so zeigen Form wie auch Textbehandlung noch Unvollkommenheiten. Die kleinen Teile reichen von drei (im Kyrie) über fünf (Credo) zu neun (Agnus) und zehn (Credo) Takten. Man spürt, hier ist die Ausgewogenheit des musikalischen Geschehens noch nicht erreicht. Die Textauslassungen in Gloria und Credo sind eine zeitbedingte Erscheinung, die gerade bei dörflichen Kirchenchören ihre Heimat hatte. Die Auslassungen Bruckners sind am Ende zusammengefaßt wiedergegeben. Das dem Benedictus fehlende „Hosanna" läßt sich in den vier letzten Takten mühelos unterbringen.

Man muß ihr Achtung entgegenbringen, der „Windhaager-Messe". Und dies um so mehr, als wir ja rückschauend wissen, daß aus diesem „Schulgehülfen" ein Meister der Orgel und schließlich ein solcher der Symphonie geworden ist. Mit dieser Einsicht entgeht man der Gefahr, die „Windhaager-Messe" achselzuckend geringzuschätzen, sie verdient solche lieblose Ungerechtigkeit nicht.

Entstanden ist die Messe zwischen Herbst 1841 und Dezember 1842. Die im Welser Stadtmuseum verwahrten autographen Stimmen — eine Partitur war ja nicht notwendig — geben kein Datum an. Es muß mit aller Wahrscheinlichkeit das Jahr 1842 angenommen werden. Von Oktober bis Dezember 1841 mußte Bruckner sich wohl erst eingewöhnen, und im Februar 1843 war er schon in Kronstorf. Er gibt seinem Werk auf den beiden Hörner-Stimmen den Titel: „Choral-Messe". Die Altstimme zeigt die Überschrift „Alto conc.[erto] in Coral(!)". Die Orgelstimme enthält nur Alt und Generalbaß und keine Überschrift. Der Ausdruck „Coral" hat hier nichts mit dem Gregorianischen Choral zu tun, obwohl Bruckner ihn am Anfang und am Ende des Credos zitiert, sondern will eher eine gewisse Feierlichkeit kennzeichnen, mit der Bruckner seine Messe aufgeführt wissen will. Diese Feierlichkeit klingt aus vielen Takten hervor, man muß nur die Melodik und die sie begleitenden Harmonien richtig einzuschätzen wissen.

Dazu seien einige Überlegungen angestellt. Der junge Bruckner ist bisher in seinem Geburtsort, in St. Florian, Hörsching und Linz mit der Kirchenmusik seiner Zeit, darunter auch der von Joseph und Michael Haydn und Mozart, aufgewachsen. Er muß sich nun in Windhaag in eine ganz einfach, dürftige, ja geradezu ärmlich anmutende Lebensweise fügen. So wird auch, bei allem Bach-Studium, seine eigene Musik einfach, und man kann sie nur dann in ihrer vollen Wirkung erleben, wenn man imstande ist, die musikalischen Intervalle mit den ihnen innewohnenden elementaren Ausdruckskräften aufzunehmen. Den „modernen" Menschen mit seiner Übersättigung durch die verschiedenen „-ismen" mag das vielleicht manchmal nicht ganz leicht gelingen, aber die Tatsache bleibt bestehen: in Bruckners „Windhaager-Messe" haben die einzelnen Intervalle und ihre harmonische Auslegung noch ursprüngliche Bedeutung. Sie liegt noch ganz im einfachen, naturhaften Element und muß auch aus ihm so aufgenommen und verstanden werden.

Man wird dies wohl vor allem an den Akkordfolgen beobachten: Plagalschlüsse IV — I, die Kirchenkadenz, kommen häufig vor, aber auch ebenso Mediantenschritte, diese dann, wenn es gilt, den anschließenden Takt hervorzuheben. Zum Beispiel Christe, Takt 12, Gloria Takt 21, bei „Gratias agimus". In dieser Hinsicht macht sich das Benedictus als ganzer Satz bemerkbar. Es steht in Es-Dur, der Obermediante von C-Dur, die Tonart wirkt gegenüber allen übrigen Sätzen weich und innig. Sie entspricht dem Klassikerbrauch, man denke an Haydn, und der für diesen Satz besonders beabsichtigten Innigkeit, gilt es doch, nach der Wandlung den HERRN mit aller nur möglichen Tiefe des Herzens zu begrüßen. Die Melodik Bruckners ist spürbar von Joseph Haydn beeinflußt.

Zum Hervorheben dient auch das Unisono. Die bedeutendste Stelle steht wohl im Credo. Takt 39, bei „Et resurrexit". Die Quartenfolge $c^2 — g^1$, $a^1 — e^1$ erinnert an das Glocken-Motiv in R. Wagners „Parsifal". Bei beiden Vorkommen weiß man, daß besondere Feierlichkeit erweckt werden soll. Der jugendliche Bruckner verwendete 1842 die gleichen Intervalle wie 1882 der alternde, auf der Höhe seiner Meisterschaft stehende Wagner. Ähnlich feierlich wirkt der Oktavsprung zum Abschluß, zum Beispiel im Credo und im Agnus. Daß schon der junge Bruckner in seinem Bestreben nach „Kirchlichkeit" in seiner Messe dem Gregorianischen Choral nicht aus dem Wege geht, beweisen Anfang und Ende des Credos. Durchaus ausdrucksbetont ist auch die Es-Dur Harmonik des „Crucifixus" gegenüber dem vorangehenden „et incarnatus est" (G-Dur) und dem nachfolgenden schon zitierten „et resurrexit" — Unisono (C-Dur). Die Tonartenfolge G — Es — C schöpft die darin liegenden Mediantenwirkungen voll aus.

Zum Abschluß noch eine Zusammenstellung der von Bruckner bei der Vertonung ausgelassenen Textstellen:
im Gloria:
... Deus Pater omnipotens.] Domine Fili unigenite Jesu Christe. Domine Deus, Agnus Dei, Filius Patris. [Qui tollis...nobis.] Qui tollis peccata mundi, suscipe deprecationem nostram. Qui sedes ad dexteram Patris, miserere nobis. [Quoniam...sanctus.] Tu solus Dominus, [Tu solus Altissimus...
im Credo:
...visibilium omnium] et invisibilium. Et in unum Dominum Jesum Christum, Filium Dei unigenitum. Et ex Patre natum ante omnia saecula. Deum de Deo, lumen de lumine, Deum verum de Deo vero. Genitum, non factum,...consubstantialem Patri: per quem omnia facta sunt. [Qui propter] nos homines, et propter [nostram salutem...pro nobis:] sub Pontio Pila-

to [passus...ad dexteram Patris.] Et iterum venturus est cum gloria, judicare vivos et mortuos: cujus regni non erit finis! Et in Spiritum Sanctum, Dominum, et vivificantem: qui ex Patre Filioque procedit. Qui cum Patre et Filio simul adoratur, et conglorificatur: qui locutus est per Prophetas. Et unam sanctam catholicam et apostolicam Ecclesiam. Confiteor unum baptisma in remissionem peccatorum. Et exspecto resurrectionem mortuorum. [Et vitam...

Erschienen in: *Mitteilungsblatt der Internationalen Bruckner-Gesellschaft,* Nr. 12, Wien 1977, S. 2—4.

Bruckners Formveränderungen an seiner e-Moll-Messe

Die Messe in e-Moll von Anton Bruckner ist — wie so manche seiner Symphonien — in zwei Fassungen überliefert: aus dem Jahr 1866 die erste (in dieser Fassung wurde das Werk am 29. September 1869 zur Einweihung der Votivkapelle des Neuen Domes in Linz uraufgeführt) und aus dem Jahr 1882 die zweite Fassung, die am 4. Oktober 1885 anläßlich der Jahrhundertfeier der Diözese Linz im Alten Dom erklang. In diesen 16 Jahren hat der Meister einiges an der Messe geändert. Die folgende Studie greift an ausgewählten Beispielen die formalen Unterschiede heraus, die Gesamtheit der Änderungen wird in einem Anhang des soeben erschienenen Bandes XVII/1 der Bruckner-Gesamtausgabe vorgelegt.

Wenn von formalen Unterschieden gesprochen wird, so bezieht sich dies für den Rahmen der vorliegenden Untersuchung, wie die Beispiele beweisen werden, vorwiegend auf einzelne Takte, also auf die Änderungen von Perioden. Gerade das aber ist für Bruckners Genauigkeit sehr wichtig. Man erkennt daran, daß er die formalen Verhältnisse bis in ihre kleinsten Ausdehnungen beobachtete, abschätzte und, wenn es ihm richtig schien, veränderte. Dazu benützte er auch am unteren Rand seiner Autographien Ziffern, mit denen er die einzelnen Perioden, ihre nahtlosen Anschlüsse, aber auch ihr zusammenhängendes Ineinandergreifen überprüfte. Es hat sich für sie die Bezeichnung „metrische Ziffern" eingebürgert; die Ziffern selbst stehen zum Unterschied von andern in der vorliegenden Studie zwischen Aufführungszeichen („1"). Für die Taktzahlen merke man: T. 1* bedeutet 1. Fassung 1866, T. 1 (ohne*) bedeutet 2. Fassung 1882.

An 41 Stellen hat Bruckner an der 1. Fassung formale Änderungen vorgenommen. Sie verteilen sich auf die einzelnen Sätze wie folgt:

Kyrie	2
Gloria	4
Credo	20
Sanctus	4
Benedictus	9
Agnus Dei	2

Man sieht daraus, daß Credo und Benedictus die meisten „Umgießungen" erfahren haben, die geringste Anzahl weisen Kyrie und Agnus Dei auf.

Grundsätzlich werden die Veränderungen bewirkt durch:

Einschieben eines, auch mehrerer Takte
Verdopplung der Notenwerte
Streichung eines, auch mehrerer Takte

Dieses Vorgehen läßt bestimmte Gründe (Absichten) erkennen, fast immer liegt ihm auch die Korrektur einer Periode zugrunde: Aus 7 oder 9 Takten werden 8. So manches Mal will Bruckner auch ein Wort des Textes besonders hervorheben, was er in der ersten Fassung noch nicht gemacht hat. Manche Takteinschübe stellen sich als auskomponiertes Ritardando vor, wieder andere — dies vor allem bei Satzschlüssen (Kyrie, Agnus Dei) — als ein Ausklingenlassen des achtstimmigen Chorsatzes. So lassen sich verschiedene Begründungen erkennen; sie sollen an einzelnen Beispielen vorgestellt werden.

Kyrie T. 114* (= T. 115/116): Schlußakkord, sein Ausklingen verlängert. Genau das Gleiche geschieht im Agnus Dei T. 72* (= T. 73/74). Für das Agnus Dei ist bei diesem Beispiel die Verlängerung der siebentaktigen Periode maßgebend, wie aus der Umarbeitungspartitur (Musiksammlung der Österreichischen Nationalbibliothek S. m. 29.301) ersichtlich ist. Ähnlich steht es auch im Kyrie.

Die zweite Änderung im Kyrie T. 109* (T. 109/110) wird vom Weiterführen des Motivs im Sopran, T. 108*, verursacht; es klingt 1882 noch im Tenor (T. 109) und im Sopran (T. 110). Hier handelt es sich also um Änderungen in der Komposition, deren es noch einige gibt.

Das einfache Verdoppeln von Tönen findet sich zum Beispiel:
Gloria   T. 124* (T. 126/127) „Patris"
Credo   T. 20* (T. 21/22) „omnia"
         T. 82* (T. 87/88) „sepultus"
         T. 112* (T. 119/120) „venturus"
         T. 136* (T. 145/146) „vivos"

Mag an so manchen Stellen auch die Herstellung von achttaktigen Perioden der Grund für die Verlängerung gewesen sein, so sind auch die Textworte und ihre Bedeutung zum Hervorheben Anlaß gewesen. Dies tritt ganz bestimmt zu bei „omnia" (gesteigerter Ausdruck für „ante omnia saecula" — „vor aller Zeit") und bei „sepultus" (in die Ruhe des Grabes legen).

Die Verdoppelung von Takten ist auch bei Übergängen anzutreffen. Zum Beispiel:
Gloria   T. 62* (T. 61/62) und T. 71* (T. 72/72) die Hornterz
Credo   T. 48* (T. 53/54) vor dem „Et incarnatus est"
         T. 87* (T. 93/94) vor dem „Et resurrexit"
         T. 143* (T. 153/154) vor dem „Et in Spiritum Sanctum"

Mit Ausnahme von T. 87* (T. 93/94) im Credo beinhalten alle diese Verdoppelungen auch ein Ritardando. Bei T. 48* ist es in beiden Fassungen von Bruckner ausdrücklich angegeben, bei T. 143* ist es sehr wahrscheinlich.

Ein auskomponiertes Ritardando steht im Credo T. 120* (T. 128/129): es wird die Achtelfiguration der Holzbläser in T. 129 auf Viertelnoten verlangsamt; diesen Takt hat Bruckner eingeschoben und damit aber auch den Übergang zu den gehenden Viertelnoten bei „judicare" bewerkstelligt. Genau gleich verfährt Bruckner im Benedictus beim Wiedereintritt des Hauptthemas T. 54* (T. 58). Abgesehen davon, daß diese Stelle im allgemeinen von einer Verlangsamung der Figuration in Oboen und Klarinetten gekennzeichnet ist — zuerst Sechzehntel-, dann Achtelnoten — bringt der Einschub von T. 58 (er liegt zwischen T. 53* und 54*) mit seinen vier Viertelnoten ein Ritardando, das deutlich die vorhergehenden Perioden von dem nun einsetzenden Hauptthema des Benedictus trennt und abhebt. Aufschlußreich für Bruckners Veränderungskunst ist die um einen Takt verschobene Lage des Chores, der sich dadurch vollkommen organisch dem Geschehen in den Bläsern einordnet.

Bevor noch einige solche kompositionelle Umgestaltungen besprochen werden, seien jene Stellen angeführt, deren Verlängerung (Verdoppelung) durch Pausen zustande kommen.

Gloria T. 84* (85/86) Die oben genannte Handschrift S. m. 29.301 gibt den Grund an: Die siebentaktige Periode des „suscipe" (von T. 78* an) muß in eine achttaktige verwandelt werden.

Credo T. 37* (T. 41/42) und T. 194* (T. 203/204). In beiden Fällen ist die Erweiterung durch eine Pause bzw. Generalpause aus Gründen des Periodenbaues geboten. Bei T. 194* ist eine fünftaktige Periode mit „et exspecto" zu Ende; sie muß geradtaktig werden. Daher wird nach T. 194* der T. 204 eingefügt. Diese sechs Takte werden mit den metrischen Ziffern in 4 und 2 geteilt. Ausdrucksmäßig wird damit in der zweiten Fassung eine deutlichere Zäsur zu „mortuorum" erreicht.

Es kann auch zu eingeschobenen Takten bei instrumentalen Partien kommen, meist als verbindende kurze Zwischenglieder.

Zum Beispiel:

Credo T. 9* (T. 9/10). Die zweite Fassung läßt die Trompete in T. 8* (T. 8) mit doppeltem Auftakt eintreten und verbindet damit die beiden Chorblöcke von „invisibilium" zu „Et in unum". In der ersten Fassung steht dagegen eine trennende Viertelpause.

Vereinzelt hat Bruckner auch Takte aus der ersten Fassung entfernt. Solche Eliminierungen finden sich im

Gloria T. 41*

Credo T. 77*. Das hat eine kleine Änderung in T. 76* (T. 76) in den Männerstimmen zur Folge.

T. 108* (zwischen T. 115 und 116) aus metrischen Gründen. Die Periode beginnt T. 101* (T. 109) und reicht bis „Et" von „Et iterum" in T. 109* (T. 116). In der ersten Fassung sind das neun Takte, die für die zweite Fassung auf acht verringert werden. Daher wird T. 108 ausgelassen und die Führung der Holzbläser geändert.

T. 152* (zwischen T. 162 und 163) geschieht dasselbe. Von „Et in Spiritum" (also T. 144*) sind es bis „qui cum Patre" neun Takte in der ersten Fassung. Durch die Entfernung von T. 152* wird in der zweiten Fassung eine achttaktige Periode hergestellt; das zieht eine Änderung der Bläserpartie nach sich.

T. 169* (zwischen T. 178 und 179) bietet das gleiche Bild. Ebenso T. 178* (zwischen T. 186 und 187) und T. 210* (zwischen T. 229 und 220).

Diese Fälle, in denen Bruckner auf achttaktige Perioden achtet, sind nicht die einzigen und sein Verfahren, so zu ändern, ließe sich noch an sehr vielen Stellen nachweisen. Das hängt mit der im Sommer 1876 vorgenommenen Durchsicht aller drei großen Messen zusammen — sie wurden (wie der Meister schreibt) „rhythmisch geordnet".

Viel aufschlußreicher als diese metrisch-architektonischen Veränderungen sind aber die, bei denen Bruckner die vorhandene erste Fassung kompositorisch verändert hat. Das betrifft vor allem Credo, Sanctus und Benedictus.

Credo: T. 21*—26* (T. 23—29). T. 21* wird auf zwei Takte erweitert, die melodische Linie bekommt einen etwas veränderten Anstieg, auch die Weiterführung in den T. 28*—36* (T. 31—40) wird einer Umarbeitung unterzogen, wobei auch die instrumentale Begleitung verändert wird.

T. 83*—86* (T. 89—92): Die Holzbläser werden gestrichen, an ihrer Stelle blasen das Ende des „Et incarnatus" die Posaunen und ein Horn. Die Taktanzahl bleibt hier gleich, nur das instrumentale Kolorit ändert sich.

Sehr starke instrumentale Änderungen zeigt auch die Stelle bei „judicare" in den T. 121*—135* (T. 130—144). Hier kommt es auch zur Entfernung von T. 133* (zwischen T. 142 und 143) und zur Verschiebung des Chorsatzes unter die Achtel der Holzbläser in den T. 134*—139* (T. 142—149).

202

T. 168* (T. 178 ff): Am Beginn der Unisono-Phrase „Et unam sanctam" rückt Bruckner die beiden Choreinsätze zusammen, indem er T. 169* entfernt. Er ändert aber auch das Blech und teilweise die Achtelbegleitung der Holzbläser.

T. 178* (zwischen 186 und 187) wird aus dem gleichen Grund eliminiert. Die Chorteile rücken näher zusammen, der Fluß des musikalischen Geschehens wird weniger unterbrochen.

Sanctus T. 30*—34* wird zu T. 31—32 gekürzt, das Zwischenspiel von Oboen und Klarinetten bis auf die chromatische Änderung von drei Noten beibehalten. Mit dieser Kürzung verschwinden aber auch drei Unisono-Takte in Sopran und Alt.

T. 44* wird dagegen auf drei Takte, T. 41—44, erweitert, Posaunen und Hörner können sich weiter ausbreiten.

Eine Erweiterung aus metrischen Gründen erfahren auch die T. 24* und 25* (T. 24—26). Bei der „rhythmischen Ordnung" von 1876 gelangt Bruckner in der periodischen Taktzählung bei T. 25* zur metrischen Ziffer „9". Da ihm diese neuntaktige Periode nicht paßt, schiebt er zwischen T. 24* und 25* einen Takt ein und bekommt somit vor dem Einsatz mit dem dreifachen Forte das Ende einer zehntaktigen Periode.

Das Benedictus bietet ein besonders eindrucksvolles Beispiel für das architektonische Empfinden Bruckners, das sich gerade an der Umarbeitung dieses Satzes zeigt: Die metrischen Ziffern in der Handschrift S. m. 29. 301 (siehe oben) beginnen unter T. 2* (T. 2) mit „1" und setzen zwei (!) Takte voraus, nicht einen, wie gedruckt; denn sowohl in S. m. 29.301 wie auch in der Partiturabschrift S. m. 6014 der Musiksammlung der Österreichischen Nationalbibliothek wird dieser erste Takt in zwei Takte geteilt: eine Ganztaktpause und der nachfolgende Horneinsatz. Der erste Takt, in dem nichts erklingt, wurde von fremder Hand durchgestrichen und auch nicht gedruckt.

Im T. 60/61 ist aber dieser Tatbestand deutlich erkennbar, ja er wurde von Bruckner bei der Umarbeitung hergestellt, denn T. 60 ist der fehlende Takt von T. 1* (T. 1) und T. 61 der andere Takt, der mit dem vorausgehenden die zwei Takte bildet, die vor dem Choreinsatz da sein sollen.

Aus diesem architektonischen Ordnungssinn ergeben sich alle weiteren Veränderungen im Benedictus, in T. 6* (T. 6/7), T. 17* (T. 18/19), T. 22* (T. 24/25), T. 39* (T. 42/43), T. 50* (T. 54/55), T. 60* (T. 66/67). Die anderen beiden Takte 71* (78/79) und T. 78* (T. 86/87) sind schon genannt worden.

Es konnte nicht die Absicht sein, hier alle diese zum Teil ja kleinen Formveränderungen in der e-Moll-Messe anzuführen und sie auch noch zu begründen, aber die gegebenen Beispiele zeigen wohl klar, mit welch großer künstlerischer Genauigkeit Anton Bruckner an seiner e-Moll-Messe gearbeitet hat.

Erschienen in: *Mitteilungsblatt der Internationalen Bruckner-Gesellschaft,* Nr. 13, Wien 1978, S. 2—6.

Die 1. und 2. Fassung von Anton Bruckners III. Symphonie

Die Arbeiten an den Partituren der 1. und 2. Fassung von Anton Bruckners „Dritter" für unsere Gesamtausgabe erforderten die Aufstellung einer möglichst genauen Chronologie. Das war notwendig, um die Abhängigkeit der einzelnen Autographen und Abschriften vollständiger Partituren wie einzelner Teile sicher zu erkennen und den Werdegang der Symphonie und ihrer Fassungen aufzuhellen. Bruckners Notentext mußte jeweils als für die erste oder zweite Fassung — 1873 bzw. 1877/78 — gültig erkannt werden.

Diese Chronologie wird hiemit in gebotener Kürze vorgelegt. Einzelne Ergänzungen sind möglich, werden aber sehr wahrscheinlich die bisher gewonnenen Ergebnisse kaum wesentlich verändern.

1872	Oktober, 15.	— Adagio: das Andante (T. 33 ff) komponiert
	Oktober, 16.	— Adagio: das „Misterioso" (T. 65 ff) entstanden
1873	Jänner	— die Komposition der III. Symphonie begonnen (vielleicht auch früher)
	Februar, 23.	— 1. Satz-Entwurf beendet (in Wien, hier weitere Arbeit bis August)
	Februar, 24.	— 2. Satz begonnen
	März, 2.	— Adagio, Skizze
	März, 11.	— Scherzo begonnen
	Mai, 24.	— Adagio vollendet (also Arbeit an der Instrumentation)
	Mai, 25.	— 1. Satz „Streichinstrumente"
	Juni, 10.	— 1. Satz „Streichinstrumente" beendet
	Juli, 16.	— 1. Satz beendet
	Juli, 25.	— Scherzo beendet
	Juli, 27.	— Trio beendet
	August, 1.	— Datum am Beginn des Finales
	August, ?	— Datierung (mit Ortsangabe „Marienbad") vor Buchstabe B (T. 65 ff, Gesangsgruppe) des Finales
	August, 31.	— in Marienbad die Finale-Skizzen beendet
	September, 13., 14.	— Besuch bei Richard Wagner in Bayreuth; dieser nimmt die Widmung der III. Symphonie an
	November, 4.	— Brief Bruckners aus Wien an den „Frohsinn" in Linz: die Dritte Symphonie wird in zwei Monaten fertig sein.
	November, 20.	— Finale „Streichmusik"
	Dezember, 29.	— Finale „Instrumentation"
	Dezember, 31.	— („Nachts") Finale „vollständig fertig"

Damit ist die erste Niederschrift der ersten Fassung der III. Symphonie vollendet. Sie wird hier im weiteren mit „A 1" (Autograph Nr. 1) bezeichnet. Diese Partitur ist nur mehr in Teilen feststellbar im Cod. *19.475 der Österreichischen Nationalbibliothek-Musiksammlung und in einzelnen Bogen in Wien, Berlin und im Stift Kremsmünster.

Meister RICHARD WAGNER in tiefster
Ehrfurcht gewidmet.

Symphonie

in

(D moll)

für grosses Orchester

componirt

von

Anton Bruckner.

Partitur Pr. Fl. 18. / Mk. 30.   Stimmen Pr. Fl. 22.50. / Mk. 40.—

Clavier-Auszug Vierhändig Pr. Fl. 7.20. / Mk. 12.—

(Arr. v. Gustav Mahler.)

Eigenthum der Verleger für alle Länder. Eingetragen in s Vereins-Archiv.
Den Verträgen gemäss deponirt.
— Verlag von —
A. BÖSENDORFER'S Musikalienhandlung.
(Bussjäger & Rättig.)
WIEN, I. Herrengasse 6.

205

Von A 1 wurden zwei Abschriften gemacht: eine zweibändige, die Bruckner bei sich behielt (jetzt Wien, Österreichische Nationalbibliothek-Musiksammlung S. m. 6033) und eine mit einem kalligraphierten Widmungsblatt für Richard Wagner (jetzt in Bayreuth). Das zur Übersendung von Bruckner verfaßte Begleitschreiben muß leider als verloren gelten.

1874	Mai, 9.	— Datierung am Ende des Partitur-Widmungsexemplares für Richard Wagner
	Juni, 22.	— Brief Bruckners an Baron Schwarz-Senborn: Die Symphonie habe Wagners Beifall gefunden
	Juni, 24.	— Brief von Cosima Wagner aus Bayreuth an Bruckner: Bestätigung des Erhalts der Partitur und Dank Richard Wagners
	Sommer	— (oder Herbst) Bruckner bietet die III. Symphonie den Wiener Philharmonikern zur Aufführung an. Hofkapellmeister Dessoff probt sie „in den Ferien" (Oktober?). Er hat ihm versprochen, die III. Symphonie mit den Wiener Philharmonikern aufzuführen, erklärt aber, nachher, es sei nicht möglich, das „Programm ist vollzählig". (Vgl. 1875, Jänner 12.)

Bruckner hat inzwischen an A 1 „Verbesserungen" vorgenommen. Aus dieser „verbesserten" Partitur werden nun — ganz sicher vor der Probe Dessoffs (sonst hätte man die Symphonie ja nicht durchspielen können) — die Stimmen ausgeschrieben, die sich heute im Archiv der Gesellschaft der Musikfreunde in Wien (Sign. XIII 26428) befinden. Der Stimmensatz ist allerdings nicht vollständig; er umfaßt nur die Bläserstimmen.

In diesen finden wir die „Verbesserungen" von A 1, die aber mit den einzelnen ausgeschiedenen Partiturbogen von A 1 wieder nicht genau übereinstimmen, vor allem im langsamen Satz. Diese Form — die Bezeichnung „Fassung" sei vermieden, weil es sich nicht um eine vollständig neu geschriebene Partitur handelt — ist im folgenden mit A 1 + bezeichnet. Sie ist bis jetzt vollkommen unbekannt gewesen, mußte sie doch aus den Stimmen erst durch Ablösen von Überklebungen sozusagen herausgeschält werden. Daraus wird aber ersichtlich, daß sowohl in der Länge (Taktzahl), wie auch in der Instrumentation der Bläser (die Streicherstimmen sind ja verloren) Unterschiede bestehen. Bruckner hat dann bei der Umarbeitung zur 2. Fassung, die in A 2 (Österreichische Nationalbibliothek-Musiksammlung, Cod *19.475) als ganze, vollständige Partitur niedergelegt ist, erst die ihm genehme Form festgelegt.

1875	Jänner, 12.	— Bruckner schreibt aus Wien an Moritz von Mayfeld, Linz: „Meine 4. Synfonie ist fertig. Die Wagner-Synfonie (D-moll) habe ich noch bedeutend verbessert. Wagner-Dirigent Hans Richter war in Wien, und erzählte in mehreren Kreisen, wie glänzend Wagner sich darüber ausspricht. Aufgeführt wird selbe nicht. Dessoff

	hielt die Proben in den Ferien, ließ mich zum Scheine suchen, und erklärte (sein Wort, welches er mir noch Anfangs Oktober gab, brechend) später, das Programm sei vollzählig. Die Philharmoniker erwarten meine Synfonie noch immer."
Mai	— Wagner in Wien
Juni, 1.	— Bruckner schreibt aus Wien an Otto Kitzler, Brünn: „Wagner hat meine D moll Synfonie als sehr bedeutendes Werk erklärt. Er lud mich mit Gräfin Dönhoff zum Suppee (!) und zeichnete mich außerordentlich aus. Ebenso Liszt."
August, 1.	— Bruckner schreibt aus Wien an die Wiener Philharmoniker und bietet die III. Symphonie für die Saison 1875/76 an. Er wäre auch „mit einer eventuellen Teilung der Sinfonie in zwei Concerten" einverstanden und weist darauf hin, daß vollständig geschriebene Stimmen im Konservatorium (der Gesellschaft der Musikfreunde) vorhanden sind.
Herbst	— Die Philharmoniker spielen die Symphonie in einer „Novitäten-Probe" durch und lehnen sie für eine Aufführung in ihren Abonnementkonzerten ab.

Bei dieser Probe wurden die Stimmen, deren Bläsersatz heute im Archiv der Gesellschaft der Musikfreunde erhalten ist, verwendet. Sie hatten damals allerdings noch nicht die Überklebungen. Die Symphonie wurde also in der Form A 1+ gespielt. Bruckner hat mit der 2. Fassung (A 2) erst 1876 begonnen. Hier die Daten dazu:

1876	Juli, 17.	— Finale „letzte Verbesserung beendet" (Das könnten noch nachträgliche Verbesserungen für A 1+ gewesen sein, aber auch schon solche für die 2. Fassung. Es ist bekannt, daß Bruckner gerne mit dem Finale zu arbeiten begann.)
	Oktober	— Adagio „neu" bei T. 232 der 1. Fassung. Diese Angabe bezieht sich mit Sicherheit schon auf die 2. Fassung.
	Oktober, 1.	— Bruckner schreibt aus Wien an Wilhelm Tappert, Berlin, über Wagners „lobende" Urteile über die III. Symphonie und im Nachtrag zum Brief einen Satz, der sich nur auf die 2. Fassung beziehen kann, die jetzt in Arbeit ist: „Von dieser Wagner-Sinfonie mangeln noch die Einzelstimmen."
	November, 5.	— 1. Satz, Schluß „rhythmisch geregelt"
	November, 28.	— Scherzo, Titelseite datiert

1877	Jänner, 27.	— Finale, Änderungen
	Februar, 28.	— Finale, Änderungen
	April	— Datierung auf der Titelseite des ersten Satzes von 1873
	April, 28.	— Finale „ganz neue Umarbeitung fertig"

Damit war A 2, die Partitur der 2. Fassung, vollendet. Sie befindet sich jetzt mit der Signatur Cod. *19.474 in der Musiksammlung der Österreichischen Nationalbibliothek.

1877	September, 27.	— „3te Ablehnung meiner Wagner-Sinfonie Nr. 3"/„2te Ablehnung Herbst 1875" (Eintragung Bruckners in seinem Vormerkkalender 1877)
	Oktober, 12.	— Datierung am Ende des Adagios
	Oktober, 12.	— Bruckner schreibt aus Wien an Wilhelm Tappert, Berlin: „Meine Wagner-Sinfonie No. 3 D-moll ist fertig, und Herbeck wird selbe am 16. Dezember im Musikvereinsconcerte aufführen."
	Oktober, 28.	— Johann Ritter von Herbeck stirbt. Bruckner ist daher gezwungen, am 16. Dezember selbst zu dirigieren und erlebt den größten Mißerfolg seines Lebens. In die bereits vorhanden gewesenen Stimmen werden die Änderungen der 2. Fassung eingetragen (durch Überklebungen), aber noch nicht die Coda zum Scherzo.
	November, 12.	— In einem Konzert des Wiener Akademischen Wagner-Vereins im Saale Bösendorfer in der Herrengasse spielen Felix Mottl und Hans Paumgartner den 2. und 3. Satz von Bruckners III. Symphonie in einer vierhändigen Klavierfassung. Es ist anzunehmen, daß zu diesem Zeitpunkt schon jener vierhändige Klavierauszug handschriftlich vorgelegen ist, in dem die Bearbeitung des ersten, zweiten und dritten Satzes von Mahler, die des letzten von Rudolf Krzyzanowski stammt. Die 1880 erschienene gedruckte Ausgabe des vierhändigen Klavierauszuges nennt allerdings nur Gustav Mahler als Bearbeiter. (Vgl. 1877, Dezember 16. und 1880, März)
	November, 20.	— In der Neuen Wiener Zeitschrift für Musik (1. Jg. Nr. 6) wird vom „enthusiastischen Beifall" berichtet, den die beiden Sätze aus Bruckners III. Symphonie am 12. November vor dem Publikum des Wiener Akademi-

		schen Wagner-Vereines gefunden hat. Das Schicksal der Uraufführung konnte dies aber nicht beeinflussen.
	Dezember, 16.	— Uraufführung der III. Symphonie durch die Wiener Philharmoniker unter Bruckners Leitung. Trotz des Mißerfolges erklärt sich der Verleger Theodor Rättig bereit, die Symphonie zu drucken. Bald nach dieser Uraufführung spielen Gustav Mahler und Rudolf Krzyzanowski die III. Symphonie Karl Goldmark in einer Fassung für Klavier zu vier Händen im Konservatorium der Gesellschaft der Musikfreunde vor.
		— ohne Nennung von Monat und Tag: Jahreszahl auf der Titelseite zum Adagio im Cod. *19.475
1878	Jänner, ?	— Scherzo, Änderungen bei den Buchstaben B und G (fol. 77 und 91* im Cod. *19.475)
	Jänner, 30.	— Coda zum Scherzo komponiert. Sie wird den bereits mehrfach erwähnten handschriftlichen Stimmen eingeklebt. Dazu wird aber notiert „wird nicht gestochen". Daher fehlt sie im Erstdruck und ist bis heute unbekannt geblieben. Im Cod. *19.475 ist sie aber enthalten.
	Oktober, 9.	— Bruckner schreibt aus Wien an Wilhelm Tappert, Berlin, daß er die III. Symphonie teilweise verändert hat.
1880	März	— Das Erscheinen des Erstdrucks von Partitur und Stimmen wird in Hofmeisters Monatsbericht angezeigt. Das Titelblatt der Partitur nennt auch den ebenfalls erschienenen vierhändigen Klavierauszug: „Verlag von A. Bösendorfer's Musikalienhandlung (Bußjäger & Rättig) Wien I., Herrengasse 6."

Damit fand das Schicksal der III. Symphonie ihr vorläufiges Ende. Wie bekannt, hat sie Bruckner dann in den Jahren 1888 bis 1890 noch einmal umgearbeitet; es entstand die dritte Fassung und ihr folgend der zweite Druck.

Erschienen in: *Mitteilungsblatt der Internationalen Bruckner-Gesellschaft,* Nr. 15, Wien 1979, S. 24—29.

Glaube und Musik:
Die Credo-Sätze in den Messen von Anton Bruckner

Der „Singenden Kirche" gewidmet zu ihrem 25jährigen Jubiläum.

Glaube ist Gnade, Musik ist Gnade: so sind beide Geschenke des lebendigen Gottes an seine Geschöpfe, an seine Menschen.

Dieser Zusammenhang ist vor allem dann gegeben, wenn die Musik auf Gott hingerichtet wird, wenn sie Kirchenmusik ist, wenn sie IHM dienen will bei allen Verrichtungen, die die Menschen für IHN vollziehen.

„Musik ist heilige Kunst" singt der Komponist in der „Ariadne auf Naxos", von Richard Strauss[1], und man muß ihm recht geben, wenn er es auch in dieser Szene vielleicht mit einem anderen Unterton meint. Eines ist aber diesem Komponisten gewiß: Musik ist etwas, mit dem man nicht spaßen, nicht „Schindluder" treiben soll, man muß sie vielmehr als etwas Hohes ansehen, das die Menschen mit gebührender Achtung und Ehrfurcht behandeln und empfangen sollen.

Unter den vielen Meistern der Musik, von denen die Menschheit Kirchenmusik, Musik zur Ehre Gottes, empfangen hat, ist einer der bedeutendsten unzweifelhaft Anton Bruckner. Man hat ihn geradezu den „Musikanten Gottes" genannt. Er selbst rechtfertigt diese Bezeichnung an zweien seiner Werke unzweifelhaft: Der IX. Symphonie, die er „dem lieben Gott" gewidmet hat, und dem Te Deum, von dem sein Ausspruch überliefert wird, er würde es beim Jüngsten Gericht hinhalten und sagen, daß er es ganz allein für IHN gemacht habe; „. . . dann würde ich schon durchrutschen", war seine Überlegung.

Wir leben in einer atheistisch verseuchten Welt, die von Gott nichts wissen will, den Glauben an IHN geradezu mit Haß und Hinterlist bekämpft. Sie will bei Bruckner auch nichts vom „Musikanten Gottes" wissen, bezeichnet diesen Titel als „Märchen" und will sich ein neues Bruckner-Bild aufbauen, das, in vielen Fällen nur dem Irdischen zugewandt, eine vollkommene Verfälschung von Bruckners Persönlichkeit zur Folge haben wird. Man geht der Gottzugewandtheit Bruckners geflissentlich aus dem Wege, im Gegenteil, man lieferte seine Musik dem Jazz aus und ließ 1978 eine Pop-Messe erklingen[2]. Den Veranstaltern war wohl kaum bewußt, welch ein Abgrund von Geschmacklosigkeit sich hier auftut. Dabei muß festgehalten werden, daß Jazz in seiner besten Form eine durchaus zu achtende Musik ist, der man im richtigen Raum, zu richtiger Zeit und Gelegenheit gerne zuhören wird. Wenn jedoch durch die Jazzeigenart Musik verändert, vielleicht sogar verzerrt wird, dann muß man solche „Adaptierungen" grundsätzlich ablehnen. Das wäre dann so, als wenn man Bruckners Antlitz, seinen Kopf, seine Gestalt verzeichnen würde. In der zeitgenössischen bildenden Kunst geschieht solches mit der menschlichen Gestalt sehr häufig[3]. Ob man damit die Jugend zum echten Bruckner bringt, ist fraglich.

Da solche Verirrungen in die Welt gesetzt werden, ist es um so notwendiger, die Wahrheit zu sagen, damit man nicht glaubt, sie sei stumm geworden und könne nicht mehr reden. Denn was immer im Laufe der Menschheitsgeschichte gedacht, gesagt und geschrieben wurde, viel Wahres aber auch viel Unwahres, eines bleibt bestehen: der Glaube an ein höchstes Wesen, an Gott, welchen Namen man immer IHM auch beilegen möge. ER besteht, und so auch die Hinwendung aller Künste zu IHM. Das ist eine unbestreitbare Tatsache; Geschichte und Völkerkunde beweisen dies, und so auch die Meister der Musik, als einer deren bedeutendsten Anton Bruckner vor uns steht.

Für diese Studie wurden die Credosätze ausgewählt, weil der Text den Inhalt des „Glaubens" zum Gegenstand seiner Darstellung hat. Man kann daraus vielleicht am besten erkennen, mit welcher Kraft der Aussage Bruckners Musik den Text, einzelne Worte wie ganze Satzteile, wiedergibt.

Wir wissen, daß der Musik, die ja an sich eine das Gemüt unmittelbar ansprechende Kunst ist — sie braucht keine verstandesmäßigen Begriffe —, die Macht innewohnt, Seelisches „auszudrücken". Sie kann auch zeichnen (malen), wofür die Programmusik viele Beispiele liefert. Dazu stehen alle ihre Elemente, aus denen sie besteht, zur Verfügung: Rhythmus, Melodie, Harmonie, Stimmführung, Klang (Instrumentation) samt Dynamik und Agogik. Der „Einfall" (die Inspiration) ist es nun, der dem Komponisten den Anstoß gibt, aus ihm sein Werk weiter zu gestalten.

Sehen wir zu, welche „Einfälle" Bruckner für seine Credosätze „geschenkt" wurden, wie er sie verarbeitet hat und in welchem Ausmaß man von ihnen sagen kann, sie offenbaren Bruckners gläubige Gesinnung.

Für die vorliegende Studie kommen folgende Werke in Betracht:

Messe in C (Windhaager Messe)	1842
Missa solemnis in B	1854
d-Moll-Messe	1864
e-Moll-Messe	1866
f-Moll-Messe	1868

Das Credo der „Choral-Messe" von 1844 muß nicht herangezogen werden[4]: einerseits vertont Bruckner den Text nur bis ... *descendit de coelis* und andererseits ist der mehrstimmige Satz noch so schlicht und einfach, daß er kaum Ausdrucksqualitäten aufweist.

Die Messe ohne Gloria (um 1844) ist Fragment. Die Seiten für das Credo sind zwar leer gelassen, Bruckner hat es aber nicht komponiert[5].

So bleiben fünf Messen, die deutlich verschiedene Stilbereiche der Brucknerschen Kirchenmusik erkennen lassen. Die Windhaager Messe gehört dem Typus der ländlichen Dorfmesse zu. Bruckner schrieb sie für eine Altstimme, zwei Hörner und Orgel, soviel stand ihm in Windhaag zur Verfügung. Die Missa solemnis in B unterscheidet sich gewaltig von ihrer Vorgängerin: sie verwendet, dem feierlichen Anlaß entsprechend: Infulierung des Prälaten Friedrich Mayr, Orchester. Ihr Chorsatz gipfelt in der Tripelfuge des Credo, ihr Stil verrät Bruckners ausgezeichnete Kenntnis der Wiener Klassiker und deren barocker Vorzeit.

Die d- und f-Moll-Messe sind bekanntlich Weiterentwicklungen der von Beethoven, Schubert und ihren Zeitgenossen errungenen instrumental begleiteten Meßkompositionen mit all den bei ihnen anzutreffenden orchestralen Schilderungen. Zwischen diesen beiden Messen steht die e-Moll-Messe in einsamer Größe. In ihr vermochte Bruckner den vokal ausgeprägten Palestrina-Stil mit einem durchaus in neuer Weise verwendeten Orchester — nur Bläser — zu einer stilistischen Einheit zu verbinden.

Der Begriff „Stil" ruft sofort auch die Überlegung auf den Plan, daß alle Messen der ersten Schaffenshälfte des Meisters angehören. Bruckner hatte bis 1868 erst drei Symphonien geschrieben. Von diesen muß die erste, die f-Moll-Symphonie von 1863, obwohl auch sie bemerkenswerte Stellen enthält, die zum Aufhorchen zwingen, als „Schularbeit" gewertet werden, so nennt sie Bruckner selbst. Erst die zweite, die sogenannte „Nullte", 1863/64, läßt den kommenden symphonischen Stil ahnen. Nach ihr wird im gleichen Jahr am 22. September die d-Moll-Messe fertig. Vor der e-Moll-Messe, 15. November 1866, wird die dritte Symphonie am 14. April beendet. Da Bruckner die ersten beiden Symphonien in die endgültige Zählung dieser Werke nicht einbezog, wird die dritte zur I. Symphonie in c-Moll (die „Linzer Fassung"). In den Messen mit Orchester lassen sich zahlreiche Einzelheiten entdecken, die schon auf den Symphoniker Bruckner hinweisen. Eine Studie darüber würde viel Material zu Bruckners kompositorischer Entwicklung liefern.

Es kann nicht geleugnet werden, daß eine Untersuchung vom Zusammenhang zwischen Glaube und Musik in das Gebiet der Hermeneutik abschweift. Dazu kommt noch, daß so manche der musikalischen Motive bestimmte Bedeutungen haben: sie sind Symbole (Sinnzeichen) für außermusikalische Tatsachen[6]. Man muß also imstande sein, sich über ein musikalisches Motiv, eine Periode, eine Akkordfolge „Gedanken" zu machen. Auch hier soll als selbstverständliche Warnung stehen, daß diese Gedanken weder ab- noch ausschweifen dürfen. Vom Glauben her können solche Gedanken ausgesponnen, weitergedacht werden, dann gerät man jedoch in das Gebiet der Meditation. Das ist aber nicht mehr Sache der Musik; soweit will und kann die vorliegende Studie nicht gehen.

Das Credo ist der wortreichste Teil des Meßordinariums. Für den schaffenden, komponierenden Musiker ergeben sich im Text zwei verschiedene Kategorien. Sätze, die rein dogmatischen Inhaltes sind, und solche, die zu musikalischer „Ausdeutung" anreizen; das können auch einzelne Wörter sein, wie zum Beispiel *omnia, omnipotens*. In der Gesamtheit jeder einzelnen Credokomposition bildet sich dadurch ein Auf und Ab verschiedener Stimmungen, die mit ihrer Abwechslung den Charakter der betreffenden Vertonung ausmachen. Sie offenbaren auch den Hintergrund ihres „So-Seins": Bruckners lebendigen Glauben, dem es geschenkt ward, sich in seiner Musik zu äußern. Daraus empfangen die Zuhörer etwas, das ihnen wieder Wegweiser zum Glauben sein kann, weil es gläubiger Tiefe entspringt.

Die Festigkeit, Unerschütterlichkeit des Glaubens ist aus jedem der Credoanfänge zu vernehmen. Die B-, d- und e-Messe beginnen liturgiegerecht mit *Patrem*, die C- und f-Messe mit *Credo*. Charakteristikum ist das Unisono in der d- und e-Messe, in der f-Messe begegnet uns das bekannte Motiv

Es wird von Bruckner als „Devise" verwendet und kommt viermal vor, immer an Stellen, die an den dreieinigen Gott erinnern[7]. Als Thema der *Et-vitam*-Fuge beschließt es den Satz. Einer Devise gleich wird auch die gregorianische Intonation des Credo in der C-Messe verwendet:

Das Motiv kehrt am Ende bei den Worten *Et vitam venturi saeculi, Amen* wieder; beide Male von einem in Achteln gehenden Baß begleitet. So offenbart schon das Jugendwerk Bruckners Absicht, in seiner Musik Gedanken auszudrücken, die dem Glaubensinhalt der Worte gerecht werden. In der B-Messe beginnt, ähnlich wie in der d-Messe, ein kompakter Chorsatz, der von instrumentaler Figuration umspielt wird; das entspricht den klassischen Vorbildern. Die „Stärke" des Glaubens mag man in der d-Messe im Oktavsprung und dem Unisono ausgedrückt finden. Das Unisono ist vor allem Kennzeichen der e-Messe. Dies um so mehr, als es, vom Chor angestimmt, von den Holzbläsern übernommen und weitergeführt wird. Vom Beginn an sind es in diesem Credo insgesamt 40 Takte, über die es sich erstreckt[8]. Der Regel entsprechend, greift es Bruckner beim *Et in spiritum* wieder auf. Für die Ausdruckskraft, die in einem Unisono liegen kann, sei einfach an die Wortbedeutung erinnert: einstimmig, in einem Klang, ohne jede Neben- oder gar Gegenstimme. So wird diese Chorführung zum Ausdruck von Einheit im Glauben, sohin auch Festigkeit und einer Gesinnung, die durch nichts zu beirren oder zu erschüttern ist.

Am stärksten äußert sich dies beim Bekenntnis zur Kirche, zur *una sancta*. In allen Messen werden diese Worte vom Chor unisono vorgetragen, von den Instrumenten mit gehenden Achtelnoten (B, e) oder festgehaltenen Motiven (d) begleitet; einzig die f-Messe weitet die Elemente aus: Man hört ein Unisono mit Sechzehntel- und Achtelbegleitung, im Chor an einer Stelle zu Akkorden auseinandergebreitet. Am eindrucksvollsten ist wohl die Melodie in der e-Messe:

Von *apostolicam*... ab spaltet sich das Unisono zum Akkord.

Die Einmütigkeit im Glauben kleidet Bruckner noch öfter in ein Unisono. So gleich in der e-Messe, in den dem *et unam* folgenden Takten mit *confiteor*. Hier stellt Bruckner zwei Linien einander gegenüber, in solcher Weise das „Bekennen" verstärkend[9]. Aber bereits in der C-Messe steht bei *et resurrexit* ein bedeutsames Unisono:

Man übersehe nicht, daß im zweiten und dritten Takt mit den Quartenfolgen eine in der Gregorianik häufig anzutreffende Intervallfolge auftritt und daß diese selbe Quartenwiederholung 40 Jahre später als Glockenmotiv im „Parsifal" von Richard Wagner ertönt. Das ist ein typisches Beispiel für die solchen elementaren Motiven (Intervallen) innewohnende Ausdruckskraft. Die Auferstehung des Herrn ist ein Angelpunkt des Glaubens, deshalb hebt Bruckner diese Worte so hervor.

Das *Et resurrexit* ist gleich dem *descendit* in den Orchestermessen Anreiz zu Tonmalerei. Das geschieht vor allem in der B- und d-Messe. In der B-Messe folgt den über dem liegenden f der Bässe chromatisch ansteigenden Streichern der Chor mit einem zwei Takte andauernden Unisono.

Während das Orchestervorspiel in der B-Messe nur 5 Takte umfaßt, wird es 10 Jahre nachher in der d-Messe auf 28 Takte ausgedehnt. Diese Stelle zeigt schon deutlich die Steigerungstechnik des späteren Symphonikers, sie entspricht auch dem „großen" Ausdruck, den Bruckner in dieser Messe offenbart, und ist damit ein letztes eindrucksvolles Beispiel der Wiener klassischen Kirchenmusik. Die Auferstehung wird musikdramatisch dargestellt.

Bezeichnend für Bruckners Glaubensintensität sind aber die folgenden 6 Takte der d-Messe. Sie enthalten ein dreimaliges *et resurrexit,* nur auf dem A-Dur-Dreiklang, und entfalten ihn von den Männerstimmen über die Mittellage von Tenor und Alt zum vollen, im Fortissimo bis zur Achtstimmigkeit sich steigernden Chorsatz. Bruckner kann einfach nicht anders, er muß diese Glaubenswahrheit mehrmals sagen, einmal ist es ihm nicht genug; außerdem hat er sie so lange, so dramatisch im Orchester vorbereitet.

Drei Jahre vorher, 1861, hat Bruckner in gleicher Weise in seinem 7stimmigen Ave Maria das Wort „Jesus" vertont. Ebenfalls aus dem Pianissimo sich steigernd ins Fortissimo[10].

Kompositionstechnisch sind beide Stellen sehr einfach: Wiederholungen des A-Dur-Akkordes zweifach ansteigend aus der Tiefe in die Höhe, aus der Stille in größte Lautstärke. Gerade diese „Einfachheit" aber zwingt zur Annahme, daß Bruckner hier aus seinem Glauben in Ekstase gerät. Er empfängt die Gnade, zu „schauen". Losgelöst von allen irdischen musikalischen „Kunstfertigkeiten", im Klang allein, ist er hier hingegeben dem Übernatürlichen, das sich ihm offenbart. Auch in ihm, Bruckner, ist nur noch ein „Klingen", Licht in reinster Ausstrahlung. Etwas von Mystik liegt darin.

Eine andere Stelle, die zu solcher Annahme Anlaß gibt, ist das *Et incarnatus est* der f-Messe. Die Melodie des Tenorsolos

schwebt im Raum, umspielt von den Soloinstrumenten Geige und Bratsche, gehalten von Holzbläserakkorden, ohne Erdenschwere: es fehlen die Bässe. Aber nicht nur diese Bewegungen und Schwebungen, sondern auch der Wechsel der Harmonien hat hier seinen Anteil an dieser mystischen Schau. Die Entwicklung zieht den unisono nachbetenden Chor hinein und führt zu Synkopen der beiden Soloinstrumente. Diese sind aber auch nichts anderes als Sinnbild dieses schwerelosen Schwebens und wollen auch so aufgefaßt werden[11].

Vollends der Mystik hingegeben ist aber das *Et incarnatus est* in der e-Messe. Bruckner vertont die Worte zweimal. Aber: das erstemal steht das Wort *Virgine* in A-Dur, das zweitemal in As-Dur, einen halben Ton tiefer. Hierin liegt eine sprechende Symbolik: Das helle A-Dur steht für die Jungfräulichkeit Mariens, das sanfte As-Dur für ihre Mutterschaft. Zu dieser doppelten „Tonalität" der „Virgo" gehört als bezeichnende Vorstufe die leere Quinte auf *est*: Christ ist geboren, die „neue Weltzeit" hat begonnen, sie ist auf alles hin „offen". So hat auch diese leere Quinte ihren Symbolgehalt, er findet seine Erfüllung in dem A-Dur bzw. As-Dur, in das die beiden Perioden münden.

Für Bruckners symbolhaftes Komponieren sind auch die auf- bzw. absteigenden Skalenklänge bei *ascendit* und *descendit* bezeichnend. Man wird sie, vordergründig, als Tonmalerei auffassen. Das sind sie auch, weil solchen Skalengängen diese Tendenzen von Natur aus eigen sind. Aber wenn beispielsweise der von einem gewaltigen Unisono der Streicher begleitete Chor in der f-Messe singt:

dann bedeutet das wohl, daß das in höchster Erregung herausgestoßene *descendit,* hier nicht mit dem Abwärtsgleiten verbunden — das folgt erst auf *de coelis* —, die grenzenlose Verwunderung des gläubigen Bruckners ausdrückt. Daß so etwas möglich war, daß Gott seinen Sohn auf die Erde geschickt hat, Bruckners Verwunderung steigt aufs Höchste. In der d-Messe verzichtet Bruckner auf solche musikalische Untermalung. In der e-Messe gleiten die Fagotte gleichsam in die Tiefen der Menschheit auf einem verminderten Septakkord, den der Chor mit *de coelis* begonnen hat. Die musikalische Zeichnung dieser Worte ist in der f-Messe gewaltiger. Sie entspricht in ihrer Art auch mehr dem vorangehenden *per quem omnia*.

In der Vertonung von Worten, die die Allmacht Gottes zum Inhalt haben, offenbart sich Bruckners Glaube ebenfalls sehr deutlich. Er glaubt fest an dieses „Allmächtig-Sein". So

214

spannt er in der f-Messe das *omnia* im Sopran und Tenor über fünf Takte aus, das *facta sunt* verlängert es noch um drei Takte (Takt 80 bis 88). Alt und Baß bringen, kürzer gehalten, in punktiertem Rhythmus das *facta sunt* zur Geltung.

Eine ganz ähnliche Hervorhebung von *omnia* begegnet in der e-Messe (Takt 21/22). Hier zeigt ein Vergleich mit der 1. Fassung (1866), daß Bruckner den Takt 20 verdoppelt hat, damit die Silbe „o-" auf die vierfache Länge vergrößert wird. Bruckner will damit in seiner Musik die Allmacht Gottes hörbar ausdrücken.

Der gleiche Allmachtgedanke beseelt Bruckner auch bei den Worten *cujus regni non erit finis.* Man sehe die Stelle in der d-Messe, Takt 188 bis 207. Nicht nur, daß er die Worte viermal wiederholt, er kann sich gar nicht genug tun, das *non erit finis* zu betonen, er läßt das *finis* auch gar kein Ende finden, so lang dehnt er es von Takt 197 bis 199 aus; das Orchester überstürzt sich dabei in Trillern und punktierten Rhythmen.

Ebenso mächtig wirkt die Vertonung dieser Worte in der f-Messe, Takt 297 bis 320. Die Eindringlichkeit des *non* sticht hier hervor, Takt 301 und 302, vor allem aber das Pianissimo der Takte 309 bis 320. Wie aus dem Munde eines in Meditation versunkenen Beters klingt es in scheuer Verwunderung (Takt 309 bis 311):

Achtel der Holzbläser geben den akkordlichen Hintergrund, in den hinein die Geigen den punktierten Rhythmus (im pp) stellen, mit dem sie diese Stelle im Fortissimo umrahmen.

Auch in der B-Messe wird *finis* in Sopran und Alt herausgehoben. Es mag nur hier vielleicht nicht so hörbar sein, weil es sich innerhalb eines geschlossenen Chorsatzes mit gehender Achtelnotenbegleitung abspielt. Aber das „Unendliche" ist auch hier (Takt 46 bis 48) in den beiden Oberstimmen ausgedrückt.

Die Gelegenheit, Gottes Allmacht musikalisch zu zeichnen und dadurch den Glauben an ein Jüngstes Gericht auszudrücken, bieten die Worte *judicare vivos et mortuos.* In den beiden Orchestermessen sind es weit ausgespannte Perioden. In der d-Messe (Takt 174 bis 188) 15 Takte, in der f-Messe (Takt 260 bis 290) 31 Takte. Die e-Messe faßt diese Stelle prägnanter (Takt 130 bis 148), 19 Takte, versinnbildlicht aber durch die Quarten und Oktaven in den Trompeten und Posaunen deutlicher als die d- und f-Messe die Vorstellung vom Jüngsten Gericht[12].

Die Führung der Chorstimmen ist bezeichnend, aus ihr ermißt man Bruckners dramatische Gestaltungskraft für diese Worte: in der d-Messe sind es gegensätzliche Bewegungen in Tenor und Baß, während die Oberstimmen einander übersteigern. Ganz ähnlich kommen in der f-Messe anfänglich die Oktaven im Sopran, gefolgt vom Posaunenruf Quart — Oktav, danach die sich steigernde Entwicklung durch zurufende Rhythmen in Alt, Tenor und Baß. Ähnlich beginnt das *judicare* in der e-Messe (Takt 130 bis 138). In der B-Messe erweckt Bruckner zuerst durch den in Nachahmungen einsetzenden Chor

den Eindruck des Schreckens, dann aber fällt, so könnte man es hören, die ganze Menschheit auf die Knie nieder: Unisono mit nachfolgenden abwärts gleitenden Terzen vom Fortissimo ins Piano. Rollende Sechzehntel in den Bässen untermalen diese Stelle schon von *et iterum* an (Takt 22 bis 33) wie ein Erdbeben.

Es ist wohl nicht daran zu zweifeln, daß sich in Bruckners Musik bildhaft, aber auch symbolisch ein Glaube offenbart, der nicht nur die Worte hersagt, sondern ihren Inhalt als wirklich bestehend ansieht, und nicht nur dies, ihn auch lebendig auffaßt, als ein wahrhaft wirkliches Sein, als ein Bekenntnis, daß Gott „ist".

Das gilt für immer, auch wenn eine ungläubige Welt diesen ewigen, bei Bruckner Musik gewordenen Wahrheiten entgegensteht. Die „Singende Kirche" war allzeit eine tatkräftige Künderin dieser unermeßlichen Schätze von Glauben und Musik, sie wird sie auch weiter hüten und mehren, auch wenn manchmal die Hoffnung zu erlöschen droht, denn:

Auch die Hoffnung, das weiß ich heut',　　*Eine Utopie, Freunde, gewiß,*
ist Gnade wie der Glaube,　　　　　　 *für uns Menschen die einzige Wirklichkeit.*
das Dennoch gegen Narrheit, Terror,
Wahnsinn und Untergang zu leben,
auch in der Stille.

Rudolf Henz: Kleine Apokalypse. Lyrisches Pamphlet gegen Scharlatane und Anarchisten. Graz, Styria 1977, S. 154.

1 Der vollständige Text Hofmannsthals an dieser Stelle lautet: „... und was ist denn Musik? Musik ist heilige Kunst, zu versammeln alle Arten von Mut wie Cherubim um einen strahlenden Thron! Das ist Musik, und darum ist sie die heilige unter den Künsten!" — Es ist aufschlußreich, daß Hofmannsthal mit dem Begriff „heilig" die Bezeichnung eines der neun Chöre der Engel verbindet: „Cherubim". So gelangt auch bei ihm die Musik in Gottnähe.

2 Man vergleiche dazu den von der LIVA (Linzer Veranstaltungsgesellschaft mbH) herausgegebenen Prospekt zur Bestellung der Schallplatte „Fela Craig Pop-Messe nach Themen von Anton Bruckner". Die letzte Seite dieses farbigen Druckes zeigt unmißverständlich in welche Nähe der Name Bruckners bei solchem Vorhaben gerät: eine von rotem, grünem und blauem Licht umflossene nackte Frauengestalt in entsprechender Pose.

3 Man lese dazu die Werke von Richard W. Eichler: „Der gesteuerte Kunstverfall", „Könner, Künstler, Scharlatane" und „Viel Gunst für schlechte Kunst". Für die Musik im besonderen sei auf zwei Werke von Willy Hess hingewiesen: „Vom Doppelantlitz des Bösen in der Kunst, dargestellt am Beispiel der Musik", München 1963, und „Parteilose Kunst, parteilose Wissenschaft. Eine Auseinandersetzung mit dem Zeitgeist in der Musik", Tutzing 1967.

4 Ihr Titel lautet im Autograph: „Vierstimmige Choral-Messe ohne Kyrie und Gloria für den Gründonnerstag".

5 Die „Messe ohne Gloria" wird in Band 21 der Bruckner-Gesamtausgabe, „Kleine Kirchenmusikwerke", enthalten sein.

6 In diesem Zusammenhang sei nur allein an Albert Schweitzers Darstellung der Musik von J. S. Bach erinnert und an die Musik-„Sprache" des Barocks überhaupt.

7 Vorbilder dazu können für Bruckner gewesen sein die beiden Messen in F, 1774, und in C (Credo-Messe genannt), 1776 von W. A. Mozart.

8 Die 40 Takte sind fast ein Fünftel des ganzen 225 Takte umfassenden Satzes.

9 Das berühmteste Beispiel gleicher Kompositionsart ist wohl der Unisono-Kanon im Credo der Nelson-Messe von Joseph Haydn.

10 Vgl. dazu Leopold Nowak: „Der Name ,Jesus Christus' in den Kompositionen von Anton Bruckner" in: „Wissenschaft im Dienste des Glaubens". Festschrift für Abt Dr. Hermann Peichl O. S. B., Wien 1965, S. 199.

11 Ähnliche Synkopen finden sich im Adagio der 1. Fassung der III. Symphonie (1873), Takt 225 bis 254. Über die Stellung der Synkope beim frühen Bruckner (Requiem, f-Moll-Symphonie, Nullte Symphonie und B-Messe) ließe sich manch Aufschlußreiches sagen.

12 Man muß bei diesen Stellen an die Posaunenengel der Apokalypse denken. Bruckner sieht und hört sie geradezu als ein „Gesicht" in seiner musikalischen Intuition.

Erschienen in: *Singende Kirche* 26, Heft 2, Wien 1978—1979, S. 53—57.

216

Eine Bruckner-Entdeckung:
Das Adagio Nr. 2 zur III. Symphonie

Die Quellenuntersuchung zur 2. Fassung der III. Symphonie von Anton Bruckner bescherte für das Adagio eine vollkommen unerwartete Überraschung. In der Bibliothek der Gesellschaft der Musikfreunde in Wien haben sich die Stimmen zur Uraufführung, 16. Dezember 1877, erhalten; sie sind aber leider nicht vollständig. Es fehlen die 1. und 2. Oboe, die Tenor-Posaune, die Pauken und alle Streicher, außer einer Kontrabaßstimme. In allen Stimmen zeigen sich im Adagio an zwei Stellen Überklebungen. Diese enthalten den Notentext zur 2. Fassung der III. Symphonie und sind vom selben Kopisten geschrieben wie die Stichvorlage zum Erstdruck von 1878. Es sind die Stellen T 9—18 und T 225—272 der ersten Fassung: Die Fortissimo-Partie im ersten Teil und der ganze 3. Teil des Adagios bis zur Coda. Für die Forschung war es nun wichtig zu erfahren, was diese Notenzeilen überdecken. Die Direktion der Gesellschaft der Musikfreunde gestattete dankenswerter Weise die Loslösung der Blätter. Die ursprünglich geschriebenen Noten, die dabei zum Vorschein kamen, bescherten ein verblüffendes Ergebnis. Es kam eine Zwischenform des Adagios zutage, die um 11 Takte länger ist, als das Adagio der 1. Fassung (1873): 289 Takte gegen 278. Das Autograph der 2. Fassung, Mus. Hs. 19.475 der Musiksammlung der Österreichischen Nationalbibliothek, abgeschlossen 1877, enthält dagegen ein Adagio mit nur 251 Takten. Wir besitzen also zu den beiden Fassungen der III. Symphonie d r e i Adagio-Sätze, sie sollen als Adagio Nr. 1 (in der 1. Fassung), Adagio Nr. 2 und Adagio Nr. 3 (in der 2. Fassung) auseinandergehalten werden.

Zum Glück besitzt die Bibliothek der Gesellschaft der Musikfreunde nicht nur die Stimmen, sondern auch unter der Signatur A 173 das Autograph eines Fragmentes zum Adagio Nr. 2. Diese beiden Handschriften sind die Ursache, daß das Adagio Nr. 2 gefunden wurde.

Die Stimmen bestehen aus 16 Heften mit zusammen 257 Blättern im Format 32 × 25,5 cm zehnzeiliges Notenpapier. Sie sind, wie Eintragungen erweisen, für den Stich verwendet worden. Bruckner hat sie durchgesehen, er hat, allerdings nur im 4. Satz gegen Ende, eigenhändig vier Tempobezeichnungen eingetragen. Der Notentext entspricht, einige Stellen abgesehen, der 2. Fassung der III. Symphonie, er ist aber v o r Mus. Hs. 19.475 entstanden, weil eben das Adagio beweist, daß in ihnen ein Zwischenglied zwischen der 1. und 2. Fassung erhalten ist.

Die 289 Takte des Adagios machten auf diesen Umstand aufmerksam. Ein Vergleich mit der 1. Fassung deckte weiters Unterschiede in der Instrumentation auf. Volle Gewißheit bot das Autograph A 173.

Dieses Partitur-Fragment besteht aus 18 Blättern Querformat von verschiedener Größe (zwischen 26 und 33 cm) und zweierlei Notenpapier: 14- und 18zeilig. Das 14zeilige stammt von der 1., das 18zeilige von der Umarbeitung zur 2. Fassung[1]. Die Blätter 1, 2 und 17, 18 sind Doppelbogen und bilden den Umschlag[2]. Auf der 1. Seite steht der Titel: „N 3 / II. Satz Adagio / Wagner-Symfonie (!) / von / A. Bruckner mp / 1873." Am oberen Rand rechts hat Bruckner mit Bleistift die Kürzung für das Adagio Nr. 3 (in der 2. Fassung der Symphonie) notiert: Zuerst hieß es „F nach K", d. h. von T 129 bis T 224, also den gesamten zweiten Teil. Dann aber besann sich Bruckner und schränkte ein: „bis 16 Tacte nach H". Das bezeichnet die jetzt vorhandene Kürzung von T 129 bis T 176. Eine fremde Hand hat diese Kürzung mit Bleistift unter der Jahreszahl 1873 wiederholt. Von der Partitur sind vorhanden: die Bogen 1, 6, 9—12 und 13. Mit Ausnahme von Bogen 13 ist es immer 18zeiliges Notenpapier und Reinschrift ohne Korrekturen. Nur die vier Seiten von Bogen 6 sind wegen der Kürzung im Adagio Nr. 3 durchgestrichen.

Die 2. Seite von Bogen 13, enthaltend die Takte 283—289 (Schluß) von Adagio Nr. 2, zeigt die Korrekturen für diese Umwandlung. Aus T 278, dem Schlußtakt der 1. Fassung werden durch Einziehen eines Taktstriches und Ausradieren der außerhalb der Streicher vorhandenen Ganztaktpausen zwei Takte, denen noch ein dritter (T 289 vom Adagio Nr. 2) angefügt wird. Dem von der ersten Fassung vorhandenen Doppelstrich wird der rechte Strich wegradiert. Am oberen Rand notiert Bruckner mit Bleistift den Rhythmus (Noten samt Pausen) wie er für das Adagio Nr. 2 gültig sein sollte.

Dieses Fragment ließ sich durch Mus. Hs. 19.475 zu einem vollständigen Symphoniesatz ergänzen. In 19.475 sind die dem Autograph A 173 fehlenden Bogen 2 bis 5, 7 und 8 vorhanden. Bruckner hat sie für sein Adagio Nr. 2 verwendet, sie gehörten ursprünglich zur 1. Fassung der III. Symphonie. Als er dann an der 2. Fassung arbeitete, hat er diese Bogen herausgenommen und für die neue Partitur 19.475 verwendet. So wurde das Autograph des Adagios Nr. 2 Fragment und blieb es, unbeachtet, bis heute.

Diese „zusammengefügte" Partitur, die in der Gesamtausgabe als Einzelband zu Band III/1 zum erstenmal gedruckt wird, beschert der Musikwelt einen langsamen Symphoniesatz Bruckners, der von ihm wohl für seine III. Symphonie geschrieben, aber nicht verwendet wurde.

Daß dieses Zusammenfügen zweier Bruckner-Autographe zu Recht besteht, erweisen einige Bemerkungen Bruckners in A 173, sowie die darin befindlichen metrischen Ziffern, seine am unteren Partiturrand stehenden Periodenzählungen.

Am Ende von Bogen 1 in A 173 werden die dort stehenden Ziffern 1, 2, 3 von einer 4 (die über einem Siebener steht) in 19.475, fol. 53 fortgesetzt, es ist die 1. Seite von Bogen 2. Auf ihr beginnt das Andante quasi Allegretto im 3/4 Takt mit dem 2. Thema in der Bratsche.

Der Anschluß von Bogen 5 (19.475 fol. 60') zu Bogen 6 in A 173 wird wieder durch die metrischen Ziffern 5 und 6 bestätigt. Auf der 4. Seite des 6. Bogens schreibt Bruckner dann: „weiter im Alten", damit sind Bogen 7 und 8 in 19.475 fol. 61 gemeint.

Die Zusammengehörigkeit mit dem letzten Teil, dem 3. Auftreten der Hauptgruppe, erweist die auf fol. 64' von 19.475 eingetragene Änderung der Figuration in der 1. Violine. Von Bogen 9 an geht der Satz bis Bogen 13, der wieder aus der 1. Niederschrift stammt (und daher in 19.475 durch einen anderen Bogen ersetzt ist), zu Ende. Auf der 4. Seite von Bogen 12 in A 173 steht von Bruckner: „Weiter der Bogen 13". Zu ergänzen ist dazu: „der 1. Niederschrift".

Das Adagio Nr. 2, als 1. Umarbeitung des in der 1. Fassung befindlichen langsamen Satzes, verkürzt dessen Form nicht, im Gegenteil, vergrößert sie. In ihm ist der für Bruckner typische dreiteilige Grundriß deutlich zu bemerken.

Für die Zwecke dieser Studie möge ein Aufriß der Form in Gegenüberstellung der beiden Adagio-Sätze folgen.

			Nr. 1	Nr. 2
Teil	A 1	T	1— 32	T 1w— 36w^3
	B 1		33—128	37w—131w
	A 2		129—160	132w—167w
	B 2		161—224	168w—229w
	A 3		225—256	230w—265w
	Coda		257—278	266w—289w

Zur weiteren Darstellung ist es notwendig, auch den musikalischen „Inhalt", Motive, bzw. Melodien vorzustellen. Diese werden, sowie sie im Fortschreiten des Satzes auftauchen, mit Zahlen, denen ein M vorgesetzt wird, bezeichnet, zusammen mit der Zahl jenes Taktes in dem sie auftreten. Es bedeutet also M 1 T 1 den Eintritt des ersten Gedankens, hier des einen Hauptgedankens, der den Charakter des Satzes bestimmt. Die folgenden Taktzahlen geben an, wann ein Gedanke, ein Motiv wieder vorkommt. Die von Bruckner verwendeten Zitate werden mit Z und Ziffer samt Taktzahl bezeichnet.

Die Motive	Adagio Nr. 1	Adagio Nr. 2

M 1   Hauptthema des Satzes in Teil A

	Adagio Nr. 1	Adagio Nr. 2
	T 1	T 1w
	129	132w
	225	230w
	269	278w
	273	282w

M 2   Fortissimo-Periode

	T 9	T 9w
	16	19w
	137	140w

M 3   Marienkadenz

	T 14	T 17w
	18	23w
	146	150w
	150	156w
	251	258w
	255	264w

M 4   Ausklang von A

	T 19	T 25w
	151	158w

M 4a   Motiv mit „Tristan"-Ende (= Z 1)

	T 23	T 29w
	(25)	(31w)
	155	162w
	(157)	164w

M 5   „Gesangsthema" des Satzes; Hauptthema von Teil B

	T 33 ff.	T 37 wff.
	161 ff.	168 wff.

M 6   Synkopenbegleitung (Achtel) von M 5 in B 1 und 2, sowie in A2 (zu M 1)

	T 49	T 53w
	130	133w
	137	140w
	148	152w
	161	168w

M 6a Synkopenumspielung (Sechzehntel) nur in A 3

	T	225		T	230w
		253			260w

M 7 2. Thema von B

	T	65		T	69w
		91			94w
		97			100w
		213			220w
		215			222w

M 7a Quintenmotiv aus M 7 (nur in B 1)

	T	93		T	96w
		99			102w

M 8 Mittelstück von B 1, nur hier

	T	75		T	79w
		79			83w

M 9 Sechzehntelumspielung von M 5 (nur in B 1)

	T	105		T	108w

M 10 Akkord-Kaskaden (nur in A 3), ähnlich der Tannhäuser-Ouvertüre

nur in Adagio Nr. 2   T 230w (= Z 4)

M 11 1. Coda-Motiv

	T	257		T	266w

M 12 2. Coda-Motiv

	T	258		T	267w
		260			269w

Die Zitate

Z 1 (Tristan)   T 24   T 30w
              26   32w
              27   33w

Z 2 (Bruckner, II. Symphonie)
              T 28/29   T 33w/34w (Spiegelbild)

Z 3 (Tristan)   T 29/30   T 35/36

Z 4 (Tannhäuser, ähnlich)   nur   T 230ff.

Z 5 (Lohengrin)	T 235	T 240w
Z 6 (Walküre)	T 266	T 235w

Bei der Umarbeitung hat Bruckner die einzelnen Teile unterschiedlich behandelt. Die größte Änderung erfuhr Teil A 1. Von seinen drei Abschnitten blieb nur der erste (T 1—8 = 1w—8w) unberührt. Lediglich die Celli wurden in T 3w—T 8w doppelt geführt (Austerzung). Der folgende zweite Abschnitt T 9—19 (= T 9w—24w) wurde aus Gründen der Proportionen erweitert. T 9, 10, 11, sowie 16 werden mit der Anweisung des „Repetierens" („rep." + Wiederholungszeichen) verdoppelt, T 17 wird auf 2 Takte (T 21w, 22w) gedehnt. Die Kadenzen (T 13—15 und T 17—19) bleiben unberührt[4]. Im Adagio Nr. 2 sind es die Takte 16w—18w und 22w—24w; T 23w bekommt in T 24w ein Echo in Flöten und Oboen, eine instrumentale Bereicherung gegenüber dem Adagio Nr. 1.

Die entsprechende Partie im Teil A 2 erfuhr keine so spürbare Erweiterung. Die zwingende Chromatik in den Bässen T 137—145, konsequenter eingesetzt als in A 1, ließ nur eine Verdoppelung von T 143 zu; aus ihm wurde T 146w und 147w. Das Ende dieses Abschnittes wurde wie in A 1 behandelt: T 148 wurde verdoppelt (= T 152w, 153w) und der nachfolgende Takt 149 auf zwei gedehnt (= T 154w, 155w). Die folgende „Marienkadenz" (T 155w, 156w) enthält auch hier wie in Teil A 1 ein Echo, jetzt in Oboen und Klarinetten. Die Instrumentation wird in beiden Abschnitten gegenüber dem Adagio Nr. 1 rhythmisch markanter. Die ausgehaltenen Töne der 1. Fassung werden zu ausgeprägten Rhythmen umgestaltet.

Beim dritten Auftreten dieser Perioden (T 249—254 = T 254w—257w) geschieht genau das gleiche. Bruckner intensiviert die Steigerungen und baut sie aus. Veranlassung dazu, treibende Kraft (wenn man so will), sind wieder die chromatisch ansteigenden Bässe, über denen sich das akkordliche und rhythmische Geschehen entfaltet.

Auf solche einheitliche Weise wird der zweite Abschnitt von A behandelt. Ganz anders verfährt Bruckner mit dem Hauptgedanken M 1. Sein erstes Auftreten (T 1—8) zeigt seine unberührte Gestalt, den Einfall an sich, Motto und bestimmende Aussage für diesen Satz. Seine Wiederholung in A 2 (T 129—136 = T 132w—139w) setzt M 1 in die Holzbläser und umgibt es in den ersten Violinen mit Achtel- und Sechzehntelfigurationen, bzw. Synkopen, die ja als M 6 schon die Hauptmelodie des zweiten Teiles M 5 (Bratschenmelodie) umgeben haben.

Der dritte Abschnitt des ersten Teiles bietet in seiner Umarbeitung ein sehr aufschlußreiches Bild für Bruckners Motivverwendung. Die achttaktige Periode von T 19—26 (= T 25w—32w) weist eine vierfache Linienführung in den Streichern auf: Violoncello und Kontrabaß bleiben gleich, 1., 2. Violine und Viola werden aber im 2. Teil vertauscht. Bedeutsamer noch ist die anschließende Motivverarbeitung.

M 4a

wird von der 1. Oboe in T 25/26 mit der bemerkenswerten Änderung des ersten Intervalls des — c nach des-ces in Echowirkung wiederholt. In den folgenden Takten bis zum Eintritt des Dreivierteltaktes erinnert sich Bruckner aber einerseits an seine eigene II. Symphonie (Hauptthema des 1. Satzes), andererseits aber an Wagners Tristan-Vorspiel. Das liegt in den auf- und absteigenden Halbtönen beschlossen, wird aber in Adagio Nr. 1 und Nr. 2 verschieden ausgebreitet.

Der aufsteigende Halbton (Tristan-Vorspiel T 14 und 15) taucht in T 24, T 26 und T 27 auf. Er ist in Bruckners Dritter Ausklang von M 4a (in der 1. Violine und in der 1. Oboe). Sein Echo in der 1. Violine T 27, wird vom 1. Horn fortgesetzt:

Diese Aneinanderreihung im Adagio Nr. 1 verbindet das Zitat aus der eigenen II. Symphonie (T 28/29) mit den Tristan-Halbtönen.

Die Umarbeitung im Adagio Nr. 2 legt die Motivfolge aber anders fest: M 4 ist T 29w/30w mit dem nachfolgenden Oboe-Echo in T 31w/32w. Die Änderung des Halbtones in einen Ganzton wird beibehalten.

Die folgenden zwei Takte, im Adagio Nr. 1 motivmäßig aufgeteilt auf 1. Violine und 1. Horn (T 27, T 28) werden im Adagio Nr. 2 der 1. Violine allein zugeteilt (Takt 33w/34w) mit enharmonischer Verwechslung des h in ces.

Die dazugehörigen Harmonien werden ausgehalten. Damit ergibt sich aber ein Spiegelbild des Zitates aus der 2. Symphonie. Das folgende Tristan-Zitat ertönt dann im 1. Horn (Takt 35w) und in 1. Oboe und 1. Klarinette (T 36w). Die einheitliche Klangfarbe von Adagio Nr. 1 (nur Hörner) wird aufgelöst in die Abwechslung von Horn, Oboe und Klarinette. Die Verschränkung der beiden Zitate Z 2 und Z 3 im Adagio Nr. 1 (Takt 28/29, bzw. 29/30) wird aufgehoben, die Motive werden deutlich geschieden.

B 1 und B 2 erleiden formal keine starken Änderungen. Es wird nur der Übergang von M 8a zu M 7 (T 88—91) um einen Takt zusammengeschoben und durch die neu eingeführten Hornakkorde verbunden (T 92w—94w). Am Ende von B 2 verschwindet die zweiteilige Generalpause (T 223 und 224).

Bruckner hat die beiden Teile schon in der ersten Fassung unterschiedlich behandelt. B 1 erstreckt sich über 96 Takte (T 33—128), B 2 nur über 62. Das kommt dadurch zustande, daß dem B 2 die 40 Takte von Buchstaben C—E fehlen: die Melodien M 7 mit M 7a und M 8 und M 8a. B 2 geht zielbewußt dem Höhepunkt, dem dritten Teil A 3 entgegen. Diese Grundhaltung hat Bruckner für das Adagio Nr. 2 beibehalten, er hat aber außerdem die melodischen Linien instrumental verstärkt.

So gleich in B 1 von T 53w (= T 49) an: die Bässe werden durch beide Fagotte verstärkt. Von T 61w an (= T 57) übernimmt diese Verstärkung das 4. Horn. Die übrigen Bläser bleiben unverändert. Eine feine motivische Zutat in Adagio Nr. 2 sollte nicht übersehen werden. In T 91 und 92, M 7 (T 94w, 95 w) wird das 2. Horn mit M 7a hinzugesetzt, ebenso bei der Wiederholung, vier Takte später. Was hier verdeckt geschieht, als Vorausnahme, das taucht in der 1. Flöte T 92 (= T 95w) auf, ganz deutlich aber einen Takt später. Der Quintsprung im 2. Takt von M 7, dem bedeutsam „langsamer" zu spielenden „Misterioso", wird von Bruckner zur Überleitung zum 2. Eintritt von M 5, dem „Gesangsthema" des Adagios benützt. Es ist die Stelle von T 99—104 (= T 102w—107w). Diese akzentuierte Kraft bewirkt, daß die Umspielung von M 5 jetzt aber nicht mehr mit Synkopen geschieht, die, vielleicht, etwas Stockendes in sich tragen könnten, sondern mit fließenden Sechzehnteln.

222

In diesem Abschnitt (bis T 128 = T 131w) werden ebenfalls melodische Linien verstärkt. So ab T 113 (T 116w) die 2. Violine durch die Oboe, ab T 119 (T 122w) die Viola durch das 2. Horn, ab T 120 (T 123w) das Cello durch das 4. Horn. Die Kontrabaßlinie wird ab T 121 (T 124w) durch die Baß-Posaune und das 2. Fagott herausgehoben, der übrige Bläsersatz bleibt gleich.

B 2 kann ähnliche Verstärkungen aufweisen. Die Celli werden T 161 (T 168w) durch das 1. Horn verstärkt, die Kontrabässe ab T 177 (T 184w) mit den Fagotten in Oktaven. Bruckner setzt aber auch neue Gegenstimmen hinzu: T 170 ff. (T 177w) die beiden Flöten, T 183 (T 190w) das 1. Horn und T 199 (T 206w) die beiden Fagotte.

Der Ausklang dieses Abschnittes beschert dazu noch drei bedeutsame Motivverstärkungen: T 196 (T 203w) ahmt das 1. Fagott die Viola nach, kurz darauf, T 198 (T 205w). das 1. Horn mit einer Umkehrung die Viola und T 200—203 (T 207w—210w) schmettern die drei Trompeten den Kopf von M 5 in der gleichen Umkehrung wie einen Takt vorher die Bässe in den Höhepunkt dieses Abschnittes — eine der eindrucksvollsten Steigerungen des Adagios Nr. 2.

Danach beginnt der 3. Teil, der Höhepunkt von M 1 und der Ausklang des Satzes in der Coda. Der erste ins Gehör gehende Unterschied ist die Figuration in den 1. Violinen: die Synkopen hat Bruckner durch Akkordkaskaden ersetzt:

Man wird in ihnen wohl eine Erinnerung an die Tannhäuser-Ouvertüre Richard Wagners erblicken dürfen.

Der Teil hat im Adagio Nr. 2 (T 230w—265w) nur um 4 Takte mehr als im Adagio Nr. 1 (T 225—256). Das kommt daher, daß gegen Ende, zwischen T 249 und 254 genau wie in A 1 je zweimal ein Takt verdoppelt (T 249 = T 254w, 255w und T 253 = T 260w, 261w) und zweimal ein Takt gedehnt wird (T 250 = T 256w, 257w und T 254 = 262w, 263w). Das entspricht der Fortissimo-Partie in A 1, T 9ff. mit den beiden „Marien-Kadenzen".

Die Akkord-Kaskaden umgeben zuerst M 1 (T 230w—237w); das entspricht auch dem Adagio Nr. 1. Ebenso entsprechen die anschließenden 8 Takte (T 233—240 = T 238w—245w) mit dem Zitat aus „Lohengrin" (Z 5):

Die folgenden 8 Takte nach Buchstaben L (T 241—248 = T 246w—253w) hat Bruckner mit geringfügigen Änderungen in den Bläsern beibehalten; das Cello führt er im Adagio Nr. 2 aber nicht mit den Posaunen, sondern „coll Basso".

In der Coda änderte Bruckner zuerst den Anstieg zur Fortissimo-Stelle, indem T 261 auf zwei Takte (T 270w, 271w) gestreckt wurde. Der Bläsersatz wird gleichfalls verändert, dann aber der Abstieg, T 264 und 265, auf einen Takt, T 274w, zusammengezogen. Das Zitat aus der „Walküre", Z 6 (T 266—269 = T 275w—278w), bleibt unberührt. Das Tremolo dabei kennt erst Adagio Nr. 3 in der 2. Fassung der Symphonie. Über die Änderung des Schlusses wurde bereits am Anfang dieser Studie berichtet.

Die Umarbeitung des Adagios geschah sehr wahrscheinlich im Herbst 1876. In einem von der 1. Niederschrift ausgeschiedenen Bogen steht über T 232 (= T 237w): „Okt. 1876 neu.[5]"

Das erlaubt die Annahme, daß Bruckner vor der im Jahre 1877 unternommenen Umarbeitung seiner III. Symphonie eine Durchsicht vornahm, von der das Adagio Nr. 2 übrigblieb. So gibt es einen Symphoniesatz Bruckners, der wohl der III. Symphonie entstammt, aber nicht zu ihrer 2. Fassung gehört. Er ist geeignet, für sich allein gespielt zu werden.

1 Bruckner hatte die Gewohnheit, seine Partituren nicht in Lagen zu 2, 3 oder mehr Bogen abzufassen, sondern in einzelnen Bogen, die er auf der 1. Seite mit fortlaufenden Nummern 1, 2, 3 etc. bezeichnete. Starke Änderungen veranlaßten ihn, den betreffenden Bogen herauszunehmen und durch einen neu geschriebenen zu ersetzen. Auf diese Weise haben sich eine Anzahl solcher „ausgeschiedener" Bogen erhalten, die besonders für die Erstellung der 1. Fassung der III. Symphonie von größter Wichtigkeit waren.

2 Die einzelnen Sätze seiner Symphonien pflegte Bruckner jeden für sich in einen gesonderten Umschlag aus Notenpapier zu legen, auf dessen erste Seite er den Titel schrieb. Das Papier eines solchen Doppelbogens hängt an seinem oberen Rand noch zusammen, so daß man beim Auseinanderschlagen den ganzen Bogen in seinem ursprünglichen Fertigungszustand vor sich hat. Das ist an so manchen der Autographen Bruckners noch zu beobachten.

3 Die Taktzahlen der einzelnen Fassungen der III. Symphonie werden so unterschieden:
    1. Fassung ohne Beisatz
    2. Fassung mit x
    3. Fassung mit xx
    für das Adagio Nr. 2: Taktzahl mit w

4 Über diese Kadenz vgl. Robert Haas, Anton Bruckner, Potsdam 1934, S. 45. Er nennt sie nach der Verwendung in Bruckners Ave Maria von 1856 „Marienkadenz". Weitere Zitierungen ibid. S. 52, 80 und 120 (In der III. Symphonie).

5 Dieses Datum kennt schon die Bruckner-Biographie von Göllerich-Auer IV/1, S. 261 (Regensburg 1936), allerdings mit der irreführenden Angabe, daß es sich im „Original des Adagios im Besitz der Gesellschaft der Musikfreunde" befindet. Das stimmt aber nicht, der Bogen, auf dem diese Zeitangabe steht, liegt in Mus. Hs. 6013 der Musiksammlung der Österr. Nationalbibliothek. Alfred Orel, Original und Bearbeitung bei Anton Bruckner, in: Deutsche Musikkultur, 1. Jg. (1936) Heft 4, S. 204, Anm. 10, hat diesen Irrtum übernommen.

Erschienen in: *Mitteilungsblatt der Internationalen Bruckner-Gesellschaft,* Nr. 17, Wien 1980, S. 5—15.

Das Finale von 1878 zur IV. Symphonie von Anton Bruckner

Die Wiener Jahre Anton Bruckners lassen in seinem Lebenswerk ein Auf und Ab von „Schaffen" und „Nachschaffen" erkennen. Zuerst, 1872—1876, entstehen in einem Zug die vier großen Symphonen II. bis V. Darauf folgt die erste Periode von Änderungen und Umarbeitungen: 1875 bis 1880. Ihr schließt sich die zweite Periode großer Schöpfungen an: 1878—1879 entsteht das Streichquintett, darauf die VI., VII. und die 1. Fassung der VIII. Symphonie. Dazwischen komponiert Bruckner das Te Deum. Diesem Höhenflug folgen wieder fünf Jahre „korrigierender" Arbeit: an der 2. Fassung der IV., an der III. und der I. Symphonie.

In der ersten Phase von Umarbeitungen liegt die Entstehung des in diesem Band vorliegenden Finales zur IV. Symphonie; es ist der ursprünglich zur 2. Fassung dieses Werkes gehörende Schlußsatz. Die Partitur entstand zwischen dem 1. August und dem 30. September 1878. Robert Haas hat sie im Anhang zu Bd. 4 der alten Gesamtausgabe 1936 herausgegeben. Bis auf verschwindend wenige Druckfehler, die korrigiert wurden, konnte die Partitur unverändert in photostatischem Nachdruck vorgelegt werden.

Als Quelle dazu standen Haas das Autograph, eine Abschrift (Musiksammlung der Österreichischen Nationalbibliothek, S. m. 3177, Band 3) und die Stimmen im Archiv der Gesellschaft der Musikfreunde in Wien, zur Verfügung, die auch jetzt wieder benutzt wurden. Das Autograph umfaßt 28 Blätter, von denen vier (1, 2 und 27, 38) den Umschlag bilden, sodaß die Partitur nur 24 Blätter umfaßt. Das entspricht den von Bruckner selbst gezählten 12 Bogen. Von ihnen befindet sich Bogen 1 (fol. 3, 4) in Stift Kremsmünster, die anderen in der Wiener Stadt- und Landesbibliothek.

Die zu diesem Finale gehörenden übrigen drei Sätze bilden zusammen mit dem 1880 entstandenen 3. Finale die Partitur der 2. Fassung, wie sie ihr Autograph, Cod.* 19.476 der Musiksammlung der Österreichischen Nationalbibliothek enthält.

Es ergibt sich eine Ähnlichkeit mit dem langsamen Satz zur III. Symphonie. So wie dort für zwei Fassungen drei Adagiosätze vorhanden und als Nr. 1, 2 und 3 zu zählen sind, so ergibt sich auch bei der IV. Symphonie der gleiche Sachverhalt für das Finale: Nr. 1 ist Bestandteil der 1. Fassung (1874), Nr. 2, zur 2. Fassung gehörend, (1878), wurde von Bruckner durch das Finale Nr. 3 (1880) ersetzt, — Finale Nr. 2 blieb allein.

Daß das Finale Nr. 3 mit seinen „eigentümlich dämonischen Zügen" (Haas) nicht recht zu den anderen Sätzen passen will, das hat schon Hans Paumgartner in seiner Besprechung der Aufführung vom 20. Februar 1881 (Abendpost Wien, 23. Februar) bemerkt; Er schreibt: „Der letzte Satz ist — an sich betrachtet — außerordentlich; jedoch scheint er uns organisch nicht zu den drei vorhergegangenen zu gehören. Er ist eine symphonische Dichtung für sich, die wir das Weltgericht nennen möchten." Um diesen richtig erfaßten Unterschied zu begreifen, braucht man nur an das 1878/1879 entstandene Streichquintett oder das Finale der V. Symphonie zu denken, man wird dieses „Weltgericht" sofort begreifen.

Das eigentlich zur 2. Fassung komponierte Finale Nr. 2 (wie wir es jetzt nennen wollen) trägt in der Abschrift in der Musiksammlung der Österreichischen Nationalbibliothek (S. m. 3177) von Bruckners Hand die Bezeichnung „Volksfest". Dieser Zusatz ist eine der äußerst selten vorkommenden „Worterklärungen" des Meisters zu seinen Symphonien. Er bestätigt den „leichteren, freundlicheren" Charakter dieses Satzes, wie er auch den übrigen Sätzen der „Romantischen" zu eigen ist. Aus diesem Grunde ist die Veröffentlichung notwendig, und es wäre zu begrüßen, wenn man es einmal bei einer Aufführung anstelle des jetzt üblichen Finales Nr. 3 (von 1880) spielen würde.

Was das Verhältnis dieser Partitur zu ihrer 1. Fassung von 1874 anbelangt, so zeigen schon die Taktzahlen, wie sehr Bruckner „gekürzt" hat: aus 616 wurden 477 Takte, um 139 Takte weniger! Das Finale von 1880 vermehrt dann diese Zahl wieder um 64 Takte auf 541.

Bruckner war bestrebt, die Fülle der Gedanken und deren Verarbeitung zu vereinfachen. So fehlt gleich zu Anfang das Spiel mit dem Hauptmotiv (T 15—23, 1. Fassung), weiters dessen reizvolle Variierung, T 47—66 in der 1. Fassung. Ebenso „verengt" wird die 3. Gruppe mit dem gewaltigen Unisono-Abstieg, T 121—140, hier hat Bruckner die Streicher-Tremoli gekürzt, teils überhaupt weggestrichen (T 165—180 und 189—204 der 1. Fassung); auch hat er sie teilweise anders geführt. Er hat auch die Quintolen in den bekannten Bruckner-Rhythmus 2 + 3, bzw. 3 + 2 umgewandelt; damit ging ein ganz besonders für die Unisono-Skalen sehr charakteristisches rhythmisches Merkmal der früheren Fassung verloren. In der Durchführung vermißt man bei M (T 289—T 231) die starken Variierungen des Hauptthemas und erlebt gleich das zweite Hauptmotiv (abstürzende Oktave + Terz) bei P, das ebenfalls verkürzt wird. Die Reprise läßt dieses abfallende Unisono überhaupt nur einmal zu Wort kommen (T 387—394). Daran müßten sich die Takte 467—498 der 1. Fassung anschließen, Bruckner hat sie aber weggenommen. An die 1. Fassung erinnern dann noch die T 403—414, sie stehen in der Exposition bei T 145—160. Die beginnende Coda stellt gegenüber der 1. Fassung eine vollkommene Neu-Komposition dar. Sie ist um 45 Takte kürzer und damit auch in ihrem Stil einfacher geworden. Wie auch in anderen Partien des Finales fehlt hier ebenfalls die abwechslungsreiche ausgebreitete Motivverarbeitung von 1874. 1880 hat Bruckner dann bei der Neuschöpfung des Finales dieses ernste Motiv (Bild und Spiegelbild der von der Terz gefolgten Oktave) an den Anfang des Satzes gesetzt.

Wenn man die drei Gestalten dieses Finale-Satzes eingehend betrachtet, dann wird man zu der Feststellung veranlaßt, mehr von „Nachschaffungen" als von „Bearbeitungen" oder „Verbesserungen" zu sprechen. Bruckner arbeitet um, das ist richtig, dabei entwickelt seine Variierungs-Phantasie aber eine solche Tätigkeit, daß man sie auch in diesem Zusammenhang als „schöpferisch" bezeichnen muß. Dieses Umarbeiten kommt einer Neuschöpfung gleich, auch wenn wesentliche Teile (Themen, Themen-Partien) dieselben bleiben; das ist selbstverständlich. Die Kraft zu ändern, immer anders zu gestalten, entspringt der Improvisationsgabe des Organisten Bruckner. Sie hat ihn bei seinen symphonischen Schöpfungen nicht verlassen und ist sicher ein Grund, nebst manchen anderen Gründen, daß der Meister zu solcher Arbeit bereit war, daß er seine Symphonien „umgearbeitet" hat.

Dieses „Umdenken", „Neudenken", eben „Neu-Fassen", gehört zu den bekanntesten Eigentümlichkeiten im Schaffen Bruckners. Einer der besten Zeugen dafür ist in seiner dreifachen Gestalt das Finale zur IV. Symphonie.

Erschienen in: *Mitteilungsblatt der Internationalen Bruckner-Gesellschaft,* Nr. 18, Wien 1980, S. 27—29. (Identisch mit dem Vorwort zu Bd. IV/2 der Bruckner-Gesamtausgabe).

Die Notenschrift Anton Bruckners im 1. Satz seiner f-Moll-Symphonie

Die Arbeit am Revisionsbericht zur f-Moll-Symphonie Anton Bruckners bot Anlaß, in einem eigenen Abschnitt die Notenschrift des Meisters zu beschreiben. Das äußere Bild seiner Schrift stellt sich nämlich im 1. Satz so eigenartig dar, daß dies unbedingt vermerkt werden muß. Er hat die Niederschrift, im Gegensatz zu den übrigen Sätzen, mit Bleistift ausgeführt und dann, aber nur stellenweise, mit Tinte überschrieben. Die Seiten bieten deshalb einen etwas eigenartigen Anblick, der bei keinem seiner folgenden Werke wiederkehrt.

Aber auch bei den vorausgehenden Partituren: dem Streichquartett in c-Moll (vollendet am 7. August 1862), dem Marsch in d-Moll (12. Oktober 1862), den drei Orchesterstücken (16. November 1862) begegnet solches nicht, auch nicht in dem Werk, das der f-Moll-Symphonie unmittelbar vorangeht, der Ouvertüre in g-Moll, beendet 22. Jänner 1863. Überall sucht man ein solches Schriftbild vergebens. Alle diese Partituren, die Bruckner ja als „Aufgaben" im Unterricht bei Otto Kitzler geschrieben hat, zeigen seine ganz bestimmten, energisch-festen Züge[1].

Der 1. Satz der f-Moll-Symphonie, und nur um diesen geht es in der vorliegenden Studie, zeigt auf seinen 40 Seiten ein anderes Bild. Bruckner hat die Niederschrift dieser „Aufgabe" mit Bleistift gemacht und erst später, als der Satz schon ganz fertig war, einzelne Partien oder Instrumente mit Tinte überschrieben. Die Instrumentenvorschreibungen am linken Rand jeder Seite samt Schlüssel und Vorzeichen sind ebenso wie die Taktstriche mit Bleistift geschrieben, auf 13 Seiten hat Bruckner einige Taktstriche mit Tinte nachgezogen.

Außerdem hat Bruckner, und das ist das Merkwürdigste, eng geschrieben, sein Bleistift muß sehr spitz gewesen sein. Daraus ergab es sich, daß bis zu 26 Takte auf einer Seite zu stehen kamen. Eine Auswahl der so gemessenen Seiten möge dies veranschaulichen.

fol.		enthält die Takte			
1			1— 20	:	20 Takte
2			21— 44	:	24
12			327—346	:	20
17			462—487	:	26

Dagegen stehen auf

fol.			
5'	11 Takte	(T 152—162)
12	13	(T 314—326)
15	14	(T 403—416)
4	15	(T 107—121)
4'	16	(T 122—137)
13	17	(T 347—363)
16'	18	(T 444—461)

Zum Vergleich dazu findet man im 4. Satz, der das bei Bruckner für gewöhnlich anzutreffende Schriftbild zeigt, folgende Taktzahlen:

fol.			
13	5 Takte	(T 189—193)
4	6	(T 47— 52)
7	7	(T 92— 98)
12	8	(T 174—181)
6	9	(T 74— 82)
10	10	(T 142—151)
9'	11	(T 131—141)
24	12	(T 348—359)
24'	13	(T 360—372)

Es fällt schwer, für das Aussehen des 1. Satzes eine Erklärung zu finden. Vielleicht hat der spitze Bleistift Bruckner zu dieser Zusammendrängung verleitet; vielleicht war, eben ganz am Anfang seiner symphonischen Tätigkeit, bei ihm eine gewisse Scheu vorhanden, die ihn in die Enge der Bleistiftschrift zog. Diese Stimmung kann aber nicht lange angehalten haben, denn der 2. Satz mit seinen 128 Takten war bereits am 10. April 1863 fertig geschrieben, und der zeigt die normale großräumige Notenschrift Bruckners als Tintenschrift. Der 1. Satz wurde am 15. Februar begonnen. Ein Schlußdatum ist nicht feststellbar, weil der letzte Bogen, Bogen 11, fehlt; Bruckner hat es aber sicher geschrieben. Auf fol. 11 finden sich zwei Daten: in der linken oberen Ecke (bei T 286) „1. März" und in der unteren Ecke rechts „28. Febr. 1863" (bei T 299). Die Komposition war also gerade bis zur Mitte der Durchführung gediehen. Da Bruckner zum 4. Satz mit seinen 372 Takten 31 Tage brauchte, so kann man annehmen, daß er zu den 265 Takten des 1. Satzes etwas länger gebraucht hat, vielleicht an die 40 oder 45 Tage; das ergäbe den 31. März, es wäre die Zeitspanne, in der Bruckner an seiner f-Moll-Symphonie mit Bleistift geschrieben hat. Diese Art von Notenschreiben, mit Bleistift, gibt es in seinen späteren Partituren nie mehr. Man kann solchen Spuren begegnen, aber dann sind das Einzelheiten aus dem Kompositionsvorgang, aber keine ganzen Sätze mehr. Aus diesem Grunde verdient das Autograph des 1. Satzes der f-Moll-Symphonie besondere Beachtung, aber noch aus einem anderen Grund.

Dieses Neben- und Übereinander von Bleistift und Tinte offenbart nämlich bei genauem Studium auch ein Nacheinander: das Fortschreiten in der Komposition, vor allem in der Ausführung der Instrumentation. Die Untersuchung dieses Umstandes ergäbe eine eigene, hochinteressante Studie, die aber nur an Hand des Autographs mit Erfolg durchgeführt werden könnte.

Zwei Beispiele mögen dies erläutern. Gleich zu Beginn, T 8—11, spielen die Klarinetten den Kopf des Hauptthemas mit den Geigen und Bratschen. Diese Verstärkung bei der Wiederholung entspringt aber einer späteren Überlegung, denn, in der Klarinettenzeile sind noch die Bleistift-Pausen sichtbar, Bruckner hat sie mit Tinte mit den Noten überschrieben, die Klarinetten spielten ursprünglich nicht mit.

Eine andere Stelle nachträglicher Instrumentationsänderung zeigen die Takte 96 — 101. Das fis^1 und as^1 des 1. Hornes standen ursprünglich nicht da. Die Bleistift-Pausen in diesen Takten hat Bruckner nicht wegradiert. Die Eintragung der Noten geschah später mit sehr dunkler Tinte, die sich vom Bleistift natürlich sehr gut abhebt. Die Horntöne befanden sich ursprünglich im Cello. Takt 96 und 97 ist das hier als ges^1 geschriebene fis^1 aus der Durchstreichung noch deutlich zu lesen. Darunter befinden sich, in der gleichen Tintenfarbe wie beim 1. Horn, zwei Ganztaktpausen nacheinander. T 100 und 101 hatte das Cello zuerst das in das 1. Horn hinaufgewanderte as^1 zu spielen. Durch die Änderung bekam es in melodischer, stufenweiser Fortschreitung das f^1 und verstärkt damit, über den 2. Violinen liegend, die Viola.

Die Beispiele ließen sich mit Leichtigkeit vermehren. Sie würden Aufschluß geben über Bruckners Klangwillen, seine Instrumentationsweise, aber auch über das Werden und Wachsen dieses Satzes. Das alles aber ist bei diesem Werk nur möglich, weil auf seinen Seiten im 1. Satz zweierlei Schriften neben- und übereinander anzutreffen sind, die diese Feststellungen erlauben. Und deshalb ist die Schrift im 1. Satz der ersten Symphonie, die Bruckner komponierte, er hat sie als „Schularbeit" bezeichnet, so aufschlußreich.

1 Der Umschwung von der dicken zur dünnen Schrift ereignet sich erst 1878/1879 zwischen der V. Symphonie und dem Streichquintett. (Vgl. dazu Leopold Nowak, Anton Bruckner, seine Handschrift und seine Musik in: Leopold Nowak, Reden und Ansprachen, Wien 1964, S. 132)

Erschienen in: *Mitteilungsblatt der Internationalen Bruckner-Gesellschaft*, Nr. 19, Wien 1981, S. 23—25.

Ein Notizbüchlein aus dem Besitz von Anton Bruckner

Im Nachlaß Anton Bruckners haben sich außer den Notenhandschriften auch schriftliche Zeugnisse aus seinem täglichen Leben befunden. Zu ihnen gehören verschiedene Kalender und Notizbüchlein, von denen eines, das sich in Linzer Privatbesitz befindet, hier im folgenden beschrieben werden soll.

Beschreibung:
11 × 7 cm im Hochformat
31 Blätter. Der Rest eines herausgerissenen 32. Blattes ist noch zu sehen. Ebenso die Fadenheftung zwischen dem 16. und 17. Blatt. Bei Blatt 12 und 21 bemerkt man oben Schnittreste. Wie die darauf gedruckten blauen Linien beweisen, stammt dieser Defekt schon von der Erzeugung her.
Die Blätter sind waagrecht liniert, 16 oder 17 Linien pro Seite im Abstand von 7 mm.
Blatt 5 ist lose eingelegt und gehört sicher nicht an diese Stelle, kann aber nicht mit Bestimmtheit eingeordnet werden.
Die Deckel bestehen aus starker schwarzer Wichsleinwand.
Auf allen drei Seiten Rotschnitt.
Beschrieben von Bruckner sind die Innenseiten der beiden Deckel, beim rückwärtigen Deckel in umgekehrter Lage — Bruckner hat das Büchlein umgedreht,
weiters die seiten fol. 1, 1', 2, 2', 3, 3', 4, 5 und 5'; leer geblieben sind: fol. 4' und 6 bis 31'. Das Büchlein ist also größtenteils leer geblieben.
Die Eintragungen sind sowohl mit Tinte wie mit Bleistift getätigt worden u. zw. zu verschiedenen Zeiten.
Inliegend eine Visitenkarte Bruckners, 47 × 76 mm, mit einem schräg verlaufenden senkrechten Bruch in der Mitte. Der Text lautet: „Anton Bruckner/k.k. Hoforganist/ Lector an der k. k. Universität/ Professor am Conservatorium/Ritter des Frz. Josef Orden."
Es ist die erste Visitenkarte Bruckners, der Orden wurde ihm am 8. Juli 1886 vom Kaiser verliehen. Die zweite stammt dann aus dem Ende des Jahres 1891, als er zum Ehrendoktor der Philosophie der Universität Wien ernannt wurde.
Das Büchlein wird in einem passenden kleinen Kuvert aufgehoben, das die maschinschriftliche Aufschrift trägt: „Reise-Notizbüchlein/Anton Bruckners./Beglaubigt: Max Auer." (eigenhändige Unterschrift mit Kugelschreiber.) Die Schrift lautet, mit Tippfehlern, so: „Reiae — Mptizbüchlein/Amtob Gruckners."

Inhalt:
Bruckner hat Verschiedenes eingetragen:
     1. tägliche Gebete
     2. Wirtschaftsnotizen
     3. verschiedene andere Notizen
1. Die täglichen Gebete, wie er es durch Jahrzehnte hindurch in anderen seiner Kalender auch getan hat.
Vorderdeckel und Fol. 1 oben: fortlaufend von 23. Dezember abends bis 28. Dezember morgens. Leider fehlt die Angabe des Jahres. (23, 27. u. 28. Dezember Tinte, alles andere Blei.)

fol. 1' bis 2 : 1.—7. April; auch ohne Jahr. (Blei.)
fol. 2 bis 2': 6.—8. April 1886 (Tinte)
fol. 3' bis 4 : 18. Sept. 1886 (Tinte) und anschließend, nach 3 Jahren: 22.—27. Juli 1889.

Rückdeckel: „Sonntag 10. (30.?) Mai Mrg." (Morgens)

Die dabei vorkommenden Abkürzungen bedeuten: R = Rosenkranz, V = Vater unser, A = Ave Maria, S = Salve Regina, das abschließende Zeichen: ein schiefer Strich mit drei kleineren waagrechten Strichen, könnte das „Ehre sei Gott dem Vater. ...usw." bedeuten. Nun verwendet Bruckner aber gerade in diesem Büchlein auf der Innenseite des Vorderdeckels und auf Fol. 1. die Abkürzung: „Gl." (= Gloria Patri et Filio..."), die lateinische Form der Doxologie. Es kommt in diesem Büchlein immer nur in Verbindung mit „V" und „A" vor und niemals beide Zeichen miteinander. So können also die Strichlein ohne weiters als Abkürzung für die Doxologie verstanden werden.

2. Wirtschaftsnotizen.

fol. 3   ohne Datum.

fol. 5   und 5' (das eingelegte Blatt) von einem 1., 6., 11., 14., 18., 20., 22. und 25. Februar, sowie von einem 2., 5., 12. und 17. März (alle Tinte), ohne Jahreszahl.

fol. 3   „ 2 fl. Seife" (fl. = Gulden)
           „ 2 fl. 8 xr" (xr = Kreuzer). Das beigesetzte Wort „Baster" ist nicht zu deuten.
           „ 28 fl. 10 xr Wasser." (Vermutlich irgendein Tafel- oder Mineralwasser.)
           „ 2 fl. 60 xr"
           „ 3 fl. Wäsche"
           „ — 50"
           „ — 60"
           _____
           „12 fl. 60"

fol. 5   stehen gleichfalls Wirtschaftsausgaben:
           Caf(fee)
           Tab(ak)
           Cig.(arren)
           Wasser Zähne
           Wäsche

fol. 5'   bei 25. Februar: „7 fl. für März/Fr(au) Kathi". (Der Monatslohn für seine Wirtschafterin, Frau Katharina Kachelmayer).
           „11 fl. Schuster"

Bei März stehen am Beginn zusammengeschobene Eintragungen. Neben „2ten" steht eine „3", also „3. März", an dem Bruckner seinem Bruder Ignaz 7 fl. schickt. Dieser war im Stift St. Florian als Kalkant (Blasbalgtreter bei der Orgel) und als Gärtnergehilfe beschäftigt. Der Betrag ist der gleiche, den Bruckner seiner Wirtschafterin als Monatslohn gibt.

Darunter findet man:
           „10 fl. Kohlen", weiters
           „3 fl. 25" und
           „3 fl. 20".

Bei diesen Beträgen ist nicht ganz eindeutig, wohin dabei das „Essen" gehört; dieses Wort steht unmittelbar unter „Kohlen". Die folgenden Beträge haben keine Bezeichnungen.

Es sind eben hingeworfene Notizen, die nicht so genau wie in einer ordnungsgemäßen Buchhaltung zu bestimmen sind.

3. Andere Notizen

Auf der Innenseite des Vorderdeckels steht ganz oben, mit sehr dünnem Bleistift: „1/2 10 Horn 1/2 11". Das bezieht sich auf Camillo Horn, der in den Achtziger Jahren Schüler Bruckners war; es handelt sich dabei sicher um eine Privatstunde. Horn, geb. 1860 in Reichenberg, gest. in Wien 1941, war zuletzt an der Hochschule für Musik und Darstellende Kunst in Wien tätig.

Der obere Rand von fol. 1 zeigt eine nicht erklärbare Bleistiftnotiz: „Mittw.(och) 5 Mittw(och) 7."

Auf derselben Seite folgen, mit Tinte geschrieben, 9 Namen:

1. „Excell. Stremair", Dr. Karl von Stremayr, der 1870, 1870/71 und 1871 — 1879 Unterrichtsminister war; ihm hat Bruckner 1875 die V. Symphonie gewidmet.
2. „Hellmesberger", Josef (Vater), 1828—1893. Er war seit 1859 Direktor des Konservatoriums und später der k. k. Hofkapelle, somit in beiden Eigenschaften unmittelbarer Vorgesetzter Bruckners.
3. „Hanslick", Dr. Eduard, 1825—1904, wurde 1870 o. Univ. Prof. für Musikgeschichte, von 1855 an Musikkritiker bei der „Presse", ab 1864 „Neue freie Presse". Er war anfangs Bruckner wohlgesinnt, später jedoch, ab 1867, als Bruckner sich um ein Lektorat an der Wiener Universität bewarb, sein unversöhnlicher Gegner. Dazu trug Bruckners Verehrung für Richard Wagner das ihre bei.
4. „Speidl", Speidel Ludwig, 1830—1906, seit 1853 Journalist in Wien. Er schätzte Bruckner sehr, und schrieb als einer der ersten lobende Kritiken über die Symphonien.
5. „Oberstabsarzt" läßt sich nicht feststellen.
6. „Hartl", Wilhelm Ritter von Hartel, 1835—1907, 1872 o. Prof. für klassische Philologie an der Universität Wien, 1874/75 Dekan und 1890/91 Rektor; er war Bruckner wohlgesinnt.
7. „Herbeck", Johann Ritter von Herbeck, 1831—1877, der bedeutendste Förderer Bruckners, dem dieser seine Berufung nach Wien als Professor an das Konservatorium zu verdanken hatte; als Nachfolger Simon Sechters der ja 6 Jahre lang der Lehrer Bruckners war. Herbeck hatte die III. Symphonie Bruckners für ein Gesellschaftskonzert am 16. Dez. 1877 bestimmt, starb aber kurz vorher am 28. Okt., so mußte Bruckner selbst dirigieren. Diese Uraufführung wurde zum größten Mißerfolg des Meisters, aber dennoch machte sich der Wiener Verleger Theodor Rättig erbötig, die Symphonie zu drucken.
8. „Erzbischof", darunter kann nur der 1876 zum Fürst-Erzbischof von Wien ernannte Johann Rudolf Kutschker gemeint sein, er wurde 1877 Kardinal und ist 1881 in Wien gestorben.
9. „Landgrafen": Landgraf Vinzenz Fürstenberg, ein Gönner Bruckners, der ihn auch finanziell unterstützte. Er lebte auf Schloß Ennsegg und starb am 26. Dez. 1896.

Diese Liste von Persönlichkeiten führt zur Beantwortung der Frage, zu welcher Zeit Bruckner dieses Büchlein benützt hat. Die meisten Eintragungen, so auch diese Liste, entbehren der Jahreszahl. Da in der Namensliste Johann Ritter von Herbeck auftaucht, der im Oktober 1877 gestorben ist, kann angenommen werden, daß Bruckner sehr wahrscheinlich in diesem Jahre die ersten Eintragungen vorgenommen hat.

Gestützt wird diese Annahme durch folgende Tatsachen:

Stremayr, der als Excellenz bezeichnet wird, war 1871—1879 zum drittenmal Unterrichtsminister, daher der Titel;

Hellmesberger wurde 1870 Hofkapellmeister,

Herbeck starb 1877,

Kutschker wurde 1876 Fürsterzbischof.

Vielleicht, aber nur vielleicht, handelt es sich um jene Persönlichkeiten, denen Bruckner zum Neuen Jahr zu gratulieren beabsichtigte, denn, unmittelbar darüber steht ein 28. Dezember. Das könnte dann die Jahreswende 1876/77 gewesen sein. Man beachte auch die Form bei 9. „Landgrafen", also „ich", Bruckner, „muß schreiben: 1., 2., 3 usw. und 9. „dem Landgrafen". Der Dativ ruft diese Gedankenverbindung hervor.

Jedenfalls: der Name Herbeck ruft als frühestes Jahr 1876 auf den Plan, denn, was hätte sonst der Name eines Verstorbenen zu bedeuten.

Erst 9 Jahre später, 1886, schreibt Bruckner wieder in dieses Büchlein Gebete ein. Er befindet sich in München und war mit dem Nachtzug am 6. April früh angekommen, denn am 7. dirigierte Hermann Levi im Odeonsaal das Te Deum. Da war vormittags die Generalprobe, bei der Bruckner der Herzogin Amalie, Tochter des Herzogs Theodor von Bayern, vorgestellt wurde. Die Aufführung am Abend brachte Bruckner rauschenden Beifall. Tags darauf, den 8. April, kehrte er nach Wien zurück. Von diesem Aufenthalt berichtet eine unverbürgte mündliche Überlieferung, daß ihm auf der Straße die Kaiserin Elisabeth begegnete und ihn ansprach: „Wie geht es Ihnen, mein lieber Bruckner?" Der Meister war darüber sehr gerührt und sprachlos. (Göllerich-Auer, Anton Bruckner, Band 4/2, S. 470 f., Regensburg 1936). Die Daten dieser Tage stehen in diesem Büchlein auf fol. 2 und 2'. Man muß sie als die bedeutendsten Zeitangaben bezeichnen, hat doch Bruckner in diesen Tagen sehr glückliche Stunden erlebt. Sie waren in seinem Leben ohnedies nicht sehr zahlreich.

Diese drei Tage hatten für Bruckner aber noch eine Freude im Gefolge, sie hängt mit der im Notizbüchlein vorhandenen Visitenkarte zusammen.

Nach dieser Aufführung schrieb nämlich Hermann Levi der vorhin erwähnten kunstsinnigen Herzogin Amalie einen Brief. Er enthält folgende bezeichnenden Stellen: „Nun geht meine untertänigste Bitte an Ew. königl. Hoheit dahin: ob es Ihnen nicht möglich wäre bei ihren kaiserlichen Verwandten in Wien ein gutes Wort für Bruckner einzulegen! Der Österreichische Staat hat von früher her noch einige Unterlassungssünden gut zu machen... Möchten doch Ew. königl. Hoheit gelegentlich Ihre kaiserl. Cousine die Erzherzogin Valerie auf die Lage Bruckners aufmerksam machen! Ein kleiner Jahresgehalt aus der kaiserlichen Privat-Schatulle würde demselben seine Schaffensfreudigkeit wieder geben... Und da Bruckner bereits 62 Jahre alt ist, dürfte das zu bringende Opfer menschlicher Voraussicht nach kein allzu großes werden!..." (Göllerich-Auer, a.a.O., Seite 489).

Die Worte Levis hatten Erfolg: Herzogin Amalie schrieb an Erzherzogin Valerie, diese wandte sich an ihren Vater, Kaiser Franz Joseph, der seinem Hoforganisten eine Zulage zu seinem Bezug, gelegentliche Unterstützung zur Herausgabe seiner Kompositionen und einen Orden bewilligte. Am 9. Juli empfing Bruckner in seiner Wohnung, Wien I., Hessgasse 7, aus der Hand des Obersthofmeisters Konstantin Fürst Hohenlohe das Ritterkreuz des Franz-

Josef-Ordens und konnte sich nach diesem Datum die kleinen Visitenkarten drucken lassen, wie sie in einem Exemplar diesem Notizbüchlein beiliegt. Am 23. Sept. 1886 war er in Dank-Audienz beim Kaiser.

So spinnt sich für den Wissenden ein geistiger, unsichtbarer Faden von den drei Daten des Jahres 1886 zu der kleinen Visitenkarte, die ganz sicher Bruckner selbst in dieses Büchlein gelegt hat.

Bei den Julitagen von 1889 fol 3' und 4, kann man sich daran erinnern, daß Bruckner seines Hofkapellendienstes wegen in Wien bleiben mußte, aber, bald nach dem 27. Juli, mit dem vom Wiener akademischen Wagner-Verein besorgten Separatzug zu den Bayreuther Festspielen fuhr. In diesem Jahr spielte man „Parsifal", „Tristan" und „Meistersinger".

Mehr kann man aus den Zeitangaben dieses Büchleins nicht herauslesen, zumal vielen das Jahr fehlt. Zusätzliche Ergänzungen würden sich vielleicht auch noch aus Bruckners übrigen Notizkalendern ergeben.

Das Münchner Erlebnis von 1886 ist allein aber schon bedeutend genug, daß man dieser „Reliquie" die ihr gebührende Wertschätzung entgegenbringt.

Erschienen in: *Mitteilungsblatt der Internationalen Bruckner-Gesellschaft,* Nr. 20, Wien 1981, S. 9—14.

Die drei Final-Sätze zur IV. Symphonie von Anton Bruckner

Den Schlußsatz zu seiner „Romantischen Symphonie" hat Bruckner, wie bekannt, dreimal komponiert. Die erste Komposition gehört zur 1. Fassung von 1874, die zweite zu deren 2. Fassung von 1878, die dritte Komposition entstand 1880 und kam anstelle der 2. Fassung in das Autograph von 1878. Das dort befindliche Finale Nr. 2 nahm Bruckner heraus, es blieb für sich allein bestehen, wurde „beiseite" gestellt.

Dieses Vorgehen hat eine Parallele im langsamen Satz der III. Symphonie. Auch hier hat Bruckner mit einer dreimaligen Fertigung dieses Satzes das Adagio Nr. 2 von 1876 allein gelassen, noch mehr, er hat seine Partitur zum Fragment gemacht, indem er alle Bogen, die er für die 2. Fassung der Dritten brauchen konnte, in diese hinübernahm. Das Autograph des Adagios Nr. 2 wurde ein Torso.

Zur leichteren Unterscheidung seien die Finalsätze zur IV. Symphonie mit F Nr. 1 (zur 1. Fassung), F Nr. 2 (zur 2. Fassung der Symphonie) und F Nr. 3 bezeichnet. Die Taktzahlen von F Nr. 1 werden dabei ohne Zusatz angegeben, die von F Nr. 2 mit x, und die von F Nr. 3 mit xx.

Es ist bekannt, daß sich F Nr. 3 von den übrigen durch den düsteren Grundton, durch die strengere Haltung unterscheidet. So ergeben sich zwei Gruppen: F Nr. 1 und F Nr. 2 als erste, der F Nr. 3 später folgt.

Das thematische Grundgerüst aller drei Finale-Sätze besteht aus folgenden Motiven:

Diesen sechs Motiven begegnen wir auch in F Nr. 2.

Anders verhält es sich mit F Nr. 3. Vorhanden sind: M 1, 2 und 3, sowie M 5. M 6 wird sparsamer verwendet, nur zu Höhepunkten wie T 79xx—85xx, T 163xx/164xx und T 533xx bis zum Schluß. Dagegen wird am Beginn das Hauptthema des Jagdscherzos zitiert und so der Zusammenhang mit dem vorhergehenden Satz hergestellt. Eine ähnliche Rolle, nur viel umspannender, weil es Ende und Anfang der ganzen Symphonie betrifft, fällt dem M 6 zu. Die Hornquinte ist ja die „Devise" für die „Romantische".

Die Veränderungen, die der gesamte Gedankenkomplex des Finales zur Vierten im Laufe seiner „Lebensgeschichte" erleidet, gehen allein schon aus dem trockenen Zahlenvergleich der Takte hervor.

Finale Nr. 1 (1874) 616 Takte
Finale Nr. 2 (1878) 477 Takte
Finale Nr. 3 (1880) 541 Takte

Was sich dabei im einzelnen abspielt, das zählt zum Erstaunlichsten, dem man in Bruckners Schaffen begegnen kann. Seine Kraft zu verändern ist so gewaltig, daß man wohl berechtigt ist, jedes dieser Finale (und natürlich mit ihm die ganze Symphonie) als ein eigenes Werk zu betrachten. Daß Bruckner zu solchem Beginnen befähigt war, das lag sicher in seiner Improvisationsgabe, die ihm als Organisten zur Verfügung stand[1].

Ausgangspunkt der Untersuchung muß die 1. Fassung sein, wie sie Bruckner am 22. November 1874 abgeschlossen hat. Ihr Finale zeigt schon in der *Exposition* ein auffallendes Ebenmaß.

Das Hauptthema M 1 wird in eine an- und abschwellende Welle eingebettet. T 1—28, T 29—36 (M 1) und T 37—68 als Abklingen. Das sind 28 + 8 + 32 Takte. Darauf folgt eine zweite, ebenfalls sich steigernde Welle von 34 Takten (T 69—102), die zum Ende der 1. Gruppe führt. Am Anfang ertönt das für Bruckner typische Pochen der Bässe, gefolgt von zwei aufeinander zulaufenden Achtelterzen der Geigen. Bald danach kommt in der 1. Oboe (T 11) M 6, die „Devise" der „Romantischen". Eine kurze Verarbeitung führt zu M 1, dessen nun anschließende abklingende Welle M 6 auf mannigfachste Weise variiert. In strahlender Pracht schließt es die 1. Gruppe ab, nachdem der Satz in T 69 mit einer variierten Wiederholung des Anfangs begonnen hat. Eindrucksvoll behauptet sich hier neben M 1, dem Hauptthema des Satzes, M 6.

Von solchem Ausspinnen ist in F Nr. 2 nicht mehr viel zu spüren; der Teil wird um 30 Takte gekürzt. Die anregenden Verarbeitungen von M 6 verschwinden und machen einfachen Akkorden Platz, die wenigstens den Rhythmus von M 6 wahren. Selbst M 1 muß sich die Eliminierung seiner Pause (T 32) nach den ersten drei Noten gefallen lassen — die 8taktige Periode wird 7taktig. Die von der Umarbeitung zur 2. Fassung im Autograph vorhandenen metrischen Ziffern zählen als 8. Takt nun T 37 (= T 38x). Er war aber in der 1. Fassung der erste Takt einer anschließenden 8taktigen Periode.

An dieser einen, winzigen Stelle mit ihrer Änderung der metrischen Ziffern gewinnt man blitzartig einen guten Einblick in das komplizierte, weil ungemein genaue Gefühl Bruckners für die Formverteilung selbst in kleinsten Gliedern, wobei man hier eine Änderung hinnehmen muß, die nicht so ohne weiters begreiflich ist.

Vor der zweiten Welle, T 69—102, bleiben dem F Nr. 2 überhaupt nur die Akkorde im Blech übrig. Alles Motivische von M 6 ist verschwunden, Bruckner hat radikal vereinfacht.

F Nr. 3 gibt sich ganz anders. Die Lebenslust ist verschwunden. Klarinetten und Hörner lassen M 1 ertönen, aber nicht mit dem Terzende, sondern mit Halbton und Ganzton, erst ab T 19xx folgt die Terz. Schon diese Umwandlung des wichtigen Motivs vor seinem ersten Erklingen T 43xxff. zeigt die andere Einstellung Bruckners bei der dritten Komposition. Durch rhythmische Verkürzungen des Kopfes von M 1 wird gesteigert. In diese Steigerung fügt Bruckner das Motiv des Jagdscherzos ein, das vor etwa eineinhalb Jahren für die 2. Fassung der Symphonie neu geschrieben worden war.

Im Gegensatz zu F Nr. 1 und Nr. 2 gibt es jetzt nur eine abschließende Partie mit einem neu auftretenden Sextolenrhythmus (T 50xxff.):

Dazu stürmen die übrigen Streicher, ebenfalls mit Sextolen, im Unisono dahin. Der Rhythmus verwandelt sich in Vierteltriolen (ab T 63xx), die Hörner schließen mit M 6. Für eine Wiederholung des Anfangs wie in F Nr. 1 und Nr. 2 ist hier kein Platz. Die 1. Gruppe der Exposition wirkt hier geschlossener, das Unisono des vollen Orchesters (T 71xx—73xx) läßt darüber keine Zweifel aufkommen.

Aus dem bisher Geschilderten kann bewiesen werden, daß, wie schon erwähnt, F Nr. 1 und Nr. 2 in einem Abhängigkeitsverhältnis zueinander stehen, während F Nr. 3 eigene Wege geht.

In der „Gesangspartie", Gruppe 2, besteht dieser eigene Weg nur darin, daß ihr F Nr. 3 eine 12taktige Periode vorausschickt. Sie ist ebenfalls zweilinig, wie M 2 und M 3, und lautet:

Das Folgende zeigt in allen drei Finale-Sätzen den gleichen Aufbau, sowohl in seiner melodischen wie harmonischen Komponente (Tabelle 1).

TABELLE I

F Nr. 1	F Nr. 2	F Nr. 3
nicht vorhanden	nicht vorhanden	T 93xx—104xx 12 Takte c-Moll
T 103—108 6 Takte a) C-Dur	T 73x— 78x 6 Takte a) C-Dur	T 105xx—108xx 4 Takte a) C-Dur
T 109—126 18 Takte b) G-Dur modulierend	T 79x— 94x 16 Takte b) G-Dur modulierend	T 109xx—124xx 16 Takte b) G-Dur modulierend
T 127—136 10 Takte As-Dur	T 95x—104x 10 Takte As-Dur	T 125xx—138xx 14 Takte As-Dur
T 137—148 12 Takte F-Dur	T 105x—108x 4 Takte F-Dur	T 139xx—142xx 4 Takte F-Dur
T 149—160 12 Takte Ges-Dur	T 109x—120x 12 Takte Ges-Dur	T 143xx—154xx 12 Takte Ges-Dur
58 Takte	48 Takte	62 Takte

In der Melodik muß man allerdings eine sehr bedeutende und wichtige Änderung feststellen. Die für F Nr. 1 überaus kennzeichnenden Quintolen

werden zu Viertel- und Achtelnoten:

Das geschieht natürlich auch bei den Unisono-Skalen in der 3. (Schluß-)Gruppe. Bruckner hat von F Nr. 1 zu F Nr. 2 diesen ungemein bezeichnenden, fließenden Rhythmus aufgegeben.

236

Wenn also auch Melodik und Harmonik in ihrer Abfolge die gleichen bleiben — *nicht* gleich bleibt die Instrumentation! Dies im einzelnen hier darzustellen würde den gesteckten Rahmen sprengen. Es sei, als ein Beispiel nur, auf den ersten Abschnitt hingewiesen (T 103—126 = 73x—94x = 105xx—124xx). F Nr. 1 legt zwei Hörner akkordfüllend in die Mitte; sie fehlen im F Nr. 2 und 3. Dafür wird im F Nr. 2 und 3 M 2a herausgehoben durch das Holz, M 2b wandert von der 1. Violine in die Viola. Die vier Takte vor Buchstabe D, die übrigens nicht den Takten 123—126 entsprechen, sondern aus einer Verdoppelung der Takte 121 und 122 stammen, bekommen gegenüber dem einfachen Streicherklang von F Nr. 1 Holzbläser und Hörner dazu. Die klangliche Bereicherung verleitet auch zu melodischer: das veränderte Quintolenmotiv, nun in Flöte und Klarinette (T 91x—94x), wird in der 1. Violine in Gegenbewegung gebracht. F Nr. 3 ändert neuerdings hier (T 121xx—124xx) den Klang: die Streicher pausieren plötzlich, die Abwärtsbewegung des rhythmisch veränderten Quintolenmotivs verschwindet überhaupt (das 1. Fagott bringt nur eine schwache Andeutung), auch werden die Akkorde geändert.

Die Schlußgruppe läßt sich im F Nr. 1 in drei Abschnitte teilen:

   1) T 161—180,
   2) T 181—204 und
   3) T 205—224.

Ihre Takte ergeben ein wohlgeordnetes Verhältnis 20 + 24 + 20; Generalpausen unterstreichen diese Gliederung. Abschnitt 1 ist durch das herabsteigende Unisono und das entgegengesetzt gerichtete Tremolo der Streicher charakterisiert. Es führt zu neuerlichem, jetzt absinkenden Unisono (Abschnitt 2, T 181 ff.), dem sich ein aufsteigendes Unisono entgegenstellt. Gleichfalls aufwärts ziehende Tremolo-Akkorde der 1. Violine müssen sich abwärtsgleitenden Tremolo-Sextakkorden beugen. Daran schließt Abschnitt 3, der Ausklang der Exposition.

Diese Ordnung wird im F Nr. 2 empfindlich gestört, Bruckner kürzt. Die beiden Unisono-Gänge, jetzt nicht mehr in Quintolen, bleiben, jedoch wird von den dazwischenliegenden Tremolopartien die erste von 26 auf 8 Takte gekürzt und wesentlich vereinfacht, die zweite aber überhaupt weggelassen. Lediglich vier Takte Holzbläser leiten zu Abschnitt 3 über. Sie nehmen in Sextakkorden das Begleitmotiv der T 145x—162x voraus:

Es wird in der Coda das begleitende Motiv bis zum Schluß.

Die 20 zum Ende der Exposition führenden Takte (T 205—224 = T 187xx—202xx) werden von der in der Viola liegenden Melodie beherrscht. Sie stammt aus M 2a und ergeht sich in verschiedenen Varianten, die in allen drei Finalsätzen verschieden sind, auch vom Orchester in verschiedener Weise begleitet und motivisch umspielt werden.

F Nr. 3 verwendet zur Beendigung der Schlußgruppe wie Nr. 1 und 2 die Viola-Melodie, aber nur 12 Takte lang. Es umgibt sie mit einem Kontrapunkt aus Achtelläufen und leitet sie auch mit vier Takten, erfüllt von einem anderen, neuen Motiv, das aber nur hier vorkommt, ein. Die Schlußgruppe selbst, T 155xx—182xx, wird von einem Sextolenrhythmus beherrscht, der zum erstenmal T 51xx im Anschluß an das Hauptmotiv 1 erschien. Hier dient er zur Umspielung einer Posaunenmelodie,

die an dieser Stelle, als letzter Höhepunkt gedacht, in mächtiger Steigerung zu den 20 Takten des Abschlusses führt.

In allen drei Finalesätzen ist die Schlußgruppe durch mächtiges Fortissimo gekennzeichnet: in F Nr. 1 und 2 sind es Unisono-Gänge, geballte Kraft mit nachfolgendem Tremolozittern der Streicher, in F Nr. 3 wird das volle Orchester herangezogen und mit dem Sextolenrhythmus ein Bezug zur 2. Gruppe hergestellt. Bruckner schlägt 1880 einen anderen Weg ein.

Die *Durchführung*, deren Aufgabe es ist, die Verwendungsmöglichkeiten des motivischen Materials zu zeigen, ist ganz besonders dazu bestimmt, Bruckners „Arbeiten" mit seinen Motiven darzustellen.

Alle drei Finalesätze lassen zwei bezeichnende Partien erkennen. In der Reihenfolge ihres Erscheinens ist dies zuerst M 2. Nennen wir es hier den *melodischen* Höhepunkt. Danach kommt M 1 an die Reihe, dem wir die Bezeichnung *dramatischer* Höhepunkt geben wollen. Um sie herum bauen sich die drei Durchführungen auf, jede in ihrer Weise. Wieder wird man bemerken können, daß F Nr. 1 und 2 einander ähneln. In ihnen sind deutlich 8 Partien sichtbar, die bezeugen, daß Bruckner den „Grundplan" bei der Umarbeitung zur F Nr. 2 beibehalten hat (vgl. Tabelle II).

TABELLE II

	1874	1878	1880	
1.	T 225—242	= T 165x—176x		
2.	T 243—260	= T 176x—198x	T 203xx—236xx	
		199x—205x	ganz anderer Beginn	
		eingeschoben		
3.	T 261—288	= T 205x—230x		
4.	T 289—300	= T 231x—242x	= T 237xx—248xx	Mittelteil
5.	T 301—320	= T 243x—262x	= T 249xx—268xx	
6.	T 321—336	= T 263x—272x		
			T 269xx—294xx	
7.	T 337—368	= T 273x—298x	T 295xx—342xx	
			T 343xx—357xx	
			anders	
8.	T 369—388	= T 299x—324x	= T 357xx—382xx	

Es tauchen zuerst die Streicherterzen auf, im 1. Horn dann das Hauptmotiv des 1. Satzes (M 6). Die Entwicklung bis zum melodischen Höhepunkt hin ist in F Nr. 2 um 9 Takte länger: T 243—288 gegen T 176x—230x. Besonders auffallend ist der große Fortissimo-Orchesterblock T 192x—205x, den Bruckner zwischen T 260 und 261 bei der Umarbeitung einschiebt. Dies sei hier ausgeführt, um wenigstens eine Einzelheit aus dem Beginn der Durchführung aufzuzeigen. Schon diese und die nachfolgende Partie (T 281—288 = T 205x—230x) zeigen, wie selbstherrlich Bruckner mit seinen Motiven umgeht.

Die bis zum *melodischen* Höhepunkt reichenden Takte sehen im F Nr. 3 ganz anders aus. Diese Durchführung täuscht einen Reprisenbeginn vor. Dort, wo es ihn geben soll, am Ende der Durchführung (T 382xx), gibt es diesen Anfang nicht, da setzt gleich das Hauptmotiv M 1 ein. Man begegnet damit einer jener Überraschungen, mit denen Bruckner das Formschema abwandelt. Wenn er sich auch zeitlebens an die Sonatenform als Satzgestaltung gehalten hat, so ist er doch bisweilen mit den einzelnen Teilen sehr frei, aber immer logisch begründet umgegangen. Bild und Spiegelbild des M 1 geben dem Satz hier den schon mehrfach betonten düsteren Charakter. Auf diese spannende Einleitung wirkt der *melodische* Höhepunkt M 2 ganz besonders eindrucksvoll, zumal das Motiv zweimal zuerst dem Blech und beim drittenmal den Streichern, immer aber im Fortissimo, anvertraut wird.

F Nr. 1 und 2 bringen diese Perioden im Streichersatz, F Nr. 1 im Piano, F Nr. 2 dagegen schon im Forte. Das liegt daran, daß F Nr. 1 den Orchesterklang vom Fortissimo zum Piano abschwächt, F Nr. 2 ihn dagegen vom Mezzoforte ins Forte steigert. Folgerichtig wird es dann von den Streichern (1. Violine auf der G-Saite, sehr markig) übernommen und fortgeführt; das war 1878. 1874 wünscht sich Bruckner dieselbe Stelle auch auf der G-Saite in der 1. Violine, aber „p, sanft, markig ausdrucksvoll". Er knüpft daran in den Bläsern zahlreiche Varianten des M 8, die in F Nr. 2 alle wegfallen.

Es überrascht in höchstem Maße, wie dieses doch so ausdrucksvolle Gebilde seinen Charakter ändert, vom Piano des Jahres 1874 ins Forte von 1878, um dann 1880 als Fortissimo in strahlender Größe aufzuscheinen. Dem *dramatischen* Höhepunkt widerfährt solches nicht. Seine Oktaven und Terzen kennen eine Änderung der Stärke nur, wenn sie auf etwas vorbereiten, wie am Beginn des F Nr. 3.

Die Weiterführung zum *dramatischen* Höhepunkt der Durchführung ist ebenfalls verschieden. F Nr. 1 braucht 36 Takte (T 301—336), F Nr. 2 deren 30 (T 243x—272x) und F Nr. 3 46 Takte (T 249xx—294xx). F Nr. 3 geht aber, wie schon öfter, eigene Wege. Nach seinen Takten 249xx—268xx, die den Takten 243x—282x entsprechen, jeweils 20 Takte, schaltet Bruckner das hier nun eingeführte Gesangsmotiv ein und benützt seine Triole zur Steigerung zum Hauptmotiv M 1, T 295xxff. Diese Partie, die bis T 337xx reicht, unterscheidet sich aber ganz entschieden vom Auftreten des gleichen Motivs in F Nr. 1 und F Nr. 2. In F Nr. 3 ist es eine stark erweiterte Darstellung dieses Motivs. Sie wird von Sextolen, Vierteln und Achteln der gesamten Streicher umspielt, wobei der Sextolenrhythmus noch von Holz und Hörnern mitgespielt wird. Diese höchste Kraftentfaltung entspricht genau dem weitaus ernsteren Charakter des F Nr. 3, und man begreift, gerade an dieser Stelle, die Worte vom „Weltgericht", die eine Kritik der Aufführung vom 20. Februar 1881 enthält[2].

F Nr. 1 und F Nr. 2 geben diesem Motiv auch sein Recht, aber in etwas einfacherer Form. Die Welle, die steigernd zu ihm hinführt, umfaßt in F Nr. 1 13 Takte (T 324—336), in F Nr. 2 dagegen nur 10 Takte (T 263x—272x). Das entspricht den Kürzungsabsichten Bruckners, die das Schicksal von F Nr. 2 bestimmen. Diese machen aber auch vor dem Thema selbst nicht halt.

Vom Hauptmotiv M 1 werden aus F Nr. 1 weggenommen: gleich die dritte Note, die Terz *ges,* T 339, weiters die folgende Pause, T 341, ebenso die Bläser in T 341 und 342 und die Pause von T 348. Der Paukenwirbel auf *B*, T 337—339, wird dagegen zwei Takte weitergeführt (T 275x und 276x). Man merkt Bruckners Absicht, zusammenzuziehen, gedrängter zu werden, auch in den folgenden Takten. Das Echospiel zwischen Blech und Holz, T 357—369 (12 Takte), wird auf 9 Takte (T 290x—298x) verkürzt, dagegen werden dazu die 1. und 2. Violinen abwechselnd mit der Viola im Sextolenrhythmus und verschiedener Dynamik (ff, tremolo und ppp, gebunden) eingeführt.

Beim Abschluß der Durchführung hat sich Bruckner wie auch bei anderen Partien der drei Finale-Sätze an das in F Nr. 1 verwendete Material gehalten: Verkleinerungen aus Bestandteilen von M 1, die den dem Kopfmotiv folgenden vier Takten entstammen. F Nr. 1, T 369—388, verbindet es mit Variierungen von M 6, F Nr. 2 tut dies nicht, wirkt daher klarer, eindeutiger und läßt das Spiel mit diesen Motiven ganz deutlich an den Hörer gelangen. Drei Hörner und umspielende Achtel im Holz bilden den akkordlichen Untergrund. Vor dieser Periode, T 308x—324x, stehen acht eingefügte Takte, die in der 1. Klarinette M 1 in Gegenbewegung bringen. F Nr. 3 übernimmt diese acht Takte und auch die weiteren Folgetakte (T 358xx—381xx), in denen Bruckner aber mit rhythmischen Vergrößerungen operiert und Motive aus dem Jagdscherzo dazwischenmischt, wie er es auch am Beginn von F Nr. 3 (T 28xxff.) getan hat. Die Zusammenschließung mit Hilfe von Zitaten aus vorangegangenen Sätzen ist ein dem F Nr. 3 eigentümliches Kennzeichen. Zu erwähnen ist noch, daß zwischen dem großen Fortissimokomplex (T 295xx—337xx) 14 Takte Beruhigung, als auskomponiertes Ritardando, eingeschoben erscheinen. Von den Achtelsextolen geht der Rhythmus über in Viertel und schließlich über Halbnoten-Triolen (T 343xx—350xx) in den Beginn des Abschlusses. Die einfacheren Ausführungen von F Nr. 1 und F Nr. 2 haben zu einer ausgereiften Verwendung der betreffenden Motive geführt, die deutlich die Weiterentwicklung in Bruckners symphonischem Stil zwischen 1874 und 1880 zeigen.

Diese Veränderung im Stil kann man auch in der Rhythmik an einem Einzelfall beobachten. F Nr. 1 verwendet in ausgiebigem Maße den Quintolenrhythmus, F Nr. 2 wandelt ihn um in die Folge:

Das Irrational-Schwebende, das den Quintolen innerhalb eines geradlinigen Alla-breve-Taktes anhaftet, wird zugunsten des durch zwei teilbaren Rhythmus aufgegeben. Man erinnere sich dabei an den 1. Satz der „Romantischen", dessen Hauptthema in seinem zweiten Teil den bekannten Bruckner-Rhythmus 2 + 3 zeigt. Warum Bruckner diese bedeutsame rhythmische Veränderung vorgenommen hat, kann schwer ergründet werden.

Die anschließende *Reprise* stellt die Untersuchung, die sich mit den „Veränderungen" beschäftigt, vor zwei Betrachtungsebenen. Auf der einen befinden sich jene, die zwischen Exposition und Reprise sozusagen normal vor sich zu gehen pflegen; auf der anderen aber die Veränderungen, die zwischen den verschiedenen Finale-Sätzen statthaben. Die schon früher gemachte Beobachtung, daß sich F Nr. 1 und F Nr. 2 nahestehen, trifft auch hier zu. 29, 45 und 46 Takte von F Nr. 1 entsprechen 30, 32 und 28 Takten in F Nr. 2. Die starke Kürzung der Schlußgruppe rührt daher, daß Bruckner zwischen dem ersten und zweiten Unisonogang (T 463—466 und T 487—490) 20 Takte herausbricht (T 467—486). Der Unisonogang wird in F Nr. 2 um einen Ganzton herab-, das folgende Streichertremolo aber um einen Halbton hinaufgesetzt und ganz anders weitergeführt. Bruckner verengt die Breite des F Nr. 1, die anschließenden 12 Takte bleiben jedoch, wenn auch in anderem instrumentalen Gewand, erhalten.

F Nr. 3 beginnt die Reprise gleich mit dem Hauptmotiv M 1, denn die dazugehörigen 34 Einleitungstakte sind schon am Anfang der Durchführung (T 203xx—236xx) erklungen; zu Beginn des F Nr. 3 sind es 42 Takte. Wie meist in den Reprisen, spielt sich auch hier die Entwicklung der Gedanken in kleineren Ausdehnungen ab. Das Gesangsthema entspricht mit geringen Änderungen formal dem in F Nr. 2 (T 355x—386x = T 431xx—464xx). Die in F Nr. 2 (und F Nr. 1) folgenden Unisonogänge fehlen hier, und in den 12 Takten, die zur Coda führen, ist nur der Rhythmus des ersten Taktes vom Gesangsthema (M 2a) erhalten geblieben; in der Exposition war die Violamelodie noch vorhanden gewesen (T 187xx—198xx). Die Spannung auf die nun eintretende Coda läßt in F Nr. 3 die Entfaltung melodischen Lebens nicht mehr zu.

Die hier für F Nr. 3 — und auch nur kurz — angedeuteten Unterschiede zwischen Reprise und Exposition müssen für F Nr. 1 und F Nr. 2 in dieser Studie zurückgestellt werden, sie würden sonst den gesteckten Rahmen erheblich überschreiten.

Mit den Untersuchungen über die *Coda* gehen unsere Ausführungen ihrem Ende entgegen. Man weiß, welche Bedeutung in den Symphonien Bruckners der Abschluß des Ganzen — und eine solche „Beendigung" stellt gerade die Coda eines Finales dar — zukommt, daher dürfen diese Veränderungen besonderes Interesse beanspruchen.

Die Taktzahlen zeichnen folgendes Bild:

F Nr. 1, T 511—616: 106 Takte
F Nr. 2, T 415x—477x: 63 Takte
F Nr. 3, T 477xx—541xx: 65 Takte

Wenn bisher immer davon gesprochen werden mußte, daß F Nr. 1 und F Nr. 2 in näherem Zusammenhang stehen, so ist dies bei der Coda anders. Hier zeigt es sich, daß F Nr. 3 in Abhängigkeit von F Nr. 2 steht. Bruckner hat sich bei der Ausarbeitung von F Nr. 3 an die gekürzte Fassung von F Nr. 2 gehalten, er hat auch die Motive beibehalten. Gleich zu Beginn ertönt in F Nr. 2 das Hauptmotiv (M 1) zusammen mit seinem Spiegelbild (T 417xff.). Hier offenbart sich bereits der düstere Charakter des F Nr. 3. Obwohl F Nr. 2 im großen und ganzen noch den freundlichen Stimmungen zugehört, weist sein Ende bereits auf F Nr. 3 hin. Dazu gehört auch die Behandlung der Streicher: in F Nr. 2 herrscht noch der geradlinige Rhythmus vor, in F Nr. 3 dagegen finden sich gleichmäßig dahinfließende Sextolen, alles im Tremolo.

Wie, ins Einzelne greifend, die Wandlung von F Nr. 2 zu F Nr. 3 vor sich geht, dafür sei nur ein Beispiel angeführt. Die T 445x—456x enthalten 8 + 4 Takte. Sie entsprechen in F Nr. 3 den T 505xx—516xx. Das Ertönen von M 1 in Bild und Spiegelbild geschieht in F Nr. 2 in eintaktiger Nachahmung, in F Nr. 3 aber gleichzeitig. Die Horntriolen (Viertel) von T 448x erscheinen, stärker akzentuiert durch die Trompeten, in T 507xx wieder. F Nr. 2 bringt sie nur zweimal (T 448x und 452x), weil mit T 456x die zum Schluß führende Partie einsetzt. Man kann diesen Schluß als „Stretta" bezeichnen, er ist in den Blechbläsern so angelegt. F Nr. 3 bildet aus T 445x—456x eine einheitlich gestaltete 12taktige Periode (T 505xx—516xx) mit dreimaligem Trompetenruf. Erst dann setzt in T 517xx der Anstieg zum Ende ein, aber nicht als „schmetternde" Stretta, sondern als dramatisch sich aufbauende Steigerung.

Für ihre letzten acht Takte hat Bruckner bezeichnenderweise ebenfalls deutlich auf F Nr. 2 zurückgegriffen. In den Hörnern und Trompeten ertönt in dreifachem Forte das Hauptmotiv der „Romantischen" (M 6), die Quinte mit ihrem punktierten Rhythmus. Das steht nicht im Autograph (Cod. *19.476 der Musiksammlung der Österreichischen Nationalbibliothek), das hat Bruckner nachträglich einer jetzt in der Columbia University in New York befindlichen Abschrift eingefügt, ohne dies auch in seinem Autograph zu vermerken.

So stehen sich F Nr. 2 und F Nr. 3 nahe, sie unterscheiden sich aber sehr von der Coda in F Nr. 1. In F Nr. 2 und mehr noch in F Nr. 3 muß man die Coda in ihrem Aufbau als von den Motiven her bestimmt auffassen. Sie gewinnt damit einen „dramatischen" Charakter, F Nr. 3 in höherem Maße als F Nr. 2; sie beweisen, daß Bruckner sie bei ihrer Niederschrift in melodie- bzw. motivbestimmter Weise entwarf. Diese Sätze sind reicher an „Gestalten".

Die Coda von F Nr. 1 dagegen breitet sich in „Wellen" aus. Ihr klanglicher Untergrund wird ebenfalls von den Streichern gebildet, die in einer an die III. Symphonie gemahnenden Quart-Quint-Oktav-Bewegung bis zum Ende durchhalten, von T 511—576 in Sechzehntelsynkopen! Darüber liegen, genau wie in der Dritten, ausgehaltene Akkorde der Bläser. Im Blech vollzieht sich das motivische Leben: zuerst M 6 in mannigfachen Engführungen, danach (T 523—525) M 1.

Die Aufeinanderfolge der einzelnen Teile sieht so aus:

T 511—532	1. Welle: von pp bis ff
T 532—534	dim. bis pp
T 535—558	ein 1. Fortissimo-Block
T 559—570	2. Welle: von pp bis ff
T 571—582	3. Welle: von pp bis ff
T 583—616	ein 2. Fortissimo-Block, fff bis zum Ende.

In Verflechtungen der „Devisen-"-Quinte (M 6) kann sich Bruckner nicht genug tun, er findet immer neue Möglichkeiten in rhythmischen Verschiebungen. M 6 kommt als Bezeichnung von Höhepunkten zum ersten Mal nur mit seinem Kopf (T 523—525) in allen Bläsern vor, später (T 539ff.) mit den zwei Folgetakten, der Kopf in Nachahmung zwischen Posaunen und Hörnern mit Trompeten. Dann erst wieder T 583, aber jetzt mit halbtaktiger Nachahmung, eingebettet in ein Spiel mit M 6. Die Ecksätze werden hier mit ihren Hauptmotiven vereint und beschließen das Finale.

Man wird mit Recht sagen dürfen: diese drei Finale sind nicht einfach nur drei verschiedene Fassungen, denn jedes von ihnen hat seine eigene „Physiognomie"; es entstehen durch diese „Verwandlungen" drei neue Gebilde. Die wechselnde Verwendung des motivischen Materials ist so stark, so verschieden, daß daraus „neue" Werke entstehen: aus dem lang ausgebreiteten F Nr. 1 das kurz zusammengedrängte F Nr. 2, das dann aber abgelöst wird durch das gleich lange, aber „dramatisch verdichtete" Finale Nr. 3. Damit gewährt Bruckner einen sehr aufschlußreichen Einblick in die Eigenart seiner Kompositionstechnik zwischen 1874 und 1880.

1 Mit welch erfinderischem Geschick Bruckner Themen zu verändern wußte — sie bekamen dadurch ein ganz anderes Aussehen —, das erweisen zwei seiner musikalischen Notizen aus Mendelssohns „Paulus". Sie finden sich in den Studienblättern, die Stift St. Florian besitzt. Vgl.: Leopold Nowak, Mendelssohns „Paulus" und Anton Bruckner in: Österreichische Musikzeitschrift 31 (1976), Heft 11, S. 574—577.
2 Diese Kritik (von Hans Paumgartner) steht in der Wiener Abendpost vom 23. Februar 1881. Die Stelle über das Finale der Vierten lautet: „Der letzte Satz ist — an sich betrachtet — außerordentlich; jedoch scheint er uns organisch nicht zu den drei vorhergegangenen zu gehören. Er ist eine symphonische Dichtung für sich, die wir das Weltgericht nennen möchten."

Erschienen in: *Österreichische Musikzeitschrift* 36, Wien 1981, S. 2—11.

Zwei Meister aus St. Florian: Anton Bruckner und Franz Forster

In Ansfelden erlebt der Besucher der Gedenkstätte für Anton Bruckner, wenn er sich im Wohnzimmer nach rechts wendet, eine Überraschung: Er sieht sich dem überlebensgroßen Kopf Anton Bruckners gegenüber. Leicht in die Höhe blickend, so als ob der Meister der Tonkunst einer seiner Eingebungen „nach-hören" wollte, zeigt das Porträt eine Loslösung von allem Irdischen, nur den Tönen in seinem Inneren zugetan.

Der Schöpfer dieses lebensnahen Bildwerkes ist der in St. Florian beheimatete akademische Bildhauer Professor Franz Forster. Bruckner wurde in Ansfelden geboren, er in St. Florian. Bruckner reifte an der großen Orgel der Stiftskirche heran, der bildende Künstler am Fuß des Fürstenberges von St. Florian. So sind sie beide — fast könnte man sagen — schicksalhaft verbunden, gehören zueinander, denn der auch musikbeflissene Bildhauer ist neben seinem Handwerkzeug als Mitglied des Kirchenchores gleichfalls neben der großen Orgel herangewachsen wie weiland ihr berühmtester Organist.

Die Hände Bruckners meisterten die Tasten, die Hände Forsters Holz, Stein und Ton, woraus manch eindrucksvolle Plastik entstand in den 85 Lebensjahren, auf die Franz Forster heute zurückblickt. Kreuzwegstationen, Kruzifixe, Heiligenfiguren, Grabdenkmale, auch Porträtbüsten von Zeitgenossen gingen aus seinem Atelier hervor. Mit Bruckner aber hat es bei ihm eine besondere Bewandtnis. Dieser Kopf hat ihn seit 1922 immer wieder beschäftigt und zu mehrfachen Darstellungen angespornt: 1923 in Marmor, 1951 in Eichenholz, ab 1951 in Terrakotta, wovon es mehrere Abgüsse gibt, 1964 wieder in Eichenholz und 1970 für die Bruckner-Gedenkstätte in Ansfelden in Bronze. Dazwischen entstanden an die zehn Reliefs für verschiedene Personen und Gelegenheiten. Diese immerhin beträchtliche Anzahl von Brucknerköpfen aus der Hand ein und desselben Meisters ist nun in mehr als einer Hinsicht beachtenswert und wirft die Frage auf, was wohl Franz Forster bewogen hat, sich immer von neuem dem Bruckner-Antlitz zuzuwenden. Es waren nicht nur äußere Anlässe, daß man eben von ihm solch eine Darstellung verlangte, es waren auch innere Beweggründe, die ihn befähigten, diesen Wünschen nachzukommen.

Forster selbst gibt über diese Bindung an Bruckner Auskunft: „Es war im Oktober 1921, noch in meiner Studienzeit an der Akademie in Wien. Während der Ferien... war ich für wenige Tage daheim im Elternhaus in St. Florian. Da fügte es sich, daß anläßlich des 25. Todestages Anton Bruckners dessen Sarkophag, meines Wissens zum erstenmal, geöffnet wurde und ich dabei sein konnte. ...Es war ein äußerst feierlicher Augenblick. Ich sah nun, freilich nur durch das Glas, den ganzen Leichnam, noch gut erhalten und kaum verfärbt, deutlich vor mir. Der Anblick hat mich so fasziniert und so gefangengenommen, daß ich es unter diesem Eindruck fast als Auftrag oder Befehl empfand, sofort an die plastische Gestaltung eines entsprechenden Porträts zu denken. Und noch am Sarkophag stehend, war ich fest entschlossen, diesen Gedanken in die Tat umzusetzen. ... Gar bald aber stellte sich heraus, daß es sich dabei doch um eine ziemlich schwierige Arbeit handelte. Ich lief daher wiederholt in den Stadtpark zum Brucknerdenkmal. Die Büste von Tilgner ist ja sicher das beste Bruckner-Porträt. Da mir bekannt war, daß der Bildhauer Zerritsch nun das seinerzeitige Tilgneratelier zur Verfügung hatte, ging ich zu ihm mit dem Ersuchen, Tilgners Brucknerbüste im Atelier aus der Nähe betrachten zu dürfen, was er mir auch gestattete. Ich machte dort auch ein paar flüchtige Bleistiftskizzen.“ (Int. Bruckner-Gesellschaft, Mitteilungsblatt Nr. 3, Dezember 1972, Seite 9 f., Franz Forster, „Wie die Bruckner-Büste für das Geburtshaus in Ansfelden entstand“.)

Auf diese Weise kam Franz Forster zu Anton Bruckner. Und wie man einen Bekannten, der einem mit der Zeit zum Freund wird, im Verlauf der Jahre immer besser kennenlernt, so ging es auch dem Bildhauer Forster mit dem Komponisten Bruckner. Er drang immer tiefer in des Künstlers Wesen, in seine Musik ein und wurde immer mehr befähigt, das Geistige, Übernatürliche dieser Musik in seinen Bruckner-Darstellungen zum Ausdruck zu bringen. Die Ausstellung zu seinem 85. Geburtstag gibt erstmalig die einzigartige Gelegenheit, an einem Thema, an einer Menschendarstellung, die ihn zeit seines Lebens beschäftigte, die Entwicklung seiner bildhauerischen Fähigkeiten zu verfolgen. An den Bruckner-Köpfen kann man beobachten, wie es Forster gelang, mehr und mehr die musikausströmende Persönlichkeit Bruckners dem Beschauer spürbar zu machen. Daß dies aus Bruckners Werken kommt und bei diesem in mancher Hinsicht sehr eigenartigen Charakter nur aus der Musik stammen kann, ist jedem Verständigen klar.

Es verdient festgehalten zu werden, was Forster selbst über seine Bruckner-Büste in Ansfelden sagt: „Ich habe mich bemüht, irgendwie auch zum Ausdruck zu bringen, wie sehr Bruckners ganzes Schaffen ganz nach oben, ins Überirdische, Transzendentale, ausgerichtet war.

Es ging mir vor allem darum, Bruckner als den überragenden Geist, dessen Bedeutung in der Kunst ihm selbst wohl auch bewußt war, darzustellen und mich keineswegs mit der bloßen formalen Ähnlichkeit zu begnügen.

Vom Anfang an aber war mir auch klar, daß, um zu einem solchen Ziel zu gelangen, das Wichtigste ist, sich zu bemühen, in sein Werk einzudringen, soweit dies einem musikalischen Laien überhaupt möglich ist. Zu dieser Erkenntnis kam ich bereits seinerzeit in Wien, als ich an meiner ersten Bruckner-Büste arbeitete. Schon damals, 1922, versäumte ich kaum eine Gelegenheit, ins Konzert zu gehen, sobald eine Bruckner-Symphonie am Programm stand. Das half mir auch tatsächlich bei der schweren Arbeit weiter.

War dies in diesen Jahren, wie man sich wohl denken kann, ziemlich umständlich und schwierig, so hatte ich es jetzt doch wesentlich einfacher und leichter. Ich brauchte mir ja nur den Plattenspieler im Atelier aufzustellen und konnte so unter der unmittelbaren Einwirkung seiner grandiosen Werke arbeiten. So war nun mein Arbeitsraum ganz von den mächtigen Tönen des Meisters erfüllt. Und das war, so glaube ich, die richtige Atmosphäre, die ich bei dieser Arbeit brauchte. Unter der gewaltigen Wirkung dieser Symphonien oder des Te Deum, welche ich nun wiederholt — oder auch einzelne Teile daraus beliebig oft — abspielen konnte, erstand in meinem Inneren das Bildnis unseres Meisters schon ganz anders, als man es von diversen Fotos kennt. Weitaus mächtiger und ins Überirdische entrückt. Ja, mir schwebte auch der Gigant vor, als den ihn bereits Hugo Wolf nach der Uraufführung der VIII. bezeichnete.

Auf solche Art glaube ich nun doch dem Wesen Bruckners, des großen Meisters, einigermaßen nähergekommen zu sein, und ich meine, auch ein wenig von seiner überragenden Größe in dieser Büste zum Ausdruck gebracht zu haben, was mir bei dieser Arbeit wohl als das höchste Ziel galt." (Franz Forster a. a. O., S. 8f.)

Dieses „Sich-Hinein-Fühlen" kommt aus einem starken, demütigen Traditionsbewußtsein, das genau weiß, daß der Andere, der Darzustellende, die wichtigere Persönlichkeit ist. Diese Haltung befähigte Forster auch, dank seiner kunstfertigen Hände die barocken Schnitzereien von Leonhard Sattler im Marmorsaal des Stiftes St. Florian stilgetreu und behutsam zu restaurieren. Die „Weite" barocker Gesinnung, die ja auch der Sängerknabe Anton Bruckner aus dem Stift mit in seine Komposition genommen und in ihnen dargestellt hat, diese Weite, ins Geistige übertragen, ist es, deren Darstellung, deren „Sichtbar-Machen" Franz Forster in seinen Brucknerbüsten von 1923 bis 1970 in steigendem Maße auszeichnet.

Dem Meister der Materie ist es gelungen, den Meister der Töne in seiner geistigen Größe darzustellen. Franz Forster und Anton Bruckner, beide mit dem Stift St. Florian innigst verbunden, haben in diesen Schöpfungen des bildenden Künstlers zu einer Freundschaft „überm Sternenzelt" (Beethoven, IX. Symphonie) gefunden, wie sie sich wohl nicht allzu häufig auf unserer Erde ereignet.

Erschienen in: *Florianer Präsentationen. Retrospektivausstellung Professor Franz Forster,* Stift St. Florian 1981, S. 7—9.

Die kleinen Kirchenmusikwerke Anton Bruckners

Unter diesem Titel wird in nächster Zeit Band 21 der Gesamtausgabe der Werke von Anton Bruckner erscheinen. Er enthält alle für die Kirche bestimmten kleineren Werke des Meisters und bietet dadurch innerhalb der Gesamtausgabe zum erstenmal einen Überblick über ein einzelnes Schaffensgebiet, nämlich die Kirchenmusik, innerhalb von Bruckners Lebenszeit.

Die Kompositionen, 44 an der Zahl, reichen von der Jugend, 1836 (in Hörsching), bis 1892, dem späten Bruckner in Wien; von dem ersten, 28 Takte umfassenden Versuch eines Pange lingua bis zur Karfreitagshymne „Vexilla Regis prodeunt". Der Band wird 175 Seiten Partituren umfassen und die Werke in chronologischer Folge enthalten, wobei für die Frühzeit — bis etwa 1854 — bei so mancher Komposition das Jahr der Entstehung nur beiläufig festgesetzt werden kann. Es fehlen entweder die datierten Autographen, oder dem vorhandenen Autographen fehlt das Datum. Eine gewisse Hilfe boten stilistische Kriterien im Zusammenhang mit der Umgebung anderer Kompositionen, so daß wohl angenommen werden kann, daß die im Band vogenommene zeitliche Reihenfolge richtig ist.

Für die Veröffentlichung des kirchenmusikalischen Schaffens Bruckners kam nur die zeitliche Aneinanderreihung in Frage, weil nur aus ihr allein die fortschreitende Entwicklung Bruckners auf diesem Gebiet seines Schaffens erkannt werden kann.

Außerdem aber geht aus dieser Sammlung die Vielfalt der Kirchenmusik hervor, innerhalb der Bruckner heranwuchs und für die er selbst durch seine Kompositionen Beiträge lieferte.

Band 21 enthält zwei vollständige Messen: die Messe in C-Dur für Alt, zwei Hörner und Orgel, die sogenannte Windhaager Messe (weil sie 1842 dort entstanden ist) und die Gründonnerstag-Messe von 1844. Außerdem bietet er in den Fragmenten die Messe ohne Gloria und Credo (Nr. 41), gefolgt von zwei Kyrie-Skizzen g-Moll und Es-Dur, letztere für Chor und Orchester. Bruckner dachte an eine Messe im Stil der Wiener Klassiker. Die kleine Requiem-Skizze von 1875 beschließt den Band.

Drei Asperges, zwei Pange lingua und 13 Tantum ergo zeigen Bruckner als Meister der kleinen Form. Im besonderen sei auf die vier Tantum ergo von 1846 hingewiesen, die zuerst mit Orgelbegleitung entstanden sind und in St. Florian oft aufgeführt wurden. 1888 hat sie Bruckner dann umgearbeitet: ohne Orgel, rein a cappella. So sind sie auch 1893 in Innsbruck erschienen. Die Fassung von 1846 wird in der Gesamtausgabe erstmals veröffentlicht.

Nicht weniger bedeutend ist von den beiden Libera das von 1854 für das Begräbnis von Prälat Arneth. Mit seinem fünfstimmigen Chor, der Begleitung von drei Posaunen, Bässen und Orgel klingt es uns noch als ein Vertreter alter barocker Kirchenmusik.

Der barocke Stil tritt uns auch noch im ersten Ave Maria von 1856 entgegen, das zweite von 1861, siebenstimmig a cappella, ist bis heute eine der berühmtesten und bekanntesten Schöpfungen Bruckners geblieben und dies mit Recht, tritt uns doch gerade in diesem Stück des Meisters Eigenart in ganz besonders wirksamer Weise entgegen. Die beiden Ave Maria stehen im Band nacheinander und geben so beste Gelegenheit, die Stilentwicklung Bruckners zu beobachten. 21 Jahre später folgt als Gelegenheitsarbeit für eine schöne Alt-Stimme das dritte Ave Maria.

Von verschiedenen Gradualien und Offertorien muß hier vor allem auf das „Christus factus est" von 1873 hingewiesen werden. Band 21 bietet es als Erstdruck nach dem verlorengegangenen Autograph. Es hat sich nämlich im Nachlaß von Max Auer eine Photographie dieses Autographs gefunden, die eine originalgetreue Veröffentlichung ermöglichte. Die näheren Umstände möge man im Revisionsbericht nachlesen. Die Werke dieser Gruppe, wie alle übrigen des Bandes, folgen genau den Quellen, die für sie vorhanden sind. Daher sind alle Partituren textgetreu und geben genau die Absichten Bruckners wieder.

Neben diesen Hauptwerken, bekannt aus den Konzerten als „Motetten", muß noch das monumentale Ecce sacerdos von 1885 genannt werden. Kleinere Stücke, Gelegenheitsarbeiten zumeist, sind die Kompositionen aus den ersten Florianer Jahren (1845—1855), die vor allem mit dem Bruckner bekannt machen, der noch vor seiner „Komponisten"-Zeit stand: Sie beginnt 1849 mit dem Requiem und führt über das Magnificat (1852) und die Missa Solemnis in B (1854), in deren schon genannter Nähe die barocke Pracht des Libera in f-Moll steht, zum siebenstimmigen Ave Maria von 1861.

Die Bezeichnung der im bisherigen Bruckner-Schrifttum als „Choral-Harmonisierungen" angeführten Stücke muß berichtigt werden. Bis auf eine, das „Veni Creator Spiritus" (Nr. 32), sind alle anderen von Bruckner selber im Stil des Gregorianischen Chorals erfundene, eigene Melodien. Bei keiner von ihnen läßt sich eine Melodie des Gregorianischen Chorals nachweisen. Auch darüber gibt der Revisionsbericht Auskunft. Mit Band 21 der Bruckner-Gesamtausgabe werden der Kirchenmusik die für sie bestimmten Kompositionen des Meisters in originalgetreuer Gestalt vorgelegt; Hans Bauernfeind hat dafür die notwendigen Stichvorlagen erstellt, der Verfasser dieser Zeilen den Revisionsbericht verfaßt. Die kleinen Kirchenmusikwerke Bruckners, bekannt aus Kirche und Konzertsaal, stehen nun in authentischer Gestalt der gesamten Musikwelt zur Verfügung. Sie sind, als „Kunst *für* die Kirche" bestimmt dazu, „Kunst *in* der Kirche" zu sein.

Erschienen in: *Singende Kirche* 30, Heft 4, Wien 1983, S. 168.

Die Motette „Os justi" und ihre Handschriften

Eine der schönsten Motetten Anton Bruckners, das „Os justi" überrascht bei der Untersuchung ihrer Quellen mit einigen Problemen. Sie sollen im folgenden vorgestellt werden.

Vor dem Sommer 1879, den der Meister, wie so häufig, im Stift St. Florian zu verbringen gedachte, erinnerte er sich an ein Versprechen, das er dem damaligen Chordirektor Ignaz Traumihler gegeben hatte, ihm für das Augustiner-Fest (28. August) das Graduale zu komponieren. Da Traumihler ein überzeugter Cäcilianer und daher aller modernen Chromatik abhold war, dachte Bruckner ihn mit einer A-cappella-Komposition in einer Kirchentonart zu überraschen. Er wählte dazu die „lydische" Tonart, nach unseren Begriffen F-Dur ohne b, und hat das auch im Titel der Komposition deutlich bezeichnet. Der nachfolgend zitierte Brief an Traumihler enthält nähere Erklärungen. Von der Entstehung der Handschriften und einigen Rätseln, die sie aufgeben, sei nun berichtet.

Die erste Niederschrift der Motette wurde am 18. Juli 1879 in Wien vollendet. (Mus. Hs. 3158 der Musiksammlung der Österr. Nationalbibliothek). Sie stellt mit ihren 57 Takten die 1. Fassung dieser Motette dar und entbehrt des Gradualverses „Inveni David". Das Autograph zeigt mit seinen radierten Stellen und den vor allem im fugierten Mittelteil (Takt 17—30) häufig noch sichtbaren Bleistiftvorschreibungen, daß es das Arbeitsexemplar ist. Davon muß Bruckner eine Abschrift gemacht und Traumihler als Geschenk zu dessen Namenstag, 31. Juli (Ignatius von Loyola), als Einlösung seines Versprechens geschickt haben.

Das geschah am 25. Juli. Der so datierte Brief enthält folgende, sich auf das „Os justi" beziehende Sätze:

246

„Wenn ich nicht irre, so wünschen H. Regens von mir ein ‚Os justi!‘ Ich erlaube mir, solches zu übersenden, und war so keck, Euer Hochwürden es zu dedizieren (d. h. wenn Sie es annehmen). Ist's der ganze Text?

Sehr würde ich mich freuen, wenn E. H. ein Vergnügen daran finden wollten. Ohne ♯ und ♭; ohne Dreiklang der 7. Stufe; ohne $\frac{6}{4}$-Akkord, ohne Vier- und Fünfklänge. Ich will es in der Hofkapelle Ende Oktober bei Gelegenheit der Aufführung meiner D-Messe executiren[1]. Am 17. August beginnen meine Ferien; kommt aber H. Bibl um einige Tage früher nach Hause, so kann ich sogleich zum Tempel hinaus. Für die Einladung danke ich ebenfalls und hoffe E. H. recht lustig zu sehen."[2]

Diese Partitur hat sich nicht erhalten, die Gründe hierfür sind im folgenden zu suchen.

Traumihler veranstaltete gleich nach Erhalt der Komposition eine Leseprobe. Darüber berichtet Göllerich-Auer a. a. O., S. 269:

„Wie Wiesner erzählt, waren Traumihler und die Sänger bei der Leseprobe über die Motette sehr frappiert, und er meinte: ‚ja was is' denn das!‘ Trotz seiner caecilianischen Ohren begriff er die Tonart nicht. Auch der fugierte Satz war ihm, wie Aigner berichtet, nicht recht, und Bruckner mußte ihn umarbeiten (wie er 1886 gedruckt wurde). Schließlich war Traumihler aber entzückt davon, führte es gleich am Augustinitag (28. August) und späterhin jedes Jahr bei diesem Anlaß auf."

Das setzt aber voraus, daß von Bruckners Partitur, die die 1. Fassung der Motette enthielt, eine entsprechend geringe Anzahl von Stimmen ausgeschrieben wurde, damit man die Motette singen konnte. Da Traumihler aber eine Änderung des fugierten Teiles anregte, muß Bruckner, der sich zu dieser Zeit noch in Wien befand, davon verständigt worden sein. Die Partitur samt den Stimmen wurde beiseitegelegt, vielleicht an Bruckner zurückgesandt, der sie, als die Umarbeitung fertig war, nicht weiter beachtete. Es blieb nur die 1. Niederschrift der 1. Fassung, die vorhin angeführte Handschrift Mus. Hs. 3158 erhalten.

Der Meister kam also dem Wunsch Traumihlers nach und notierte sich in seiner 1. Niederschrift für diese 12 Takte, die er mit Kreuzen bezeichnete: „Vergrößerung". So ist diese Periode in der 2. Fassung um 14 Takte länger, sie umfaßt deren 26[3].

Man wird Traumihler recht geben müssen, denn in der 1. Fassung sticht dieser fugierte Mittelteil mit seinen kleinen Notenwerten von dem ruhigen Ablauf der Stimmen in den ihn umgebenden anderen Teilen hörbar ab. Bruckner muß diese Änderung noch in Wien vollzogen haben. Er konnte ja erst nach dem 17. August, wie er in seinem Brief vom 25. Juli schreibt, in St. Florian eintreffen. Daher muß angenommen werden, daß diese Umarbeitung Ende Juli vor sich ging, schon auch deshalb, weil das Graduale ja für den 28. August benötigt wurde.

Diese in ihrer fugierten Mittelpartie umgearbeitete 2. Fassung mit 69 Takten liegt in zwei autographen Partituren vor: Mus. Hs. 37.284 der Musiksammlung der Österreichischen Nationalbibliothek in Wien und in der Widmungspartitur in Stift St. Florian, die von Bruckner **nach** Mus. Hs. 37.284 geschrieben wurde. Ein Vergleich der radierten Stellen in diesen beiden Autographen beweist, daß die Widmungspartitur später geschrieben wurde. Zwischen diesen beiden Autographen liegt ein von Kopistenhand geschriebener Stimmensatz, Mus. Hs. 28.270 der Musiksammlung, in den Bruckner eigenhändig einige dynamische Ergänzungen eingetragen hat[4].

Bruckner behält in den Partituren der 2. Fassung das Vollendungsdatum der 1. Fassung bei. Das kann man auch an anderen Autographen beobachten. Bei der 2. Partitur, dem Widmungsexemplar, gibt er im Datum nur den Monat, aber nicht den Tag an. Es ist daher leider nicht möglich, den genauen Zeitpunkt der Vollendung der 2. Fassung festzustellen. Mus. Hs. 37.285, das früher geschriebene Autograph, hat als Stichvorlage für den in Wien 1886 bei Theodor Rättig erschienenen Erstdruck gedient. Die vorhandenen Stichmarken stimmen mit der Druckeinteilung genau überein, außerdem trägt jede Seite am unteren Rand die Plattenbezeichnung: „T.R.42".

Das in St. Florian aufbewahrte Autograph gibt Rätsel auf: Es ist seinem Äußeren nach ein als Geschenk gedachtes Widmungsexemplar: ein Ganzlederband mit weißen Rips-Vorsatzblättern am Anfang und am Ende. Die Widmung, mit goldenen Lettern dem Vorderdeckel eingeprägt, lautet: „Sr. Hochwürden / dem hochwohlgebornen Herrn Herrn / Musik-Director / Ignaz Traumihler / von / Anton Bruckner." Soweit wäre alles mit der Dedikation in Ordnung. Das Rätsel aber beschert das Autograph selbst: es sieht gar nicht nach „Geschenk" aus. Seine Blätter sind am unteren und rechten Rand sehr zerrissen, mit weißem Papier nicht gerade sorgfältig geklebt, und auch sonst sehr hergenommen. Was aber am meisten verwundert, das ist die auf der ersten Partiturseite am oberen Rand zu sehende Nachlaßsignatur „322/2". Diese Nummernbezeichnung ist an einigen Autographen Bruckners zu beobachten und verrät, daß so ein Stück sich bei Bruckners Tod in seinem Nachlaß im Belvedere befand; ebenso auch, rätselhafter Weise, dieses Autograph des „Os justi"[5].

Zum Graduale „Os justi" gehört für das Fest des hl. Augustinus (28. August) der Vers: „Inveni David servum meum: oleo sancto meo unxi eum." In der Komposition Bruckners steht er nicht, seine Frage an Traumihler: „ist's der ganze Text?" war also berechtigt. Der Meister muß unmittelbar nach Erhalt seines „Os justi" davon verständigt worden sein, denn schon am 28. Juli hat er eine Harmonisation der Choralmelodie vorgenommen; ihr Autograph liegt unter der Signatur Mus. Hs. 6069 in der Musiksammlung der Österreichischen Nationalbibliothek in Wien. Die von Bruckner harmonisierte Choralmelodie stimmt allerdings nicht mit der im Graduale Romanum der Medicaea enthaltenen überein. Sie ist sehr viel einfacher und könnte — vergleichbar mit dem „Ave Regina coelorum" — Bruckners eigene Erfindung sein. Es müßte daher als „Melodie-Komposition" Bruckners angesehen werden, aber nicht als ein eigenes, gesondertes Werk, denn es gehört, seiner liturgischen Bestimmung nach, zum „Os justi", dem Graduale des Augustinus-Festes, mit dem es an diesem Tag verbunden bleiben muß bei kirchlichen Aufführungen; für dieses Fest hat Bruckner sein „Os justi" geschaffen. Bei anderen Aufführungen kann der Gradual-Vers, noch dazu wo er einstimmig, mit Orgelbegleitung ist, sehr wohl wegbleiben, das bestätigt auch der Erstdruck.

Diese besprochene Melodie steht auch auf dem letzten Blatt der Widmungspartitur in St. Florian; hier hat sie Carl Aigner hinzugefügt.

Eine ebenfalls von Carl Aigner geschriebene Partitur des „Os justi" ohne das „Inveni David" hat Bruckner seinem Freund P. Oddo Loidold, Benediktiner von Kremsmünster, geschenkt, die heute in der dortigen Regenterei aufbewahrt wird. Er hat die Abschrift mit seinem Namenszug eigenhändig signiert. Darunter setzte Loidold seinen Namen und die Jahreszahl 1886. In diesem Jahr ist das „Os justi" als Nr. 3 der „Vier Graduale" in Wien bei Theodor Rättig erschienen.

---

1 Das geschah, den „Austheilungen für die k. k. Hofkapelle" (Archiv der Hofmusikkapelle Wien) folgend, am 9. November 1879, am 23. Sonntag nach Pfingsten, zur d-Moll-Messe. Als Offertorium erklang das siebenstimmige Ave Maria; Bruckner selbst dirigierte.

2 Max Auer: Anton Bruckner. Gesammelte Briefe, Neue Folge, Regensburg 1924, Nr. 114, S. 149f. Statt „Biber" muß es auf Seite 150 richtig „Bibl" heißen.
August Göllerich — Max Auer: Anton Bruckner, Band 2/1, Regensburg 1928, S. 268f; hier steht richtig „Bibl".

3 Ein verkleinertes Faksimile der ersten Fassung findet sich bei Göllerich-Auer, a. a. O., Band 4/1, zwischen den Seiten 568 und 569.

4 Diese Stimmen wurden bei den Aufführungen in der Hofmusikkapelle benützt. Drei Daten in zwei der Baß-Stimmen beweisen dies. Es war in der Hofmusikkapelle üblich, daß lebende Komponisten zur Aufführung ihrer Werke das Aufführungsmaterial selbst mitbrachten, so auch Bruckner.

5 Man vergleiche dazu Göllerich-Auer, a. a. O., Band 4/3, S. 609, wo es heißt: „Eine Anzahl kleinerer Werke wurden von den zur Sichtung beauftragten Herren fortlaufend numeriert." Über das weitere Schicksal dieser Manuskripte ist zu lesen: „Sie wurden teilweise dem Biographen August Göllerich als Material für die Biographie zur Verfügung gestellt." Es ist daher sehr gut möglich, daß die in Leder gebundene mit der Widmung an Traumihler versehene Partitur sinngemäß nach St. Florian (zurück-)gegeben wurde.

Erschienen in: *Mitteilungsblatt der Internationalen Bruckner-Gesellschaft,* Nr. 22, Wien 1983, S. 5—8.

Die Kantate „Vergißmeinnicht" von Anton Bruckner

Von Bruckners erster Kantatenkomposition, dem „Vergißmeinnicht", gibt es drei Autographe. Zwei davon befinden sich in der Musiksammlung der Österreichischen Nationalbibliothek, das dritte im Bruckner-Archiv des Stiftes St. Florian. Die Wiener Handschriften sind noch „Musikalische Versuche", die Handschrift in St. Florian trägt den Titel: „Vergißmeinnicht"[1].

Das Vorhandensein mehrerer Autographe hat bei Bruckner von jeher dazu verleitet, mehrere „Fassungen" des betreffenden Werkes anzunehmen. Man kann dem auch bei dieser Kantate zustimmen, obwohl die Änderungen in den Wiener Handschriften nicht sehr bedeutend sind, sie verhalten sich zueinander wie 1. Niederschrift und Reinschrift. Diese Reinschrift ist nämlich ebenfalls ein Widmungsstück.

Die Verhältnisse sehen so aus:

a) die 1. Niederschrift, Mus. Hs. 6004[2]

b) die Reinschrift davon, Mus. Hs. 6003, mit der Widmung an Alois Knauer, den Pfarrer von Kronstorf und

c) die Umarbeitung zu „Vergißmeinnicht" im Stift St. Florian mit der Widmung an den Stiftsdirektor Friedrich Mayr[3].

Als Entstehungsjahr gibt Mus. Hs. 6003 1845 an. Ausgehend von der Widmung an Pfarrer Knauer sowie von anderen Umständen, läßt sich die Zeit genauer festlegen.

Mus. Hs. 6003 zeigt folgenden Titel:

Musikalischer Versuch
nach dem Kammer = Styl
über ein Gedicht
für
Sing = partien
und
Forte piano Begleitung

Gewidmet zum hohen Namensfeste
von **Sr. Hochw: H: Pfar:** im Jahre
1845 als schwachen Beweis seiner
tiefen Hochachtung
von
A: B:

Unten links steht noch der Eigentumsvermerk von Carl Aigner, St. Florian.

Der Vorname des Pfarrers war Alois, dieser Namenstag wird am 21. Juni (Aloysius von Gonzaga) gefeiert. Demzufolge muß Hs. 6003, als schön geschriebene Widmungspartitur, spätestens am 20. Juni fertig gewesen sein. Folgende Fragen müssen dabei offen bleiben:

1. Fand eine Namenstagsfeier statt, bei der dieser „Musikalische Versuch" aufgeführt wurde? Dazu mußten Stimmen ausgeschrieben werden.
2. Wie kommt es, daß dieses schön geschriebene Widmungsstück bei Bruckner zurückblieb?
3. Hat Pfarrer Knauer es Bruckner wieder überlassen? Dann konnte Bruckner es eben irgend einmal später Carl Aigner schenken, von dem es, Jahrzehnte später, zusammen mit Mus.Hs. 6004 die Musiksammlung erwarb.

Diese Fragen lassen sich nicht beantworten, es muß genügen, daß man aus der Widmung schließen kann, die Komposition muß in den Monaten Mai/Juni 1845 in Kronstorf entstanden sein.

Warum Bruckner für eine Namenstagsfeier diesen rührselig-traurigen Text wählte, kann ebenfalls kaum erklärt werden. Über die Person des Dichters läßt er uns auf dem Titel von Mus.Hs. 6004 vollkommen im Stich. Man liest:

Musikalischer Versuch
nach dem Kammer = Styl
über ein kurzes Gedicht
für Sänger,
mit
Begleitung des Piano Forte.

Gedicht von?
Musik von A B.

Anton Bruckner mp
Cand:

Die 11 Strophen erzählen von einem Knaben, der „zu den Blumen ging" und dabei von einer Schlange totgebissen wurde. Dem folgenden Abdruck wird die musikalische Gliederung eingeordnet, damit man sieht, auf welche Weise der junge Bruckner den Text „bewältigte".

Vergiß mein nicht.
Eingangschor
4st. gemischter Chor mit Klavier

   1. Es blühten wunderschön auf der Au[e]
      der Blumen viele rothe und blaue,
      Weiße und gelbe, und zwischen sie hin
      Wogte das Gras im lockendsten Grün.

Rezitativ
Sopran, dann Alt

   2. Der Knabe saß bald auf der Mutter Schoß
      Und bath: Lieb' Mütterchen bin ja so groß,
      Laß mich doch unter die Blümlein springen,
      Möcht' gern bey ihnen mein Liedlein singen!

3. So spring' hinunter, die Mutter jetzt sprach,
   Du liebe Unruh' du läßt doch nicht nach;
   Nur komme bald wieder, süß Büblein du,
   So hüpf und singe dein Liedlein dazu.

Arie für Sopran, dann Alt

4. Sie küßte den Knaben herzlich, der munter
   Sprang den kleinen Hügel hinunter,
   Sein Liedchen bald sang im schatt'gen Thal
   Jubelnd: Jetzt hab' ich alles zu Mahl.

5. Herüber, hinüber schwebte sein Lauf.
   Es rief die Mutter: Bring' Blumen herauf
   Vergiß nicht die Blümchen hellblau und klein,
   Sie werden dort unten am Bächlein seyn.

Duett für Sopran und Tenor

6. Die Mutter erfreute das freudige Schweben
   Des kleinen Engels im Blüthenleben;
   Sie bethete dankbar und eigendenk:
   Der Knabe sey des Himmels-Geschenk.

7. Es küßten die Blumen des Knaben Mund,
   Sie nickten ihm zu im zierlichsten Rund,
   Er legte sich müd' ins Dickicht hinein
   Und lispelte: Süß will ich schlafen ein!

Quartett
4 gemischte Stimmen und Klavier

8. Verborgen unter blumiger Hülle
   Entschlummert der Kleine bald sanft u. stille.
   Die Mutter rief, doch immer vergebens:
   Wo ist mein Knäblein? Herr meines Lebens.

9. Sie eilt laut jammernd hinunter ins Thal,
   Rief bebend dem Liebling wohl hundertmahl
   Schrie herzzerreißend im quälendsten Drange.
   Da sah sie eine schillernde Schlange.

Duett für Tenor und Baß

10. Die ringelt und rasselt im Grase fort;
    Kaum athmend durchspäht die Mutter den Ort,
    Ein Schrey des Entsetzens aus ihrer Brust,
    Und sie sank dahin sich nimmer bewußt.

Achtstimmiger Schlußchor, a cappella

11. Wie welkt ein Blümchen im Morgenroth
So lag ihr Liebling, der holde, todt;
Ein schmerzlich Lächeln im bleichen Gesicht;
Fest hielt sein Händchen Vergiß mein nicht.

Mit dieser Kantate ist aber noch eine zweite Absicht Bruckners verbunden: das ehrgeizige Streben, in seiner Laufbahn als Lehrer weiter hinaus, womöglich wieder nach St. Florian zurückzukommen. Der Direktor der Stiftsverwaltung, Friedrich Mayr, hatte ihm versprochen, ihn an die Schule von St. Florian zurückzuholen, wenn er die dazu notwendige Prüfung für Oberlehrer an Hauptschulen bestünde. Bruckner ließ sich das nicht zweimal sagen und studierte fleißig für diese Prüfung. Diese seine Tätigkeit findet ihren schriftlichen Niederschlag auf dem Titelblatt der 1. Niederschrift des „Musikalischen Versuches", auf dem er sich unter seinem Namenszug als „Cand." [candidatus] bezeichnet.

Die 1. Niederschrift kann schon vor dem 29. Mai 1854 fertig gewesen sein, an diesem Tag bestand nämlich Bruckner in Linz an der k. k. Normal Hauptschule die Prüfung „im allgemeinen Musikfache und insbesondere in der Harmonie- und Generalbaßlehre". Das Zeugnis darüber trägt das Datum: „24. Juni 1845."[4] Sicher beendet war die Kantate aber im Juni 1845. Zu diesem Zeitpunkt bestand Bruckner die Schlußprüfung für Oberlehrer an Hauptschulen[5]. Da der 12. Juni der Namenstag des Pfarrers gewesen ist, zu dem die Reinschrift des „Musikalischen Versuchs", Mus. Hs. 6004, fertig sein mußte, kann man für die Schlußprüfung wohl mit großer Wahrscheinlichkeit ein Datum Anfang Juni annehmen.

Der junge „Schulgehülfe" in Kronstorf hatte mit diesen Prüfungen die an ihn von Stiftsdirektor Mayr gestellten Bedingungen erfüllt, er erhoffte, sicher mit Sehnsucht, die Einlösung des Versprechens, wartete doch auf ihn in St. Florian nicht nur eine besser bezahlte Stellung, sondern auch die große Orgel in der Stiftskirche, die „Chrismannin".

So schien es ihm wohl richtig und auch erlaubt, den hochwürdigen Herrn Stiftsdirektor an das ihm gegebene Versprechen zu erinnern. Da die Zeit drängte, man befand sich im Juni am Ende des Schuljahres, griff er kurzerhand zu seiner soeben komponierten Namenstagsgratulation, veränderte einiges daran[6] und gab dem „Versuch" den passenden Titel des Gedichtes: „Vergiß mein nicht."

Der von einem Kalligraphen in Zierschrift ausgeführte Titel hat folgenden Wortlaut:[7]

Vergißmeinnicht
Diesen kleinen Versuch
meinem Gönner und Herrn
dem hochgeehrten Herrn
FRIEDRICH MAYER
regulirten (!) Chorherrn und Kanzlei-
Director des Stiftes St. Florian
ehrfurchtsvollst gewidmet.

Wohl vom gleichen Kalligraphen geschrieben, folgt dem Titel das schon oben mitgeteilte Gedicht mit der in dieser als direkte Anrede zu deutenden äußeren Form: „Vergiß mein nicht". Mayr hat diese Erinnerung sehr wohl verstanden, die Dekrete beweisen es:

am 23. September 1845 stellte der Vorgesetzte Bruckners in Kronstorf, Franz Seraph Lehofer, Bruckner das Abgangszeugnis aus, am 25. September unterschreibt Pfarrer Alois Knauer das „Lehrergehülfenzeugniß", worin er betont, daß er Bruckner „ungerne entläßt", und

am gleichen Tag wird in Niederneukirchen für Bruckner das „Anstellungsdekret als I. systemisirten Schulgehülfen bei der Pfarrschule St. Florian für das zweite große Lehrzimmer" ausgefertigt.

Bruckner hatte das von ihm angestrebte Ziel erreicht. Geholfen haben ihm dabei sein „Musikalischer Versuch" und sein „Vergißmeinnicht". Als Lehrer kam er wieder nach St. Florian zurück — die große Orgel aber führte ihn aus seinem „Beruf" in seine „Berufung" als Meister der Musik, aber das konnte der „Schulgehülfe" Bruckner damals noch nicht ahnen.

1 Alle drei Kantaten werden von Dr. Rudolf H. Führer zur Herausgabe in der Bruckner-Gesamtausgabe, Band 22, Nr. 1, a, b und c, vorbereitet. Der Revisionsbericht wird alle Einzelheiten enthalten.
2 Robert Haas bezeichnete sie irrtümlich als „2. Fassung"; es ist umgekehrt: 6004 ist die 1. und 6003 die 2. Fassung.
3 Die Namensform heißt richtig: MAYR. Den Irrtum hat der Kalligraph der Widmungspartitur verursacht, der „MAYER" geschrieben hat. Durch das Faksimile im 1. Band der Bruckner-Biographie von Göllerich-Auer, S. 283/4, hat sich dieser Irrtum bis in die jüngste Zeit fortgepflanzt.
4 Wortlaut bei Göllerich-Auer a. a. O. S. 314.
5 Das Zeugnis über diese „Schlußprüfung" ist laut Göllerich-Auer a. a. O. S. 313, Anm. 23 nicht erhalten. Nachforschungen in den Schulakten, worüber der Verfasser aber keine Kenntnis hat, könnten es vielleicht noch feststellen.
6 Von anderen beabsichtigten Änderungen erzählen Skizzen auf fol. 1' von Mus. Hs. 6004. Bruckner konnte sie aber infolge des erwähnten Zeitmangels oder aus anderen Gründen nicht ausführen.
7 Es ist bemerkenswert, daß in diesem Titel noch das Wort „Versuch" vorkommt, eine Erinnerung an die vorhergehenden Autographe. Man vergleiche das verkleinerte Faksimile der ganzen Kantate bei Göllerich-Auer a. a. O. S. 283—300. Der dort geäußerten Ansicht, daß die Extraabschrift des Gedichtes von Bruckners Hand sei, kann man nicht zustimmen. Ein Vergleich mit der Partitur zeigt deutlich die Verschiedenheit der beiden Kurrent-Schriften.

Erschienen in: *Mitteilungsblatt der Internationalen Bruckner-Gesellschaft*, Nr. 23, Wien 1983, S. 11—16.

Anton Bruckners „Gradus ad Parnassum"

Wenn heutzutage ein mit musikalischem Talent ausgestatteter junger Mensch sich entschließt, diese Kunst zu seinem Beruf zu wählen, dann wird er wohl nach anfänglichem Privatunterricht an eine Musikschule gehen, um, nach Absolvierung eines in bestimmter Anordnung gestalteten Ausbildungsganges, mit einem Abschlußzeugnis ausgestattet, seinen „Musik-Beruf" anzutreten. So ist es heute, bei Anton Bruckner war es anders. Sein Konservatorium oder Hochschule für Musik war unter Hinzuziehung einiger Persönlichkeiten der Musik das Leben selbst. Aus seinen autodidaktischen Anfängen, die ihn später mit seinen „Lehrern in Musik": Dürrnberger, Zenetti, Sechter, Kitzler zusammenführten, erreichte er seine eigene Meisterschaft, die ihn als Genie der Symphonie und der Kirchenmusik auswies.

Was er bis zu diesem Grad seiner Persönlichkeit an Unterricht genoß, war das Leben selbst, Anton Bruckner hat eine Art „Lebenskonservatorium" durchgemacht. Befähigt hat ihn dazu ein ans Wunderbare grenzender Fleiß im Üben am Instrument (Orgel, Klavier) und im Aufgabenschreiben. So hat er einen ganz eigenen, durchaus individuellen Ausbildungsgang durchlaufen, der hier mit kurzen Worten geschildert werden soll.

Als frühesten Lehrer muß man wohl seinen Vater bezeichnen. Die Schulmeister dieser Zeit waren auch gleichzeitig Regenschori, hatten daher mit dem Kirchenchor, der Orgel und gelegentlich hinzutretenden Instrumenten, wie Posaunen, Trompeten, Pauken, zu tun. So kam der kleine Anton durch Schule und Kirche in das Reich der Musik. Wie berichtet wird, brachte er es ja schon als Knabe zum Spielen eines Kirchenliedes auf der Orgel. Man hatte ihm gezeigt wie das geht und was man da „tun" muß, und das junge Talent brauchte nur zu folgen und es eben zu tun.

Die zweite Stufe seines „Konservatoriums" erlangte er in Hörsching bei seinem Vetter Joh. Bapt. Weiß. Das war eine andere Persönlichkeit als sein Vater. Weiß musizierte nicht nur auf seinem Kirchenchor, sondern er war auch selbst imstande, Musik zu „erzeugen", er war Komponist, einer jener ländlichen Chordirigenten dieser Epoche, die, mit einfachen, aber gründlichen theoretischen Kenntnissen ausgestattet, imstande waren, einen „handfesten" musikalischen Satz zu schreiben.

Anton Bruckner lernte bei ihm nicht nur die „höhere" Musik eines Haydn und Mozart kennen, sondern bemerkte, wohl zum erstenmal, daß man solche Musik aus eigenem Einfall haben und niederschreiben kann. Das „Schöpferische" trat in sein Leben — und er versuchte es auch. So entstanden die ersten Stücke für Orgel und das kleine Pange lingua. Man sieht es den 28 Takten an, daß sie ein unbeholfener Versuch sind, aber der junge Musiker wollte es dem Vetter gleichmachen, und so schrieb er eben. Daß der späte Meister seinen ersten Versuch schätzte, beweist die Tatsache, daß er dieses Pange lingua, als er es unter seinen Handschriften Jahrzehnte später wiederfand, „restaurierte" — er gab ihm das richtige Aussehen.

Er hat auch den Kompositionen seines Vetters Weiß Hochachtung entgegengebracht, hat einige von ihnen sein Leben lang bei sich aufbewahrt, er hat sie in Ehren gehalten.

Die nächste Klasse seines Konservatoriums liegt im Stift St. Florian. Nach dem Tode seines Vaters, 7. Juni 1837, nimmt es ihn als Sängerknaben auf. Er übt sein Singen unter dem Lehrer Michael Bogner weiter, lernt dazu aber auch Geige und Orgel spielen. Bekannt ist der Ausspruch Grubers, seines Geigenlehrers: „Jetzt gib ich dem Sakra allweil auf der Violin Unterricht, und auf einmal ist ein Organist draus geworden." Bruckner kam in St. Florian in jene Klangwelt, die Jahrzehnte hindurch sein eigentliches musikalisches Feld sein sollte: die der großen Orgel des Franz Xaver Chrismann. Von kompositorischen Regungen wissen wir aus diesen Jahren nichts.

Bis die Schicksalsfrage an ihn herantrat, was er denn einmal werden wolle. Die schüchtern-demütige Antwort: „Wie der Vater" entschied seinen Lebensweg und so auch seine Ausbildung. Er wurde in 10 Monaten zu einem „Schulgehülfen" herangebildet. Das Glück für Bruckner lag nur darin, daß die Schullehrer des Vormärz als unterrichtende Kräfte an Schulen, die geistlicher Leitung unterstanden — damals —, unbedingt musikalisch sein mußten: sie hatten ja auch die Kirchenmusik ihres Ortes zu besorgen.

So kam Bruckner, soweit es seine musikalische Begabung betraf, in den Unterricht des Landesbuchhalters Joh. Aug. Dürrnberger. Dieser war gleichzeitig Musiklehrer an der k. k. Normal-Hauptschule und somit der erste Lehrer Bruckners in der Kunst der Musik. Die Grundlagen seines Unterrichtes findet man in dem von ihm verfaßten „Elementar-Lehrbuch der Harmonie- und Generalbaß-Lehre...Linz 1841". Das von Bruckner benützte Exemplar bewahrt jetzt die Musiksammlung der Österreichischen Nationalbibliothek. Es zeigt auf so manchen Seiten, daß der Schüler die dargelegten Lehrsätze nicht einfach hinnahm, sondern Fragen zu stellen wußte. Wie immer die Sache sich aber auch verhält, Bruckner genoß in Linz in der Präparandie den ersten geregelten Musikunterricht, dessen Erfolge ihm auch durch Zeugnisse bestätigt wurden. Das ist nach seiner Sängerknabenzeit, in der er auch aus den aufgeführten Kompositionen vieles an Erfahrung in sich aufnahm, die vierte Stufe seines „Lebens-Konservatoriums".

In ihr lernte er neben der Kirchenmusik in der Minoritenkirche und der vom Linzer Musikverein aufgeführten Orchestermusik auch die Kunst J. S. Bachs kennen: er schrieb sich dessen „Kunst der Fuge" eigenhändig ab. Vermutlich hat ihn Dürrnberger darauf aufmerksam gemacht. Das darf man aber als einen sicheren Beweis für Bruckners „musikalische Intelligenz" nehmen, daß er Dürrnberger sozusagen zwang, ihn darauf aufmerksam zu machen.

Die nächste Stufe erstieg Bruckner an seinem ersten Lehrerposten in Windhaag a. d. Maltsch. Es offenbart sich der „Komponist" in einer Messe für eine Altstimme, zwei Hörner und Orgel. Der schaffende Musiker tritt hier zum ersten Male ans Tageslicht. Uns mag dieses Werk mehr als bescheiden vorkommen — es ist ländliche Kirchenmusik im Stile ihrer Zeit (1842) — aber sie ist die erste erhaltene wirkliche Komposition Bruckners. Als solche hat sie im Hinblick darauf, was danach bis 1896 aus Bruckners Partituren ertönte, den Wert eines beachtenswerten Erstlings. In Windhaag hat Bruckner ohne Lehrer weitergelernt: An J. S. Bachs, an J. G. Albrechtsbergers Kompositionen und sicher auch noch an manchem anderen. Nicht zu unterschätzen ist in diesem Zeitraum seine Beschäftigung mit der Volksmusik.

Die Zeit „ohne Lehrer" nimmt ein Ende mit Bruckners Versetzung nach Kronstorf. In der Nähe liegt Steyr mit seiner Chrismann-Orgel in der Stadtpfarrkirche und — in der anderen Richtung — die Stadt Enns mit dem dortigen Regenschori Leopold v. Zenetti. Diese seine fünfte Klasse in seinem Lebens-Konservatorium beschert ihm durch Zenetti einen geregelten Unterricht in erweiterter Harmonielehre. Als nächste Stufe weist ihn Zenetti aber einerseits auf die Choräle von J. S. Bach, anderseits aber auf dessen „Wohltemperiertes Klavier". So wird Bruckner in dieser Stufe seines Lernens auf die Stimmführung und ihre kontrapunktischen Möglichkeiten aufmerksam gemacht. Eines der beiden zwischen 1843 und 1845 entstandenen Asperges ist mit seinem kontrapunktischen Anfang ein bezeichnendes Beispiel für diese neue musikalische Welt, in die Bruckner damit eintrat. Die Nachahmungen darin mögen bescheiden sein, aber sie sind da. Für die Gründonnerstag-Messe komponiert der junge Lehrer 1845 Kyrie und Gloria nach, damit sie auch zu anderen Zeiten aufgeführt werden könne und bemerkt beim Kyrie: „fugiert". Leider ist diese Handschrift nicht erhalten geblieben.

Auf dieser Stufe lernte er auch die Vierstimmigkeit des Männerchor-Quartettes kennen. Im folgenden Jahrzehnt in St. Florian, 1845—1855, hat er gleichfalls solche Musik geschaffen. Aus dem „lernenden" Lehrer ist 1845 ein „musikschaffender" Lehrer geworden. Diese Jahre, eine Art Ausbildungsklasse seines im großen und ganzen doch noch autodidaktischen Lernens, erbringen den Beweis, daß Bruckner zum Komponisten bestimmt ist, obwohl er selbst noch nicht daran denkt. Die große Orgel von St. Florian führt ihn wohl in seine „Berufung", aber zuerst als Meister der Orgel. Drei umfangreiche Werke kündigen jedoch den schaffenden Meister an: das Requiem (1849), das Magnificat (1852) und die Missa solemnis in B (1854). Es läßt sich nicht mehr verheimlichen. Dieser Stiftsorganist braucht nach all den Jahren eigenen Suchens und Ringens eine Ausbildung, einen ihm entsprechenden Unterricht. Und so kommt er auf der 8. Stufe seines Lebens-Konservatoriums zu Simon Sechter nach Wien. Prälat Moser gab ihm Rat und Hilfe dazu; später, als Bruckner von 1856 an Domorganist in Linz war, fand er in Bischof Rudigier einen überaus verständnisvollen Förderer.

Auf dieser Stufe nun genoß Bruckner strengsten Unterricht. Er selbst sagte davon: „Sechs Jahre von 55—61 war ich dann sein Schüler und habe täglich sieben Stunden für ihn gearbeitet." Das Komponieren mußte er auf Sechters Weisung in diesen Jahren einstellen. Dafür führte ihn der gestrenge Professor von der „richtigen Folge der Grundharmonien" (Generalbaß) über den „einfachen Kontrapunkt", den „strengen musikalischen Kirchensatz", den „doppelten, drei- und vierfachen Kontrapunkt" bis zu „Kanon und Fuge". Mit dem Zeugnis darüber endete am 26. März 1861 Bruckners Ausbildung bei Sechter. Dieser schenkte ihm am 5. September eine vierstimmige Fuge über die Worte „An Gottes Segen ist alles gelegen" mit der Widmung „Herrn Anton Bruckner zum Andenken".

Sieben dicke Studienbücher, von denen einige leider im Zweiten Weltkrieg verlorengegangen sind, mit Tausenden schriftlich gelöster Aufgaben, legen Zeugnis ab von dem geradezu unwahrscheinlich emsigen Fleiß, mit dem Bruckner sich die Regeln und Geheimnisse der musikalischen Komposition aneignete.

Und doch, Bruckner spürte, daß ihm noch einiges fehlte: die freie, aber dennoch von innerer Gesetzmäßigkeit geformte Gestalt des musikalischen Kunstwerks. Eine neunte Stufe galt es zu erklimmen: Formenlehre, Instrumentation und Komposition. In Otto Kitzler, dem ersten Kapellmeister des Linzer landständischen Theaters fand Bruckner seinen letzten Lehrer. Von 1861 bis 1863 dauerte dieser Unterricht. Mit einer Ouvertüre in g-Moll und einer Symphonie in f-Moll wurde er abgeschlossen. Am 10. Juli 1863 feierte der bereits 40jährige Schüler Bruckner mit Kitzler beim „Jäger" am Kürnberg seinen „Freispruch".

Zwischen Oktober 1863 und Mai 1864 entstand dann eine zweite Symphonie, die sogenannte „Nullte", in d-Moll — die Schulzeit war zu Ende, Bruckner hatte sein „Lebens-Konservatorium" beendet. Es war gewiß eine seltene Laufbahn, eine Ausbildung, wie sie individueller kaum gedacht werden kann, sie bewirkte eben das Ausreifen eines Genies.

Erschienen in: *Hans Sittner, Festschrift zum 80. Geburtstag* (Wiener Figaro, Mitteilungsblatt der Mozartgemeinde Wien, Sonderheft 1983), Wien 1983, S. 9—11.

Anton Bruckners Eroica-Studien[1]

Die von der Österreichischen Akademie der Wissenschaften 1970 herausgegebenen „Beethoven-Studien" boten Gelegenheit, das einzige damals bekannte schriftliche Zeugnis der Beschäftigung Bruckners mit der Musik Beethovens zu veröffentlichen: die „Metrischen Studien von Anton Bruckner an Beethovens III. u. IX. Symphonie" (S 361—371). Sie beinhalten die im „Österreichischen Volks- und Wirtschaftskalender für das Schaltjahr 1878"[2] enthaltenen Aufzeichnungen Bruckners über diese beiden Symphonien Beethovens. Bruckner wollte sich Rechenschaft geben über Beethovens Form, besonders über die Schlüsse der einzelnen Sätze. Anschließend stehen gleichgeartete Untersuchungen über seine eigene IV. Symphonie.

1970 waren nur diese kurzen Notizen bekannt. Inzwischen hat sich aber in der Bibliothek der Gesellschaft der Musikfreunde in Wien die Partitur der Eroica aus Bruckners Besitz gefunden, anhand der er seine Studien machte.[3] Sie betreffen zweierlei:

I. Die Form: Sie untersucht Bruckner mittels seiner „metrischen" Ziffern, mit denen er die Taktanzahl der einzelnen Perioden anmerkt, und

II. die in der Instrumentation vorkommenden Parallelführungen von Instrumenten.

Dieser Fund gestattet es nun, den Brucknerschen Untersuchungen genau zu folgen und dadurch zu erfahren, wie er sich über Beethovens Form und Instrumentation Gewißheit verschaffte.

Der Druck ist ein groß 8° Band in grünem Papierumschlag mit folgendem Außentitel:

„III. / Grande Simphonie / de / Louis van Beethhoven / Partition" in mehrfach verziertem Rahmen. Die römische Nummer heißt „II" und wurde handschriftlich auf „III" ausgebessert.

Der Innentitel lautet: „Sinfonia eroica / Composta / per festiggiare il sovvenire di un grand' uomo / dedicata / a sua Altezza serenissima / IL PRINCIPE DI LOBKOWITZ / da / LUIGI van BEETHOVEN / op. 55. / No. III — Prezzo 18 Fr: / Partizione. / BONNA e COLONIA presso N. SIMROCK." Plattennummer: 1973.[4]

Danach folgt eine italienisch abgefaßte Vorbemerkung. Sie lautet:

„Questa Sinfonia essendo scritta apposta più / lunga delle solite, si deve eseguire più vicino / al principio ch' al fine di un Academia e / poco doppo un Overtura, un' Aria ed un / Concerto; accioche, sentita troppo tardi, non perda / per l'auditore, già faticato dalle precedenti / produzioni, il suo proprio, / proposto effetto.

La parte del Corno terzo è aggiustata della / sorte, che possa eseguirsi ugualmente sul Corno / primario ossia secondario."

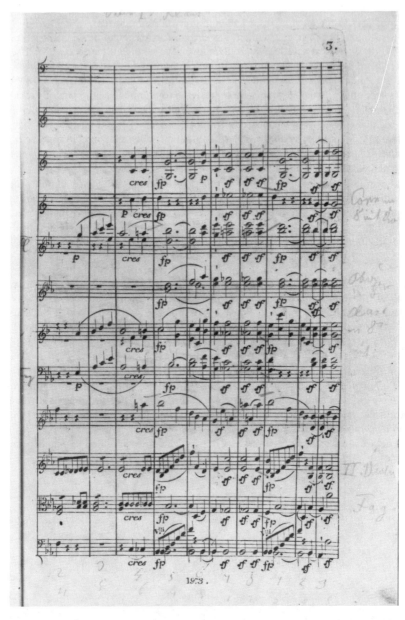

Ludwig van Beethoven: III. Symphonie, Partitur aus dem Besitz von Anton Bruckner (S. 3).

Ludwig van Beethoven: III. Symphonie, Partitur aus dem Besitz von Anton Bruckner (S. 168, untere Hälfte).

I. Die metrischen Ziffern

1. Satz

Bruckner beginnt mit Takt 3 die Zählung. T 1 und 2, die Akkorde, werden nicht bezeichnet. Der Einsatz des Hauptthemas ist der Beginn einer Reihe, die von T 3 durchgeht bis zum Ende der Exposition T 155; es ergeben sich achttaktige Perioden (T 3—150). Die letzten Takte werden noch gesondert zu besprechen sein.

Befremden mag es erwecken, daß Bruckner so ganz mechanisch die Acht-Takt-Perioden aneinanderreiht, ohne Rücksicht auf Motive und Melodien; insgesamt sind es 18 Perioden. Der Versuch, diese schematische Untersuchungsmethode zu erklären, liegt einzig und allein darin, daß es Bruckner nur darum zu tun war, die Schlüsse zu untersuchen, das zeigen die Kalendernotizen sehr deutlich. An zwei Stellen tauchen zu der einen Reihe noch eine zweite, ja sogar eine dritte auf (T 13—37 und T 143—155). Bruckner hat überlegt und an der ersten Stelle doch dem melodischen Geschehen Beachtung geschenkt.

259

An der ersten Stelle T 13, findet sich unter der *3* eine *5*.[5] Das besagt, daß Bruckner die vorhergehenden T *7,8,1,2* als *1—4* zählt und somit die Abgrenzung des Hauptmotivs auf *1—6* (4 + 2 Takte) einschränkt. Er kommt allerdings damit zum zweiten Auftreten des Hauptmotivs, T 15, mit dem Beginn eines Achttakters auch nicht zurecht und bricht diese zweite Reihe mit *5* in T 37 ab. Die Überlegungen Bruckners können hier in keiner Weise — wie auch an anderer. Stellen — ergründet werden. Ihm ging es ja, wie schon eingangs erwähnt, nur um die Abschlüsse.

Die zweite Stelle befindet sich 13 Takte vor dem Abschluß der Exposition. Zuerst beginnt Bruckner mit T 143 die letzte Acht-Takt-Periode, der von T 151—155 eine fünftaktige Periode folgt. Dann überlegt er und ergänzt von T 143 an die vier Takte mit *5,6,7,8* zu einer achttaktigen Periode. Eine weitere Überlegung läßt ihn beziffern: T 144—151 mit *1—8* und die abschließenden T 152—155 mit *1—4*. Dabei bleibt T 143 im unklaren, es sei denn, er bildet den letzten Takt einer fünftaktigen Periode, die als 2. Reihe ja eine komplette achttaktige Periode darstellt.

Die Durchführung hat Bruckner nicht gezählt, er hat nur den Beginn der Reprise bei den T 397 und 398 mit *4* und *1* gekennzeichnet. Die Ziffer *4* legt nahe, daß er zumindest von T 390 an zwei viertaktige Perioden annahm.

Von T 399 an fehlen bis T 646 abermals die Ziffern. Erst 90 Takte nach Coda-Beginn (T 647) setzt die Bezeichnung wieder ein. Es ergeben sich fünf achttaktige Perioden, die nach der dritten durch einen Zweitakter (T 671, 672) unterbrochen werden.

Den Abschluß T 689—691 bezeichnet Bruckner mit *1,2,3* und der Bemerkung *ungerade*. Damit wird die Kalendernotiz von S. XIX *ungerade, Schluß 3* (siehe die erste Studie von 1970, S. 105 ff.) bestätigt.

2. Satz: Marcia funebre

Bis T 172 fehlen die Ziffern. Ab T 173, Einsatz des Hauptmotivs in Oboe und Klarinette, folgen 9 achttaktige Perioden. Den Abschluß, T 245—247, bezeichnet Bruckner mit *1,2,3*. In den Kalendernotizen heißt es bestätigend *ungerader Schluß*.

3. Satz: Scherzo mit Trio

Ebenso problemlos ergibt sich für Bruckner die Zählung im Scherzo. Von T 1 an sind es 20 achttaktige Perioden. Den Abschluß gegen das Trio bilden die 6 Takte 161—166. In den Kalendernotizen heißt es dazu auf S. XIX: *Scherzo beide Theile 6. Takt Schluß also gerade — weil anknüpft.*

Im Trio zählt Bruckner von T 167 bis T 254 zuerst 11 achttaktige Perioden und dann, T 255—260, eine sechstaktige Periode, das „Prima volta" Beethovens. Damit wird die darauf bezügliche Eintragung in den Kalendernotizen als richtig erwiesen. Es heißt: *Trio 8. Takt im 1. Theil.* Das bezieht sich auf die T 191—198, die nicht wiederholt werden — während die darunterstehende Zeile: *2. Theil 6. Takt* sich auf die T 199—206 bezieht, die wiederholt werden. Damit ist die in der ersten Studie, S. 368, geäußerte Vermutung, „es könnte aber auch sein, vielleicht, daß Bruckner die sechs Takte des Prima-Volta-Zeichens als Grundlage für seine Zählung genommen hatte", als richtig erwiesen worden. Bruckner hat sich hier tatsächlich der Autorität Beethovens „gefügt".

Von T 255 ab, T 259 beginnt die Reprise des Scherzos, zählt Bruckner durchwegs achttaktige Perioden bis T 440, mit einer einzigen Ausnahme: dem Alla-breve-Einschub T 381—384. Er wird zuerst mit zwei Takten (381 und 382) als 7. und 8. Takt der vorangehenden, T 375 beginnenden Acht-Takt-Periode zugezählt; Takt 383 und 384 wurden mit *1,2* bezeichnet. Bruckner aber brach hier ab und änderte die T 381—384 zu *1,2,3,4* und ließ die vorangehende sechstaktige Periode als solche bestehen.

Die 22 Acht-Takt-Perioden schließen mit *1,2*. In der Partitur steht darunter eine römische *I.* In den Kalendernotizen (S. XIX) notiert Bruckner: *Scherzo Schluß auf I. und* ⌢. Die erste Bezeichnung würde einen geraden Schluß ergeben, die zweite und richtigere aber einen „ungeraden", wie es auch erwünscht und erwartet wird.[6]

4. Satz: Finale

Der Satz wird von Bruckner wie die vorangehenden mit achttaktigen Perioden durchgezählt. Wie die doppelt vorhandene Zahlenreihe, die an einer Stelle sogar 3reihig wird (T 116—139), beweist, hat Bruckner aber Überlegungen angestellt und hat, bezeichnenderweise, nach T 12 (Ende der Einleitung mit der Korone) neu zu zählen begonnen.

Die 1. Reihe, die von T 1—144 reicht, enthält 18 achttaktige Perioden.

Die 2. Reihe dagegen reicht von T 12 bis T 139 und weist 16 achttaktige Perioden auf.

Eine 3. Reihe beginnt mit T 117, führt die Acht-Takt-Perioden, fünf an der Zahl, bis T 156 und bricht dann mit angefügter *1,2* (T 157, 158) ab. Von T 159 bis 372 gibt es keine metrischen Ziffern.

Es lohnt sich, den Beginn der drei Reihen zu betrachten. Die 1. Reihe beginnt natürlicherweise beim Anfang, T 1. Ihre Achttaktigkeit nimmt aber keine Rücksicht auf das Hauptmotiv, sondern gleitet mit *3, 4* darüber hinweg. Das stellt Bruckner richtig, indem er hier nach der Korone, T 12, die zweite Reihe anfängt.

Mit der ersten gelangt er, rein mechanisch, wie man zugeben muß, bis T 143. Da bricht er vor der Vollendung der 18. Acht-Takt-Periode ab und fängt die zweite Reihe an. Mit ihr gelangt er aber nicht einmal so weit, sondern hört schon fünf Takte früher, T 139, mit der 16. Acht-Takt-Periode auf.

Das Ergebnis befriedigt ihn abermals nicht, und so beginnt er mit T 117 die dritte Reihe. Vor ihrem Beginn stehen die zwei Takte 115 und 116 mit den abschließenden G-Dur Akkorden. Bei T 115 wiederholt er bestätigend die *8* von der 13. Acht-Takt-Periode der zweiten Reihe, Takt 116 läßt er dagegen unbezeichnet; er stellt mit seiner dem Akkord folgenden Viertelpause eine Art „Pausentakt" dar, wie er auch am Ende des Scherzos zu beobachten war. Daher hat Bruckner recht, wenn er ihn mit Rücksicht auf die beginnende dritte Zählung ohne Ziffer einstuft.

Diese dritte Zählung ist unvollständig: von T 159 bis 372 hat Bruckner keine Zahlen geschrieben. Er bricht zwei Takte nach der fünften Acht-Takt-Periode ab, indem er wohl mit *1,2* die Fortsetzung festlegt, aber nicht weiterzählt. Der nicht bezifferte Teil enthält, rein mechanisch ausgezählt, 27 achttaktige Perioden. Mit T 373 setzt Bruckners Zählung wieder ein. Von T 373 bis 396 sind es drei achttaktige Perioden, danach zählt Bruckner die Takte 397—400 als einen Viertakter. Nach abermals drei Achttaktern bilden T 425—430 eine sechstaktige Periode. Nach ihr führen 5 achttaktige Perioden zum Ende. Die T 471—473 bilden den *„ungeraden"* Schluß.

Zusammenfassung

Takte *ohne* Ziffern

1. Satz

T 1,2

152—(156)—396

2. Satz
T 1—272

3. Satz
T 263—374 lauter achttaktige Perioden

4. Satz
T 159—372

Takte mit *2 Reihen*	mit *3 Reihen*
1. Satz	
T 13—37	144—146
143—146	147—155
2. Satz	
nichts	
3. Satz	
Trio 381—384	
4. Satz	
T 12—114	115—139
140—144	

Die nicht achttaktigen Perioden

5 taktig	1. Satz	151—155
	1. Satz	397, 398: 1,1
2 taktig	1. Satz	671, 672
3 taktig	1. Satz	689—691 Schluß
3 taktig	2. Satz	245—247 Schluß
6 taktig	3. Satz	161—166 = 161—166 ⌐1. ⌐2. Scherzo-Schluß
6 taktig	Trio	255—260
4 taktig	Trio	381—384
		375—384 1. 8 + 2
		2. 6 + 4
2 taktig	3. Satz	441, 442 Schluß des Scherzos 1 ⌣
2 taktig	4. Satz	157, 158
4 taktig	4. Satz	397—400
6 taktig	4. Satz	425—430
3 taktig	4. Satz	471—473 Schluß

II. Die Instrumentations-Studien

Bruckner hat aber nicht nur die Form, sondern auch die Instrumentation Beethovens untersucht. Er merkt an, wo Beethoven die melodische Linie verdoppelt, wo er mehrere Instrumente im Einklang oder in Oktaven führt; er merkt aber auch Parallelen an, die sich aus der Führung von Instrumenten ergeben. Darin offenbart sich der Bruckner, der um 1878, nach Vollendung der II. bis V. Symphonie, seine Partituren genauestens nach Quinten- und Oktavenparallelen untersuchte. In Beethovens Partitur bezeichnet er sie auf zweierlei Weise:

1. durch Nennung der betreffenden Instrumente auf den Rändern, und
2. durch schiefe Striche innerhalb der Noten. Diese können auch auf Rändern stehen, ohne nähere Erklärungen.

Die folgenden Angaben machen auf den ersten Anblick einen etwas trockenen Eindruck. Wenn man aber, mit der Partitur der Eroica in der Hand, den einzelnen Notizen Bruckners folgt, dann wird man erkennen, wie genau Beethovens Partitur von Bruckner untersucht wurde. Ein geradezu lebendiges orchestrales Bewußtsein tritt uns aus Bruckners Studium hier entgegen. Er legt für sich die musikalischen Bewegungen innerhalb des Satzes und der Instrumente bloß und deckt so auch die klanglichen Verstärkungen im melodischen Fluß der Symphonie auf. Hier ist nichts von jener Naivität zu spüren, die man Bruckner gelegentlich gern nachsagt, hier steht ein kritischer Beobachter vor uns, der genau wußte, was seine Kunst, die Musik forderte.

A) Die Randbemerkungen[7]

1. Satz. Partitur S. 1—81

Seite 2 li. abwärts: *Corn Clarinetti Flöte Ob Clar Fag*
Bruckner bezeichnet sich die Instrumentenzeilen.
    3 re. *Corni in / 8 mit Vio.* (22), darunter: *Oboi / 8va / Clar / in 8va / mit II. Violin / Fag.* (26/27)
    3 li. abwärts: *Fl / O / Cl / Fag* Bezeichnungen der Zeilen wie auf S. 2.
    4 li. *Clar / Ob / Fag. / II. Viol* (34/35)
    5 re. *Corn / mit Viol / Clar / in 8* (42/43)
   16 li. *Corn / mit / II Violin* (127)
   17 re. *[Ob.] / mit I. Violin* (136), darunter: *Fag / Baß / u. Vio/la* (141)
   18 li. *Corn / mit / Clari / nett.* (147/148)
   62 li. *Corn / I. Violin* (526/527)
   69 re. *Corn et / Cello* (589—595)
   74 li. *Corn / II / Violin* (634)
   75 re. *Corn / Cello* (639—642)
   76 li. *Corn / IIdo* (646/647)

2. Satz. Partitur S. 82—123

Seite 84 Rand oben *I. Violin Clarinett,*
            II. Violin Fag (12)
    85 Rand oben *Clarinetti Violin* (15)
    88 Rand oben *Clar. I. [Violin]* (42/43)
    91 re.   *Corn,* darunter: *Viola* (62) zuerst bei der 2. VI. geschrieben, dann gestrichen.
    97 oben   über T 91 ein kleines schiefes Kreuz.
   105 oben   *Einklang Violin I et Oboe I II* (142).
              stacc.   *legato*
   105 unten *Oboe Fag* (140/141)
              Flauti Clarinett
   105 re.   *Fag Viola* (144)

263

Seite 106 li.   *Flauti I. [Violine]* (145)
    111 oben   *et [?] Okta[ven] II. Violin mit Gesang*
        Einkl[ang] Viola Fag (176)
    113 oben   *Clarinett / 1. Violin* davor ein senkrechter Strich (185/186)
    114 oben   *I. Violin et Oboe,*
        II. Violin et Clarinett (190) *et Viola*
    115 oben   *I. Viol[in] Flauti Clarinett* (194),
        II. Viol[in] Oboe et Fag.
    116 oben   *Clarinett Oboe I Violin Einkl[ang] u[nd] Octav* (199)
    117 oben   *I. Viol[in] Viola* (203) *I. Violin et Clarin.* Fag. (206)
    118 oben   *I. Violin Clarinett* (208)
    120 oben   *I Violin Clarinett* (224/225) *Viola Fag.* (226)

Im 3. und 4. Satz kommen keine Randbemerkungen vor.

B) Die Striche an den Rändern

1. Satz
Seite   2 (14/15: Ob., 1. 2. H., 1. Vl., 2. Vl., Vc.)
    4 (29/30). Fl., Fag., 2. Vl.
    6 (51: 1. Fl., Va.)
    8 oben u. re. u. 9 li. (69: 1. H., 1. Ob., 1. Vl.; 71/72: 1. Ob., 1. Klar., 2. Vl.)
    15 re. u. 16 li. (127/128, 1., 2. H., Ob., Klar., 2. Vl.)
    17 li. u. re. (136: Fl., 1. Ob., 1. Vl., 141: Fag., Va.)
    21 (173: Fag., 1. Vl.)
    21/22 (177/178 1. Fag., Va., 2. Vl.)
    30 (179/180: 1. Vl., Kb.; 183/184 ebenso)
    54/55 (469/470: 3. H., 1. Klar., 2. Vl.)
    56 (475: 1. Fl., 1. Ob., 1. Vl.)
    75 (640/641: 1. 2. H., Vc., 642: H., Vc.)
    81 (688/689: 1. H., 1. Vl.)

2. Satz
Seite   90 (53: Fag., Vc., Kb.)
    90/91 (55/56: 3. H., 1. Vl., 2. Vl.)
    93 (73/74: 1. Fag. Wellenlinie)
    96 (87: Ob., H.)
    97 (91: Fl. Wellenlinie, 1. Vl.; 94: Fl., Ob.)
    118 (208: 1. Klar., 1. Vl.)

3. Satz hat keine Randlinien

4. Satz
Seite 171 (83: Ob., 1. Vl.)
    214 (371: 2. Ob., 2. Klar.)

C) Die Stimmführungsstriche in den Noten

1. Satz

Seite 4 (36/37: 3. H., 2. Vl.)
3 (23/24: 1. Fl., 2. Vl.; 27/28: 2. Fl., 1. Vl., 3. H., 2. Klar., 2. Fag., 2. Vl., Va.)
5 (42/43: 3. H., Va.)
6 (51: Fl., Va.)
8/9 (71/72: Ob., Klar., 2. Vl.)
16 (127: H., 2. Vl.)
18 (147/148: Klar., 2. Vl.)
21 (173: 1. Vl., Va.; 175: Fag., Va.)
22 (179/180: 1. Vl., Kb.; 183/184 ebenso)
53 (460—462: 2. 3. H., 1. 2. Vl.)
56 (475/476: 1. Ob., 1. Vl.)
62 (526/527: 1. 2. H., 1. Vl.)
74 (684: 2. H., 2. Vl.)
75 (640/641 u. 642: H., Vc.)
76 (646/647: 2. H., 2. Vl.)
81 (688/689: 1. H., 1. Vl.)

2. Satz

Seite 84 (12: Klar., 1. 2. Vl., Fag.)
85 (15: Fl., 2. Klar., 1. 2. Vl.)
88 (40: 2. Klar., 1. Vl.)
90/91 (55/56: 3. H., 1. 2. Vl.)
96 (87: 1. 2. H., 1. Fl., 1. Ob., 1. 2. Vl.)
105 (142: Ob., 1. Vl.; 144: Fag., Va.)
111 (176: Fag., Va., Klar., 2. Vl.)
113 (185/186: 2. Klar., 1. Vl.)
114 (190: Fl., Ob., Klar., 1. 2. Vl.)
116 (199: 1. Ob., 2. Klar., 1. Vl.; 200/201: 1. 2. Vl.)
117 (204/205: Fl., Klar., Fag., 1. Vl., 1. Ob., Va.; 206: Klar., 1. Vl.)
120 (224/225: Klar., 1. Vl.; 226/227: Fag., Va.)

Im 3. und 4. Satz keine Stimmführungsstriche in den Noten.

1 Dieser Aufsatz ist ein Originalbeitrag zu diesem Buch. — Als ergänzende Studie dazu siehe „Metrische Studien von Anton Bruckner an Beethovens III. und IX. Symphonie", S. 105 ff.
2 Mus. Hs. 3181 der Musiksammlung der Österreichischen Nationalbibliothek.
3 Der Gesellschaft der Musikfreunde, Herrn Archivdirektor Dr. Otto Biba, sei auch an dieser Stelle für die Erlaubnis zur Veröffentlichung verbindlichst gedankt.
4 Georg Kinsky und Hans Halm, Das Werk Beethovens..., München-Duisburg 1955, S. 131: „Erste deutsche Partitur-Ausgabe (1822)".
5 Bruckners eigene Schriftzüge (Worte, Ziffern) werden kursiv wiedergegeben.
6 Über solche Pausentakte am Ende eines Satzes, die vom Metrum her ihre Existenzberechtigung haben, vgl. die Anm. 5 auf S. 115 in der Studie von 1970.
7 Bruckners Notizen werden in kursiver Schrift wiedergegeben. Ergänzungen stehen in eckigen Klammern. Die Ziffern in den runden Klammern geben die Takte an, auf die sich Bruckner an der betreffenden Stelle bezieht. Für die Instrumente gelten die gebräuchlichen Abkürzungen; li. = links, re. = rechts.

Bibliographie der Bruckner-Arbeiten von Leopold Nowak

I. Selbständige Veröffentlichungen
II. Anton Bruckner-Gesamtausgabe
III. Studien, Aufsätze, Reden, Vorträge
IV. Programmeinführungen
V. Vorworte zu Bruckner-Neuausgaben
VI. Schallplattentexte

* in diesem Buch gedruckt
„LN, Reden..." enthalten in: Leopold Nowak, Reden und Ansprachen. Wien: 1964.
+ ungedruckt

I. Selbständige Veröffentlichungen

Te Deum laudamus. Gedanken zur Musik Anton Bruckners. Wien 1947, 93 S., mit Notenbeispielen.
Anton Bruckner. Musik und Leben. Wien 1964, 111 S., mit 16 Abb.
Anton Bruckner. Musik und Leben. (Bildbiographie), Linz 1973, 332 S., mit 292 Abb.
* Das Geburtshaus Anton Bruckners (Führer durch die Schauräume). Gedruckt als: Katalog des Oberösterreichischen Landesmuseums Nr. 88, Linz 1975, 8 S., mit 1 Abb.
Carl Almeroth, Wie die Bruckner-Büste entstand. Faksimile-Ausgabe mit Anmerkungen, Wien 1979.

II. Anton Bruckner-Gesamtausgabe

Dieser Abschnitt folgt in seiner Reihung dem Verzeichnis des Musikwissenschaftlichen Verlages Wien 1981. Jeder der Bände hat ein eigenes Vorwort, welches nicht gesondert angeführt wird.

Band		
I/1	I. Symphonie, Linzer Fassung 1866 (2. revidierte Ausgabe). Wien 1955.	
II	II. Symphonie, Fassung 1877 (2. revidierte Ausgabe). Wien 1965.	
III/1	III. Symphonie, 1. Fassung 1873. Wien 1977.	
zu III/1	Adagio Nr. 2 zur III. Symphonie von 1876. Wien 1980.	
III/2	III. Symphonie, 2. Fassung 1877. Wien 1981.	
III/3	III. Symphonie, 3. Fassung 1889. Wien 1959.	
IV/1	IV. Symphonie, 1. Fassung 1874. Wien 1975.	
IV/2	IV. Symphonie, 2. Fassung 1877/78 mit dem Finale von 1880 (2. revidierte Ausgabe). Wien 1953.	
zu IV/2	Finale von 1878 zur IV. Symphonie. Wien 1981.	
V	V. Symphonie (2. revidierte Ausgabe). Wien 1951.	
VI	VI. Symphonie (2. revidierte Ausgabe). Wien 1952.	
VII	VII. Symphonie (2. revidierte Ausgabe). Wien 1954.	
VIII/1	VIII. Symphonie, 1. Fassung 1887. Wien 1972.	
VIII/2	VIII. Symphonie, 2. Fassung 1890 (2. revidierte Ausgabe). Wien 1955.	
IX	IX. Symphonie (2. revidierte Ausgabe). Wien 1951.	
X	Symphonie f-Moll, „Studiensymphonie". Wien 1973. Revisionsbericht, Wien 1981.	
XI	Symphonie d-Moll, „Nullte". Wien 1968. Revisionsbericht, Wien 1981.	
XIII/1	Streichquartett c-Moll. Wien 1955. Revisionsbericht, Wien 1956.	

XIII/2	Streichquintett F-Dur und Intermezzo d-Moll. Wien 1963.
XIV	Requiem d-Moll. Wien 1966.
XV	Missa solemnis in B (2. revidierte Ausgabe). Wien 1975. Revisionsbericht, Wien 1977.
XVI	Messe d-Moll. Wien 1957.
XVII/1	Messe e-Moll, 1. Fassung 1866 (Mit Anhang: Die Unterschiede der Fassungen von 1866 und 1882. 11 S.). Wien 1977.
XVII/2	Messe e-Moll, 2. Fassung 1882 (2. revidierte Ausgabe). Wien 1959.
XVIII	Messe f-Moll (2. revidierte Ausgabe). Wien 1960.
XIX	Te Deum. Wien 1962.
XXI	Kleine Kirchenmusikwerke. Wien 1984. Revisionsbericht, Wien 1984.

III. Studien, Aufsätze, Reden, Vorträge

Allgemeines

* Bruckners Werk in dieser Zeit. In: Österreichische Musikzeitschrift 4, Wien 1949, S. 250—259.

Anton Bruckner: Erzieher zur Musik. In: Musikerziehung 3, Heft 1, Wien 1949/50, S. 3—7.

Die geistigen Kräfte in Anton Bruckners Musik (zur Gründungsversammlung der Ortsgruppe München der Internationalen Bruckner-Gesellschaft, 6. April 1951). In: LN, Reden..., S. 37—44.

⁺ Bach — Beethoven — Brahms — Bruckner, eine Einheit von Glaube und Musik (Wiener Katholische Akademie, 14. Mai 1970).

⁺ Von der Größe Anton Bruckners (Generalversammlung des Brucknerbundes für Oberösterreich in Linz, 15. Mai 1971).

⁺ Anton Bruckner und die Musik (Gmunden, für die Ortsgruppe Gmunden des Brucknerbundes für Oberösterreich und für drei allgemeinbildende höhere Schulen, 10. und 11. November 1971).

Anton Bruckner: Erzieher zur Musik. In: Festschrift 25 Jahre Brucknerbund Gmunden, Gmunden 1979, S. 6—8.

Andreae, Volkmar

* Der Dirigent und Anton Bruckner. In: Franz Giegling, Volkmar Andreae. (143. Neujahrsblatt der allgemeinen Musikgesellschaft Zürich auf das Jahr 1960), Zürich 1959, S. 37—40.

Ansfelden

⁺ Das Geburtshaus Anton Bruckners in Ansfelden (Rede zur Eröffnung am 17. Oktober 1971).

Die Bruckner-Gedenkstätte in Ansfelden. In: Mitteilungsblatt der Internationalen Bruckner-Gesellschaft, Nr. 2, Wien 1972, S. 6—9, und in: Oberösterreichische Kulturzeitschrift 24, Heft 4, Linz 1974, S. 1—6.

+ Anton Bruckner in Ansfelden und St. Florian [mit Lichtbildern] (Wiener Kulturkreis, 6. Mai 1974. Mit zwei Führungen am 11. und 18. Mai in Ansfelden und St. Florian).
+ Worte vor dem Sarkophag Anton Bruckners (St. Florian, 25. Mai 1974).
+ Rede für Anton Bruckner (19. oberösterreichisch-salzburgisches Sängerbundfest, Linz, 25./26. Mai 1974. Ehrung in Ansfelden, 25. Mai 1974).
+ Worte zum 4. September 1974 (Ansfelden).

Ausstellung

Rede für Anton Bruckner (zur Eröffnung der in der Österreichischen Nationalbibliothek veranstalteten Gedächtnisausstellung am 10. Oktober 1946), Privatdruck Wien 1946 und in: Österreichische Musikzeitschrift 4, Wien 1949, S. 269—271.

* Die Gedächtnisausstellung für Anton Bruckner. In: Phaidros 1, 1. Folge, Wien 1947, S. 39—44.

Bruckner im Warenhaus. In: Die österreichische Furche 5, Nr. 43, Wien 1949, S. 6—7.

Eröffnung der Ausstellung „Anton Bruckner und Linz" (Linz, 20. Juni 1964). In: LN, Reden..., S. 157—160.

Beethoven, Ludwig van

* Metrische Studien an Beethovens III. und IX. Symphonie von Anton Bruckner. In: Beethoven-Studien (Festgabe der Österreichischen Akademie der Wissenschaften zum 200. Geburtstag von Ludwig van Beethoven), Wien 1970, S. 361—371.

* Anton Bruckners Eroica-Studien. In: Leopold Nowak, Über Anton Bruckner. Gesammelte Aufsätze, Wien 1984, S. 257—265.

Biographisches

Anton Bruckner. In: Große Österreicher, Band 11, Wien 1957, S. 144—153.

Anton Bruckner. In: Lexikon für Theologie und Kirche, Band 2, Freiburg 2/1957, Sp. 713.

Anton Bruckner. In: Tausend Jahre Österreich, Band 2, Wien 1973, S. 330—338.

Anton Bruckner — Musik und Leben (1. Folge). In: Musikblätter der Wiener Philharmoniker 28, Wien 1973/74, S. 295—302.

Anton Bruckner — Musik und Leben (2. Folge). In: Musikblätter der Wiener Philharmoniker 28, Wien 1973/74, S. 325—333.

* Ein Notizbüchlein aus dem Besitz von Anton Bruckner. In: Mitteilungsblatt der Internationalen Bruckner-Gesellschaft, Nr. 20, Wien 1981, S. 9—14.

* Anton Bruckners „Gradus ad Parnassum". In: Hans Sittner, Festschrift zum 80. Geburtstag (Wiener Figaro, Mitteilungsblatt der Mozartgemeinde Wien, Sonderheft 1983), Wien 1983, S. 9—11.

Fassungen

* „Urfassung und Endfassung" bei Anton Bruckner. In: Bericht über den Internationalen musikwissenschaftlichen Kongreß Wien 1956, hrsg. von Erich Schenk, Graz-Köln 1958, S. 448—451.

Feste, Feiern

Festrede zur Eröffnung der Bruckner-Festtage in Linz (9. Juli 1949). In: Brucknerland 1, Heft 7, Linz 1949, S. 5—7.

Bruckner und wir (Eröffnung der oberösterreichischen Bruckner-Tage in Linz, 15. September 1955). In: LN, Reden..., S. 85—90.

Feierstunde für Anton Bruckner in Linz (8. Juli 1961). In: LN, Reden..., S. 147—148.

Forster, Franz

* Anton Bruckner und Franz Forster. In: Oberösterreichischer Kulturbericht 30, Linz 1976, S. 103, mit Abb.

* Zwei Meister aus St. Florian: Anton Bruckner und Franz Forster. In: Florianer Präsentationen. Retrospektivausstellung Professor Franz Forster, Stift St. Florian 1981 (Ausstellungskatalog), Linz 1981, S. 7—9.

Gedenktage

Feier zum 125. Geburtstag Anton Bruckners in der Tonhalle Zürich (4. September 1949). In: LN, Reden..., S. 24—31.

Feier zum 125. Geburtstag Anton Bruckners (Linz, 8. Juli 1949). In: LN, Reden..., S. 20—23.

Festakt der österreichischen Bundesregierung zum 60. Todestag Anton Bruckners (Wien, 7. Oktober 1956). In: LN, Reden..., S. 94—97.

Feier zum 60. Todestag Anton Bruckners im Österreichischen Kulturinstitut (Rom, 5. Dezember 1956). In: LN, Reden..., S. 98—104.

Anton Bruckner. Zum 60. Todestag. In: Der Chorwächter 82, Wien 1957, S. 85—92.

Anton Bruckner zum 60. Todestag. In: Musikblätter der Wiener Philharmoniker 11, Wien 1956/57, S. 49—52.

Anton Bruckner nach dem Tode. In: Musikblätter der Wiener Philharmoniker 20, Wien 1965/66, S. 303—308.

⁺ Anton Bruckner. Zum 70. Todestag (Wiener Katholische Akademie, 20. Oktober 1966).

Die Feiern zum 75. Todestag Anton Bruckners in Oberösterreich. In: Mitteilungsblatt der Internationalen Bruckner-Gesellschaft, Nr. 1, Wien 1971, S. 6—8.

Vor 75 Jahren starb Anton Bruckner. In: Mühlviertler Heimatblätter 11, Linz 1971, S. 117—120.

⁺ Rede für Anton Bruckner (Feier zum 150. Geburtstag. Zürich, 3. November 1974).

Gesamtausgabe

Die Anton-Bruckner-Gesamtausgabe, ihre Geschichte und Schicksale. In: Bruckner-Jahrbuch 3/4, Linz 1984.

* Die neue Gesamtausgabe der Werke Anton Bruckners. In: Bruckner-Blätter der Internationalen Bruckner-Gesellschaft, Heft 3, Wien 1936, S. 2—6 und in dem Programmbuch des VI. Internationalen Brucknerfestes Zürich, Juni 1936, S. 13—16.

⁺ Die Arbeit an der Bruckner-Gesamtausgabe (Generalversammlung des Brucknerbundes für Oberösterreich in Linz, 18. April 1970).

Anton Bruckner. In: Festführer für das 19. Sängerbundesfest des Oberösterreichisch-Salzburgischen Sängerbundes 1864, Linz 1974, S. 17—18.

Die Bruckner-Gesamtausgabe. In: Kurt Wöss, Ratschläge zur Aufführung der Symphonien Anton Bruckners, Linz 1974, S. 106—107.

* Probleme der Bruckner-Forschung. In: Anton Bruckner in Lehre und Forschung (Symposion zu Bruckners 150. Geburtstag in Linz 1974), Regensburg 1976, S. 73—78.

* Bruckner-Systematik. In: Anton Bruckner in Lehre und Forschung (Symposion zu Bruckners 150. Geburtstag in Linz 1974), Regensburg 1976, S. 99—102.

Int. Bruckner-Gesellschaft

25jähriges Jubiläum der Internationalen Bruckner-Gesellschaft (Wien, 8. November 1952). In: LN, Reden..., S. 48—52.

* 25 Jahre Internationale Bruckner-Gesellschaft. In: Österreichische Musikzeitschrift 8, Wien 1953, S. 29—30.

Int. Bruckner-Feste d. IBG

Eröffnung des XI. Internationalen Bruckner-Festes in Basel (30. November 1952). In: LN, Reden..., S. 53—61, und in: Das Bundesblatt. Mitteilungen des Südwestdeutschen Brucknerbundes, Jg. 10, Stuttgart 1953, S. 2—9.

Worte im Rundfunk zum Ersten Orchesterkonzert des XI. Internationalen Bruckner-Festes in Basel (2. Dezember 1952). In: LN, Reden..., S. 62—63.

Festakt zur Eröffnung des XII. Internationalen Bruckner-Festes in München (2. Mai 1954). In: LN, Reden..., S. 64—66.

Eröffnung des XIII. Internationalen Bruckner-Festes in Bern (9. Mai 1955). In: Ansprachen an der Eröffnungsfeier, Bernische Musikgesellschaft, XIII. Internationales Bruckner-Fest, Bern 1955, S. 6—12, und in: LN, Reden..., S. 75—80.

XIII. Internationales Bruckner-Fest. Vortrag im Berner Rundfunk zum Zweiten Orchesterkonzert (12. Mai 1955). In: LN, Reden..., S. 81—84.

Kantaten

* Die Kantate „Vergißmeinnicht" von Anton Bruckner. In: Mitteilungsblatt der Internationalen Bruckner-Gesellschaft, Nr. 23, Wien 1983, S. 11—16.

Kirchenmusik

* Die kleinen Kirchenmusikwerke Anton Bruckners. In: Singende Kirche 30, Wien 1983, S. 168.

* Der Name „Jesus Christus" in den Kompositionen Anton Bruckners. In: Wissenschaft im Dienste des Glaubens, Festschrift für Abt Dr. Hermann Peichl, Wien 1965, S. 199—209.

* Glaube und Musik: Die Credo-Sätze in den Messen von Anton Bruckner. In: Singende Kirche 26, Wien 1978/79, S. 53—57.

* Die „Messe ohne Gloria" von Anton Bruckner. In: Mitteilungsblatt der Internationalen Bruckner-Gesellschaft, Nr. 9, Wien 1976, S. 2—5.

* Die Windhaager Messe von Anton Bruckner. In: Mitteilungsblatt der Internationalen Bruckner-Gesellschaft, Nr. 12, Wien 1977, S. 2—4 (identisch mit dem Vorwort des Sonderdruckes, Wien 1977).
* Hundert Jahre e-Moll-Messe von Anton Bruckner. In: Singende Kirche 17, Wien 1969/70, S. 11—12.
* Studien zu den Formverhältnissen in der e-Moll-Messe von Anton Bruckner. In: Bruckner-Studien (Festgabe der Österreichischen Akademie der Wissenschaften zum 150. Geburtstag von Anton Bruckner), Wien 1975, S. 249—270.
* Bruckners Formveränderungen an seiner e-Moll-Messe. In: Mitteilungsblatt der Internationalen Bruckner-Gesellschaft, Nr. 13, Wien 1978, S. 2—6.
* Die Messe in f-Moll von Anton Bruckner. In: Österreichische Musikzeitschrift 15, Wien 1960, S. 429—431, und in: Das Josefstädter Heimatmuseum, Heft 19, Wien 1961, S. 10—12.
* Die Motette „Os justi" und ihre Handschriften. In: Mitteilungsblatt der Internationalen Bruckner-Gesellschaft, Nr. 22, Wien 1983, S. 5—8.

Kronsteiner, Hermann

Hermann Kronsteiner, Missa Anton Bruckner. In: Singende Kirche 21, Wien 1973/74, S. 114—115.
Anton Bruckner, Johann Nepomuk David und Josef Kronsteiner. In: Singende Kirche 22, Wien 1974/75, S. 13.

Linz

* Anton Bruckners künstlerische Entfaltung in Linz. In: Anton Bruckner und Linz, Ausstellungskatalog, hrsg. vom Brucknerbund für Oberösterreich, Wien 1964, S. 41—47.
* Anton Bruckner und Linz. In: Linz Aktiv, Heft 11, Linz 1964, S. 42—45.

Mendelssohn-Bartholdy, Felix

* Mendelssohns „Paulus" und Anton Bruckner. In: Österreichische Musikzeitschrift 31, Wien 1976, S. 574—577.

München

* Anton Bruckner und München. In: Die Münchner Philharmoniker 1893—1968. Ein Kapitel Kulturgeschichte. In Zusammenarbeit mit Ernst Wolfgang Faehndrich hrsg. von Alfons Ott, München 1968, S. 47—51.

Österreichische Nationalbibliothek

* Das Bruckner-Erbe der Österreichischen Nationalbibliothek. Zum 70. Todestag Anton Bruckners. In: Österreichische Musikzeitschrift 21, Wien 1966, S. 526—531, mit Abb.

Orgel

Weihe der wiederhergestellten Bruckner-Orgel (St. Florian, 1. Juli 1951). In: LN, Reden..., S. 45—47, in: Musica orans, Jg. 4, Nr. 1, Wien 1951 und in dem Programmbuch des X. Internationalen Brucknerfestes, Linz 1952, S. 38—40.

Anton Bruckner an der Orgel der Piaristenkirche. In: Das Josefstädter Heimatmuseum, Heft 19, Wien 1961, S. 6—9.

Anton Bruckner und die Orgel (Orgelweihestunde des Brucknerbundes für Oberösterreich im Alten Dom zu Linz, 16. Oktober 1976). In: Brucknerland (Mitteilungen des Brucknerbundes für Oberösterreich), Linz 1977 (Auszug).

Persönlichkeit

Anton Bruckner „Mensch und Musik" (Vortrag im Berner Rundfunk). In: Ansprachen an der Eröffnungsfeier, Bernische Musikgesellschaft, XIII. Internationales Bruckner-Fest, Bern 9.—14. Mai 1955, Anhang, S. 1—4, und in: LN, Reden..., S. 81—84.

* Von der Größe Anton Bruckners. In Ehrfurcht vor dem Namen eines Großen. In: Zum 75. Todestag Anton Bruckners, Linz 1971, S. 9—12 und in: Singende Kirche 19, Wien 1971/72, S. 5—7, mit Abb.

* Anton Bruckner: Künstler zwischen Gott und Welt. In: J. B. Hilber. Festgabe zu seinem 60. Geburtstag, Luzern 1951, S. 67—69.

* Anton Bruckner: Genie zwischen Gegensätzen. Zum 150. Geburtstag. In: Österreichische Musikzeitschrift 29, Wien 1974, S. 397—404.

Anton Bruckner, seine Handschrift und seine Musik (Eröffnung des Internationalen Bruckner-Festes in Ottobeuren, 14. Mai 1960). In: LN, Reden..., S. 125—136.

St. Florian

Beisetzung Anton Bruckners im renovierten Sarkophag in St. Florian (7. Mai 1961). In: LN, Reden.., S. 137—138.

* Die Bruckner-Gedenkzimmer im Stift St. Florian. In: Österreichische Musikzeitschrift 26, Wien 1971, S. 386—388.

Sechter, Simon

* Ein Doppelautograph Sechter-Bruckner. In: Symbolae Historiae Musicae, Festschrift Hellmut Federhofer, Mainz 1971, S. 252—259.

Skizzen

* Probleme bei der Veröffentlichung von Skizzen. Dargestellt an einem Beispiel aus Anton Bruckners Te Deum. In: Antony van Hoboken. Festschrift zum 75. Geburtstag, hrsg. von Joseph Schmidt-Görg, Mainz 1962, S. 115—121.

Stil

* Symphonischer und kirchlicher Stil bei Anton Bruckner. In: Gustav Fellerer, Festschrift zum 60. Geburtstag, Regensburg 1962, S. 391—401.

* Der Begriff der „Weite" in Anton Bruckners Musik. In: St. Florian. Erbe und Vermächtnis (Festschrift zur 900-Jahr-Feier), Linz 1971, S. 397—412.

* Anton Bruckner, der Romantiker. In: Mitteilungsblatt der Internationalen Bruckner-Gesellschaft, Nr. 8, Wien 1975, S. 2—10.

Streichquintett

* Form und Rhythmus im 1. Satz des Streichquintetts von Anton Bruckner. In: Festschrift für Hans Engel zum siebzigsten Geburtstag, hrsg. von Horst Heussner, Kassel 1964, S. 260—273, und in: Gerhard Schumacher, Zur Musikalischen Analyse, Darmstadt 1974, S. 185—203.

Symphonien

* Die Symphonien Anton Bruckners in der Gesamtausgabe. In: Österreichische Musikzeitschrift 29, Wien 1974, S. 180—183.

Symphonie f-Moll

* Die Notenschrift Anton Bruckners im 1. Satz seiner f-Moll-Symphonie. In: Mitteilungsblatt der Internationalen Bruckner-Gesellschaft, Nr. 19, Wien 1981, S. 23—25.

III. Symphonie

* Das Autograph von Anton Bruckners III. Symphonie. In: Phaidros 2, 2. Folge, Wien 1948, S. 126—127.
* Die Arbeit an der 1. Fassung der III. Symphonie. In: Mitteilungsblatt der Internationalen Bruckner-Gesellschaft, Nr. 11, Wien 1977, S. 18—21.
* Die 1. und 2. Fassung von Anton Bruckners 3. Symphonie. In: Mitteilungsblatt der Internationalen Bruckner-Gesellschaft, Nr. 15, Wien 1979, S. 24—29.
* Eine Bruckner-Entdeckung: Das Adagio Nr. 2 zur III. Symphonie. In: Mitteilungsblatt der Internationalen Bruckner-Gesellschaft, Nr. 17, Wien 1980, S. 5—15.

IV. Symphonie

* Neues zu Anton Bruckners „Romantischer". In: Österreichische Musikzeitschrift 8, Wien 1953, S. 161—164.
+ Worte zur Überreichung der Bruckner-Medaille an die Münchner Philharmoniker [Konzert mit der Uraufführung der 1. Fassung der IV. Symphonie, Dirigent: Kurt Wöss], (Linz, 20. September 1975).
* Das Finale von 1878 zur IV. Symphonie von Anton Bruckner. In: Mitteilungsblatt der Internationalen Bruckner-Gesellschaft, Nr. 18, Wien 1980, S. 27—29 (identisch mit dem Vorwort zu Band IV/2 der Bruckner-Gesamtausgabe).
* Die drei Finale-Sätze zur IV. Symphonie von Anton Bruckner. In: Österreichische Musikzeitschrift 36, Wien 1981, S. 2—11.

V. Symphonie

* Anton Bruckners Formwille, dargestellt am Finale seiner V. Symphonie. In: Miscellánea en homenaje a Mons. Higinio Anglés, Band 2, Barcelona 1961, S. 609—613.

VII. Symphonie

* Das Finale von Bruckners VII. Symphonie. In: Festschrift Wilhelm Fischer (= Innsbrucker Beiträge zur Kulturwissenschaft, Sonderheft 3), Innsbruck 1956, S. 143—148.

VIII. Symphonie

Der 1. Satz von Anton Bruckners VIII. Symphonie in erster Fassung. In: Programmbuch zum XII. Internationalen Bruckner-Fest, München 1954, S. 14—15.

+ Wille und Gestalt in Bruckners „Achter" (Wien, Österreichische Gesellschaft für Musik, 25. Februar 1974, und Wien, Akademisches Gymnasium für die Arbeitsgemeinschaft der Musikerzieher Österreichs, 25. November 1974).

* Anton Bruckners VIII. Symphonie und ihre zweite Fassung. In: Österreichische Musikzeitschrift 10, Wien 1955, S. 157—160.

Wels

* Anton Bruckner und Wels (Brucknerfeier in Wels, 4. Oktober 1974). In: Brucknerland (Mitteilungen des Brucknerbundes für Oberösterreich), Linz 1975, S. 7—11.

Wien

Enthüllung der Gedenktafel für Anton Bruckner an der Piaristenkirche in Wien VIII (11. Juni 1961). In: LN, Reden..., S. 139—142.

Enthüllung einer Gedenktafel für Anton Bruckner in der Währinger Straße 41 in Wien IX (18. Juni 1961). In: LN, Reden..., S. 143—146.

Der Professor und Hoforganist Anton Bruckner. In: Musikblätter der Wiener Philharmoniker 20, Wien 1965/66, S. 117—121.

IV. Programmeinführungen

a) zu Konzerten der Wiener Philharmoniker

I. Symphonie: 7./8. 2. 1969, wiederholt: 24. 3. 1969, 12./13. 4. 1969
II. Symphonie: 1./2. 12. 1973
III. Symphonie: 13./14. 2. 1960, wiederholt: 4./6. 6. 1966, 3./4. 6. 1972
Adagio Nr. 2 zur III. Symphonie: 24./26. 5. 1980
IV. Symphonie: 23./24. 10. 1954, wiederholt: 26./27. 4. 1958, 2./3. 12. 1961, 11./12. 4. 1964, 5./6. 2. 1966, 3./4. 5. 1969, 16./17. 1. 1971, 7./8. 1. 1978
V. Symphonie: 26./27. 1. 1957, wiederholt: 25./26. 10. 1958, 23./24. 2. 1963, 19./20. 2. 1972

VI. Symphonie: 10./11. 1. 1959, wiederholt: 17./18. 4. 1971
VII. Symphonie: 7./8. 3. 1953, wiederholt: 13./14. 10. 1956, 23./24. 10. 1965, 2./3. 12.
      1967, 9./10. 5. 1970, 11./12. 5. 1974, 26./27. 9. 1976
VIII. Symphonie: 10./11. 4. 1954, wiederholt: 26./27. 11. 1955, 17. 4. 1957, 28./29. 10.
      1961, 7./8. 12. 1963, 18./19. 12. 1965, 21./22. 10. 1967, 7./8. 12. 1968,
      18./19. 5. 1974, 7./8. 2. 1976
IX. Symphonie: 14./15. 1. 1956, wiederholt: 16./17. 1. 1960, 14./15. 1. 1961, 8./9. 5.
      1965, 5./6. 6. 1970
Drei kleine Orchesterstücke und Marsch in d-Moll: 28./29. 9. 1974
Messe in e-Moll: 11./12. 12. 1976
Te Deum: 7./8. 2. 1970

b) zu anderen Konzerten

XIII. Internationales Bruckner-Fest in Bern, 9.—14. Mai 1955.
Programmeinführungen zu: V. Symphonie
                      VIII. Symphonie
                      Streichquintett
                      Vorspiel und Fuge in c für Orgel
                      „Locus iste" und „Virga Jesse"
                      Messe e-Moll
                      Messe f-Moll
                      Te Deum
III. Symphonie: Aufführung in Gmunden, Oktober 1979
V. Symphonie: Festkonzert des Landes Oberösterreich, Linz, 26. 3. 1974
f-Moll-Messe: Brucknerfest 1946, Konzertblatt der Gesellschaft der Musikfreunde in Wien 1,
      Folge 2, Wien 1946, S. 3—4.
Motetten und f-Moll-Messe: Jubiläumskonzert der Konzertvereinigung Wiener Staatsopern-
      chor am 28. 11. 1977
Te Deum: Programmheft zur Operneröffnung im Oktober 1955 in Wien

V. Vorworte zu Bruckner-Neuausgaben

Requiem d-Moll. Klavierauszug, redigiert von Hans Jancik. Wien 1974.
Missa solemnis in B. Klavierauszug mit Text. Wien 1977.
„Im April". Faksimile. Wien 1979.

VI. Schallplattentexte

* Anton Bruckners Symphonien und ihre Fassungen. In: Textheft zu den Schallplatten SKL
    929—939, Anton Bruckner, 9 Symphonien (Originalfassungen Leopold Nowak), Berliner
    Philharmoniker / Orchester des Bayrischen Rundfunks / Eugen Jochum. Deutsche Gram-
    mophon-Gesellschaft 1967, S. 8—9.
III. Symphonie, 3. Fassung: Decca 1970
                    EMI 1975
                    Decca 1981
Streichquintett: Decca 1976
e-Moll-Messe und Te Deum: Decca 1977

Personen- und Sachregister

279

Werkregister

Abbildungen

Bilder-Nachweis

4 (Porträt Leopold Nowak): Photo Dipl.-Ing. Dr. Peter Nowak
58: Stift Kremsmünster
258, 259: Gesellschaft der Musikfreunde in Wien
14, 17, 29, 42, 79, 89, 91, 103, 107, 108, 109, 117, 205: Musiksammlung der Österreichischen Nationalbibliothek